Zu diesem Buch:

Die vollständige Neufassung der
gleichnamigen Dissertation des Verfas-
sers berücksichtigt alle Klagen im
Munde von Gerichtspropheten. Im
Mittelpunkt der Untersuchung stehen
die Konfessionen Jeremias; grundsätzlich
gehört aber die Klage zum Wesen
der Gerichtsprophetie und ist daher
bei allen Gerichtspropheten vorauszusetzen.

In den Konfessionen Jeremias lassen
sich zwei für die Gerichtsprophetie
wesentliche formgeschichtliche Linien
feststellen: die Linie des *Botenvorgangs*,
für den die Bedeutung der *Rückmeldung*
neu entdeckt wird, welche die Form
einer Klage annehmen kann; und
die Linie des *Wartens auf das Gericht*,
aus dem sich unterschiedliche Formen
der Klage erheben können. Beide
Linien lassen sich über die vorjeremianische Gerichtsprophetie hinaus zurückver-
folgen bis in die Überlieferung alltägli-
cher zwischenmenschlicher Redevorgänge
hinein: wo immer Menschen beauftragt
werden und wo immer Menschen
warten, lassen sich auch heute noch
in der mündlichen Überlieferung
analoge Formen der Klage feststellen.

Die Untersuchung richtet sich an
alle, die interessiert sind an dem
Zusammenspiel zwischen der biblischen
Überlieferung und alltäglichen Vorgängen, an alle, die in den Spannungsfeldern
der Verkündigung stehen, und an
alle, die mehr wissen möchten über
die Anfänge von theologischer Literatur
im Alten Testament.

Dr. theol. Ferdinand Ahuis,
geb. 1942, ist Gemeindepfarrer
in Hamburg-Kirchwerder.

Calwer Theologische Monographien

Herausgeberkreis:

Jörg Baur, Martin Brecht, Horst Bürkle, Georg Kretschmar, Manfred Seitz,
Peter Stuhlmacher, Claus Westermann

Reihe A: Bibelwissenschaft
Herausgegeben von Peter Stuhlmacher und Claus Westermann

Band 12

Ferdinand Ahuis

Der klagende Gerichtsprophet

Ferdinand Ahuis

Der klagende Gerichtsprophet

Studien zur Klage
in der Überlieferung von den
alttestamentlichen Gerichtspropheten

Calwer Verlag Stuttgart

CIP-Kurztitelaufnahme der Deutschen Bibliothek

Ahuis, Ferdinand:
Der klagende Gerichtsprophet: Studien zur Klage in d. Überlieferung
von d. alttestamentl. Gerichtspropheten / Ferdinand Ahuis. –
Stuttgart : Calwer Verlag, 1982.
(Calwer Theologische Monographien : Reihe A, Bibelwiss. ; Bd. 12)
ISBN 3-7668-0704-8
NE: Calwer Theologische Monographien / A

ISBN 3-7668-0704-8
© 1982 by Calwer Verlag Stuttgart
Printed in Germany
Herstellung: Präzis-Druck, Karlsruhe

VORWORT

Die vorliegende Untersuchung stellt eine völlig überarbeitete und erheblich erweiterte Fassung meiner Dissertation dar, die im Wintersemester 1973/74 von der Ev.-Theol. Fakultät der Ruprecht-Karl-Universität Heidelberg unter dem Titel: "Der klagende Gerichtsprophet. Studien zu Klage und Fürbitte in der Überlieferung von den alttestamentlichen Gerichtspropheten" angenommen wurde. Um der Klarheit der Gedankenführung willen wurden die Abschnitte zur gerichtsprophetischen Fürbitte ausgeklammert und für eine gesonderte Untersuchung aufgehoben.

Zunächst bestand der Plan einer Doppelveröffentlichung dieser und der Dissertation von Ulrike Eichler: "Der klagende Jeremia" (Heidelberg 1978) in der bisher ungewöhnlichen und gerade daher reizvollen Form des Dialogs zweier Forscher am gleichen Thema. Diese Veröffentlichung hätte zeigen können, daß Exegese nicht in der bloßen Auseinandersetzung des einzelnen Forschers mit seinen Texten geschehen kann, sondern immer auch in der Auseinandersetzung mit der Forschung in Geschichte und Gegenwart. Gerade wenn man die Texte nicht als tote Objekte sezieren will, sondern sie als Niederschlag einer "viva vox" lebendiger Überlieferung respektiert, scheint der lebendige Dialog zweier oder mehrerer Forscher ein für die Exegese unabdingbares Erfordernis zu sein. - Leider fehlte es Frau Dr. Eichler schließlich doch an der für dieses Vorhaben erforderlichen Zeit. Ich bin ihr aber dankbar für manches klärende Gespräch.

So ist aus dem Plan einer dialoghaften Veröffentlichung der beiden Dissertationen ein völlig neues Werk hervorgegangen, das die einander im wesentlichen entsprechenden und von der übrigen Forschung unterscheidenden Grundthesen der beiden Dissertationen aufnimmt, in der Anlage und Durchführung aber über beide ein ganzes Stückweit hinausführt. Auf diesem Wege stellen die über meine Dissertation hinausgehenden Ergebnisse der Untersuchung von U.Eichler einen wichtigen Beitrag zum forschungsgeschichtlichen Dialog dar. Aufgenommen wurde neben manchen exegetischen Einzelbeobachtungen vor allem die Unterscheidung von Klage und Einwand. Manche Argumentationsgänge regten zu kritischer Auseinandersetzung an.

Im übrigen wurde die seit dem Abschluß der beiden Dissertationen erschienene Literatur bis Juli 1981 berücksichtigt. Nicht mehr aufgenommen werden konnten die Ergebnisse der Untersuchungen von N.Ittmann, Die Konfessionen Jeremias, Neukirchen-Vluyn 1981 sowie P.Weimar, Die Berufung des Mose. Literaturwissenschaftliche Analyse von Ex 2,23-5,5, Freiburg/Schweiz und Göttingen 1980 (Orbis Biblicus et Orientalis 32), der allerdings ganz andere Wege geht als der Abschnitt über Ex 3,1-6,1 in diesem Buch.

Die beiden genannten Dissertationen wurden betreut von Prof.D.C. Westermann als Hauptreferenten. Das Korreferat übernahm in beiden Fällen dankenswerterweise Prof.D.H.W.Wolff. Ein Stipendium des Weltkirchenrats für ein einjähriges Studium bei den Professoren Dr.John Bright, Dr.James L.Mays und Dr.Patrick D.Miller am Union Theological Seminary in Richmond, Virginia/USA und ein Doktoranden-Stipendium der Universität Heidelberg trugen wesentlich zum Zustandekommen meiner Dissertation bei. Fachlich wäre ein Gelingen der Arbeit aber kaum

denkbar gewesen ohne das Doktoranden-Kolloquium von Prof.Westermann.
Viele wissenschaftliche Dialoge, die damals begonnen wurden, haben
sich bis in die Gegenwart hinein fortgesetzt, besonders mit meinem
gelehrten Freund Dr.Eberhard Ruprecht, der manchen weiterführenden
Korrekturvorschlag zum Manuskript dieses Buches beisteuerte.

Wesentlich trug auch die Ev.-luth. Landeskirche Hannovers zum Zustandekommen der vorliegenden Arbeit bei, einmal durch die Ermögli-
chung eines Kontaktstudiums im Sommersemester 1980 in Göttingen, zum
andern durch die Gewährung eines Druckkostenzuschusses. Manches Gespräch mit den Amtsbrüdern ist prägend geworden für die eine oder andere Partie des Buches. Für manche Anregung und vieles geduldiges Zu-
hören sei ihnen herzlich gedankt, besonders Herrn Peter H.A.Neumann,
Dozent für Altes Testament am Pfarrvikars-Seminar in Celle, und Herrn
Pastor Herbert Westerkamp, meinem langjährigen Freund.

Meine Frau und unsere beiden Kinder Hedwig und Michael haben das
Zustandekommen des Manuskripts mit viel Geduld ertragen, ebenso wie
meine Eltern vor fast einem Jahrzehnt die Entstehung der Dissertation.
Manche Beobachtung an den Redeweisen meiner Kinder hat beigetragen zur
Klärung der Vorgänge mündlicher Überlieferung, wie sie den untersuch-
ten Texten zugrundeliegen.

Herrn Prof.D.C.Westermann sei besonders gedankt für die Aufnahme
der Arbeit in die Reihe "Calwer Theologische Monographien" und für alle ermutigende Begleitung in über einem Jahrzehnt wissenschaftlicher
Beschäftigung mit dem Alten Testament.

Schließlich sei auch Herrn Chr.Munz vom Calwer Verlag Stuttgart sowie all denen gedankt, deren geschickte Hände das Zustandekommen dieses Buches ermöglichten.

Northeim, im August 1981   Ferdinand Ahuis

INHALTSVERZEICHNIS

A. EINLEITUNG

I. DAS PROBLEM

Seit den Anfängen der Anwendung der gattungsgeschichtlichen Methode auf die prophetische Überlieferung des Alten Testaments ist die "fast unübersehbare Mannigfaltigkeit" (1) der in den Prophetenbüchern bezeugten Gattungen gesehen worden. Diese Mannigfaltigkeit stellte die Forschung vor die Frage nach der "eigentlich prophetische(n) Gattung" (2), der die anderen Gattungen zu- bzw. unterzuordnen wären. Mit Recht hat die Prophetenforschung diese unter den Prophetensprüchen als der einen Hauptgruppe prophetischer Redeformen (3) gesucht (4) und sich dabei wesentlich mit der Untersuchung der prophetischen Gerichtsworte befaßt (5). Dabei ließ sich eine trotz aller durch die jeweilige Eigenart des Propheten oder durch die jeweilige geschichtliche Situation bedingten Variablen durch die Geschichte der Prophetie hindurch feste Form feststellen, die Form des prophetischen *Gerichtswortes*. Diese besteht aus drei Grundelementen: Der Anklage, der durch diese begründeten Gerichtsankündigung und der das Gerichtswort als Botenwort deklarierenden Botenformel. Diese Form taucht auf mit dem Beginn des Königtums in Israel und kommt zusammen mit diesem an ihr Ende, wirkt allerdings noch nach bis über die Zeit des Königtums hinaus. Der wesentliche Einschnitt in der Geschichte des prophetischen Gerichtswortes ist an der Stelle zu suchen, da das prophetische Gerichtswort nicht mehr wie in der Frühzeit nur an den König gerichtet ist, sondern an das ganze Volk (6.7).

---

1 H.Gunkel, Einleitungen, S.XLVI

2 ebda.

3 Die beiden anderen Gruppen sind der Bericht und die von Menschen an Gott gerichteten Worte, cf. C.Westermann, Grundformen, S.64.

4 Cf. dazu den forschungsgeschichtlichen Überblick, ebda., S.7-63.

5 Daneben sind natürlich auch die prophetischen Heilsworte untersucht worden, cf. dazu bes. die allerdings mehr traditionsgeschichtlich als gattungsgeschichtlich akzentuierte Arbeit von S.Herrmann, Heilserwartungen, sowie C.Westermann, Sprache und Struktur; ders., Promise; ders., Propheten. Besonders wichtig ist die Unterscheidung zwischen Heilszusage, Heilsankündigung und Heilsschilderung. Daneben haben wahrscheinlich noch Formen der Schalom-Zusage bzw. -Ankündigung (cf. ders., Frieden, S.168) bzw. der Segenszusage und der Segensankündigung (ders., Segen, S.36-38) bestanden.

6 Dieser Einschnitt wird in der Regel bei Amos angenommen; er läßt sich aber wahrscheinlich bis in die Elia/Elisa-Überlieferung zurückdatieren, cf. O.H.Steck, Elia-Erzählungen, bes. S.99, A.2; E.Ruprecht, Designation Hasaels, passim.

7 Diese Darstellung der Struktur und Geschichte des prophetischen Gerichtswortes ist am konsequentesten von C.Westermann, Grundformen, S.92-150 gegeben worden. Sie ist nicht ohne Kritik geblieben. Diese bezieht sich auf folgende Punkte: 1.) Es ist bezweifelt worden, daß das prophetische Gerichtswort aus der Gattung des zwischenmenschlichen Boten s p r u c h s herzuleiten ist (R.Rendtorff, Botenformel und Botenspruch). Aber diese Kritik ändert nichts an der Zugehörigkeit der Boten f o r m e l zum prophetischen Gerichtswort. 2.) Es ist bezweifelt worden, daß die Anklage zu den unbedingt zum prophetischen Gerichtswort gehörigen Elementen zu zählen sei (cf. z.B. G.Fohrer, Einleitung, S.386f.). Diese Kritik richtet sich aber im Grunde nur dagegen, daß alle Gerichtsworte aus Anklage und Ankündigung bestehen. Das jedoch hatte Westermann keineswegs behauptet. Für ihn bestehen durchaus die Formen der Unheilsankündigung

1

Dieser Befund erlaubt es, von der "Gerichtsprophetie" im Alten Testament zu sprechen, und führt das geschlossene Bild einer Ganzheit "Gerichtsprophetie" vor Augen, deren eigentliche Geschichte (Gerichtsprophetie an das Volk) umschlossen wird von einer Frühgeschichte (Gerichtsprophetie an den König) und einer Nachgeschichte (besonders bei Ezechiel, der deuteronomistischen (dtr.) Schule (1), aber auch bei Deuterojesaja (2.3).

Kontrovers wird die Diskussion um das prophetische Gerichtswort da, wo sich dieses mit einer Klage verbindet. An diesem Punkte erhebt sich die Frage, ob das prophetische Gerichtswort funktionsbestimmend für die Klage ist (4), oder ob umgekehrt die Klage mit ihrem besonderen Sitz im Leben funktionsbestimmend für das prophetische Gerichtswort ist (5).

Diesem Gesamtbild hat sich die Untersuchung der prophetischen *Eigenberichte* glatt eingefügt (6). In diesen berichtet der Prophet über seine Berufung zum Propheten in Form einer Vision (1 Kön 22; Jes 6; Ez 1-3) oder Audition (Ex 3f. (J); Jer 1; Ez 2-3), über seine Beauftragung mit einem Gerichtswort (1 Kön 21,17; 2 Kön 1,3; Jes 6,9; Jer 1,7; 2,2 u.ö.; Ez 3,4 u.ö.; Am 7,15) oder einer symbolischen Handlung (Hos 3; Jer 13; 16; 18; 19 u.ö.; Ez 4 u.ö.), oder er berichtet über eine Gerichtsvision (Am 7-9; Jer 1,11-14; Ez 8-11 u.ö.). Die Untersuchung dieser Eigenberichte bestätigte nur das, was aus der Untersuchung der prophetischen Gerichtsworte schon deutlich geworden war: Die Gerichtspropheten sind als von Gott mit einem Gerichtswort beauftragte *Boten* zu verstehen.

---

ohne Begründung (a.a.O., S.115f..145) und des selbständigen Scheltwortes (a.a.O., S.128). Dieser Befund schließt aber nicht aus, daß das aus Anklage und Ankündigung bestehende Gerichtswort die Grundform gerichtsprophetischer Rede ist.
3.) Es ist auf die Fülle anderer gerichtsprophetischer Redeformen hingewiesen worden, die es unmöglich mache, in "formgeschichtlicher Hinsicht eine Grundform des Prophetenspruches zu benennen, von der die Prophetie ursprünglich ausgegangen sei" (G.von Rad, Theologie II, S.48). Diese Kritik mag ihr Recht haben, wenn sie sich bezieht auf den "uneinheitlichen Charakter" (ebda.) der Anfänge der Prophetie. Doch damit ist, wie von Rad selbst bemerkt, nicht ausgeschlossen, daß der gerichtsprophetische Botenspruch "von Elisa bis Maleachi tatsächlich so etwas wie ein Kontinuum innerhalb der alttestamentlichen Prophetie bildet und ... bei der Fülle und Variabilität der von den Propheten verwendeten Gattungen keine andere so konsequent gebraucht wird wie der Botenspruch" (a.a.O., S.49). Gerade auf dem Hintergrund dieses Kontinuums ist es auch möglich, die "persönlichen Momente" des jeweiligen Propheten zu erheben, auf die G.Fohrer, a.a.O., S.385, so großen Wert legt.

1 Cf. die dtr. gefaßten Prophetenworte in den Büchern Samuelis und Könige, die dtr. Redaktion des Buches Jeremia (= D) u.a..
2 Zur Nachwirkung der vorexilischen Gerichtsprophetie auf Deuterojesaja cf. z.B. C.Westermann, Dtjes., S.22 u.ö..
3 Auszuklammern ist aus der Ganzheit Gerichtsprophetie die kultprophetische Gerichtsverkündigung, cf. dazu Jg.Jeremias, Kultprophetie und Gerichtsverkündigung.
4 So z.B. Jg.Jeremias, a.a.O., bes. S.162-164.
5 So bes. H.Graf Reventlow in seinen Arbeiten zur Prophetie: Prophetenamt und Mittleramt; Amos; Ezechiel; Jeremia.
6 Aus der Fülle der Literatur seien hervorgehoben: Zu den prophetischen Berufungsberichten: W.Zimmerli, Ezechiel 1, S.16-21; N.Habel, Call Narratives; zu den Visionsberichten: F.Horst, Visionsschilderungen; zu den Berichten über symbolische Handlungen: G.Fohrer, Gattung; zum Ganzen cf. ferner J.Bright, Reminiscence; P.A.H.Neumann, Prophetenforschung, S.47f., A.248 (Lit.).

Obwohl die Eigenberichte, insbesondere die Berufungsberichte, eine komplizierte Form- und Traditionsgeschichte haben (1), stellt für die Eigenberichte der genannte Übergang des Adressaten vom König an das ganze Volk (2) kaum einen Einschnitt dar: So ist z.B. die Form des Berichts über eine Berufungsaudition in Ex 3f.(J) (3) und Jer 1 bzw. über eine Berufungsvision in 1 Kön 22 und Jes 6 (4) in den wesentlichen Zügen die gleiche, während die Unterschiede erst da beginnen, wo das prophetische Gerichtswort mit dem unterschiedlichen Adressaten (König: Ex 3,18 (J) (Pharao); 1 Kön 22,25; Volk: Jer 1,11-14; Jes 6,9-11) eingebracht wird.

Kontrovers wird die Diskussion um die Eigenberichte da, wo sich der Eigenbericht mit einer Klage verbindet. Auch hier erhebt sich die Frage: Ist das im Eigenbericht Berichtete funktionsbestimmend für die Klage, oder ist umgekehrt die Klage funktionsbestimmend (5)?

In dieses Gesamtbild von der Gerichtsprophetie wollen sich die *Klagen* im Munde der Gerichtspropheten nur schwer einordnen. Diese Schwierigkeit erklärt sich wesentlich aus der einfachen Tatsache, daß die Rederichtung der Klagen durchweg der Rederichtung der prophetischen Gerichtsworte und Eigenberichte diametral entgegengesetzt ist: Steht bei den letzteren die Rederichtung: Gott-Prophet (-Adressat der prophetischen Botschaft) im Mittelpunkt, so bei den Klagen die Rederichtung: Prophet-Gott. Diese Rederichtung ist aber gerade charakteristisch für Texte, die ihren überlieferungsmäßigen Schwerpunkt außerhalb der Gerichtsprophetie, besonders im Psalter gefunden haben, so daß sich die Frage erhebt, ob die Klagen im Munde der Gerichtspropheten ihren Ort in den allgemeinen Klage-Vorgängen haben oder aber in der durch das prophetische Gerichtswort und den prophetischen Eigenbericht bestimmten Gerichtsprophetie. Diese Frage läßt sich noch weiter zuspitzen, wenn die sowohl für das prophetische Gerichtswort als auch für den Eigenbericht vorausgesetzte *Botenfunktion* des Gerichtspropheten konsequenterweise auch auf die Ermittlung des Hintergrundes der gerichtsprophetischen Klagen ausgedehnt wird: Lassen sich im Botenvorgang Stellen auffinden, in denen der mit einer Botschaft Beauftragte mit seinen eigenen Worten reagiert? Kann möglicherweise diese Reaktion des Boten die Form einer Klage annehmen? Ergeben sich über die allgemeine Botenfunktion hinaus noch weitere Möglichkeiten für besondere gerichtsprophetische Klagen, die sich aus der spezifischen Funktion ergeben, daß der Gerichtsprophet ein mit einer *Gerichtsbotschaft* beauftragter Bote ist? Diese Problematik ist mit dem Thema: "Der klagende Gerichtsprophet" im Blick (6). Die Formulierung des

---

1 W.Zimmerli, a.a.O., S.16-21

2 s.o., S.1

3 Daß hinter Ex 3,1-6,1 (J) die Form des Auftrags an einen Gerichtspropheten mit dem König als Adressaten steht, wird unten in Teil B.II.1. nachgewiesen werden.

4 Cf. dazu jetzt aber die differenzierte Sicht von O.H.Steck, Jesaja 6.

5 So Reventlow in seinen Arbeiten zur Sache (s.o., S.2, A.5).

6 An die Peripherie dieser Untersuchung rücken somit alle Klagen im Munde der Gerichtspropheten, die nicht Gott als Adressaten der Klage bzw. zumindest als deren loses Gegenüber erkennen lassen. Dazu gehören insbesondere die Formen der Totenklage (cf. dazu bes. C.Hardmeier, Trauermetaphorik), des Weherufs, des Schreckensschreis usw., cf. vorläufig die Bemerkungen von Jg.Jeremias, a.a.O., S.162.
Mehr am Rande dieser Untersuchung steht ferner der ganze Problemkreis der in das prophetische Gerichtswort direkt aufgenommenen Klagesätze oder Klagestrukturen, wie sie sich insbesondere bei Jeremia, aber auch bei Hosea, Jesaja und Ezechiel

Themas enthält schon die Hauptthese für die folgende Untersuchung:

Die Klagen im Munde der Gerichtspropheten sind in die Gerichtsprophetie eingebettet und als solche nur verständlich im Munde eines Gerichtspropheten.

Der Nachweis dieser These ist zumal im Blick auf die im Mittelpunkt dieser Untersuchung stehenden gerichtsprophetischen Klagen im Jeremiabuch erschwert durch die komplizierte Schichtung des Jeremiabuches und die damit verbundenen forschungsgeschichtlichen Unsicherheiten bei der Untersuchung der *Redaktionsgeschichte* des Buches Jeremia (1). Es ist mit der Möglichkeit zu rechnen, daß erst die Redaktion dem Gerichtspropheten Klagen in den Mund gelegt hat. Außerdem ist für den Fall, daß sich vorredaktionelle gerichtsprophetische Klagen nachweisen lassen, zu fragen, in welcher Weise die Redaktion diese Klagen rezipiert hat, auf welchen Traditionswegen die gerichtsprophetischen Klagen von ihrem ursprünglichen Ort bis hin zur Redaktion weitergegeben worden sind (2). Was sich allerdings wie eine unüberwindliche Hürde ansieht,

---

finden, cf. dazu C.Westermann, Grundformen, S.145f.; H.W.Wolff, Hosea, Reg.S.320, s.v. "Klage"; W.Zimmerli, a.a.O., S.55*.

Ebenso mußte die Untersuchung der zahlreichen Klagen im Munde Gottes vernachlässigt werden, cf. dazu vorläufig: H.W.Wolff, Leidenschaft; C.Westermann, Jeremia, S.28.34-36.47f.; ders., Theologie, S.153; ders., Rolle der Klage, S.267f.; R.von Ungern-Sternberg, Redeweisen, S.9-35; B.O.Long, Divine Funeral Lament. Die noch ausstehende Untersuchung dieser Gottesklagen wird kaum ohne die Berücksichtigung der Götterklagen in der religionsgeschichtlichen Umwelt des Alten Testaments auskommen können. Für das in den Gottesklagen enthaltene theologische Problem ist zu vergleichen: K.Kitamori, Schmerz Gottes. Dieser bedeutende theologische Entwurf hat in Jer 31,20 seinen Zentraltext.

Nicht ausgeklammert werden können aus der Untersuchung Beobachtungen von Strukturparallelitäten zwischen dem prophetischen Gerichtswort und den Klagegattungen des Psalters, cf. dazu H.W.Wolff, Zitat; C.Westermann, Grundformen, S.104 mit A.9; 132 mit A.10.

1 Nachdem die quellenkritische Aufteilung des im Jeremiabuch überlieferten Materials durch S.Mowinckel über ein halbes Jahrhundert die Forschung bestimmt hat (S.Mowinckel, Komposition), ist mit der umfassenden redaktionsgeschichtlichen Untersuchung von W.Thiel, Jeremia; ders., Jeremia 1-25, ein grundsätzlicher Wandel in der Forschung eingetreten: Die dtr. Redaktion des Buches Jeremia stellt nicht eine Quelle neben anderen dar, sondern eine Überarbeitung vorgebenen Materials der Jeremia-Überlieferung. Somit ist in allen Partien des Jeremiabuches mit dtr. Überarbeitungen zu rechnen.

Fragen der Redaktionsgeschichte des Jeremiabuches werden ferner in folgenden wichtigen Monographien behandelt: C.Rietzschel; Urrolle; E.W.Nicholson, Preaching; G.Wanke, Untersuchungen; H.Weippert, Prosareden; H.Lörcher, Verhältnis; K.-F. Pohlmann, Studien, mit jeweils sehr unterschiedlichen Ergebnissen. Am meisten bewährt haben sich für unseren Untersuchungsgegenstand die Arbeiten von W.Thiel und G.Wanke.

So gut wie unberücksichtigt bleiben Fragen der Redaktionsgeschichte in nach 1970 erschienenen Werken bei W.L.Holladay, Architecture, aber auch J.M.Berridge, Prophet.

2 Mit den Begriffen "rezipiert" und "weitergegeben" sind die beiden Hauptaspekte des hebräischen Traditionsvorganges genannt, die ausgedrückt werden mit den beiden Verben קבל pi. und מסר, cf. dazu z.B. C.Westermann, Genesis 2, S.27-32, und die beiden entsprechenden griechischen Verben παραλαμβάνειν und παραδιδόναι (cf. 1 Kor 11,23; 15,1.3). Im Blick auf die Tradition z.B. der gerichtsprophetischen Klagen ist dann also zu fragen: 1.) Welche Momente sind in den Klagen selbst

4

erweist sich schließlich als Vorteil: Durch die Erhebung der Unterschiede zwischen Tradition und Redaktion können die Besonderheiten der gerichtsprophetischen Klagen um so deutlicher hervorgehoben werden. Diesem Problemkreis versucht der Untertitel: "Studien zur Klage in der *Überlieferung* von den alttestamentlichen Gerichtspropheten" gerecht zu werden.

II. ÜBERBLICK ÜBER DIE GESCHICHTE DER FORSCHUNG SEIT WELLHAUSEN

1. Allgemeine Charakteristik

Der Gesamtkomplex der im Munde von Gerichtspropheten bezeugten Klagen ist bislang noch keiner gesonderten Untersuchung unterzogen worden. Lediglich auf *H.W.Hertzberg*, Prophet und Gott, wäre zu verweisen, aber diese Arbeit ist - trotz vieler zutreffender Beobachtungen im einzelnen - insofern grundsätzlich überholt, als sie die Ergebnisse der neueren gattungsgeschichtlichen Erforschung der Grundformen gerichtsprophetischer Rede noch nicht berücksichtigen konnte und dementsprechend noch nicht die Ganzheit Gerichtsprophetie aus dem Gesamtphänomen der Prophetie aussondert. - Eine umfassende Untersuchung der prophetischen Klagen ist in der Folgezeit nur noch von *A.Wendel* geplant gewesen (1), aber nicht zur Durchführung gekommen.

Stattdessen hat sich die Forschung wesentlich auf die Klagen im Jeremiabuche beschränkt (2). Der Grund für diese Eingrenzung läßt sich leicht angeben: Einzig in den "Konfessionen" (3) Jeremias (Jer 11,18-20(.21-23); 12,1-4(.5+6); 15,10f.15-18(.19-21); 17,14-18; 18,18-23; 20,7-9.10-12.13.14-18) sind uns an Gott gerichtete Klagen im Munde eines Gerichtspropheten überliefert, die sich als - auf den ersten Blick - in sich geschlossene Texteinheiten mit den allgemeinen Klagen, speziell

---

enthalten, die aus sich selbst heraus die Tradierung erfordern? 2.) In welcher Weise hat die Redaktion die Klage überarbeitet und damit aufgenommen? Diese beiden Grundfragen führen - zusammen mit formgeschichtlichen Beobachtungen - zu einer Geschichte der Traditions v o r g ä n g e . Demgegenüber ist die einseitige Untersuchung der Geschichte der Traditions i n h a l t e (nicht nur) in der Jeremia-Forschung weitverbreitet. Gerade wenn wir mit S.Herrmann, Forschung, S.488 das im Jeremiabuch Überlieferte als "im besten Sinne 'lebendige Tradition'" ansehen, muß neben die Untersuchung der Geschichte der Traditionsinhalte der Blick auf die Geschichte der Traditionsvorgänge treten.

1 Als zweiten Band seiner Studien zum Gebet im Alten Testament plante Wendel eine Untersuchung über "Das prophetische Gebet in der israelitisch-jüdischen Religion", cf. ders., Laiengebet, S.6.

2 So jetzt auch wieder U.Eichler, Der klagende Jeremia.

3 Eine einheitliche Bezeichnung für die in Jer 11-20 enthaltenen gerichtsprophetischen Klagen hat sich nicht durchsetzen können. Die Bezeichnung "Konfession" (so G.von Rad, Konfessionen) wechselt ab mit der Bezeichnung "Klagegedicht" (so W.Baumgartner, Klagegedichte). Schon allein diese unterschiedliche Bezeichnung kann ein Hinweis darauf sein, daß sich die Klagen in Jer 11-20 nicht auf einen gemeinsamen Nenner bringen lassen.
Im folgenden wird in der Regel der Terminus "Klage" gebraucht. Der Terminus "Konfession" dient als abgekürzte Bezeichnung für alle an Gott gerichteten Klagen des Einzelnen im Munde Jeremias in Jer 11-20, unter Einschluß des Sonderfalles Jer 20,14-18.

mit den Klagepsalmen des Einzelnen, vergleichen lassen (1). Bei keinem Propheten sonst finden sich so zahlreich Beispiele für die Klage des Gerichtspropheten wie gerade bei Jeremia. Gleichwohl kann nicht übersehen werden, daß auch im Munde anderer Gerichtspropheten, wenn auch mitunter nur in Anklängen, Klagen auftauchen (Ex 5,22f.(J)(2); 1 Kön 19,10=14; Hos 9,7-9; Mi 3,8; Jes 6,11; 8,16-18; Ez 33,30-33)(3), die zur Klärung des Ortes und der Funktion der Konfessionen Jeremias beitragen könnten. Diese Klagen sind auch in der neueren Forschung nicht unberücksichtigt geblieben (4) und durchweg mit den Klagen Jeremias in Beziehung gesetzt worden.

Einige Beispiele können dies verdeutlichen: "... es ist deutlich zu erkennen, wie in (Hos 9,7-9) aus der Anklage, die gegen das Volk erhoben wird, die Klage des Propheten in den ersten Spuren heraustritt. Bei Jeremia finden wir sie wieder, zu ganzen Klagegedichten erweitert. Dort gehört zu diesen als ein wichtiges Motiv die Unschuldsbeteuerung; auch sie ist bei Micha (5) schon angedeutet in 3,5-8 ..." (6). - "(Hos 9,10-17) gehört ... in die Vorgeschichte der jeremianischen Konfessionen, die mit einem Gottesspruch verbunden sind (Jer 15,15-21) ..." (7). - "Wie die 'Konfessionen' Jeremias Vertrautheit mit den Klageliedern des Psalters verraten, ... so erinnern auch in (Jes 8,16-20) ... einzelne Formulierungen an die Vertrauensaussagen der Psalmen." (8) - "Der Sache nach handelt es sich (in Ez 33,30-33) um einen Tatbestand, der seine natürliche Gestaltung in der Form eines Klageliedes des Propheten und einer nachfolgenden göttlichen Antwort erfahren müßte. Es wäre etwa auf die Konfessionen Jeremias 12,1-6 und 15,15-21 zu verweisen, die in der Gattung des Psalmklageliedes mit nachfolgender göttlicher Antwort gehalten sind. So auch Jes 49, 1-6." (9) - "Es gibt im Alten Testament neben der Klage des einzelnen Frommen die Klage des Mittlers, in der es um ein Leid in einem Mittlerdienst geht ... . Sie begegnet uns nur an wenigen Stellen, sie muß aber eine eigene Geschichte mit mancherlei Ausprägung gehabt haben. In ihnen begegnet die gleiche Verbindung des Redens vom Auftrag mit der Klage wie in (Jes) 50,4-9." (10)

Aus diesen sporadischen Äußerungen zu den gerichtsprophetischen Klagen in der Prophetie vor und nach Jeremia geht folgendes hervor:

1. Es wird von einer Geschichte von Prophetenklagen gesprochen, in deren Mitte die Konfessionen Jeremias stehen. Wie sich aber diese Geschichte im einzelnen darstellt, bleibt unklar. Während *Wolff* und

---

1 Es ist das besondere Verdienst W.Baumgartners, Klagegedichte, die Beziehungen zwischen den "Klagegedichten des Jeremia" und der Gattung des Klagepsalms des Einzelnen in einer derart überzeugenden Weise herausgearbeitet zu haben, daß diese Untersuchung zur Grundlage aller seitherigen wissenschaftlichen Äußerungen zu den Klagen in Jer 11-20 wurde.
2 Daß hinter Ex 5,22f.(J) die Form einer gerichtsprophetischen Klage steht, kann erst unten in Teil B.II.1. nachgewiesen werden.
3 Ex 4,10 ist keine Klage, sondern mit U.Eichler, a.a.O., S.104 als Einwand zu bezeichnen (cf.a. W.Richter, Berufungsberichte, S.145f.; M.Görg, Einwand). Zum Verhältnis von Ez 4,14; 9,8; 11,13; 21,5 zu Klage und Einwand s.u., Teil B.VI.4..
4 Aus der älteren Forschung sind z.B. zu nennen: P.Volz, Jeremia; A.Greiff, Gebet.
5 "Hosea" ist Druckfehler.
6 C.Westermann, Grundformen, S.133
7 H.W.Wolff, Hosea, S.212
8 H.Wildberger, Jesaja 1, S.343
9 W.Zimmerli, Ezechiel 2, S.821f.
10 C.Westermann, Dtjes., S.183

6

Zimmerli eine besondere Geschichte prophetischer Klagen im Blick zu
haben scheinen, ordnet *Westermann* die prophetischen Klagen einer besonderen Geschichte der Klage des Mittlers zu, die sich als solche
von der allgemeinen Klage abhebt. - Ist über *Wolff* und *Zimmerli* hinaus
zu fragen, in welchem Verhältnis die prophetische Klage und ihre Geschichte zur allgemeinen Klage und ihrer Geschichte (1) stehen, so ist
über *Westermann* hinaus zu fragen, ob sich angesichts der Besonderheit
der Gerichtsprophetie innerhalb des Mittlertums im Alten Testament
nicht eine besondere Geschichte der gerichtsprophetischen Klage aus
der Geschichte der Klage des Mittlers ausgrenzen läßt und in welchem
Verhältnis diese dann zur allgemeinen Klage steht.

 2. In ersten Ansätzen werden verschiedene Typen prophetischer Klagen unterschieden. Es bleibt aber zu fragen, ob für diese Unterscheidung das Kriterium: prophetische Klage mit nachfolgendem Orakel oder
ohne dieses (*Wolff*, *Zimmerli*) ausreicht.

 3. Es werden Zusammenhänge zwischen den Klagen und der prophetischen Gerichtsverkündigung gesehen. Eine genaue Beschreibung des Botenvorgangs wird im Zusammenhang mit den Klagen aber nicht vorgenom-
men, so daß auch ein detailliertes Nachfragen nach einem möglichen
Ort oder möglichen Orten der prophetischen Klage innerhalb des Botenvorgangs unterbleibt.

 Diese Beobachtungen sind für die Erforschung der Klagen Jeremias
noch in keiner Weise ausgewertet worden (2). Es zeigt sich darin nicht
nur eine Scheu, eine "Geschichte" der gerichtsprophetischen Klage zu
entwerfen, in deren Mitte dann die Klagen Jeremias ihren Ort hätten,
sondern die - im Vergleich mit den Klagen des Psalters etwa - äußerst
wenigen Belege für die Klage im Munde von Gerichtspropheten machen es
beinahe unmöglich, eine Gesamtgeschichte der gerichtsprophetischen
Klage zu entwerfen. Überdies sind die einzelnen Beispiele für die Klage der Gerichtspropheten von so unterschiedlicher Form und so unterschiedlichem Umfang (3), daß es schwerfällt, diese Beispiele in eine
geschichtliche Linie zu bringen. Hinzu kommt ein formgeschichtliches
Argument: Wenn die gattungsgeschichtliche Methode "auf der Einsicht
(beruht), daß in jeder einzelnen Literaturgattung, solange sie ihr
eigenes Leben führt, bestimmte Inhalte mit bestimmten Ausdrucksformen
fest verbunden und daß diese charakteristischen Verbindungen nicht
etwa erst von Schriftstellern nachträglich und willkürlich den Stof-
fen aufgeprägt sind, sondern von jeher, also schon in der Frühzeit
volksmäßiger Überlieferung vor aller Literatur, wesenhaft zusammenge-
hörten, da sie den besonderen, regelmäßig wiederkehrenden Ereignissen
und Bedürfnissen des Lebens entsprachen, aus denen die Gattungen je
für sich erwuchsen" (4), wie ist es dann möglich, von einer besonderen
Gattung der gerichtsprophetischen Klage zu sprechen (5)? Denn diese
"besonderen, regelmäßig wiederkehrenden Ereignisse und Bedürfnisse des
Lebens" setzen eine Stetigkeit voraus, wie sie im großen und ganzen

---

1 Cf. zu diesem Problemkreis grundlegend C.Westermann, Struktur und Geschichte.
2 Auch U.Eichler, a.a.O. tut dies nicht.
3 Man vergleiche etwa das kurze Wort Jes 6,11 mit der - zeitlich früher liegenden! - entfalteten Klage Elias 1 Kön 19,10=14!
4 A.Alt, Recht, S.284
5 Diese Möglichkeit scheint G.von Rad, Theologie II, S.217 zu erwägen, wenn er den
 klagenden Jeremia in einer "geistigen Ahnenkette" früherer Propheten sieht.

nur von einer Gruppe gewährleistet (1) und bei den Gerichtspropheten nicht ohne weiteres vorausgesetzt werden kann (2). Dieses formgeschichtliche Argument trifft sich mit dem Textbefund: Wären die gerichtsprophetischen Klagen aus stetig wiederkehrenden Ereignissen und Bedürfnissen des alltäglichen Lebens erwachsen, dann müßte es weitaus mehr Beispiele für diese Klagen geben. Die vergleichsweise gegenüber den Klagepsalmen des Psalters geringe Zahl der gerichtsprophetischen Klagen schließt somit deren Herleitung aus den gleichen Klagevorgängen wie bei den Klagepsalmen aus (3). Wie erklären sich dann aber die Gemeinsamkeiten, die trotz aller Unterschiede im einzelnen zwischen den Klagen der Gerichtspropheten bestehen und eine Reihe von Forschern sogar von einer Geschichte der gerichtsprophetischen Klage (4) sprechen lassen?

Eine gesicherte Basis für die Klärung dieser Frage kann gewonnen werden, wenn nach Klagevorgängen gefragt wird, die vom *Botenvorgang* mit seiner besonderen Zuspitzung auf die Verkündigung des prophetischen Gerichtswortes her faßbar werden, wobei der Botenvorgang sich in zwei Redeformen ausprägt, dem prophetischen *Eigenbericht über einen Auftrag* und dem prophetischen *Gerichtswort*. Im Botenvorgang wäre dann auch das "stetige" Element zu suchen, das den Ort für die gerichtsprophetischen Klagen angeben könnte. Gleichzeitig ist durch die Berücksichtigung der allgemeinen Klage-Vorgänge auf der einen und der Grundformen gerichtsprophetischer Rede auf der anderen Seite bei ständigem Blick auf mögliche *redaktionelle Überformungen* ein genügend weiter Horizont geschaffen, von dem her sich die Klagen im Munde der Gerichtspropheten befragen lassen.

---

1 Dieses soziologische Argument bestimmt die Arbeiten von H.Graf Reventlow, Jeremia, und E.Gerstenberger, Jer 15,10-21, und führt bei Reventlow zu einem Prophetenbild, das ganz und gar bestimmt ist von den "regelmäßig wiederkehrenden Ereignissen und Bedürfnissen" des Kults, bei Gerstenberger hingegen zu einer Ausscheidung der Konfessionen Jeremias aus den gerichtsprophetischen Redeformen und ihrer Zuweisung zur exilischen gottesdienstlichen Rezeption der Gerichtsprophetie.

2 Die Betonung der Stetigkeit in A.Alts Beschreibung der Grundsätze der gattungsgeschichtlichen Methode stellt eines der Hauptprobleme dieser Methode dar. Es werden auf diese Weise nämlich Formen aus der Untersuchung ausgeklammert, die wesentlich etwas "Nicht-Stetiges" voraussetzen, so etwa das "berichtende Lob" (C.Westermann, Loben Gottes, bes. S.61-67, dagg. F.Crüsemann, Hymnus und Danklied, bes. S.155-209, der in seiner Untersuchung den stetigen Kult stillschweigend voraussetzt) oder die Frühgeschichte der Klage (C.Westermann, Struktur und Geschichte, S.291-295, cf. dazu die grundsätzliche - weil von stetigen Bittvorgängen ausgehende - Kritik von E.Gerstenberger, Der bittende Mensch, sowie W.Beyerlin, Rettung) und gerade deshalb nur in wenigen, durchweg in der erzählenden Überlieferung aufbewahrten Beispielen belegt sind. - Vielleicht erklärt sich aus dieser Betonung der Stetigkeit für die gattungsgeschichtliche Methode auf der einen und der Einmaligkeit von dargestelltem Geschehen auf der anderen Seite auch das teilweise noch bis in die Gegenwart reichende Desinteresse der gattungsgeschichtlichen Forschung an der erzählenden Überlieferung des Alten Testaments, cf. dagg. aber C.Westermann, Arten der Erzählung; ders., Genesis 1, S.752-806; Genesis 2, S.1-115, bes. S.32-46; ders., Geschichtsverständnis; A.B.Lord, Sänger.

3 Es sei denn, man erklärt die gerichtsprophetischen Klagen von vornherein für sekundär. Dieser Versuch ist bislang aber nur für die Konfessionen Jeremias unternommen worden (s.u., S. 13).

4 s.o., S.6f.

8

Wie stellt sich angesichts dieser Überlegungen die Geschichte der Erforschung der Konfessionen Jeremias dar, auf die sich die Forschung im Blick auf das Thema "Der klagende Gerichtsprophet" weitgehend (1) beschränkt hat?

2. Die Forschung an den Konfessionen Jeremias

Fast alle bisherigen Äußerungen zur Sache sind einseitig von den Vorgängen allgemeiner Klage ausgegangen und haben auf diesem Hintergrunde entweder die Besonderheiten der gerichtsprophetischen Klage herauszustellen versucht oder aber keine Unterschiede feststellen können. Nur ganz wenige Untersuchungen fragen wenigstens ansatzweise von den Grundformen gerichtsprophetischer Rede her, ohne allerdings den Botenvorgang als ganzen in den Blick zu nehmen: S.Mowinckel, Motiver og stilformer i profeten Jeremias diktning (2); G.Jacoby, Glossen zu den neuesten kritischen Aufstellungen über die Composition des Buches Jeremja (3); W.Thiel, Die deuteronomistische Redaktion des Buches Jeremia (4); W.Erbt, Jeremia und seine Zeit (5); C.Westermann, Jeremia (6). Während der Ansatz bei den allgemeinen Klagevorgängen zu einer reichen, im einzelnen sehr kontroversen Forschungsgeschichte geführt hat, ist der Ansatz bei den Grundformen gerichtsprophetischer Rede noch sehr tastend geblieben und bedarf dringend einer Weiterführung.

Zu den beiden genannten Frageansätzen tritt dann jeweils noch der redaktionsgeschichtliche Frageansatz hinzu, der aber kaum bei allen Forschern genügend berücksichtigt wird.

a. Der Ansatz bei den Grundformen gerichtsprophetischer Rede

Für den Ansatz bei den Grundformen gerichtsprophetischer Rede in der Erforschung der Konfessionen Jeremias lassen sich zwei Gruppen von Forschern unterscheiden: Die erste Gruppe befragt die Konfessionen vom prophetischen *Gerichtswort*, die zweite Gruppe vom prophetischen *Eigenbericht über einen Auftrag* an den Propheten her.

α. Das prophetische Gerichtswort und die Konfessionen Jeremias

Bislang haben nur drei Forscher die These aufgestellt, daß die Konfessionen Jeremias eingebettet sind in die Gerichtsprophetie, d.h. ausgelöst werden durch das vorher vom Propheten ausgerichtete prophetische Gerichtswort und ausblicken auf das noch ausstehende Gericht: S.Mowinckel (7); G.Jacoby (8) und W.Thiel (9). Allerdings stellen *Jacoby* und *Thiel* diese These nur für die Redaktion des Jeremiabuches auf.

Mowinckels Studie stellt den bisher umfassendsten Überblick über die Redeformen und Stilelemente im Jeremiabuch dar. Sie ist in der deutschen Forschung so gut wie unberücksichtigt geblieben. Die Studie

---

1 Daß sich außerhalb der Jeremiaforschung Stimmen finden, die dieser Beschränkung widerraten, wurde oben, S.6f. schon gesagt.
2 = S.Mowinckel, Motiver
3 = G.Jacoby, Glossen
4 = W.Thiel, Jeremia; ders., Jeremia 1-25
5 = W.Erbt, Jeremia
6 = C.Westermann, Jeremia
7 Motiver
8 Glossen
9 Jeremia

beschränkt sich auf die Worte, die sicher auf Jeremia zurückzuführen sind (1). Die in diesem Zusammenhang interessierenden Teile der Studie sind: I. Die ursprünglichen prophetischen Motive und Stilformen (S.236-258); II. Die abgeleiteten prophetischen Motive und Stilformen (S.258-276); III. Die Aufnahme kultlyrischer Stilformen (S.276-304). Schon in der Anordnung dieser drei Teile spiegelt sich *Mowinckels* Grundthese für die Bestimmung der Eigenart der Klage Jeremias wider: Diese kann nur bestimmt werden, wenn zuvor die im engeren Sinne prophetischen Redeformen (I. und II.) bedacht worden sind. Von diesen her erhalten die Klagen Jeremias "einen anderen Inhalt. *Antworten von Jahwe mit Zusage der Hilfe gegen die Feinde werden zu Unheilsorakeln über sie und das ganze sündige Volk; Klagen werden zu Anklagen* gegen das Volk, das sich so entschieden gegen Jahwes Wort stellt und den Propheten verfolgt; sie werden zu Beweisen für die Sünde, zu *moralischen Begründungen von Strafandrohungen* ..." (2), kurz: Die Klagen Jeremias werden zu einem Bestandteil des prophetischen Gerichtswortes (3). Es erhebt sich dann aber die Frage, ob mit dieser Erklärung dem Charakter der Klage als eines an Gott gerichteten Wortes Genüge getan ist, und so schränkt *Mowinckel* ein: Die Klagen Jeremias erhalten den Charakter des prophetischen Gerichtswortes erst "in und mit der Veröffentlichung zusammen mit Orakeln und Strafansprachen" (4), d.h. auf der Stufe der Redaktion (5), so daß schließlich doch unklar bleibt, ob die Klagen Jeremias schon auf der vorredaktionellen Stufe einen Zusammenhang mit dem prophetischen Gerichtswort erkennen lassen.

Diese Frage wird bewußt ausgeklammert in den Arbeiten von *Jacoby* und *Thiel*, die sich auf die Bestimmung des Ortes der Konfessionen Jeremias in der Redaktion des Jeremiabuches beschränken, ohne allerdings die Konfessionen als solche für reaktionell zu erklären. *Jacoby* ist lange Zeit der einzige gewesen, der überhaupt versucht hat, den Ort der Konfessionen Jeremias innerhalb der Komposition des redigierten Jeremiabuches zu bestimmen. Dieser wird in der Abfolge: "Drohung des Redaktors" (bzw. "Beauftragung Jeremjas mit einer Drohung durch Jahweh") - "jeremjanische Drohung" - "Jeremja klagt, daß das Volk seine Drohung nicht beherzigen will" (6) fixiert. Dieser erste Versuch einer Ortsbestimmung der Konfessionen Jeremias in der Redaktion des Jeremiabuches ist in der weiteren Jeremia-Forschung unberücksichtigt geblieben, obwohl das Ergebnis grundsätzlich das Richtige trifft. Dies wird auch bestätigt durch die Untersuchung von *Thiel*, der unabhängig von *Jacoby* fast zu dem gleichen Ergebnis kommt: In den Zusammenhängen, in denen sich Konfessionen Jeremias finden, "wird jeweils zunächst ein Anlaß berichtet (11,1-6; 18,1-4; 19,1f.), der dem Propheten Gelegenheit zur Verkündigung des Gerichtswortes bietet (11,7-17; 18,5-17; 19,3-15). Darauf wird berichtet, wie der Prophet in mehr oder weniger deutlichem Zusammenhang mit seiner Verkündigung eine Verfolgung zu erleiden hat (11,18-23; 18,18; 20,1-6), die ihn zu einer Klage vor

---

1 Zu der Frage der Schichtung konnte Mowinckel auf seine Untersuchung aus dem Jahre 1913 zurückgreifen: Komposition.
2 Motiver, S.304; Übersetzung von mir, Sperrungen vom Vf.
3 Es sind in dem vorangehenden Zitat alle wesentlichen Strukturelemente des zweiteiligen prophetischen Gerichtswortes (s.o., S.1) genannt!
4 Motiver, S.304; Übersetzung von mir
5 Das obige Zitat (A.2) beschreibt ziemlich genau die Verarbeitung mancher Konfessionen Jeremias durch D.
6 Glossen, (S.79, cf.a. S.84. Diese Ortsbestimmung wird für Jer 15,10ff.; 17,14-18; 18,18ff. durchgeführt und für die übrigen Konfessionen als analog durchführbar postuliert (Glossen, S.85).

Jahwe veranlaßt (12,1-5; 18,19-23; 20,7-12.14-18) ..." (1). Dieser
Ort kann auch für 15,10-18 vermutet werden, während *Thiel* ein solcher
Nachweis für 17,14-18 nicht gelingt (2).

Befragen wir diese beiden Lösungsvorschläge vom Eigenbericht und
dem prophetischen Gerichtswort als den beiden Grundformen gerichtsprophetischer Rede her (3), so bleibt unklar, ob die Konfessionen bezogen
sind auf die Form des (Eigen-)Berichts oder aber auf die Form des prophetischen Gerichtswortes. Diese Unklarheit mag eine Eigenart der Redaktion sein. Sie würde sich aber erklären aus der Aufnahme vorredaktioneller Überlieferungsstücke und deren Verarbeitung durch die Redaktion. Über *Thiel* und *Jacoby* hinaus muß also wesentlich deutlicher unterschieden werden zwischen vorredaktioneller und redaktioneller Stufe. Es kann dann unterschieden werden zwischen:

1. a. vorredaktionellem Eigenbericht und redaktionellem (Eigen-)
      bericht;
   b. vorredaktionellem Gerichtswort und redaktioneller Gerichts-
      predigt;
2. vorredaktionellem Eigenbericht und Gerichtswort als zwei gesonderten Formen und deren Verschmelzung auf redaktioneller Stufe.

Erst auf dem Hintergrund dieser Unterscheidungen wird es möglich, den
jeweiligen Ort der Konfessionen zu ermitteln: Auf der vorredaktionellen Stufe ist dann mit zwei verschiedenen Orten zu rechnen (Bezogenheit der Klage entweder auf den Eigenbericht oder auf das prophetische Gerichtswort); auf der redaktionellen Stufe ist dann ein weiterer
Ort für die Konfessionen zu suchen. Von der Bezogenheit der Konfessionen auf den prophetischen Eigenbericht soll im folgenden die Rede sein.

β. *Der prophetische Eigenbericht und die Konfessionen Jeremias*

In bewußter Abgrenzung von *Duhm*, der in seinem Jeremia-Kommentar (4)
erstmalig die These der literarischen Schichtung des Jeremiabuches
konsequent durchgeführt und dabei alle Berichte der Redaktion zugeschrieben hatte (5), stellt *Erbt* die Eigenberichte (6) als prophetische und damit Jeremia zuzuschreibende Redeform in den Mittelpunkt
seiner Untersuchung. Diesen Eigenberichten werden auch die Konfessionen Jeremias zugeordnet (7). Allerdings unterbleibt der Versuch, das
Verhältnis der Konfessionen zu den Eigenberichten durch einen Vergleich
der Strukturen beider oder gar durch Heranziehung der Struktur des
Botenvorganges zu klären. Ein solcher Klärungsversuch wird von vornherein ausgeschlossen durch eine Vorentscheidung über den Charakter
der Konfessionen Jeremias: "Allein während (die Eigenberichte) ...
sich auf den profetischen Beruf beziehen, haben (die Konfessionen) ...
nur für Jeremia als in innigem Verhältnis zu Jahwe sich wissenden Menschen Interesse. Es sind Bekenntnisse, der *Versuch einer Darstellung
des religiösen Innenlebens, der Kämpfe und des Ringens einer von Gott
angefaßten Persönlichkeit* ..." (8). In dieser Beschreibung des Wesens

---

1 Jeremia, S.265; Jeremia 1-25, S.161f. mit A.70+71
2 Jeremia, S.265, A.1; Jeremia 1-25, S.161f., A.71
3 s.o., S.1f.
4 = B.Duhm, Jeremia
5 a.a.O., S.XVIf.
6 Erbt bezeichnet sie als die "Denkwürdigkeiten Jeremias" (Jeremia, S.108-191).
7 Jeremia, S.167-189
8 Jeremia, S.168

11

der Konfessionen Jeremias schlagen sich zwei Vorverständnisse nieder, die durch die forschungsgeschichtliche Situation um die Jahrhundertwende bedingt sind: 1. Das Verständnis der Konfessionen Jeremias wird ganz eingebettet in das Verständnis der allgemeinen Klage. 2. Wie das Verständnis der allgemeinen Klage, so ist auch das Verständnis der Konfessionen bestimmt von einem individualistischen Menschenbild, das aber der *Dreigliedrigkeit der Klage* in ihrer Ausgerichtetheit auf Gott, die Feinde und das Ich des Beters nicht gerecht wird (1). Diese beiden Vorverständnisse sind auch der Grund dafür, daß *Erbt* sich nicht in der Lage sieht, nach dem Verhältnis von Konfession und Eigenbericht zu fragen.

Diese Frage hat erst *Westermann* (2) wieder aufgenommen und versucht, einen Zusammenhang zwischen den Konfessionen und dem (im Eigenbericht berichteten) Auftrag an den Propheten zu sehen: "Jeweils vor den Klagen in Kap. 11-20 steht eine Reihe von Aufträgen Gottes an Jeremia; es geht dabei um Ereignisse und Zeichen, die den Klagen eigentümlich entsprechen, so als respondierten diese jenen." (3) Doch wird sofort eingeschränkt: "Die Zusammenstellung mag zufällig und ohne Absicht sein ..." (4), also redaktionell. Der Grund für diese Unsicherheit ist darin zu suchen, daß auch *Westermann* eine generelle Antwort auf die Frage nach dem Ort der Konfessionen Jeremias sucht. Diese Suche nach einer generellen Antwort führt aber fast unweigerlich auf die Redaktion des Jeremiabuches. Der Nachweis eines Zusammenhanges zwischen Klage und Eigenbericht über einen Auftrag läßt sich aber nur für einen Teil der Konfessionen Jeremias führen.

Läßt sich somit ein Zusammenhang zwischen den Konfessionen und den Grundformen gerichtsprophetischer Rede generell für alle Konfessionen weder in der Weise nachweisen, daß alle Konfessionen auf das prophetische Gerichtswort bezogen sind, noch in der Weise, daß alle Konfessionen auf den Eigenbericht über einen Auftrag an den Propheten bezogen sind, während eine generalisierende Antwort auf die Frage nach dem Ort der Konfessionen erst auf der Stufe der Redaktion möglich zu sein scheint, so ist im folgenden dieses nur von dem Frageansatz bei den Grundformen gerichtsprophetischer Rede her gewonnene Ergebnis anhand eines forschungsgeschichtlichen Überblicks über den Ansatz bei den allgemeinen Klagestrukturen und Klagevorgängen zu überprüfen.

b. Der Ansatz bei den allgemeinen Klagevorgängen

Für den Ansatz bei den allgemeinen Klagevorgängen lassen sich zwei Hauptgruppen von Lösungsvorschlägen unterscheiden: Die eine Gruppe versucht, die Klagen Jeremias aus den prophetischen Redeformen auszuklammern; die andere versucht, sie als mitten aus dem prophetischen Amt Jeremias heraus gesprochen zu erklären.

---

1 Zur Dreigliedrigkeit oder genauer dreifachen Gerichtetheit der Klage auf Gott, die Feinde und das Ich des Klagenden cf. C.Westermann, Struktur und Geschichte, S.269f..273-290; ders., Rolle der Klage, S.257f.. Ausführlich dazu unten, S.194 mit A.1.
2 Jeremia. F.D.Hubmann, Konfessionen, S.317 bzw. S.319 deutet zumindest an, daß ein Zusammenhang zwischen den Konfessionen Jer 11,18-12,6 und 15,10-21 und symbolischen Handlungen sowie Wortaufträgen bestehen könnte.
3 Jeremia, S.44
4 ebda.

α. *Die Ausklammerung der Konfessionen Jeremias aus den prophetischen Redeformen*

In dieser ersten Hauptgruppe von Forschern, die bei den allgemeinen Klagevorgängen ansetzen, lassen sich wiederum zwei Richtungen unterscheiden:

Die eine Richtung spricht die Konfessionen dem Propheten ab und ordnet sie der (deuteronomistischen) Redaktion des Jeremiabuches zu. Diese Lösung haben *G.Hölscher* (1), *E.Gerstenberger* (2), *A.H.J.Gunneweg* (3) und *P.Welten* (4) vorgeschlagen. Richtig ist an diesem Lösungsvorschlag, daß auch für die Prophetenklagen im Jeremiabuche die Bedeutung der Redaktion nicht zu niedrig veranschlagt werden darf (5). Doch ist es unmöglich, alle an Gott gerichteten Klagen im Munde Jeremias der Redaktion zuzuschreiben. Gerade die oben (6) angeführten Beispiele zeigen, daß Jeremia nicht der erste klagende Gerichtsprophet gewesen ist. Auf diese Weise hätte auch die Bedeutung der Grundformen gerichtsprophetischer Rede als Fragehorizont für die gerichtsprophetischen Klagen in den Blick kommen können. Dieser Fragehorizont fällt aber in allen vier Beiträgen aus. - Überdies vermißt man in allen vier Beiträgen einen Vergleich der Konfessionen Jeremias mit der Struktur und der Geschichte der Klage, wie sie *C.Westermann* (7) beschrieben hat. Ordnen sich die Konfessionen Jeremias wirklich so klar der Spätgeschichte der Klage, d.h. der deuteronomistischen Form der Klage (8) zu, wie dies in den vier Beiträgen stillschweigend vorausgesetzt wird? Wie ordnen sich z.B. die scharfen Anklagen insbesondere in Jer 12,1f.; 15,17-18 und 20,7-9 der deuteronomistischen Tendenz zu, die Anklage gegen Jahwe möglichst abzuschwächen und an deren Stelle das Lob des gerechten Gottes treten zu lassen (9)?

Alle vier Beiträge sind überdies bestimmt von dem Versuch einer Abkehr von der psychologistisch-individualistischen Deutung der Konfessionen. Dabei wird aber keineswegs die Dreigliedrigkeit der Klage beachtet (10). Vielmehr wird versucht, den Propheten als Sprecher der Klage zu ersetzen durch das Kollektiv der exilischen Gemeinde (11) bzw. das in den Konfessionen sich aussprechende Ich zu erklären als

---

1 Profeten
2 Jer 15,10-21
3 Konfession oder Interpretation
4 Leiden und Leidenserfahrung; cf.a. F.Stolz, Psalm 22, S.145.
5 s.o., bes. S.4f.8.9-11.12
6 S.6
7 Struktur und Geschichte
8 Cf. dazu die Bemerkungen bei C.Westermann, Struktur und Geschichte, S.271.
9 ebda.
10 Cf. dazu ebda., bes. S.269f..273-290.
11 E.Gerstenberger, Jer 15,10-21, S.399. Dieser Lösung liegt folgende These zugrunde: "Any given text in the OT more likely than not has been cast into the mold of some conventional form of speech. Consequently it does not reflect unique historical events but social and cultic habits and institutions." (S.139f.) So richtig diese Bemerkung auch für eine Klärung des alttestamentlichen Geschichtsverständnisses sein mag, sie übersieht die Tatsache, daß auch ein Einzelner immer eine Summe von Erfahrungen der ihn bestimmenden Gruppen und Vorstellungen in sich trägt. Auf dem Hintergrund dieser Überlegung wird nicht nur formgeschichtliches Forschen an den gerichtsprophetischen Klagen, sondern überhaupt an der Überlieferung von den Gerichtspropheten sinnvoll, wie die neuere Prophetenforschung so überzeugend zeigt.

Interpretament der exilischen Gemeinde (1). Damit dreht sich die Diskussion aber lediglich um ein Element der dreigliedrigen Klage: um die Ich- bzw. die Wir-Klage.

Die andere Forschungsrichtung sieht in den Klagen zwar Worte aus dem Munde Jeremias, aber Jeremia hat diese Klagen nicht mehr als Prophet gesprochen.

Diese Sichtweise hat *J.Wellhausen* auf eine für seine Zeit charakteristische Formel gebracht: "Die Propheten predigten zu ihrer Zeit tauben Ohren und sahen keinen Erfolg ihres Wirkens. ... Am meisten litt darunter der letzte und in mancher Hinsicht größte Prophet, Jeremias. ... Seine Arbeit an dem Volke war vergeblich. Aber nicht vergeblich war sie für ihn selber. Durch den Miserfolg (sic!) seiner Prophetie wurde er über die Prophetie hinausgeführt. ... Seine verschmähte Prophetie ward ihm die Brücke zu einem inneren Verkehr mit der Gottheit." (2) Die Klagen werden also jenseits der Prophetie gesprochen und damit zu Ergüssen der frommen Innerlichkeit des Propheten. (3) Dahinter steht ein individualistisches Menschenbild und damit eine individualistische Auffassung der Klage, die die Ich-Klage zuungunsten der beiden anderen Glieder der Klage, der Du-Klage und der Feind-Klage (4), vereinseitigt.

Auf der Linie dieser Sichtweise steht auch noch diejenige von *H.Gunkel*. Für ihn sind die Klagen Jeremias "persönliche Ergüsse" (5), wobei die Klagen ganz an den Rand der Prophetie gehören: "So geht schließlich die Prophetie in die Lyrik über." (6) Doch zeigt dieses Zitat auch etwas wesentlich Neues: Es wird die *Ganzheit* "Prophetie" der *Ganzheit* "Lyrik" gegenübergestellt. Dies könnte ein Hinweis darauf sein, daß die Konfessionen Jeremias auf der Grenze zwischen "Prophetie" und "Lyrik" stehen und dementsprechend in ihrer Eigenart nur von *beiden* Fragehorizonten her erfaßt werden können. Damit verschiebt sich für *Gunkel* auch der Ort der Konfessionen gegenüber *Wellhausen*: Die Klagen Jeremias erwachsen aus seiner prophetischen Tätigkeit. Zwar kann *Gunkel* noch ganz ähnlich wie *Wellhausen* sagen: "(Jeremias) Wunde ist, daß sich Jahves Worte noch immer nicht erfüllen wollen," (7) doch betont er wesentlich stärker als *Wellhausen* das "Eigentümlich-Prophetische" (8), das sich in den Konfessionen widerspiegelt: "Dahin gehört vor allem, daß hier zuweilen ein an den Dichter persönlich ergangenes Orakel Jahves hinzugefügt wird ..." (9). Das heißt dann aber doch, daß die Klage

---

1 "(Die Konfessionen) deuten Jeremias Geschick im Sinne jenes immer schon exemplarischen Ich der Klagelieder; ... Jeremia ist der exemplarisch leidende Gerechte." (A.H.J.Gunneweg, a.a.O., S.399; cf.a. E.Gerstenberger, Jer 15,10-21, S.399). Es wird an diesem Zitat, dem im Ergebnis zuzustimmen ist (s.u., S.142), deutlich, wie nahe einander die individuelle und die kollektive Deutung der Konfessionen stehen: Beide beachten nicht die Dreigliedrigkeit der Klage.
2 Geschichte, S.139f.
3 Im übrigen entspricht Wellhausens Beschreibung des Wirkens Jeremias in starkem Maße dem Prophetenbild der dtr. Redaktion des Jeremiabuches.
4 C.Westermann, Struktur und Geschichte, S.280-290
5 Einleitungen, S.LX
6 Literatur, S.37
7 Einleitungen, S.LXI
8 ebda.
9 ebda.

14

(a) ausgelöst wird durch das Ausbleiben der Erfüllung des Wortes Gottes und (b) wiederum ein Wort Gottes nach sieht zieht, m.a.W.: Die Klage ist in die Prophetie eingebettet.

Gunkels Betrachtungsweise ist wesentlich mitbestimmt durch das Nebeneinanderstellen von *Ganzheiten*. Doch lassen sich die beiden Ganzheiten "Prophetie" und "Lyrik" im Blick auf die Konfessionen Jeremias wesentlich schärfer fassen, als dies *Gunkel* möglich war. So läßt sich aus der Ganzheit "Prophetie" die Ganzheit *"Gerichtsprophetie"* ausgrenzen (1), und diese wiederum ist faßbar in den *Grundformen gerichtsprophetischer Rede*, die bestimmte, durch die Geschichte der Prophetie hindurch feste Strukturmerkmale aufweisen (2). Im Hintergrund ist dabei jeweils der *Botenvorgang* zu sehen. *Lassen sich Bezüge zwischen den Konfessionen Jeremias und dem Botenvorgang feststellen?* Tauchen die *Strukturmerkmale* des prophetischen Gerichtswortes und des in die Form des prophetischen Eigenberichts gebrachten Auftrags an den Propheten in der Spiegelung der Klage auf? Erst dann wäre es möglich, sie als gerichtsprophetische Klagen zu bezeichnen (3). - Im Blick auf die von *Gunkel* angesprochene Ganzheit "Lyrik" indes wäre eine Ausweitung der Fragestellung vonnöten. Für *Gunkel* war die Ganzheit "Lyrik" im wesentlichen identisch mit dem Psalter. Doch hat *C.Westermann* gezeigt, daß die Klage, wie sie sich insbesondere im Psalter niedergeschlagen hat, eine Vorgeschichte und eine Nachgeschichte hat. Daneben ist die Klage des Mittlers mit ihrer besonderen Geschichte in mancherlei Ausprägungen immer im Blick zu behalten (4). Wie verhält sich die gerichtsprophetische Klage zur allgemeinen Klage und zur Klage des Mittlers?

β. *Die Konfessionen Jeremias als mitten aus dem prophetischen Amt heraus gesprochene Worte*

Bei *Gunkel* ließen sich schon deutliche Ansätze zu einer Betrachtung der Konfessionen als mitten aus dem prophetischen Amt heraus gesprochenen Worten feststellen. Für diese These finden sich in der Forschung wiederum zwei Gruppen: Entweder die Klage erhält ein derartiges Eigengewicht, daß eine tiefgreifende Korrektur des durch die beiden Grundformen "prophetisches Gerichtswort" und "prophetischer Eigenbericht über einen Auftrag" bestimmten Bildes von dem Gerichtspropheten als eines mit einem Gerichtswort oder einer entsprechenden symbolischen Handlung beauftragten Boten erforderlich wird, oder man versucht, an diesem Bilde von der Gerichtsprophetie festzuhalten und diesem die Klagen einzuordnen.

Ersterer Lösungsvorschlag ist der von *H.Graf Reventlow* (5). Danach hat der Prophet eine "doppelte Aufgabe: einmal als der Vertreter des Volkes vor Gott zu stehen, in der Fürbitte und stellvertretenden Klage für die Gemeinschaft einzutreten, zum andern die Botschaft Jahwes für dieses Volk entgegenzunehmen und als der Mund Jahwes an es weiterzureichen." (6) Die beiden Ganzheiten "Klage/Fürbitte" und "Prophetie" haben danach für die Bestimmung des Wesens der Prophetie gleiches Gewicht. Die beide umfassende Ganzheit ist der Kult, innerhalb dessen

---

1 s.o., S.1f.
2 ebda.
3 U.Eichler, a.a.O., S.132f., streift die "Botenfunktion" Jeremias nur kurz, ohne aber eingehender nach den durch die Gemeinsamkeit des Vorgangs bedingten Entsprechungen zwischen Botenauftrag und gerichtsprophetischer Klage zu fragen.
4 Struktur und Geschichte, passim
5 Jeremia
6 ebda., S.258

der Prophet seine doppelte Funktion ausübt. Im Rahmen dieser Ganzheit stehen Klage/Fürbitte und Jahwewort nicht beziehungslos nebeneinander, sondern das Jahwewort ist wesentlich bezogen auf die Klage bzw. Fürbitte. Dabei macht es keinen Unterschied, ob der Inhalt des Jahwewortes Heil oder Unheil ist: "Vielmehr sind Prophetie und Nabitum ein und dasselbe, wie auch Heil und Unheil miteinander verbunden sind, sich aufeinander beziehen, sich wechselseitig durchdringen und ergänzen."(1)

Gegen dieses Gesamtbild, das *Reventlow* nicht auf Jeremia beschränkt wissen möchte, sondern das für alle Propheten des Alten Testaments Gültigkeit haben soll (2), erheben sich folgende Bedenken: 1. In diesem Gesamtbild lassen sich keineswegs alle prophetischen Redeformen unterbringen. Gerade die Grundform des zweiteiligen prophetischen Gerichtswortes ist etwas wesentlich anderes als bloße Antwort auf Klage und Fürbitte (3). M.a.W.: Durch den Ansatz bei Klage und Fürbitte wird das Bild von der Gerichtsprophetie, wie es sich von den Grundformen gerichtsprophetischer Rede her darstellt, notwendigerweise eingeengt. Außerdem wird es schwerfallen, den Botenvorgang mit allen seinen Teilaspekten in diesem Bild unterzubringen (4). - 2. Die unterschiedslose Einordnung von Klage und Fürbitte in einen kultischen Zusammenhang wird den Besonderheiten der jeweiligen Klage- und Fürbittexte nicht gerecht. Vielmehr entsteht der Eindruck, als beschreibe *Reventlow* die Funktionen von Klage und Fürbitte auf der Ebene der dtr. Redaktion des Jeremiabuches. - 3. Durch die Einordnung der prophetischen Redeformen in einen kultischen Zusammenhang wird es zwar möglich, alle Propheten zu berücksichtigen, aber Reventlow muß dieser Sichtweise eine ganze Reihe ·Klagen in der Prophetie vor und nach Jeremia sowie eine Reihe von Klagen Jeremias opfern: Diese bleiben einfach unberücksichtigt! (5)

Reventlow versucht, sich mit diesem Entwurf insbesondere von einer individualistischen Engführung der Klage und damit auch der Prophetie abzusetzen, wie wir sie oben z.B. bei *Erbt* (6) und *Wellhausen* (7) feststellten. Aber die individualistische Engführung wird lediglich ersetzt durch eine kollektivistische Engführung, d.h. in der Begrifflichkeit *Westermanns*: Die Dreigliedrigkeit der Klage (Ich- bzw. Wir-Klage, Du-Klage, Feind-Klage) wird keineswegs berücksichtigt: An die Stelle der vereinseitigten Ich-Klage tritt die vereinseitigte Wir-Klage (8), die Feinde des Propheten werden auf die Feinde der kultischen Gemeinde uminterpretiert, während die Du-Klage (=Anklage Jahwes) völlig unberücksichtigt bleibt.

---

1 ders., Amos, S.111
2 ebda.
3 Mit Recht hat C.Westermann, Grundformen, S.115f. zwischen dem Unheilswort als Antwort auf eine Fürbitte bzw. Jahwebefragung und dem Gerichtswort unterschieden.
4 Das wird auch daran deutlich, wie schwer sich H.Graf Reventlow in seinem frühen Aufsatz von 1961, Prophetenamt und Mittleramt, S.281-284 mit dem für den Boten charakteristischen Auftrag: לך tut.
5 Cf. dazu auch die berechtigte Kritik von J.Bright, Complaints, passim.
6 s.o., S.11f.
7 s.o., S.14
8 Das wird schon deutlich an dem Titel der Untersuchung: Liturgie und prophetisches Ich ... . Für die starken methodischen Parallelen zwischen individueller und kollektiver Deutung cf. die Bemerkungen oben, S.14, A.1. Beide Deutungsweisen fliessen zusammen in Weisers Interpretation der Konfessionen Jeremias (A.Weiser, Jeremia).

Kann somit dieser Entwurf nicht überzeugen, so ist nach den Lösungsvorschlägen zu fragen, die zwar auch die Klagen als mitten aus dem prophetischen Amt heraus gesprochen auffassen, aber gleichzeitig versuchen, der Eigenart der Gerichtsprophetie gerecht zu werden.

Für diese Gruppe ist vor allem die bis in die Gegenwart hinein grundlegende und in ihrer methodischen Anlage beispielhafte Arbeit von W.Baumgartner, Die Klagegedichte des Jeremia (1), zu nennen. Baumgartners Ziel in dieser Untersuchung ist es, zwei Thesen zu widerlegen, einmal die, daß Jeremia der erste Psalmdichter gewesen sei; zum andern die, daß die Konfessionen nicht von Jeremia stammten. Die erste These widerlegt Baumgartner durch den Nachweis, daß Jeremia in seinen Klagegedichten von der längst vor ihm bestehenden Gattung des Klageliedes des Einzelnen abhängig sei; die andere durch den Nachweis prophetischer Elemente in diesen Klagegedichten. Aus dieser doppelten Frontstellung heraus erklärt sich Baumgartners Ansatz bei der Gattung des Klageliedes des Einzelnen (S.6-27), auf deren Hintergrunde dann erst das "Eigentümlich-Prophetische" (S.28-67) der Klagegedichte herausgestellt werden kann, woraus sich der Nachweis der Echtheit (S.68-79) sowie der Nachweis des höheren Alters der Gattung die Klagelieds des Einzelnen ergibt (S.79-82). Der Ansatz bei der Gattung des Klageliedes des Einzelnen hängt also wesentlich mit dem Nachweis zusammen, daß Jeremia nicht der erste Psalmdichter gewesen sei (2). Die These von Jeremia als dem ersten Psalmdichter ist aber nicht mehr unser Problem (3). - Andererseits kann mit dem Nachweis des Alters der Gattung des Klageliedes des Einzelnen die Echtheit der Konfessionen nur teilweise bewiesen werden (4). Daher richtet Baumgartner für diesen zweiten Teil der Aufgabenstellung sein Augenmerk auf die in den Konfessionen enthaltenen prophetischen Elemente. Hier wird nun nicht mehr gattungsgeschichtlich, sondern mehr gefühlsmäßig argumentiert: Hier ist die Rede von "Gedanken, (die) prophetisches Wesen verraten" (5), von einem "Innenleben, das Kampfesmut und Verzagtheit, Höhen und Tiefen kennt" (6). Diese Bemerkungen sind gespeist von einem bestimmten, vorgefaßten Prophetenbild (7). Die neuere gattungsgeschichtliche Erforschung der Grundformen prophetischer Rede hat aber ein viel präziseres Bild von den Gerichtspropheten zutagegefördert, als dies Baumgartner möglich war (8). Damit genügt es nicht mehr, lediglich nach Einzelelementen zu fragen (9), die "Prophetisches" verraten, sondern es ist

---

1 = W.Baumgartner, Klagegedichte
2 Freilich hängt dieser Ansatz auch noch mit etwas anderem zusammen. Im Jahre 1917 gab es für die Erforschung der Klagegattungen schon eine gesicherte methodische Basis. Von dieser aus konnte Baumgartner die Möglichkeiten gattungsgeschichtlicher Methode in Anwendung auf ein konkretes forschungsgeschichtliches Problem unter Beweis stellen.
3 Trotz P.E.Bonnard, Psautier und R.F.Kenney, Contribution.
4 Es sei aber nachdrücklich hingewiesen auf den Wert dieses gattungsgeschichtlichen Ansatzes Baumgartners: Auf diese Weise war es möglich, die vorexilische Existenz der Gattung des Klageliedes des Einzelnen zu unterscheiden von den häufig erst aus exilisch-nachexilischer Zeit stammenden Einzelbeispielen für diese Gattung. Diese Unterscheidung Baumgartners ist von der weiteren Forschung häufig nicht beachtet worden.
5 a.a.O., S.70
6 a.a.O., S.71
7 s.o., S.16 mit A.6+7
8 s.o., S.1f.
9 Cf. dazu auch die Klarstellungen bei P.Welten, a.a.O., S.141.

zu fragen, ob sich in den Konfessionen Jeremias *Strukturen* (d.h. Komplexe von Elementen) finden, wie sie für die Grundformen gerichtsprophetischer Rede, d.h. für das Gerichtswort und für den Eigenbericht über einen Auftrag charakteristisch sind, wobei diese in die Form der Klage übertragen sind und durch die Klage gewissermaßen gespiegelt werden. Wenn sich in den Klagen lediglich "prophetische Gedanken" finden, dann lassen sich diese auch ebensogut der Redaktion zuschreiben (1); denn auch die Redaktion hat sich Gedanken über die Propheten und ihr Leid gemacht (2).

An einer Stelle stößt *Baumgartners* von den allgemeinen Klagevorgängen her fragende Studie an eine Grenze: Nicht alle Konfessionen Jeremias lassen sich unmittelbar mit der Struktur des Klageliedes des Einzelnen vergleichen. So muß *Baumgartner* eine besondere Gruppe von "Gedichten, die den Klageliedern nahestehen" (S.52-67) von den übrigen Konfessionen abgrenzen, ohne daß weiter nach den Strukturunterschieden zwischen diesen beiden Gruppen und den Gründen für diese Unterschiede gefragt wird. Die Antwort auf diese Frage ergibt sich aber, wenn man den Ansatz bei den Klagestrukturen ergänzt durch den Ansatz bei den Grundformen gerichtsprophetischer Rede: Dann zeigt eine Gruppe von Konfessionen eine starke Nähe zum prophetischen Gerichtswort, die andere Gruppe eine starke Nähe zu dem innerhalb des Eigenberichts überlieferten Prophetenauftrag,

Daß derartige Zusammenhänge bestehen können, hat besonders *G.von Rad* in seinen Bemerkungen zur Sache erkennen lassen. *Von Rad* unterscheidet ganz ähnlich wie *Baumgartner* zwei Gruppen von Klagegedichten: 1. Solche, die sich "noch auf der herkömmlichen Linie" "(der) althergebrachte(n) kultische(n) Gattung der Klagelieder des Einzelnen" (3) bewegen; 2. Solche, die diese Linie schon verlassen haben (4). Gerade diese zweite Gruppe (5) stellt *von Rad* ins Zentrum seiner Untersuchung, und in diesem Zusammenhang fällt auch immer wieder das Stichwort *"Auftrag"* (6). *Von Rad* spürt diese Zusammenhänge, ohne allerdings diese Gruppe von Konfessionen mit der Grundform des Prophetenauftrags zu vergleichen. - Andererseits will nicht recht einleuchten, daß die Gruppe von Konfessionen, die der Gattung des Klageliedes des Einzelnen sehr nahe stehen, als für die Jeremia-Interpretation unerheblich abgetan werden. Dieses Verfahren hängt eng mit dem einseitigen Frageansatz bei den Klagestrukturen zusammen: Der prophetische Charakter der Konfessionen wird je nach ihrer Nähe zu bzw. ihrem Abstand von den allgemeinen Klagestrukturen beurteilt, wobei in den drei genannten Beispielen (7) charakteristischerweise die *Anklage Jahwes* vorherrscht. Die Frage, wie sich die beiden Gruppen von Konfessionen a. zur dreigliedrigen allgemeinen Klage, b. zur Klage des Mittlers und c. zur der neben

---

1 Diese Konsequenz haben E.Gerstenberger, Jer 15,10-21 und A.H.J.Gunneweg, Konfession oder Interpretation, gezogen.
2 Cf. dazu den Titel des Aufsatzes von P.Welten: Leiden und Leidenserfahrung im Buche Jeremia.
3 Theologie II, S.213
4 ebda.
5 Es sind insbesondere die drei Zusammenhänge Jer 15,16-20; 12,1-5 und 20,7-9 (Konfessionen, S.266-268.270f.). Diese drei Klagezusammenhänge werden auch von J.J. Stamm, Bekenntnisse, ins Zentrum der Untersuchung gestellt, während 11,18-23 und 17,14-18 vernachlässigt werden und 18,18-23 ganz übergangen wird.
6 z.B.: "Bei Jeremia treten Mensch und prophetischer Auftrag auseinander." (Theologie II, S.217)
7 s.o., A.5

dem Auftrag wichtigen Grundform prophetischer Rede, nämlich dem prophetischen Gerichtswort, verhalten, unterbleibt. Erklären sich die
Formunterschiede der beiden Gruppen von Konfessionen aus unterschiedlichen Vorgängen, wie sie spiegelbildlich in den unterschiedlichen
Formen des Prophetenauftrags und des prophetischen Gerichtsworts faßbar werden (1)?

Die bei *von Rad* vermißte Frage nach dem Verhältnis von prophetischem Gerichtswort und Klage stellt *H.J.Stoebe* in den Mittelpunkt seiner Betrachtung der Konfessionen Jeremias (2). Die extremste Aussage
in dieser Richtung lautet: "Das Besondere am Mitleiden Jeremias ist
es ..., daß es Bestandteil seiner prophetischen Verkündigung wird." (3)
Dies kann man vielleicht für manche Klage im Munde Jeremias so sagen,
nicht aber für die an Gott gerichteten Klagen; denn sie sind nicht wie
die Verkündigung von Gott - durch den Propheten - an Menschen gerichtet, sondern umgekehrt vom Propheten an Gott. Das sieht auch *Stoebe*.
Daher verweist er darauf, daß in den an Gott gerichteten Klagen "zumeist nicht die Klage, sondern das auf die Klage folgende Gotteswort
der eigentliche Kern ist" (4). Das aber ist für kaum mehr als zwei Konfessionen der Fall (5). Es fragt sich aber, ob damit das Problem nicht
ungut verschoben worden ist; denn die Frage ist doch, ob die Klagen
in sich bestimmt sind von gerichtsprophetischen Grundstrukturen, die
sich überdies nicht herleiten lassen aus Eingriffen der Redaktion.
Diese Frage kann aber mit der bloßen Feststellung der Aufeinanderfolge
von Klage und richtendem Gotteswort nicht befriedigend beantwortet werden, im Gegenteil: Diese Feststellung ist in sich interpretationsbe-
dürftig, wie die positive Aufnahme derselben durch *Reventlow* unter
einem ganz anderen Vorzeichen (6) zeigt. Im übrigen macht diese Feststellung deutlich, daß auch *Stoebe* noch stark in der forschungsgeschichtlichen Linie steht, die einseitig bei den Klagen ihren Ausgangspunkt nimmt, und erst auf diesem Hintergrunde seine auf die Rolle der

---

1 Daß von Rad die Frage nach dem Verhältnis von Gerichtswort und Klage kaum stellt,
  hängt wahrscheinlich mit der Situation zusammen, in der er zum erstenmal zur Sache Stellung nahm: Der Aufsatz "Die Konfessionen Jeremias" aus dem Jahre 1936
  ist für die Gemeinde (der Bekennenden Kirche) geschrieben. Bei dieser scheint er
  vorauszusetzen, daß sie die ganze Bibel als Gottes Wort betrachtet. Daher muß
  die Besonderheit der Klage als eines von Menschen an Gott gerichteten Wortes herausgestellt werden. So erklären sich m.E. sonst unverständliche Klarstellungen
  wie diese: "'Klagegedichte' sind nun einmal in jeder Hinsicht unterschieden von
  'prophetischen Gottessprüchen'" (Konfessionen, S.265, A.1), oder: "Prophetische
  Verkündigung sind aber die Konfessionen Jeremias keineswegs," (ebda., S.273).
  Wenn E.Gerstenberger, Psalms, S.186f., in C.Westermanns (Loben Gottes) Psalmenexegese eine einseitige Auswirkung einer Wort-Gottes-Theologie im Gefolge der
  Theologie G.von Rads erkennen will, so zeugen obige Zitate doch von einer sehr
  differenzierten Sichtweise im Blick auf das Verhältnis von Jahwewort (Prophetenspruch) und Klage des Gerichtspropheten. Es dürfte wohl auch kein Zufall sein,
  daß von Rad die Behandlung der Psalmen an das Ende des ersten Bandes seiner Theologie stellt (Die Antwort Israels), also des Bandes über die geschichtlichen
  Überlieferungen und nicht an das Ende des zweiten Bandes über die prophetischen
  Überlieferungen.
2 Seelsorge; ders., Prophet
3 Seelsorge, S.117
4 ebda., S.131
5 Stoebe nennt nur Jer 12,5 und 15,19.20 (ebda. S.131, A.146).
6 Jeremia, S.208

Gerichtsankündigung für die Konfessionen Jeremias abzielenden Thesen gewinnt.

Stoebes Untersuchung enthält aber noch einige für die Interpretation der Konfessionen Jeremias wichtige Ansätze, die einer Weiterführung bedürfen. Ohne besondere Bezugnahme auf die beiden von *Baumgartner* (1) und *von Rad* (2) herausgestellten Gruppen von Klagegedichten Jeremias unterscheidet auch *Stoebe* zwei Gruppen: In der einen "schließt sich Jeremia mit seinem Volk zusammen" (3); diese Gruppe steht der Fürbitte nahe. Die andere Gruppe ist gekennzeichnet durch "das Leiden über die Schmähung, den Hohn, die Anfeindung, die ihm die Verkündigung der Botschaft Gottes von allen Seiten einträgt" (4). Es ist also ein klarer Bezug auf die *zuvor* ausgerichtete Gerichtsankündigung gesehen. Es wird aber nicht weiter gefragt, ob sich die Grundstruktur des prophetischen Gerichtswortes in diesem Klagetyp niederschlägt. – *Stoebe* sieht ferner Jeremia in einer doppelten Geschichte: Jeremia steht in der "religiösen" und der "prophetischen" Überlieferung (5). Diese beiden Überlieferungsganzheiten werden aber nicht unter gattungsgeschichtlichen Gesichtspunkten erfaßt. Erst so hätte die Geschichte des prophetischen Gerichtswortes auf der einen und die Geschichte der Klage auf der anderen Seite in die Betrachtung einbezogen werden können. Dann wäre auch zu fragen gewesen, ob sich wirklich beide Überlieferungsganzheiten nur an einem Punkte, nämlich bei Jeremia, berühren, oder ob die Klage wesentlich zur Gerichtsprophetie durch ihre ganze Geschichte hindurch hinzugehört.

c. Zusammenfassung

1. Die Forschungsgeschichte zu den Konfessionen Jeremias hat deutlich gemacht, daß diejenigen Forscher, die der Eigenart der Gerichtsprophetie gerecht zu werden versuchen, zwei Gruppen von Konfessionen Jeremias unterscheiden (*Baumgartner*, *von Rad*, *Stoebe*), während umgekehrt diejenigen Forscher, die die Konfessionen unter einem gemeinsamen Blickwinkel betrachten, notwendigerweise zu einseitigen Ergebnissen gelangen: zu einer einseitigen Zuordnung der Konfessionen zur Redaktion des Jeremia-Buches (*Hoelscher*, *Gerstenberger*, *Gunneweg*, *Welten*), zum Kult (*Reventlow*) oder zu einer einseitig individualistischen Betrachtungsweise (*Wellhausen*, *Erbt* u.a.).

2. In ersten Ansätzen ist zwar versucht worden, den Ort der Konfessionen in der Redaktion des Jeremiabuches (*Jacoby*, *Thiel*) zu unterscheiden von deren Ort in der Gerichtsprophetie Jeremias und für die letztere Stufe wiederum zwei unterschiedliche Bezüge der Konfessionen herauszustellen: einmal den Bezug auf das prophetische Gerichtswort (*Mowinckel*), zum andern den Bezug auf den prophetischen Eigenbericht über einen Auftrag (*Westermann*), aber diese Versuche konnten noch zu keinem gesicherten Ergebnis führen, weil sie noch nicht unterschieden zwischen zwei Gruppen von Konfessionen Jeremias.

3. Der Botenvorgang mit seinen Teilaspekten ist für die Untersuchung der Konfessionen Jeremias bislang noch überhaupt nicht herangezogen worden. Ebenso fehlt eine gründliche methodische Reflexion über die Möglichkeit, Strukturen des prophetischen Gerichtswortes bzw.

---

1 s.o., S.17f.
2 s.o., S.18f.
3 Seelsorge, S.131
4 ebda., S.133
5 ebda., S.124

des prophetischen Eigenberichts über einen Auftrag in der Spiegelung
durch die Klage, d.h. also übertragen in die Form der Klage hinein,
festzustellen (1), wenn man einmal absieht von den im folgenden ständig zu berücksichtigenden Versuchen *U.Eichlers* (2), die Thesen meiner
Dissertation fortzuführen. Vielmehr werden diese formgeschichtlichen
Fragen in der neuesten Phase der Jeremia-Forschung überlagert durch
die Fragen der Schichtung des Jeremiabuches (3.4).

III. DAS FORSCHUNGSINTERESSE

Es gibt wenige alttestamentliche Textkomplexe, denen von so unterschiedlichen Seiten her ein so großes praktisch(-theologische)s Interesse
entgegengebracht wurde wie gerade den Konfessionen Jeremias. Groß ist
die Zahl der Aufsätze zu den Konfessionen mit ausgesprochen prakti-
scher Zuspitzung, und zwar sowohl im evangelischen als auch im römisch-
katholischen Bereich (5). Dieses starke Praxisinteresse wäre undenkbar, wenn sich nicht Menschen unserer Zeit wie auch anderer Zeiten immer wieder ganz unmittelbar wiedergefunden hätten in den Konfessionen,
wenn die Konfessionen nicht eine Hilfe gewesen wären, die eigene Problematik als Mensch, als Christ, als Verkündiger zur Sprache zu bringen. Dieses Motiv für die Beschäftigung mit den Konfessionen Jeremias
wird wahrscheinlich noch stärker gewesen sein als das andere, einen

---

1 Dieses Verfahren ist wohl zu unterscheiden von der strukturanalytischen Methode,
  wie sie z.B. F.D.Hubmann, Konfessionen, im Gefolge von W.L.Holladay (cf. bes. dessen große Arbeit: Architecture) u.a. anwendet. Es geht uns nicht primär um die
  Entdeckung poetischer Stilmerkmale wie des Chiasmus und ihre Anwendung in redaktionsgeschichtlichen Streitfällen, sondern es geht uns darum, Grundstrukturen
  gerichtsprophetischen Redens (v.a. Prophetenauftrag und Gerichtswort) in den gerichtsprophetischen Klagen wiederzufinden derart, daß sie nicht aus diesen gelöst
  werden können, sondern die Grundstruktur der gerichtsprophetischen Klage in ihrem
  vorliterarischen Stadium bestimmen.
2 a.a.O.
3 Cf. dazu oben, S.4 mit A.1; S.9-11.12.13 mit A.5.
4 An neueren Arbeiten zu den Konfessionen sind noch zu vergleichen: W.Chambers, The
  Confessions of Jeremiah: A Study in Prophetic Ambivelence, Diss. Vanderbilt University, Nashville, Tennessee 1972 und D.H.Wimmer, Prophetic Experience in the
  Confessions of Jeremiah (cf. University Microfilms International, Ann Arbor-Lon-
  don 1973), die aber beide sowohl methodisch als auch im Ergebnis in andere Richtung gehen als die hier vorgetragene Unterschung.
  Schließlich sei noch verwiesen auf den schönen Aufsatz von W.Zimmerli, Jeremia,
  bes. auf die ebenso kurze wie differenzierte Beschreibung der Gesichtspunkte, die
  für den Hintergrund der Konfessionen Jeremias zu berücksichtigen sind, S.102.
5 Starken Praxisbezug zeigen folgende Aufsätze aus dem evangelischen Bereich:
  G. von Rad, Konfessionen; J.J.Stamm, Bekenntnisse; H.J.Stoebe, Seelsorge;
  aus dem römisch-katholischen Bereich: J.Schreiner, Last; ders., Klage;
  einen protestantischen Beitrag für eine römisch-katholische Zeitschrift stellt
  dar der genannte Aufsatz von W.Zimmerli, Jeremia.
  Als Arbeit aus dem griechisch-orthodoxen Bereich sei genannt die umfangreiche Arbeit von N.P.Bratsiotis: ΕΙΣΑΓΩΓΗ.

Blick in das seelische Innenleben einer von Gott in Anspruch genomme-
nen Persönlichkeit tun zu können (1).

Auf der anderen Seite zeigt sich in manchen Arbeiten (2) ein Erschrecken davor, die Klagen Jeremias unmittelbar nachzusprechen, vor
allem dann, wenn die schroffen Anklagen Jeremias so stehenbleiben, wie
sie uns im Alten Testament überliefert sind, und ihr zunehmend blas-
phemischer Charakter nicht abgeschwächt und damit verharmlost wird.
Die Anklagen Jeremias werden faktisch schon abgeschwächt in den meisten Übersetzungen, ferner durch die Einordnung der Klagen in den Rahmen einer Liturgie, sei es einer für den historischen Jeremia vorausgesetzten (3) oder einer erst auf der Stufe der Redaktion und damit
in der historischen Wirklichkeit des Exils angenommenen (4) Form des
Gottesdienstes der Gemeinschaft. Alle diese faktischen Abschwächungen
der gerichtsprophetischen Klagen haben ihr Vorbild schon in der dtr.
Redaktion des Jeremiabuches und lassen das Geschehen aus dem Blick geraten, auf das diese Klagen ursprünglich bezogen waren.

Neben diese forschungsgeschichtliche, im Gefälle der Jeremiaüberlieferung begründete Tendenz tritt die Tendenz, "das Klagen als eines
Christen unwürdig abzutun" (5). Vorausgesetzt wird dabei aber häufig
ein unsachgemäßes Verständnis von Klage im Sinne eines richtungslosen
Lamentierens, das weder gerichtet ist auf Gott noch auf die Mitmenschen noch auf eine Wende der notvollen Geschehens (6). So gesehen,
liegt der Verlust des redenden und handelnden Gottes als Gegenüber des
Menschen ebenso wie der Verlust der Kommunikationsfähigkeit des Menschen wie auch schließlich der Sinnverlust in der Konsequenz der Ab-
lehnung der Klage als einer sowohl theologisch (An-Klage Jahwes) als
auch soziologisch (Feind-Klage) und psychologisch (Ich-Klage) rele-
vanten Sprachform des Menschen (7).

Diese *dreifache "Gerichtetheit" der Klage bzw. des Klagens* auf das
eigene Leid, auf Gott und auf den (die) Mitmenschen in ihrer unlösbaren Verbindung mit einem hoffnungsvollen Ausblick auf die Wende der
Not in eben diesen drei Dimensionen dem heutigen Menschen verstehbar
zu machen und als Möglichkeit für eigene Sprach- und Sinnfindung anzu-
bieten, ist das Hauptanliegen der Arbeit *U.Eichlers* (8). Die so verstandene

---

1 Dieses Interesse ist trotz der Arbeiten von H.Graf Reventlow, Jeremia; E.Gersten-
 berger, Jer 15,10-21; A.H.J.Gunneweg, Konfession oder Interpretation; P.Welten,
 Leiden und Leidenserfahrung, nach wie vor verbreitet, wenn es auch in der Gesamt-
 tendenz der Forschung überwunden zu sein scheint.
2 z.B. G.von Rad, Konfessionen, S.231f.; ders., Theologie II, S.215f.
3 H.Graf Reventlow, Jeremia
4 E.Gerstenberger, Jer 15,10-21; A.H.J.Gunneweg, Konfession oder Interpretation;
 P.Welten, Leiden und Leidenserfahrung
5 U.Eichler, Der klagende Jeremia, S.1
6 D.Sölle, Leiden, arbeitet die Ausrichtung der Klage auf Kommunikation mit den
 Mitmenschen (S.91) und auf Veränderung (S.93) sehr gut heraus: "Der Weg führt
 aus der Isolation des Leidens über die Kommunikation der Klage zur Solidarität
 der Veränderung." (S.95) Auch der dritte Aspekt der Klage, die Ausgerichtetheit
 auf (den redenden!) Gott, ist Sölle unverzichtbar (S.96-109).
7 Bei diesen Überlegungen sind immer die drei Aspekte der Klage (Du-Klage, Feindklage, Ich-Klage) im Blick, wie sie C.Westermann, z.B. Struktur und Geschichte,
 erarbeitet hat, s.o., S.12 mit A.1.
8 a.a.O., S.4.214f.

Klage verweist auf die sich in ihr aussprechende Existenzform des Klagenden (1): "Jeremia klagt zugleich als betrogen erscheinender Beauftragter wie auch als betrogen erscheinender Mensch." (2) Dieser "Verweisungsbezug der Klage ist ihre eigentliche Hermeneutik" (3). Die Untersuchung der Struktur der Klage bildet daher auch den sachlichen Schwerpunkt der Arbeit (4). Gerichtswort an das Volk (5) und Auftrag (6) spielen als Verweisgrößen eine Rolle, "hermeneutische Brücke" für das Verstehen heute ist aber die Klage selbst als Daseinsvorgang (7).

Eichlers "Hermeneutik der Klage" muß und kann ergänzt werden durch die *Berücksichtigung der Vorgänge*, auf die die gerichtsprophetischen Klagen jeweils bezogen sind, und deren *Vorgeschichte*. Es sind dies 1. der *Vorgang der Beauftragung des Gerichtspropheten* und der *Ausführung* des Auftrags mit anschließender *Rückmeldung in der Form der Klage* und 2. der *Vorgang des Wartens auf das Gericht*, wobei die *Klage* eine Redeform darstellt, die sich aus diesem Vorgang erhebt. Beide Vorgänge haben ihr Vorbild in den *zwischenmenschlichen Vorgängen* der Beauftragung und der Ausführung des Auftrags mit anschließender Rückmeldung und dem Vorgang des Wartens auf etwas Angekündigtes. Diese beiden Vorgänge sind bis heute an zwischenmenschlichem Verhalten und Reden ablesbar, wo immer Menschen beauftragt werden oder auf Angekündigtes warten, so daß sich aus diesem Zusammenspiel spezifisch zwischenmenschlicher Vorgänge mit der Klage eine *erste "hermeneutische Brücke"* ergibt, die wesentlich differenzierter ist, als wenn – wie bei *Eichler* – der Klage im großen und ganzen allein diese Funktion zukommt (8).

Die Beschreibung der beiden genannten Vorgänge und ihre Anwendung auf die hinter den gerichtsprophetischen Klagen stehenden Geschehenszusammenhänge führt zu einer *zweiten "hermeneutischen Brücke"*: Sie verbindet die gerichtsprophetischen Klagevorgänge der Rückmeldung auf den zu schweren Auftrag und des Wartens auf das Gericht mit vergleichbaren Klage- und Leidenssituationen des heutigen Verkündigers.

Diese beiden grundlegenden Vorgänge gilt es im Blick zu haben; denn nur so wird der "Sitz im Leben" der gerichtsprophetischen Klagevorgänge innerhalb der prophetischen Wirksamkeit Jeremias und der anderen Gerichtspropheten deutlich. Durch die konsequente Unterscheidung dieses *vorliterarischen Stadiums* von dem *literarischen Stadium der Redaktion* läßt sich auch der Aussagewille der Redaktion sehr viel differenzierter ermitteln, als dies bisher möglich war. Das erst von der dtr. Redaktion des Jeremiabuches entworfene Bild von Jeremia als dem leidenden Gottesknecht führt hinein in die *gesamtbiblischen Interpretationszusammenhänge*, die eine *dritte "hermeneutische Brücke"* darstellen.

Dieses differenzierte Forschungsinteresse, wie ich es angesprochen habe mit den drei "hermeneutischen Brücken", wirkt sich in der vorliegenden Arbeit auch aus auf eine differenzierte Handhabung, aber auch Integration unterschiedlicher exegetischer Methoden.

---

1 a.a.O., S.24
2 ebda., S.3
3 ebda., S.25
4 ebda., S.75-103: "Formgeschichtliche Untersuchung zu Klage und Einwand"
5 ebda., S.42-59: "Kennzeichen jeremianischen Redens"
6 ebda., S.143-148: "Die Spannung zwischen Auftrag und Ausführung in der Anklage Gottes"
7 ebda., S.22, cf. a. S.1-3 die Bemerkungen zum Anlaß der Arbeit
8 Nach Lektüre des vorliegenden Manuskripts teilt mir U.Eichler brieflich mit, daß

IV. ZUM VORGEHEN

Der Überblick über die Forschungsgeschichte und die hermeneutischen Überlegungen haben deutlich gemacht, daß die Konfessionen Jeremias (und entsprechend auch die übrigen gerichtsprophetischen Klagen im Alten Testament) von drei Seiten her befragt werden müssen:

1. Von der Struktur und Geschichte der allgemeinen Klage, insbesondere aber der Klage des Mittlers her;

2. von der Struktur und Geschichte der Grundformen gerichtsprophetischer Rede her, wie sie sich ausprägt im Eigenbericht über einen Auftrag und im Gerichtswort;

3. von der dtr. Redaktion des Jeremiabuches her.

Die ersten beiden Fragehorizonte implizieren die *formgeschichtliche* Fragestellung. Sie werden zusammengehalten durch die in der Gerichtsprophetie vorausgesetzten zwischenmenschlichen Vorgänge: Auftrag; Ausführung des Auftrages; Rückmeldung in der Form der Klage (= *Botenvorgang*) und: Klage im Zusammenhang des *Wartens* auf Angekündigtes. Der dritte Fragehorizont (Frage nach der *Redaktionsgeschichte*) setzt die formgeschichtliche Fragestellung voraus. Dies muß im Gegensatz zu den neueren Arbeiten zur Frage der (literarischen) Schichtung des Jeremiabuches gesagt werden, in denen durchweg Kriterien angewandt werden, die ihr Recht haben für Texte, die von vornherein *schriftlich* (von einem Verfasser) konzipiert worden sind: Das Kriterium der Phraseologie und vor allem das des.Stils schieben sich ganz in den Vordergrund (1), und die festgefahrene Diskussion um die Schichtung des Jeremiabuches (2) beruht wesentlich auf der einseitigen Handhabung der Stilkriterien; denn "Stil ist ... die Art, wie einer *schreibt*," (3), das heißt: Mit Stilkriterien allein wird es nicht möglich sein, die literarische

---

auch ihre Hauptthese sei: Die gerichtsprophetische Klage ist "Reaktion auf einen Auftrag und eine Anfeindungssituation".

1 Cf. dazu die o., S.4, A.1 angeführte Literatur. Selbst die Untersuchung von U. Eichler läßt die Schwächen eines literarkritischen Ansatzes bei der Frage der dtr. Redaktion des Buches Jeremia erkennen: Am Ende des literarkritischen Teils (S.26-74) sind eben nicht alle Fragen der Authentizität bestimmter Texte geklärt. Vielmehr zieht sich die Frage nach den ursprünglich jeremianischen Texten durch die ganze Arbeit hindurch. Der den formgeschichtlichen Teil einleitende Satz, dem im Grundsatz zuzustimmen ist: "Formgeschichtliche Untersuchungen haben literarkritische Konsequenzen," (S.75) wirkt bei dem Aufbau der Arbeit fast wie ein Fremdkörper.

2 S.Herrmann, Forschung, S.481 stellt fast resigniert die Frage, "ob nicht beinahe schon die Grenzen dessen erreicht sind, was sich zur Klärung der literarischen Probleme dieses umfangreichen und vielgestaltigen Prophetenbuches sagen läßt." Wenn Herrmann ebda., S.488 feststellt, daß das, "was uns (sc. im Jeremiabuche) überliefert ist, ... im besten Sinne 'lebendige Tradition' ist" und an anderer Stelle (Bewältigung, S.177) beklagt, daß "es so schwer ist, zu allgemein anerkannten Kriterien zu gelangen", so ist zu fragen, ob nicht der vorherrschende Krienkatalog (immer noch grundlegend: J.Bright, Prose Sermons) viel zu einseitig gefaßt ist und dringend der Erweiterung durch formgeschichtliche Kriterien bedarf.

3 R.Ohmann, Stilbegriff, S.213; cf. C.Westermann, Genesis 1, S.765-767

Ebene in Richtung auf die *vorliterarischen Redevorgänge* zu hinterfragen (1), das heißt: Der sich methodisch zunächst naheliegende Weg, durch literarkritische Analyse schließlich zu den ursprünglichen Klagetexten und ihren Kontexten zu gelangen, erweist sich bei näherem Hinsehen als ein Holzweg (2). Nicht die *literarkritische Analyse* hat den Vorrang vor formgeschichtlichen Fragestellungen (3), sondern umgekehrt: *Es muß formgeschichtlich angesetzt werden.*

Die formgeschichtliche Untersuchung wird zeigen, welche Bestandteile unbedingt zu einem Vorgang dazugehören und welche nicht. Als *Vorgänge* kommen dabei der Vorgang der Beauftragung (eines Boten o.ä.) und der Vorgang des Wartens auf das angekündigte Gericht in Betracht. Aber bewegen wir uns mit diesem formgeschichtlichen Ansatz nicht in einem Zirkel? Wird nicht das vorausgesetzt, was am Ende bewiesen werden soll? Einen Ausweg aus dieser Sackgasse bietet gerade der form*geschichtliche* Ansatz, das heißt: Die Vorgänge, die als "Kontexte" für die Untersuchung der Konfessionen Jeremias in Frage kommen, werden anhand von Beispielen außerhalb des Jeremiabuches beschrieben, also aus der *Vorgeschichte* der Prophetie Jeremias. Ist so die Gefahr des Zirkelschlusses gebannt, erheben sich von anderer Seite her neue Bedenken: Werden durch die formgeschichtlichen Kriterien, die an Texten außerhalb des Jeremiabuches gewonnen sind, nicht sachfremde Kriterien an die Jeremia-Texte herangelegt?

In dieser Frage hilft die Beobachtung weiter, daß sich *Makrostrukturen* von Vorgängen in *Mikrostrukturen* kleinster Texteinheiten abbilden (4). Das heißt: Es ist bei kleinstmöglichen Klage-Einheiten im Jeremiabuche anzusetzen, bei denen unbestritten ist, daß sie im jetzigen Kontext des Jeremiabuches in sich abgeschlossen sind und in denen sich gleichzeitig die Vorgänge, die sich aus den Makrostrukturen der Texte aus der Vorgeschichte Jeremias erheben lassen, in komprimierter, also "verdichteter" Form als Mikrostruktur feststellen lassen. Mit den beiden Klagen Jer 20,7-9 und 18,18-23 (5) haben wir einen solchen Glücksfall der Überlieferung vor uns.

---

1 Das zeigt zum Beispiel das Vorgehen von W.Thiel, Jeremia; ders., Jeremia 1-25, das immer dann besonders überzeugend wirkt, wenn neben Stilkriterien Formkriterien treten. - Umgekehrt führt die einseitige Handhabung literarischer Kriterien H.Lörcher, Verhältnis, dazu, wieder von einem (literarischen) "Korpus der C-Stücke" und einem "Korpus der B-Stücke" (gemeint sind die dtr. Stücke und die Stücke der sog. Baruch-Erzählungen) zu sprechen, wobei die B-Stücke jünger (!) sind als die C-Stücke.

2 s.o., S.24, A.1

3 Gg. W.Richter, Exegese, der mit seiner methodischen Vorordnung der Literarkritik (S.50-69) vor Formkritik (S.79-120) und Gattungskritik (S.137-148) eine sehr weit verbreitete Auffassung wiedergeben dürfte. Cf. aber die zurückhaltenden Bemerkungen bei H.Barth/O.H.Steck, Exegese, S.12-14.

4 Die Begriffe "Mikrostruktur" und "Makrostruktur" sind eigens für den zur Diskussion stehenden Untersuchungsgang geprägt. Auf vergleichbare Phänomene, wie sie hier im Blick sind, haben G.von Rad, Hexateuch, und C.Westermann, Loben Gottes, S.84-87 hingewiesen, der eine durch den Vergleich der Mikrostruktur des "kleinen geschichtlichen Credo" mit der Makrostruktur des Hexateuch, der andere durch den Vergleich der Mikrostruktur des berichtenden Lobes des Volkes mit der Makrostruktur des Buches Exodus.

5 Damit ist nicht behauptet, daß Jer 18,18-23 in der überlieferten Form auf Jeremia zurückgeht. Vielmehr stellt dieser Text im jetzigen Jeremiabuche eine in sich geschlossene Einheit dar, die als Grundlage weiterer Untersuchung dienen kann.

Es wird daher angesetzt bei der formgeschichtlichen Untersuchung dieser beiden Klagen (B.I.), bevor die sich aus diesen beiden Texten ergebenden sehr unterschiedlichen Fragen sowohl hinsichtlich der vorauszusetzenden Vorgänge als auch hinsichtlich der dtr. Redaktion zunächst in Richtung auf die Vorgeschichte dieser Vorgänge weiterverfolgt werden (B.II.) (1). Die Ergebnisse dieser beiden *formgeschichtlichen* Untersuchungsgänge können dann angewendet werden auf die Ermittlung der Geschehenszusammenhänge für die gerichtsprophetischen Klagen in Jer 11-20 und erlauben - unter Heranziehung der *redaktionsgeschichtlichen* Kriterien, wie sie insbesondere von *Thiel* (2) aufgestellt wurden - die Unterscheidung von 1. gerichtsprophetischen Klagevorgängen auf der Stufe der mündlichen Überlieferung, 2. deren Schriftwerdung und 3. der dtr. Redaktion (B.III.). Die so gewonnene Unterscheidung von Tradition und Redaktion erlaubt es, die Arbeitsweise von D wesentlich schärfer zu erfassen, als dies bislang möglich war. So gewinnt das dtr. Jeremiabild an Farbe, vor allem dann, wenn es nicht nur anhand einer kleinen Auswahl von Texten in Jer 11-20 beschrieben wird, sondern unter Berücksichtigung des gesamten dtr. Jeremiabuches (Jer 1-45), das immer in Beziehung zu setzen ist zu den Adressaten zur Zeit des Exils (B.IV.).

Die formgeschichtlichen und redaktionsgeschichtlichen Kriterien, wie sie in den Teilen B.I.-IV. gewonnen werden, ermöglichen eine neue Sichtweise der Textverhältnisse in besonders schwierigen Textkomplexen, so in den Worten vom Kommen des Feindes vom Norden (Jer 4 u.ö., die sog. "Skythenlieder"), den Aufträgen zum Nachprüfen in Jer 5 und 6 und dem Berufungsbericht Jer 1 (B.V.).

Ein grundsätzlicher formgeschichtlicher Teil mit forschungsgeschichtlichen Konsequenzen für die weitere Arbeit an Klage und Einwand schliessen sich an (B.VI.), bevor ein kurzer Blick auf die Nachgeschichte der gerichtsprophetischen Klage in den Gottesknechtliedern bei Deuterojesaja geworfen wird (B.VII.).

---

1 In dieser methodischen Vorordnung zwischenmenschlicher Redevorgänge vor die Untersuchung der Klage berührt sich die vorliegende Untersuchung mit derjenigen von E.Gerstenberger, Der bittende Mensch (Erstes Kapitel). Nur werden im folgenden keine zwischenmenschlichen B i t t vorgänge untersucht, sondern Vorgänge aus der Vorgeschichte der Gerichtsprophetie, in denen K l a g e n ihren Ort haben.
2 Jeremia; ders., Jeremia 1-25

B. HAUPTTEIL

I. JER 20,7-9 UND 18,18-23 ALS BEISPIELE FÜR UNTERSCHIEDLICHE GERICHTSPROPHETISCHE KLAGEVORGÄNGE

1. Jer 20,7-9 und der Botenvorgang

7 Du hast mich verführt, Jahwe, und ich habe mich verführen lassen;
du hast mich gepackt (1) und die Oberhand behalten (2).
Ich bin zum Gelächter geworden den ganzen Tag;
jedermann spottet mein.
8 Ja, sooft ich rede, muß ich schreien: "Gewalttat!" (3)
und: "Unterdrückung!" muß ich rufen;
denn das Wort Jahwes ist mir geworden zur Schmach
und zum Spott den ganzen Tag.
9 Sage ich aber: "Ich will seiner nicht (mehr) gedenken,
nicht mehr reden in seinem Namen,"
dann wird es in meinem Herzen wie Feuer,
brennend (4) in meinem Gebein.
Ich mühe mich ab, es zu tragen
und kann nicht (5).

Jer 20,7-9 besteht nur aus Klage und unterscheidet sich darin vom Klagepsalm des Einzelnen (6). Das Bekenntnis der Zuversicht fehlt ebenso wie die Bitte und das Lobgelübde (7). Alle drei Subjekte der Klage (8),

---

1 1 החזקתני Das hi. legt sich nahe von der in V.7+8 vorherrschenden Sprache aus dem Umfeld eines Sexualdelikts, cf. dazu die Verwendung von חזק hi. in Dtn 22,25 und 2 Sam 13,11 (dazu zuletzt J.M.Berridge, Prophet, S.151-155, der aber ebda., S.152, A.205 das qal beibehält), her.
2 Es ist zu beachten, daß die Wurzel יכל sich nicht nur in V.7, sondern auch in V.9 findet. Es ist daher in V.7 und V.9 immer die in der Übersetzung kaum wiederzugebende Wortbedeutung: vermögen, die Oberhand behalten (V.7)/nicht vermögen, unterliegen (V.9) im Sinne der Vergewaltigung und des Vergewaltigtwerdens mitzuhören.
3 Entgegen BH³ und BHS ist zu beachten, daß in Jer 20,7-9 das Qina-Metrum benutzt wird (Hinweis von E.Ruprecht). Entsprechend sind die Halbverse abzuteilen. חמס und שוד finden sich in zwei Teilversen auch in Jes 60,18 und Hab 2,17; חמס allein auch in Hab 1,2.
4 dl עצר c LXX, dittogr et metr cs (Qina-Metrum und parallelismus membrorum)
5 cf. A.2
6 W.Baumgartner, Klagegedichte, S.63-66 ordnet daher 20,7-9 auch den "Gedichte(n)" zu, "die den Klageliedern nahestehen", ähnlich G.von Rad, Konfessionen, S.229f.; G.Jacoby, Glossen, S.86f.; P.Volz, Jeremia, S.208-210.
Eine einheitliche Klage 20,7-13 nehmen an z.B. W.Erbt, Jeremia, S.184; E.Balla, Ich, S.51; J.Bright, Jeremiah, S.129-134; mit Vorbehalt auch W.Rudolph, Jeremia, S.130.
7 Cf. dazu C.Westermann, Loben Gottes, S.56-59. Eher kann man in V.9a von einem in sein Gegenteil gekehrten Lobgelübde sprechen.
Die fehlenden Elemente lassen sich nicht durch Hinzuziehung von V.10-13 (so E.Balla, a.a.O., S.51) gewinnen. Diese Verse sind dtr. Erweiterung (s.u., S.103.111f.).
8 Cf. dazu C.Westermann, Struktur und Geschichte, S.280-290; ders., Rolle der Klage, S.257f.

das angeredete Du Jahwes, das Ich des Klagenden und die Feinde, sind erkennbar:

Du-Klage: Du hast mich verführt, Jahwe ...
           du hast mich gepackt ... (V.7)

Ich-Klage: Ich bin zum Gelächter geworden ... (V.7)
            Ich mühe mich ab, es zu tragen,
            und kann nicht. (V.9)

Feind-Klage: Jedermann spottet mein. (V.7)

Die Struktur, die dieser Klage aber ihre innere Konsistenz verleiht und sie als Einheit ausweist (1), ist die Struktur des *Botenvorgangs*. Dieser hat folgenden Aufbau:

I. Beauftragung: Geh!
                 Sage!

II. Ausführung des Auftrags

III. Rückmeldung über den Erfolg der Auftragsausführung (2).

Der *zweigliedrige* Auftrag: Geh und sage! gehört wesentlich zum Botenvorgang hinzu: Der Bote hat nicht nur etwas zu *sagen*, sondern auch einen *Weg* zurückzulegen zu den Adressaten der Botschaft. Die beiden Elemente des Auftrags werden in 20,7-9 an zwei Stellen gespiegelt: Im Verhältnis von V.7 zu V.8 und in V.9aα.

Steht in V.8 das *Reden* im Vordergrund (3), so in V.7 der unfreiwillige *Weg* des Klagenden von Jahwe, dem übermächtigen Auftraggeber (V.7a), hin zu den Adressaten, die den zu ihnen kommenden Boten auslachen und verspotten (V.7b). Diese unterschiedliche inhaltliche Gewichtung der Verse 7 und 8 wird noch unterstrichen durch die sehr ähnlich formulierten Teilverse 7b und 8b:

Ich bin zum Gelächter geworden den ganzen Tag;
jedermann spottet mein. (V.7b)

... das *Wort Jahwes* ist mir geworden zur Schmach
und zum Hohn den ganzen Tag (V.8b),

die sowohl die enge strukturelle Zusammengehörigkeit der Verse 7 und 8 (Bezug auf den Auftrag) (4) als auch deren strukturelle Unterschiedenheit zeigen: Verbunden sind diese beiden Versteile durch die Sprache

---

1 Eine formgeschichtlich begründete Abgrenzung von Jer 20,7-9 als Klageeinheit fehlt bislang; sie wird hiermit nachgeholt.

2 Cf. dazu bes. C.Westermann, Grundformen, S.71-82. Westermann erwähnt die Rückmeldung als festen Bestandteil des Botenvorgangs nicht, doch läßt sie sich durchweg in den von Westermann angeführten Beispielen feststellen: Gen 32,7; 2 Kön 19,8; Num (20,18.20;) 22,14; Ri 11,13. Im übrigen stellt die Form der Botenerzählung selbst auch eine Weise der Rückmeldung auf die Beauftragung und die Ausführung des Auftrags dar. Zum Ganzen cf.a. R.Ficker, Art. מלאך, in: THAT I, Sp.900-908.

3 Neben drei Verben des Redens: אדבר, אזעק, אקרא findet sich noch ein Nomen gleichen Inhalts: דבר.

4 Die strukturelle Zusammengehörigkeit von V.7 und 8 schlägt sich auch nieder in der durchgängigen Sprache aus dem Bereich des Sexualdelikts der Vergewaltigung. In diesen Bereich gehört außer dem Verführen (V.7a), dem Packen und Überwältigen (V.7aβ) und dem Hilfeschrei (V.8a) wahrscheinlich auch der Ausdruck "Schmach" (חרפה) in V.8b, cf. dazu 2˙Sam 13,13.

der Ich-Klage über den Spott und den Hohn der Gegner, unterschieden
sind sie dadurch, daß in V.7b derjenige im Mittelpunkt steht, der zu
den Adressaten der Botschaft *gegangen* ist, während V.8b sich auf den-
jenigen bezieht, der im Auftrag Jahwes *geredet* hat und *redet*. - Auf
die zweigliedrige Beauftragung nimmt auch V.9aα Bezug:

> Ich will seiner nicht mehr gedenken (≙ Geh!),
> nicht mehr *reden* in seinem Namen (≙ Sage!).

Diese Rückbezüge auf den zweigliedrigen Botenauftrag und dessen Ausführung sind so offenkundig (1), daß man die ganze Klage Jer 20,7-9
als *Rückmeldung über den Erfolg der Auftragsausführung* bezeichnen kann,
das heißt: Die Klage ist das dritte Element des *Botenvorgangs*. Die
Rückmeldung muß nicht in jedem Fall die Form einer Klage annehmen; die
Klage ist vielmehr eine Möglichkeit der Rückmeldung unter anderen. Aber
die Rückmeldung gehört zum Botenvorgang genau so wesentlich dazu wie
die Beauftragung mit ihren beiden Elementen: Geh und sage! und die
Ausführung des Auftrags: Zum Botenvorgang gehört es dazu, daß der Bote
zu seinem Auftraggeber zurückkehrt und ihm Meldung erstattet.

Wie unterschiedlich sich der Botenvorgang entfalten kann und wie
vielfältig dementsprechend auch die Formen der Rückmeldung sein können, wird deutlich, wenn man im Anschluß an die Überlegungen von *C.Bre-
mond* (2), übertragen auf den Botenvorgang, folgende "Dichotomien" auf-
stellt:

I.   Erteilung des Auftrages

    1. Geh und sage! (3)
    2. Widerspruchslose Annahme <u>oder:</u> a. Einwand des Beauftragten (5)
       des Auftrags (4)   b. Gegenargument des Auftraggebers (6)
                             c. Annahme   <u>oder:</u> Verweigerung
                               des Auftrags (7) des Auftrags (8)

II.   Ausführung des Auftrages

    1. Weg des Boten zum Adressaten (≙ Geh!) (9)
    2. Ausrichten der Botschaft (≙ Sage!) (10)
    3. Reaktion des Adressaten
       (verbale Antwort: positiv <u>oder</u> negativ (11)
       und/oder nichtverbale Akte (12))

---

1 Der Rückgriff auf den Botenauftrag schlägt sich auch in einzelnen Begriffen nieder: Zu פתה cf. Ez 14,9 (mit U.Eichler, a.a.O., S.90, gg. A.H.J.Gunneweg, a.a.O.,
  S.410); zu חזק cf. Jes 8,11; Ez 3,14. Gunneweg, ebda., beachtet die Struktur des
  Botenauftrags in Jer 20,7-9 überhaupt nicht.
2 Erzählnachricht, S.201
3 Cf. z.B. Gen 45,9; 1 Kön 21,18f.; 2 Kön 1,3; 1 Sam 25,5f.
4 z.B. Jes 6,8
5 z.B. Gen 24,5; Ex 3,11; 4,10; Jer 1,6; Ez 4,14. Zum Einwand cf. ferner: W.Rich-
  ter, Berufungsberichte, S.145f.; M.Görg, Einwand; U.Eichler, a.a.O., S.104-131.
6 z.B. Gen 24,6-8; Ex 4,11f. Statt ein Gegenargument vorzubringen, kann der Auftraggeber auch auf den Einwand eingehen, z.B. Ez 4,15.
7 z.B. Gen 24,9
8 z.B. Ex 4,13
9 z.B. Gen 24,10-32
10 z.B. Gen 24,33-49
11 positiv: z.B. Gen 24,50-51; negativ: z.B. Gen 32,7; Num 20,18.20; Ri 11,13
12 freundlich z.B. Gen 24,33 (Essen); feindselig z.B. 1 Sam 10,4 (Bartabschneiden)

III. Rückmeldung

    1. Rückkehr des Boten zum Auftraggeber (1)
       (beim Propheten: Wendung im Gebet zu Jahwe)
    2. Übermittlung der Antwort des Adressaten der Botschaft (2)
       und/oder Bericht über die Art, wie der Adressat den Boten
                  aufgenommen hat (3),
                  eventuell auch über Begegnungen (freundlich/
                  feindselig) unterwegs (4)
    3. Beurteilung des Ergebnisses (5)

    Lob und Dankesgeste   oder: Klage des Boten (7).
    durch Auftraggeber (6)

    Diese reichen Entfaltungsmöglichkeiten sind von der *Sache* des Botenvorgangs her gegeben und zu unterscheiden von den verschiedenartigen Formen der *Darstellung* des Botenvorgangs. So muß z.B. in der erzählerischen Darstellung nicht in jedem Fall sowohl die Auftragserteilung als auch die Ausführung erwähnt werden. Wenn ein Bote den Auftrag erhalten hat, muß nicht erzählt werden, daß er den Auftrag auch ausführte. Denn das ist im Normalfall als selbstverständlich vorauszusetzen. Umgekehrt kann auch nur die Ausführung des Auftrages erzählt werden, ohne daß die Erteilung des Auftrages gesondert zur Sprache kommt (8). Auch kann es vorkommen, daß von der Rückmeldung nicht eigens erzählt wird. Denn die Erzählung *als solche* ist ja auch eine Rückmeldung über den Verlauf der Auftragsausführung.

    In welcher Weise schlägt sich auf dem Hintergrund dieser Überlegungen nun die *Sache* des Botenvorgangs in der *Darstellung* durch die Klage Jer 20,7-9 nieder? Diese Frage ist wohl zu unterscheiden von dem oben erbrachten Nachweis, daß die Klage 20,7-9 als ganze Rückmeldung auf die Beauftragung eines Boten und die Ausführung dieses Auftrags ist (9). Zu fragen ist jetzt vielmehr, wie sich der Botenvorgang *in seinem Gesamtablauf* in der Klage 20,7-9 niederschlägt. Das Nacheinander von Auftragserteilung und Ausführung des Auftrags spiegelt sich schon wider in V.7aα:

Du hast mich verführt, Jahwe, (≙ Auftragserteilung)
und ich habe mich verführen lassen (≙ Ausführung des Auftrags);

ebenso in V.7aβ:

Du hast mich gepackt (≙ Auftragserteilung)
und die Oberhand behalten (≙ Auftragsausführung nach Überwindung
                           aller Einwände durch Jahwe).

---

1 z.B. Gen 24,54b-62; 32,7; 1 Sam 25,12
2 z.B. Gen 24,66
3 z.B. Gen 32,7; Num 22,14
4 z.B. Ex 4,24-26
5 z.B. Gen 24,67
6 z.B. Jes 49,4
7 z.B. Ex 5,15b.16
8 Cf. zu dieser Eigenart des hebräischen Erzählungsstils bes. W.Baumgartner, Erzählungsstil, S.145-150.155-157.
9 s.o., S.28f.

Auf die Ausrichtung der Botschaft nimmt V.8aα Bezug:

   ... sooft ich rede ...,

verweist aber mit dem Hilfeschrei: "Gewalttat!" und dem Ruf: "Unterdrückung!" (V.8aβ) auf den Auftraggeber, der ihm Gewalt antut und der ihn unterdrückt: Jahwe. - V.7b und V.8b heben ab auf die Reaktion der Adressaten: Der Prophet, der zu den Adressaten gegangen ist (V.7) und das Wort Jahwes ausgerichtet hat (V.8), erfährt den Hohn und den Spott der Adressaten seiner Botschaft.

Stehen also in den Versen 7 und 8 die beiden ersten Bestandteile des Botenvorgangs (Auftragserteilung und Ausführung des Auftrags) im Mittelpunkt, so ist zu fragen, ob sich auch die Rückmeldung finden läßt. Sie ist zu suchen in V.9aα:

   Sage ich aber: "Ich will seiner nicht mehr gedenken,
      nicht mehr reden in seinem Namen," ... .

Der zu schwere Auftrag und die feindseligen Reaktionen der Adressaten der Botschaft führen den Propheten zu dem Entschluß, Jahwe den Gehorsam aufzukündigen und nicht mehr als Prophet aufzutreten. Die für die Rückmeldung erforderliche Hinwendung zu Jahwe wird nur angedeutet durch die Erwähnung Jahwes in der 3. Person. Das kann auch nicht anders sein, denn diese Aufkündigung des Gehorsams bedeutet ja gleichzeitig eine Abkehr von dem Auftrag Jahwes und damit von Jahwe. Dennoch darf bei dieser Aufkündigung des Gehorsams von einer Rückmeldung gesprochen werden, da es ja für die Rückmeldung charakteristisch ist, den Botenvorgang zum Abschluß zu bringen. Dies geschieht auch in V.9aα.

Läßt sich somit der Botenvorgang in seinem gesamten Verlauf in der Darstellung durch die Klage 20,7-9 feststellen, so kann der so dargestellte Vorgang mit der Verweigerung des Propheten, weiter als Bote Jahwes aufzutreten, noch nicht abgeschlossen sein. Denn die in erzählerischer Form dargestellten Botenvorgänge zeigen mehrfach, daß der Bote für den Fall, daß er mit einer negativen Rückmeldung vor den Auftraggeber tritt, erneut auf den Weg geschickt wird: So wird in der Darstellung des Jahwisten Mose, nachdem er Jahwe die negative Reaktion des Pharao auf die Überbringung der Botschaft geklagt hat (Ex 5, 22-23), von Jahwe neu beauftragt (Ex (6,1;) 7,14-18.23-25; 8,1-4.8-15. 20-32; 9,1-7.13ff. u.ö.) (1); nachdem die Boten, die Bileam holen sollten (Num 22,5-6), unverrichteter Dinge zu ihrem Auftraggeber Balak zurückkehren (Num 22,14), entsendet Balak neue Boten (Num 22,15); nachdem die Boten Davids, die dem König dem Ammoniter sein Beileid aussprechen sollen (2 Sam 10,2), aufs schimpflichste behandelt worden sind, und dies David gemeldet worden ist (2 Sam 10,5), schickt David ihnen andere Boten entgegen mit neuen Weisungen (2 Sam 10,5). So erfährt auch die Weigerung Jer 20,9aα ihre Fortsetzung in der Erfahrung fortdauernden Beauftragtwerdens:

   ... dann wird es in meinem Herzen wie Feuer,
      brennend in meinem Gebein (V.9aβ) (2).

---

1 Bei den genannten Texten aus den Plagegeschichten handelt es sich um dtr. überarbeitete jahwistische Stücke. Eingehender wird Ex 3,1-6,1 behandelt werden in Teil B.II.1.c..

2 Mit dem "Feuer" im Herzen des Propheten ist sicherlich angespielt auf eine Erfahrung, wie sie sich auch in Jer 23,29 in einem Jahwewort niederschlägt: "Ist nicht mein Wort wie Feuer ...?"

Zum Abschluß gebracht wird dieser Vorgang durch einen Satz der Ich-Klage:

Ich mühe mich ab, es zu tragen,
und kann nicht (V.9b).

In diesem Satz kann man noch einmal eine Art Rückmeldung entdecken, die zeigt, daß der ursprüngliche Auftrag an sein Ziel gekommen ist, sprachlich sehr schön angedeutet durch die Wiederholung der gleichen Wurzel כלל, die in V.7 den Auftraggeber (Jahwe) zum Subjekt hatte, in V.9 aber den klagenden Boten, der unter der Last seines Boteseins zerbricht, ohne diese Last abwerfen zu können (1).

Hinter Jer 20,7-9 steht also die Grundstruktur des Botenvorgangs mit seinen Teilelementen:

I. Auftragserteilung: Geh und sage!

II. Ausführung des Auftrags

III. Rückmeldung über den Erfolg der Auftragsausführung.

Über den mit diesen drei Elementen umschriebenen Geschehensbogen des Botenvorgangs (2) geht die Klage nicht hinaus; mit dieser Grundstruktur steht und fällt die Klage. Es ist also nicht möglich, die Struktur des Botenvorgangs aus der Klage herauslösen zu wollen in der Hoffnung, dann noch eine Klage übrigzubehalten, die sich mit den Klagepsalmen des Einzelnen auf eine Stufe stellen ließe (3). Der Botenvorgang verleiht der Klage Jer 20,7-9 ihr Leben und ihre Einheit.

Daß der Botenvorgang durchaus nicht hinter jeder Konfession Jeremias gesucht werden muß, sondern daß mit einem im einzelnen sehr differenzierten Bild von den Funktionen der Konfessionen gerechnet werden muß, zeigt die Konfession Jer 18,18-23.

---

1 Die Rückmeldung ist negativer Art, hat also nicht mehr die Funktion, den Auftraggeber direkt anzureden. Dieses Gefälle zeigt sich in der ganzen Klage:

V.7: direkte Anrede Jahwes in der 2.Pers.;
V.8.9aα: Rede über Jahwe in der 3.Pers.;
V.9aβ.b: reine Ich-Klage ohne Erwähnung Jahwes.

2 Die Bezeichnung: "Geschehensbogen" ist bislang in der Forschung in der Regel auf das innere Gefüge von Erzählungen bezogen worden, cf. z.B. C.Westermann, Arten der Erzählung, S.19; sie wird hier für den Botenvorgang in seiner Spannung der drei Bestandteile: Erteilung des Auftrags; Ausführung des Auftrags; Rückmeldung angewandt.

3 A.H.J.Gunneweg, a.a.O., S.410 parallelisiert den hinter 20,7-9 stehenden Vorgang zu schnell mit dem hinter dem Klagepsalm des Einzelnen vorausgesetzten, indem er a. ohne jede methodische Begründung ausgeht von Jer 20,7-13 als einer Klageeinheit und b. den Botenvorgang in seinem oben beschriebenen Gesamtverlauf nicht in den Blick nimmt, sondern lediglich Elemente der Klage auf ihren genuin prophetischen oder möglichen redaktionellen Charakter hin untersucht.
U.Eichler, a.a.O., S.148 untersucht 20,7-9 unter dem Gesichtswinkel der die Klage beherrschenden "Spannung zwischen Auftrag und Ausführung", ohne allerdings den Botenvorgang als ganzen zu beschreiben. Die Klage erhebt sich gegen die Anfeindungen (Feindklage) und gleichzeitig gegen das Schweigen Gottes angesichts dieser Anfeindungen (Anklage Jahwes): "Die Anfeindung und das damit verbundene Schweigen Gottes machen den Auftrag selbst fragwürdig."

2. Jer 18,18-23 und das prophetische Gerichtswort an das Volk

18 *Aber sie sprachen: "Los, laßt uns Anschläge gegen Jeremia planen; denn nicht fehlt es dem Priester an Weisung noch dem Weisen an Rat noch dem Propheten an Wort! Los, laßt uns ihn mit seiner eigenen Zunge (1) schlagen und auf alle seine Worte achtgeben (2)!"*
19 Gib du, Jahwe, acht auf mich,
   und höre, was meine Widersacher (3) sagen!
20 Soll denn Gutes mit Bösem vergolten werden? *Denn sie haben mir eine Grube gegraben.*
   Gedenke, wie ich vor dir gestanden habe,
   um zu ihrem Besten zu reden,
   um deinen Zorn von ihnen abzuwenden.
21 *Darum gib ihre Söhne dem Hunger preis und liefere sie in die Hände des Schwertes, und ihre Frauen sollen kinderlos werden und verwitwet, und ihre Männer sollen Opfer der Pest werden und ihre Jünglinge vom Schwert erschlagen im Kampfe! 22 Hilfegeschrei erschalle aus ihren Häusern, wenn du plötzlich die Räuberbande über sie bringst!*
   Denn sie haben, mich zu fangen, eine Grube (4) gegraben
   und meinen Füßen heimlich Schlingen gelegt.
23 Aber du, Jahwe, weißt,
   wie alle ihre Pläne auf meinen Tod aus sind.
   Vergib ihnen ihre Schuld nicht
   und tilge (5) ihre Sünde nicht vor deinem Angesicht;
   ihr Anstoß (6) sei stets vor dir,
   zur Zeit deines Zorns handle an ihnen!

Diese Klage steht dem Klagepsalm des Einzelnen sehr viel näher als Jer 20,7-9 (7). Einleitende Bitte mit Anspielung auf die Feinde (V.19), Unschuldsbekenntnis (V.20), Feindklage (V.20.22), Bekenntnis der Zuversicht (V.23) und abschließende Bitte (V.23) sind die konstitutiven Elemente. Von den drei Elementen der Klage (Du-Klage, Ich-Klage, Feindklage) steht die Feind-Klage auffällig im Vordergrund. Ich-Klage kann man hinter V.19 und V.23 vermuten, während die Anklage Jahwes nur noch hinter der negativen Bitte V.23aβ in ganz schwachen Spuren erkennbar wird (8).

Auffällig ist in 18,18-23 der *Wechsel von poetischen Versen und Prosaversen.* Dieser Wechsel ist ein Hinweis auf eine *redaktionelle*

---

1 1 בלשונו c S
2 Die im folgenden nachgewiesenen redaktionellen Erweiterungen von D werden von den vorredaktionellen Texten durch die Schriftart "*Italic*" abgehoben. G setzt bei dem letzten Kohortativ in V.18 keine Verneinung voraus. Ob, wie vorgeschlagen, ohne Verneinung zu lesen ist oder nicht, läßt sich zumal wegen des dtr. Charakters von V.18 schwer entscheiden.
3 1 ירבי c G, S, T
4 1 K
5 1 תמח c BHS app
6 1 מכשלם c BHS app
7 So schon W.Baumgartner, Klagegedichte, S.44-48; G.von Rad, Theologie II, S.213.
8 Als Anklage wäre hinter der negativen Bitte folgende Form zu vermuten:
   "Wie lange willst du ihnen ihre Schuld noch vergeben?"
   Zum Zusammenhang zwischen Anklage und negativer Bitte cf. C.Westermann, Struktur und Geschichte, S.283.

Überarbeitung einer ursprünglich poetischen Klage. Auf die *literari-sche* Erweiterung einer überlieferten Klage weisen auch *Doppelungen* und *Brüche* hin. Eine Feind-Klage taucht fast wortwörtlich zweimal auf, ein-mal, V.20, den parallelismus membrorum durchbrechend, einmal, V.22, glatt innerhalb des parallelismus membrorum stehend. Die lange Prosa-Bitte V.21.22a kommt gegenüber der abschließenden Bitte und auch ge-genüber dem Bekenntnis der Zuversicht V.23 zu früh, steht allerdings vor der poetisch geformten Feindklage V.22b nicht ungeschickt. Aber gerade die störende Wiederholung dieser Feindklage in V.20 könnte auch ein Hinweis darauf sein, daß zwischen V.22a und V.22b eine Fuge liegt, die bedingt ist durch einen redaktionellen Eingriff und durch die zu-sätzliche Einfügung der Feindklage V.20aβ geglättet werden sollte. Die überlange Prosa-Einleitung V.18 wirkt schließt auch noch störend und ist für den Aufbau der Klage durchaus verzichtbar.

Diese Schwierigkeiten lassen sich beheben, wenn die Prosastücke 18,18.20aβ.21.22a als *redaktionelle Einfügungen in eine vorredaktio-nelle Klage* angesehen werden (1). Dann ergibt sich ein klarer paralle-lismus membrorum in allen Versen, und die Struktur der vorredaktionel-len Klage kommt klar zum Vorschein. Es sind also in Jer 18,18-23 zu unterscheiden:

vorredaktionelle Klage		*redaktionelle Einfügungen*
		18 redaktionelle Einleitung (2)
19	einleitende Bitte	
20aα.b	Unschuldsbekenntnis	*20aβ redaktionelle Feindklage*
		21.22a redaktionelle Bitte
22b	Feindklage	
23aα	Bekenntnis der Zuversicht	
23aβ.b	Bitte	

Betrachtet man die redaktionellen Einfügungen für sich, so fällt auf, daß in V.21.22a die Sprache der prophetischen Gerichtsankündigung

---

1 Die Versuche, Teile von 18,18-23 einer Redaktion zuzuschreiben, sind vielfältig. Im einzelnen sind einer (dtr.) Redaktion bzw. einem Glossator zugeschrieben wor-den:
V.18: W.Thiel, Jeremia 1-25, S.218; U.Eichler, a.a.O., S.73 hält in V.18 den Ent-schluß: "Los, laßt uns Anschläge planen gegen Jeremia!" für den Beginn der ur-sprünglichen jeremianischen Klage, den Rest für dtr..
V.20: "Denn sie haben mir eine Grube gegraben," P.Volz, Jeremia, S.197; W.Ru-dolph, Jeremia, S.122.
V.21.22a: W.Erbt, Jeremia, S.182
V.21-23: B.Duhm, Jeremia, S.158f.; C.H.Cornill, Jeremia, S.228.
Die Versuche, durch bescheidene textkritische Eingriffe (z.B. P.Volz, W.Rudolph u.a.) ohne Berücksichtigung der Redaktion einen parallelismus membrorum wieder-herzustellen, müssen als gescheitert angesehen werden.
2 U.Eichlers (a.a.O., S.73) Versuch, in V.18 noch den Entschluß der Feinde: "Los, laßt uns Anschläge planen gegen Jeremia!" zu der vorredaktionellen Klage zu zie-hen (s.vor.A.), ist nicht nur von der Struktur der mit V.19 (einleitende Bitte) beginnenden Klage her unnötig, sondern gerät auch in Spannung zu dem ab V.19 kla-ren parallelismus membrorum.
Außerdem hat dieser Entschluß zusammen mit dem abschließenden: "Laßt uns auf alle seine Worte achthaben!" die (redaktionelle!) Funktion, 18,11 (חשב עליכם מחשבות) und 18,19 (הקשיה יהוה אלי) miteinander zu verklammern.

34

in die Form der Bitte gekleidet ist (1). Dies zeigt sich auch an der Einleitung dieser Bitte durch לכן, der typischen Einleitung für die prophetische Gerichtsankündigung (2). Man sucht das לכן als Einleitung für die Bitte in den übrigen alttestamentlichen Beispielen für den Klapsalm des Einzelnen vergeblich. Begründet wird die Bitte durch zwei Feindklagen: V.20aβ und V.22b, jeweils eingeleitet durch כי. Diese Feindklagen haben innerhalb der dtr. Erweiterung 18,18.20aβ.21-22a die Funktion, die innerhalb des prophetischen Gerichtswortes die Anklage erfüllt.

Es lassen sich also in der dtr. Erweiterung folgende Entsprechungen feststellen:

dtr. Erweiterung		prophetisches Gerichtswort
Feindklage (V.20aβ)	≙	Anklage (gegen das Volk)
Bitte (um Gericht) (V.21-22a)	≙	Gerichtsankündigung.

Diese redaktionelle Erweiterung erklärt sich also aus einer Zeit, da die Formunterschiede von Klage und prophetischem Gerichtswort sich zu verwischen begannen: Die prophetische Gerichtsankündigung wurde zur Bitte, während die Anklage des prophetischen Gerichtswortes als Begründung der Gerichtsankündigung zur Feindklage wurde (3).

Wenn auf der Stufe der dtr. Redaktion aber eine solche Affinität zwischen der Klagen von der oben (4) festgestellten Struktur und dem prophetischen Gerichtswort besteht, so ist zu fragen, ob vergleichbare Bezüge sich nicht schon auf der vorredaktionellen Stufe feststellen lassen. M.a.W.: Wo läßt sich innerhalb der Gerichtsprophetie ein Ort finden, an dem die Klage mit den Elementen: Bitte; Unschuldsbekenntnis; Feindklage; Bekenntnis der Zuversicht; Bitte ihre klar beschreibbare Funktion hätte? Eine Antwort auf diese Frage läßt sich aufspüren durch einen Vergleich der Struktur der vorredaktionellen Klage 18,19.20aα.b.22b.23 mit der Grundform des Klagepsalms des Einzelnen:

Klagepsalm des Einzelnen (5)	Jer 18,19.20aα.b.22b.23
Anrede und einleitende Bitte	V.19
Klage	
Anklage Jahwes	(angedeutet in der negativen Bitte V.23aβ)
Ich-Klage	(angedeutet in V.19 und 23)
Feind-Klage	V.22b
Bekenntnis der Zuversicht	V.23aα
Bitte	V.23aβ.b
Lobgelübde	(fehlt)

---

1 Cf. dazu W.Thiel, Jeremia 1-25, S.159, mit Verweis auf die Gerichtsankündigung (dtr.) Jer 11,21-23. Thiel hält allerdings 18,21.22a für jeremianisch. Umgekehrt erwägt U.Eichler, a.a.O., S.71, ob in der Gerichtsankündigung 11,22f. das jeremianische Vorbild für die dtr. Erweiterung 18,21.22a vorliege.
2 Cf. dazu C.Westermann, Grundformen, S.107.
3 Auf der Stufe von D trifft S.Mowinckels (s.o., S.10 mit A.2) Beschreibung des Verhältnisses von Klage und Gerichtswort zu.
4 S.34
5 nach C.Westermann, Struktur und Geschichte, S.270

Wenn auch die Nähe von Jer 18,19.20aα.b.22b.23 zur Grundstruktur des
Klagepsalms des Einzelnen sofort ins Auge springt, so sind doch auch
folgende Besonderheiten von Jer 18,19.20aα.b.22b.23 festzuhalten:

1. Die Feindklage tritt gegenüber den beiden anderen Elementen der
   Klage (Ich-Klage, Anklage Jahwes) stark in den Vordergrund, während die Anklage nur noch in Spuren hinter der negativen Bitte
   erkennbar ist.
2. Das Unschuldsbekenntnis (V.20aα.b), das in der Grundform des
   Klagepsalms des Einzelnen noch fehlt, ist in der jeremianischen
   Klage unverzichtbares Element.
3. Hinter der negativen Bitte (V.23aβ) wird die "Wie-lange?-Frage"
   erkennbar (1).

Alle diese Besonderheiten beschränken sich nun etwa nicht auf die jeremianische Klage, sondern das Zurücktreten der Anklage gegenüber der
Feindklage und ihre Einebnung in die negative Bitte und das Hervortreten des Unschuldsbekenntnisses lassen sich ebenso in der Formgeschichte des Klagepsalms des Einzelnen feststellen (2), und zwar analog zur *Dauer der Not*, aus der der Klagepsalm erwächst (3).

Eine schon länger *andauernde Not* wird auch in der jeremianischen
Klage vorausgesetzt. Die Besonderheit dieser Klage besteht aber darin,
daß das vom Propheten angekündigte Gericht nicht eintrifft. Vielmehr
fühlt sich der Prophet Anfeindungen ausgesetzt, die nur eine Folge der
Gerichtsankündigung sind (beachte das Unschuldsbekenntnis!), so daß
der Prophet auch nur das Gericht über die Feinde erflehen kann (V.23).
Die vorredaktionelle Klage Jer 18,19.20aα.b.22b.23 ist also bestimmt
von dem Vorgang des *Wartens auf das Gericht*, der unten in Teil B.II.2.
noch eingehender untersucht werden muß.

3. Zusammenfassung

Eine erste Untersuchung der beiden Klagen Jer 20,7-9 und Jer 18,18-23
machte deutlich, wie tiefgreifend die Unterschiede zwischen diesen
beiden Klagen sind:

1. Besteht Jer 20,7-9 nur aus Klage, so 18,18-23 aus einer Abfolge
   von Elementen, wie sie in ähnlicher Weise auch in den Klagepsalmen des Einzelnen zu finden sind.

2. Wird hinter 20,7-9 die Struktur des Botenvorgangs erkennbar, so
   in 18,18-23 das prophetische Gerichtswort an das Volk.

3. Steht und fällt in 20,7-9 die Klage mit der Struktur des Botenvorgangs, so lassen sich die Anklänge an das prophetische Gerichtswort als redaktionelle Erweiterungen ausscheiden, wobei
   dann für die vorredaktionelle Klage wiederum zu fragen ist, ob
   sie einen Bezug zum prophetischen Gerichtswort erkennen läßt.

---

1 s.o., S.33, A.8
2 Zum Hervortreten der Feindklage cf. C.Westermann, Struktur und Geschichte, S.286;
  zur Einebnung der Anklage in die negative Bitte ebda., S.282f.. Nach H.Gunkel/
  J.Begrich, Einleitung, S.251 setzt sich der Beter mit dem Unschuldsbekenntnis
  von seinen Feinden ab, so z.B. Ps 26,10f.. Das Unschuldsbekenntnis wäre demnach
  eine Sekundärbildung gegenüber der Feindklage und gehört in ein relativ spätes
  Stadium der gattungsgeschichtlichen Entwicklung (cf. ebda., S.194).
3 Daß Jer 18,19ff. eine Dauer der Not voraussetzt, zeigt die vermutete "Wie-lange?-
  Frage" (s.A.1), zur "Wie-lange?-Frage" überhaupt cf. C.Westermann, a.a.O., S.282.

Diese Ergebnisse sind bislang nur anhand der beiden Klagetexte 20, 7-9 und 18,18-23 ohne Berücksichtigung konkreter jeremianischer Eigenberichte über Aufträge oder konkreter vorredaktioneller prophetischer Gerichtsworte gewonnen worden. Die Beobachtungen zu diesen beiden Klagen weisen in zwei unterschiedliche Richtungen, die letztlich aber durchaus miteinander zu tun haben: in die Richtung des *Botenvorgangs* und in die Richtung des *Vorgangs des Wartens auf das angekündigte Gericht*.

Es ist dann zu fragen:

1. Läßt sich innerhalb des Botenvorgangs ein Ort für die Klage finden?

2. Läßt sich innerhalb des Vorgangs des Wartens auf das angekündigte Gericht ein Ort für die Klage finden?

Diesen beiden Fragen soll in Teil B.II. in zwei gesonderten Abschnitten nachgegangen werden. Die Frage nach dem Botenvorgang und der Klage bzw. nach dem Vorgang des Wartens auf das angekündigte Gericht und der Klage führen in die *Vorgeschichte* der Prophetie Jeremias, das heißt: in die Prophetenbücher vor Jeremia und in die Geschichtsbücher. Bei letzteren insbesondere stellt sich auch immer wieder die Frage nach der *Schichtung* der Texte. Für diese Frage hat die Untersuchung von Jer 20,7-9 und 18,18-23 zwei wichtige Kriterien für die Beurteilung des Miteinanders von Klagestrukturen und prophetischen Strukturen ergeben:

1. Jer 20,7-9 zeigte das unlösbare Miteinander von Botenvorgang und Klage. Dieses Miteinander ist ein *formgeschichtlicher* Zusammenhang.

2. In Jer 18,18-23 ließen sich Elemente von der Struktur der Klage lösen, die sich auch von der Sprachform her (Prosa) unterschieden von den übrigen Aussagen (Poesie). Dieses Miteinander ist ein *redaktionsgeschichtlicher* Zusammenhang. Für die Unterscheidung von vorredaktioneller Klage und redaktionellen Einschüben reicht aber die Heranziehung bloßer Stilkriterien nicht hin; vielmehr müssen Formkriterien vorangehen.

II. BOTENVORGANG UND WARTEN AUF DAS GERICHT ALS DIE BEIDEN ORTE FÜR DIE GERICHTSPROPHETISCHE KLAGE

1. Botenvorgang und Klage

Nachdem in I.1. schon der enge Bezug von Botenvorgang und Klage an der "Mikrostruktur" (1) einer kurzen Klage von nur drei Versen (Jer 20,7-9) deutlich geworden war und sich hinter dieser Klage eine Fülle von Entfaltungsmöglichkeiten des Botenvorgangs sowohl von der Sache als auch von den Möglichkeiten seiner Darstellung her ausbreitete, ist jetzt der Frage nachzugehen, 1. wie sich die "Makrostruktur" eines Botenvorgangs in der Form einer Erzählung darstellt, 2. ob und in welcher Weise sich innerhalb eines so dargestellten Botenvorgangs ein Ort für die *Klage* feststellen läßt, und 3. inwiefern der so ermittelte Botenvorgang mit Klage der *Vorgeschichte der Gerichtsprophetie* zuzuweisen ist.

a. Gen 24

Auf die weitgehende Parallelität des hinter Gen 24 erkennbaren zwischenmenschlichen Botenbeauftragungs-Vorgangs mit dem Vorgang der Prophetenberufung hat *N.Habel* (2) hingewiesen und den Nachweis erbracht, daß der hinter Gen 24 stehende Botenvorgang *formgeschichtlich* in die *Vorgeschichte der Gerichtsprophetie* hineingehört. An dieser These ist auch festzuhalten, wenn man die *literarische Endgestalt* von Gen 24 erst in einer "späten" Zeit ansiedelt (3) und der dtr. Redaktion des Tetrateuch (4) zuordnet. Denn die hinter einem Text erkennbare *Formgeschichte* weist zurück auf ein Stadium mündlicher Überlieferung, das der Literaturwerdung weit vorausliegt und im Falle des Botenvorgangs eine Geschichte aus sich herausgesetzt hat, die ihren Niederschlag gefunden hat z.B. einmal in einer Erzählung, wie Gen 24, zum andern in der Gerichtsprophetie.

Es wird im Folgenden aber gezeigt werden, daß Gen 24 in der uns jetzt vorliegenden Endgestalt literarisch nicht einheitlich ist (5). Vielmehr ist eine erste literarische Gestaltung der Erzählung durch den Jahwisten später von der dtr. Redaktion überarbeitet worden. Hinter der jahwistischen Fassung werden die mündlichen Überlieferungsvorgänge faßbar. Es wird sich nun zeigen, daß der Botenvorgang auf allen drei Überlieferungsstufen von Gen 24 (mündliche Überlieferung; Jahwist; dtr. Redaktion) das Grundgerüst der Erzählung bildet. Dieses *formgeschichtliche Kriterium* kann vielmehr umgekehrt zum Ausgangspunkt der Untersuchung der Geschichte von Gen 24 gemacht werden.

---

1 s.o., S.25 mit A.4
2 Call Narratives, S.322f.
3 So C.Westermann, Genesis 2, S.469f.. Mit dieser sehr vagen zeitlichen Ansetzung von Gen 24 steht Westermann nicht allein, sondern gibt nur die Unsicherheit wieder, in der sich die Forschung in dieser Frage überhaupt befindet.
4 Von einer "dtr. Redaktion des Tetrateuch" spricht E.Ruprecht bei der Untersuchung anderer Textzusammenhänge (Mannawunder, S.298-302; ders., Exodus 24,9-11, S.164-173). H.H.Schmid, Jahwist, S.153 ordnet Gen 24 sehr ungenau dem "deuteronomisch-deuteronomistischen Schrifttum" zu.
5 Gg. C.Westermann, a.a.O., ebda., ist mit Zusätzen einer dtr. Bearbeitung zu rechnen.

N.Habel übersieht bei seiner Untersuchung von Gen 24 aber das Element "Rückmeldung". Dieses aber gehört zur Grundstruktur von Gen 24 unbedingt dazu:

I. Erteilung des Auftrages (V.1-9)

II. Ausführung des Auftrages (V.10-61)

    in zwei Akten:
1. Begegnung mit Rebekka am Brunnen (V.10-27)
2. Begegnung mit der Familie Rebekkas (V.28-54a)

    und Vorbereitungen zur Rückkehr zum Auftraggeber (V.54b-61)

III. Rückmeldung (V.62-67).

Dieser Struktur entspricht auch der dreifache Ortswechsel (V.10; V.28; V.62), aber auch die vierfache Verwendung einwendender Redeformen (V.5; V.12-14; V.33; V.55), die retardierende Funktion haben und mit denen die Spannung der Erzählung erhöht wird (1). Die Rückmeldung besteht in diesem Falle darin, daß der Knecht mit Rebekka heimkehrt und sie Isaak als Frau mitbringt (V.62-65) und von dem ganzen Geschehen unterwegs erzählt (V.66), bevor der Erzähler das Ganze abschließend beurteilt (V.67). (2)

Die dreiteilige Grundstruktur des Botenvorgangs bestimmt Gen 24 in allen drei Stadien der Überlieferung. Deswegen ist diese Struktur auch in der literarischen Endgestalt der Erzählung noch so gut zu erkennen. Diese Struktur gehört aber schon in die früheste Phase der Entstehung von Gen 24, das heißt: die Phase der mündlichen Überlieferung hinein.

Sekundär gegenüber dieser Grundstruktur ist das Motiv der Führung des Boten durch Jahwe unter der Leitfrage: "Wird es dem Boten gelingen?" (3) Dieses Motiv verleiht der Erzählung erst die Spannung, ist aber erst verständlich aus der literarischen Phase der Gestaltwerdung von Gen 24. Das wird zum Beispiel deutlich an Brüchen wie zwischen V.14 und V.15 oder Unterbrechungen der Erzählung wie zwischen V.33a und V.54a. Diese Brüche ergeben sich daraus, daß dem aus der mündlichen Überlieferung vorgegebenen Erzählfluß literarische Motive mit retardierender Funktion zur Erhöhung der Spannung eingeschoben wurden. Dazu eignen sich besonders gut Redepartien, die einen Einwand erheben. Als Einwände, die der Leitfrage: "Wird es dem Boten gelingen?" dienen, sind anzusehen: V.12-14 und V.33aβ(-53), ferner V.55. Diese Einwände lassen sich wohlgemerkt nicht mit Mitteln der Literarkritik von den übrigen Elementen der Erzählung lösen. Vielmehr haben sie zur literarischen Erstgestaltung der Erzählung gehört und lassen sich nur mit Hilfe des formgeschichtlichen Kriteriums des Botenvorgangs von der mündlichen Überlieferungsstufe unterscheiden.

Von dieser Phase der Entstehung von Gen 24 ist zu unterscheiden die Bruchstelle zwischen erstmaliger literarischer Gestalt und späterer redaktioneller Überarbeitung, also zwischen dem Jahwisten und der dtr. Redaktion. Da es bei beiden hier zur Diskussion stehenden Schichten um literarische Schichten handelt, können an dieser Stelle Mittel der Literarkritik für die Unterscheidung der Schichten angewandt werden. Allerdings ist bei jeder redaktionellen Überarbeitung damit zu rechnen, daß der Redaktor neben der literarischen Vorlage unmittelbar auf mündliche Überlieferung

---

1 Cf. dazu C.Westermann, Genesis 2, S.468, ders., Arten der Erzählung, S.69f..
2 An dieser Stelle ist schön die unterschiedliche Funktion von Rückmeldung und Einwand zu erkennen: Die Rückmeldung blickt auf das gesamte Geschehen der Erteilung und Ausführung des Auftrags zurück, während der Einwand den Ablauf dieses Geschehens verzögert.
3 Cf. C.Westermann, Arten der Erzählung, ebda..

zurückgreift, die wiederum nur mit Hilfe von Formkriterien ermittelt werden kann. Die Erweiterung einer jahwistischen Vorlage durch die dtr. Redaktion scheint mir besonders gut faßbar in 24,2-9. Der Jahwist hat die beiden formgeschichtlich selbständigen Akte des Schwurs und der Auftragserteilung (1) miteinander verbunden und so von vornherein die Spannung erhöht: Der Auftrag der Brautwerbung in fremdem Lande ist so schwierig, daß er durch einen Schwur bekräftigt werden muß: Wird die Ausführung des Auftrages gelingen? Diese Spannung hat die dtr. Redaktion durch den Einschub V.5-8 noch erhöht, während die Aufforderung, "bei Jahwe, dem Gott des Himmels und der Erde zu schwören" (V.3a) eine Doppelung gegenüber der Aufforderung zum Vollzug des Schwuraktes (V.2b) darstellt und bereits das Ende des in 24,2.3b.4.9 Erzählten voraussetzt. Das heißt: Diese Verse 3a und 5-8 sind für die Erzählung von Auftrag und anschließendem Schwur durchaus verzichtbare Elemente. Es sind dtr. Erweiterungen einer jahwistischen Fassung, die sich beschränkt auf die Erzählung von einer Auftragserteilung mit anschließendem Schwurakt. Diese These wird auch bestätigt durch die formgeschichtliche Parallele Gen 47,29-31 (J), die sich beschränkt auf die Aufforderung zum Vollzug des Schwuraktes (47,29aβ ≙ 24,2), die Erteilung eines Auftrags im Rahmen des Schwurs (negativ/positiv) (47,29b.30a ≙ 24,3b.4) (2) und den Vollzug des Schwuraktes (47,30b.31 ≙ 24,9) in Wort und Handlung.

Die so ausgeschiedenen Partien 24,3a und 5-8 werden aber mit Vorliebe herangezogen für den Nachweis dtr. Sprache in Gen 24 und die Spätansetzung des gesamten Kapitels (3). Sie können in der Tat nur mit Hilfe formgeschichtlicher Überlegungen ausgesondert werden, die eine Unterscheidung zwischen einer jahwistischen Erzählung aus der Zeit Salomos und dtr. Erweiterungen aus viel späterer Zeit ermöglichen. Etwas Zusätzliches sind dann noch Beobachtungen an Sprachstil und Geistesbeschäftigung, die sich in diesen Erweiterungen niederschlagen. Hierzu kann auf längst Erforschtes zurückgegriffen werden (4): Der Hinweis auf den "Gott des Himmels und der Erde" (V.3a, cf. V.7: "Gott des Himmels") (5) ist ebenso dtr. wie das Motiv des voranziehenden Engels (V.7.40) (6). Das in V.3b angesprochene Problem der Bevölkerungsmischung hingegen wurde nicht erst in "später" Zeit akut, sondern schon in der frühen Königszeit, besonders in der (jebusitischen!) Hauptstadt Jerusalem (7). Dieses Problem dürfte aber auch später wieder virulent geworden sein, wie nicht nur dtr. Stellen zeigen (8), sondern auch die Priesterschrift (9). Schließlich kann noch das Abwägen von Alternativen in V.5-8 ein Hinweis sein auf die Geistesbeschäftigung der dtr. Redaktion (10).

Wenn aber V.3a.5-8 der dtr. Redaktion von Gen 24 zuzuweisen sind, dann gilt dies auch für die Nacherzählung von V.5-8 in V.39-41 (11), die vor der den Geschehensablauf retardierenden jahwistischen Gesprächspartie V.42-44 sehr störend wirkt und auch nicht mehr die Funktion erfüllen kann, den Spannungsbogen der Erzählung weiter

---

1 Cf. dazu C.Westermann, Genesis 2, S.470f..
2 In Gen 47,29 schließt der Inhalt des Schwurs auch direkt an die Aufforderung zum Vollzug des Schwuraktes an. Auch von dieser Beobachtung her ist Gen 24,3a überflüssig.
3 So besonders kraß H.H.Schmid, a.a.O., S.152f..
4 Cf. dazu die Zusammenfassung bei H.H.Schmid, ebda..
5 H.H.Schmid, a.a.O., S.153, A.165 unter Verweis auf H.Gunkel, Genesis, S.251f. und G.von Rad, Genesis, S.203.
6 H.H.Schmid, ebda.; H.Gunkel, a.a.O., S.252; G.von Rad, a.a.O., S.207.
7 Gg. H.H.Schmid, a.a.O., S.152f..
8 Dtn 7,1ff.; Ex 34,16
9 Gen 28,1ff.
10 In der dtr. Redaktion des Buches Jeremia wirkt sich diese Geistesbeschäftigung aus in der Form der "Alternativ-Predigten": Jer 12,14-17; 17,19-27; 18,1-12, dazu cf. W.Thiel, Jer 1-25, S.290-295 u.ö..
11 M.Noth, Pentateuch, S.30, A.90, hält lediglich V.40b für einen "frommen Zusatz".

40

zu erhöhen, sondern die Spannung eher aufhebt. Als jahwistische Erzählung bleibt
dann Gen 24,1+2.3b+4.9-38.42-67. Lassen sich Anhaltspunkte für eine zeitgeschichtliche Zuordnung dieser Erzählung finden? Auszugehen ist von dem Vorschlag F.Crüse-
manns, die Heimat des Jahwisten in landjudäischen Kreisen, also nichthöfischen
Kreisen zu suchen, die einerseits die Vorzüge des Königtums sehen, auf der anderen
Seite aber auch vorsichtige Kritik an Mißständen anmelden und bei allem bestimmt
sind von dem Denken und Fühlen einer segmentären, akephalen vorköniglichen Gesellschaft, die sich primär ausrichtet an Verwandtschaftsstrukturen (1). In diese "geistige Heimat" paßt die vermutete jahwistische Form von Gen 24 ausgezeichnet, ist
doch die Ausrichtung an Verwandtschaftsstrukturen das auslösende Moment für die Erzählung (V.4), die insofern Kritik üben könnte an der Verschwägerung Salomos mit
Pharao (2) oder überhaupt seinen ausländischen Frauen (3). Daß Gen 24 (J) in diese
Richtung zielen könnte, zeigt auch die singuläre Bezeichnung des Knechtes Abrahams
als משל in V.2. Der Jahwist verwendet diese Bezeichnung in der Josephsgeschichte
in kritischer Abgrenzung gegen das Königtum Salomos als Herrschaftsbezeichnung, die
primär die königliche Funktion des Versorgens (4) anspricht. Die Verwendung dieser
Bezeichnung in Gen 24,2 kann kein Zufall sein. Vielmehr legt sie folgendes Verständnis der Erzählung nahe: Der sich der Führung Jahwes anvertrauende משל hat Erfolg.
Dabei ist das Motiv des Erfolgs als Ausdruck des Mitseins Jahwes charakteristisch
für die Geistesbeschäftigung der frühen Königszeit (5). Auch die Kamele passen als
Lasttiere gut hinein in diese Zeit (6). Damit fällt auch das Argument H.H.Schmids,
Gen 24 passe nicht in die Zeit Salomos, da am Hof keine Kritik denkbar sei an den
ausländischen Frauen Salomos (7). Der Jahwist gehört nicht an den Hof, sondern übt
aus dem Blickwinkel seiner landjudäischen Umgebung vorsichtig Kritik am Königtum
Salomos. Theologisch ist für diese Kritik bestimmend der Rückgriff auf den "Gott
der Väter" (8), der den soziologischen Voraussetzungen der vorköniglichen Zeit mit
ihrem Denken in Verwandtschaftsstrukturen bestens entspricht. Wenn dieser משל gleichzeitig als עבד bezeichnet wird (9), so hält der Jahwist Salomo mit dieser Bezeichnung möglicherweise einen Spiegel vor: So sollte der König sein, Treuhänder Jahwes.
Wenn dieser משל/עבד unterwegs niederfällt und Jahwe anbetet (V.26f.), dann könnte
sich hierin eine versteckte Kritik am Tempelkult im zentralen Jerusalem finden:
Jahwe-Anbetung ist auch außerhalb Jerusalems möglich, und der Tempelkult in Jerusalem ist keine Garantie dafür, daß Salomo sich als Knecht Jahwes verhält (10).

Der Jahwist nimmt die vorliterarische Struktur des Botenvorgangs
auf und verwendet sie in der Zeit Salomos in vorsichtiger königskritischer Ausrichtung, um zu zeigen, daß der sich Jahwe anvertrauende
משל Erfolg hat. Deswegen ist auch die *Erfolgsmeldung* (Rückmeldung) un-
bedingter Bestandteil dieser Erzählung. Sowohl mit der ihr zugrundeliegenden Grundform des Botenvorgangs als auch in ihrem kritischen Bezug auf den König gehört diese Erzählung in die *Vorgeschichte der Gerichtsprophetie*.

---

1 Widerstand, bes. S.201-208
2 1 Kön 3,1 u.ö.
3 1 Kön 11,1
4 F.Crüsemann, a.a.O., S.148
5 Cf. die Josephsgeschichte und die Geschichte von Davids Aufstieg.
6 Cf. dazu C.Westermann, Genesis 2, S.77f..Kamele werden für die frühe Königszeit
   vorausgesetzt in 1 Sam 15,3; 27,9; 30,17; 1 Kön 10,2.
7 a.a.O., S.152f.
8 V.12.27.42. Zur Gesamtproblematik zusammenfassend C.Westermann, a.a.O., S.116-128.
9 V.2.9.10 u.ö.
10 Es ist möglich, daß der Jahwist mit dem Begriff עבד bewußt die (in Jerusalem re-
   zipierte!) altorientalische Königsideologie gegen Salomo ausspielt, für die ja die
   Vorstellung vom König als Knecht wesentlich war - im Gegensatz zu Ägypten (!)
   (J.Scharbert, Heilsmittler, S.35).

Wie reich entwickelt diese Vorgeschichte ist, zeigen neben Gen 24 nicht nur die
Darstellung der Entfaltungsmöglichkeiten des Botenvorgangs (1), sondern auch folgen-
de Beispiele aus unterschiedlichen Bereichen der erzählenden Überlieferung des Alten
Testaments, denen die dreigliedrige Grundstruktur des Botenvorgangs gemeinsam ist:

	Gen 32	Num 20 (2)	Num 22 (3)	Ri 11	Rt 3	1 Sam 25	2 Kön 8
I. Auftrags- erteilung	4-6	14-17	5-6 / 15	12/14	1-4	5-8	8
II. Ausführung des Auftrags		18-20	7-13/16-20	/15-27	5-15	9-11	9-13
III. Rückmeldung	7	21	14 /21ff.	13/(28)	16f.	12	14 .

Für den Fall, daß der Adressat negativ auf die ihm ausgerichtete
Botschaft reagiert, *kann* aus der Rückmeldung eine Klage erwachsen. Allerdings sind Klagen als Rückmeldung in der erzählenden Überlieferung
außerordentlich selten belegt. Dieser Befund ist zurückzuführen auf
die Darstellung des Botenvorgangs als Erzählung. Die Erzählung als solche nimmt in der Darstellung des Ergehens des Boten schon das vorweg,
was im tatsächlichen Verlauf des Botenvorgangs in der Rückmeldung zur
Sprache gebracht werden müßte in Form einer Klage, und kann sich daher
beschränken auf einen kurzen Bericht von einer Rückmeldung, so z.B.
1 Sam 25,12:

Und als sie zu ihm zurückkamen, sagten sie ihm das alles.

Ansatzweise wird die Klage aber laut in einem Beispiel, das von einer
Mißhandlung von Boten erzählt:

b. 2 Sam 10,1-5 (4)

David schickt Boten zu dem neuen Ammoniterkönig Hanun, damit sie diesem anläßlich des Todes seines Vaters das Beileid aussprechen (V.1f.).
Die Boten tun dies (V.2b), aber Hanun läßt sie mißhandeln (V.3f.). Das
wird David *gemeldet* (V.5a), und David gibt konkrete Anweisungen für
ihr weiteres Verhalten. Dieses Erzählstück ist Teil der Geschichte von
der Thronnachfolge Davids (5) und dient dazu, den Anlaß darzustellen
für die ab V.6b berichtete Schlacht. Diese Einleitungsfunktion der
Verse 1-5 wird es mit sich bringen, daß der Botenvorgang in seinen
Einzelheiten nicht so ausführlich erzählt wird wie z.B. in Gen 24.
Dennoch lassen sich alle drei Teile des Botenvorgangs feststellen:
I. Beauftragung (V.2a) (6); II. Ausführung des Auftrages (V.2b-4) und
III. Rückmeldung und neue Anweisung Davids (V.5). Aus diesem letzten
Element erwächst nun ein Satz, der fast wie eine Glosse wirkt, aber
nur nachholt, was eigentlich schon in V.5 in wörtlicher Rede hätte
gesagt sein können, dort aber nicht gesagt werden konnte, weil die Bo-
ten in ihrem Zustand nicht zu David zurückkehren konnten:

... denn sie waren sehr beschimpft.

---

1 s.o., S.29f.
2 Mit O.Eißfeldt, Hexateuch-Synopse, S.179*; M.Noth, Pentateuch, S.225 eine Quellenscheidung zwischen J (V.14-18.20b) und E (V.19+20b) vornehmen zu wollen, ist
  somit überflüssig. Der doppelte Redegang entspricht dem Diplomatenwesen.
3 Zu der Doppelung des Botenvorgangs in Num 22 und Ri 11 s.vor.A..
4 Den Hinweis auf diesen Text verdanke ich E.Ruprecht (brieflich).
5 L.Rost, Thronnachfolge, S.77f.
6 Der Inhalt dessen, was gesagt werden soll, ist in ein Selbstgespräch Davids hineingenommen, der Auftrag nur erzählt.

Es handelt sich bei diesem Satz um *berichtete Klage* (1) über eine erfolglose Botschaftsausrichtung mit anschließender Mißhandlung. Die Kunde, daß der Adressat der Botschaft gegen die Boten handgreiflich geworden ist, ist so gravierend, daß die Klage selbst noch in der Form der Erzählung zum Durchbruch kommt. Gleichzeitig läßt dieses Beispiel erahnen, daß die Klage im tatsächlichen Ablauf dieses Botenvorgangs sehr viel ausgeprägter gewesen sein muß.

Diese Vermutung wird bestätigt durch einen ganz anderen Traditionsbereich:

c. Ex 3,1-6,1.

Der große Komplex Ex 3,1-6,1 wird zusammengehalten durch die Struktur des Botenvorgangs, und zwar auf allen drei Stufen seines Werdens von der mündlichen Überlieferung über die erste literarische Darstellung durch den Jahwisten bis hin zur abschließenden dtr. Redaktion. Diese Feststellung ist nach dem oben (2) zu Gen 24 Ermittelten nicht mehr überraschend. Neu ist gegenüber den bisher untersuchten Botenvorgängen in der erzählenden Überlieferung des Alten Testaments, daß die Rückmeldung aus einer *Klage* besteht: Ex 5,22f. und der Botenvorgang sich über mehr als drei Kapitel erstreckt.

Die Ganzheit Ex 3,1-6,1 hat folgenden Aufbau:

I.   Erteilung des Auftrages (3,1-4,19)

> Adressat: a. Pharao (3,10)
> b. das Volk Israel (3,15)
> c. die Ältesten (3,16.18)
> (untergeordnete Elemente:
> Einwand (3,11; 4,1) mit Gewährung eines Zeichens (3,11; 4,2-9)
> bzw. Einwand (4,10.13) mit Zurückweisung der vorgebrachten Argumente (4,11f..14-16))

II.   Ausführung des Auftrages (4,20-5,21)

> 1. Weg nach Ägypten (4,20-29)
> 2. Ausrichtung der Botschaft (4,30; 5,1-3)
>   a. an die Ältesten (4,30a)
>   b. an das Volk Israel (4,30b)
>   c. an Pharao (5,1-3)
> 3. Reaktion der Adressaten (4,31; 5,4-21)
>   a. Volk (und Älteste?): Glaube (4,31a) und Anbetung (4,31b)
>   b. Pharao: Verschärfung der Fronarbeit (5,4-21)

III. Rückmeldung: Klage des Mose (5,22f.)
      mit Antwort Jahwes (auf die Klage eingehend) (6,1).

---

1 An die Klage erinnert vor allem das Partizip נכלמים. כלם ni. findet sich des öfteren in Klagepsalmen des Einzelnen, besonders in Verwünschungen der Feinde, so Ps 35,4; 40,15; cf.a. Ps 70,3; Jes 41,11; 45,16f.; 50,7 (oft auch in Zuversichtsaussagen hineingenommen), aber auch in der Ich-Klage (Jes 54,4), in der Volksklage in einer negativen Bitte mit Anspielung auf das Schicksal eines Einzelnen: Ps 74,21; im hi. einmal in der Anklage Jahwes: Ps 44,10. Das Nomen כלמה findet sich ähnlich in Verwünschungen der Feinde (Ps 35,26; 71,13; cf.a. Jes 45,16; Ps 109,29), innerhalb der Zuversichtsaussage einer KE (Jer 20,11) und in einer Ich-Klage (Ps 69,8).

2 S.38-41

Dieser Aufbau ist unabhängig von der Frage der literarischen Schichtung von Ex 3,1-6,1 erkennbar. Er konnte in der bisherigen Forschung deshalb kaum in den Blick kommen, weil diese sich in *formgeschichtlicher* Hinsicht auf die beiden Kapitel Ex 3 und 4 konzentrierte und nach kleineren Einheiten prophetischer und vorprophetischer Berufungsberichte (1) und in *redaktionsgeschichtlicher* Hinsicht formgeschichtliche Kriterien so gut wie unberücksichtigt ließ und so zu der These einer erst späten literarischen Entstehung von Ex 3 und 4 (2) oder einer ganz künstlich und willkürlich rekonstruierten vordtr. Fassung von Ex 3-17 durch den Jahwisten (3) gelangte.

Die Frage der Schichtung von Ex 3,1-6,1 rückt aber in ein völlig neues Licht, wenn dieser Komplex von vornherein unter dem Blickwinkel der formgeschichtlichen Ganzheit des Botenvorgangs gesehen wird und redaktionsgeschichtlich an die von E.Ruprecht anhand anderer Texte des Buches Exodus (4) gewonnene These anknüpft, daß die dtr. Redaktion des Tetrateuch jünger ist als die Priesterschrift und den Jahwisten und die Priesterschrift durch eine eigenständige literarische Überarbeitung miteinander zum Ausgleich bringt. Das bedeutet dann aber: Für die dtr. Redaktion ist nicht nur die Ganzheit Ex 3,1-6,1 in den Blick zu nehmen, sondern die priesterschriftliche Darstellung der Berufung des Mose bis hin zu seinen ersten Verhandlungen mit Pharao ist genauso zu berücksichtigen. Zu dieser Darstellung gehört aber nicht nur Ex 6,2-12; 7,1-13 (5), sondern auch 2,23aβ.b-25 (6): Der Bericht von der Klage der Israeliten über die Bedrückung in der Sklaverei (V.23aβ.b) und von Gottes Zuwendung (V.24) sind feste Bestandteile der Berufungsgeschichte, wie die "Parallele" Ex 3 zeigt (7). Das heißt dann aber: Der (dtr.) Redaktor von Ex 2,23aβ-6,12; 7,1-13 hat bewußt formgeschichtlich Zusammengehöriges (2,23aβ.-25 und 6,2ff.) voneinander gelöst und als Rahmen um Ex 3,1-6,1 gelegt, also doch wahrscheinlich 3,1-6,1 als Ganzheit angesehen. Es wäre dann aber verwunderlich, wenn die dtr. Redaktion 3,1-6,1 nicht auch von innen her als Ganzheit mitgestaltet hätte. Diese Vermutung verspricht vor allem eine Klärung folgender bislang ungelöster Problemkreise:

1. Das Miteinander von Mose und Aaron ist für die Priesterschrift unerläßlich (8), nicht aber für den Jahwisten (9). Die gemeinsame Nennung von Mose und Aaron in Ex 4, 14-16.27-30; 5,1 ist aus dem Bestreben der dtr. Redaktion zu erklären, Ex 3,1-6,1 mit der Priesterschrift zu harmonisieren.

2. Daß das Volk nicht hören will, ist ein fest in der Priesterschrift verankertes Motiv (10). In Ex 3,18; 4,1.8.31 ist dieses Motiv der dtr. Redaktion zuzuschreiben, die auf diese Weise einen Ausgleich schaffen will zwischen dem jahwistischen

---

1 W.Zimmerli, Ezechiel 2, S.17f.; N.Habel, Call Narratives, S.296-305; U.Bergmann, Rettung und Befreiung, S.49f..51.54f.; W.Richter, Berufungsberichte, passim; H.H.Schmid, Jahwist, S.19-43; W.H.Schmidt, Exodus, S.100-160. M.Noth, Pentateuch, S.31f. mit A.103 hatte die überlieferungsgeschichtliche Sonderstellung von Ex 3, 1-4,16 behauptet.
2 H.H.Schmid, a.a.O., S.19-43; R.Rendtorff, Pentateuch, S.71.155
3 W.Fuß, Pentateuchredaktion, S.363f. (zu Ex 3-5) u.ö.
4 Mannawunder (zu Ex 16); ders., Ex 24,9-11 (s.o., S.38, A.4)
5 Gg. M.Noth, Pentateuch, S.262; U.Bergmann, a.a.O., S.55. Ex 6,13-30 ist (dtr.) Zusatz zu P und fügt sich bestens ein in das Denken der Leviten (s.u., S.48).
6 So mit Recht G.Fohrer, Exodus, S.32.
7 V.7.9.16b; cf. a. 6,5 (P). Zum Ganzen cf. J.Plastaras, Ägypten, S.45f..
8 bes. Ex 7,1f. und durchgängig in den Plagegeschichten der Priesterschrift (Ex (7, 8-13;) 7,19-22; 8,5-7.16-19; 9,8-12)
9 Cf. dazu M.Noth, a.a.O., S.195-199.
10 Cf. den Einwand Ex 6,12.

Motiv des Nichthörenwollens Pharaos (Ex 5,5-18) mit dem priesterschriftlichen Motiv des Ungehorsams des Volkes.

3. Das Stabmotiv ist in der Priesterschrift fest verankert (1) und dürfte sich erklären aus der priesterschriftlichen Tendenz, den Mittler des Wortes (Priester) mit den Insignien des Mittlers der Tat (Retter, König) auszustatten (2). Die Verwendung des Stabmotivs in Ex 4,2-4.17.20b ist der dtr. Redaktion zuzuschreiben, die das jahwistische Bild von Mose als einem bloßen Mittler des Wortes (3) ergänzt durch den Stab als das Zeichen des Mittlers der Tat.

4. Vor allem aber verspricht die Annahme einer dtr. Redaktion von J und P eine Klärung im Blick auf das Problem des "Elohisten", für dessen Existenz die Erzählung von der Berufung des Mose bislang eine der Hauptbelegstellen war (4): Auf die Annahme eines elohistischen Anteils in Ex 3,1-6,1 kann verzichtet werden; alle bisher dem Elohisten zugewiesenen Stellen sind entweder jahwistisch oder Ergänzung durch die dtr. Redaktion (5).

Von der vorliegenden dtr. überarbeiteten Fassung von Ex 3,1-6,1 läßt sich der jahwistische Anteil allerdings nicht abheben allein mittels *literarischer* Kriterien. Vielmehr muß das *formgeschichtliche* Kriterium des Botenvorgangs als einer Ganzheit *mündlicher* Überlieferung vorangehen. Es ist dann zu fragen: Welche Bestandteile gehören unbedingt zum Botenvorgang dazu, welche können fehlen? Präzisiert werden können diese Fragen durch eine weitere formgeschichtliche Überlegung: Die *Rückmeldung* als der dritte Teil des Botenvorgangs nimmt Bezug auf die ersten beiden Teile: Erteilung des Auftrags und Ausführung des Auftrags. Dementsprechend kann von der Rückmeldung her zurückgeschlossen werden auf die Art und den Inhalt des Auftrags, seiner Erteilung und seiner Ausführung.

Die Rückmeldung hat die Form einer Klage des Mose:

5,22 Herr, warum handelst du übel an diesem Volke?
Warum dies: Du hast mich gesandt,
23 und seitdem ich zum Pharao gegangen bin, um in deinem
Namen zu reden, hat er an diesem Volke übel gehandelt;
aber gerettet hast du dein Volk nicht.

Diese Klage entspricht in ihren Aussagen voll dem Ablauf eines Botenvorgangs; auf die Beauftragung ("Du hast mich *gesandt*" ≙ Geh! "*in deinem Namen* zu reden" ≙ Sage!) ist ebenso Bezug genommen wie auf die Ausführung des Auftrags ("seitdem ich zum Pharao *gegangen* bin, um in deinem Namen zu *reden*") und die Reaktion des Adressaten ("... hat er an diesem Volke übel gehandelt"). Daher kann sich die Ermittlung des jahwistischen Anteils von Ex 3,1-6,1 beschränken auf die Partien, in

---

1 Ex 7,8-12.19-20; 8,5.16-17; cf. G.Fohrer, a.a.O., S.59f.
2 M.Noth, Amt und Berufung, passim; E.Ruprecht, Mannawunder, S.276-278
3 Die These, der Jahwist habe Mose bewußt als Mittler des Wortes (Propheten) zeichnen wollen, setzt sich immer mehr durch: im Blick auf Ex 3f. cf. U.Bergmann, a.a.O., S.54f.; G.Fohrer, a.a.O., S.35f.; W.Richter, a.a.O., S.132; im Blick auf die jahwistischen Plagegeschichten M.S.Luker, Plague Traditions, S.114.126 u.ö.; R.Friebe, Plagenzyklus, S.100 u.ö..
4 Einen letzten (bislang noch unvollständigen) Versuch einer Aufteilung von Ex 3 und 4 auf den Jahwisten, den Elohisten und eine (vorpriesterschriftliche) dtr. Redaktion unternimmt W.H.Schmidt, a.a.O., S.100-160. Cf. sonst noch (z.B.): O.Eißfeldt, a.a.O., S.111*-117*; M.Noth, Pentateuch, S.39; W.Richter, a.a.O., S.133.
5 Dasselbe gilt auch für die Plagegeschichten. Insofern bedürfen die Arbeiten von M.S.Luker, a.a.O. und R.Friebe, a.a.O. einer Weiterführung und Präzisierung.

denen Mose als *Bote Jahwes* mit einer Botschaft an *Pharao* erscheint,
auf die dieser *negativ* reagiert.

Die Klage 5,22f. ist literarisch wie formgeschichtlich einheitlich (1). Zwei Sätze der Anklage gegen Jahwe, einmal in der Form der Frage ("warum handelst du übel an
diesem Volke?")(V.22a.bα), einmal in der Form der Aussage ("... gerettet hast du
dein Volk nicht")(V.23b) umrahmen den vorwurfsvollen Hinweis auf den widerspruchsvollen Verlauf des Botenvorgangs (V.22bβ.23a). Ex 5,22f. weist damit genau das Miteinander von Anklage und Rückverweis auf Auftragserteilung und -ausführung auf wie
Jer 20,7-9 (3). Diese Anklagen können in Ex 5,22f. nur auf den Jahwisten zurückge-
führt werden (4); denn die Neuschöpfung dieser Klage durch die dtr. Redaktion wäre
im Blick auf das dtr. Abheben auf den gerechten Gott (5) höchst ungewöhnlich.

Es bleibt dann der folgende jahwistische Anteil von Ex 3,1-6,1:

I. Erteilung des Auftrags

   1. Mose trifft als Hirte der Schafe seines Schwiegervaters
      Jethro an einem Dornbusch "jenseits der Wüste" auf Jahwe,
      ein ihm bis dahin unbekanntes Numen ("אלהים"):
      3,1 (bis המבר) (6).2 (ohne מלאך (7)).3-5 (8).

   2. Jahwe stellt sich Mose vor: 3,6a (bis אביך)

   3. Mose verbirgt sein Gesicht: 3,6b (9)

---

1 Gg. O.Eißfeldt, a.a.O., S.117*, der die formgeschichtliche Ganzheit dieser Klage
  zerschlägt in einen jahwistischen (5,22a.bα.23b) und einen elohistischen (5,22bβ.
  23a) Anteil.
2 Zur Frage und der Aussage als den beiden Formen der Anklage cf. C.Westermann,
  Struktur und Geschichte, S.283f..
3 s.o., S.27-32
4 W.Fuß, a.a.O., S.392-395 meint in 5,22f. in folgenden Begriffen dtr. Ausdrucksweise feststellen zu können: רעע hi. ("Böses tun"); העם הזה ("dieses Volk");
  מאז ("seitdem"); דבר hi. ("reden"); aber diese Begriffe sind viel zu allgemein
  und viel zu sehr Einzelwörter, als daß man sie als überzeugende Belege einer
  dtr. Phraseologie betrachten könnte.
5 s.o., S.13 mit A.8 und 9
6 Die Ortsbestimmung: אל־הר האלהים חרבה ist dtr., cf. Ex 33,6; Dtn 2,6; 4,10.15;
  1 Kön 19,8 (Mal 3,22), dazu grundsätzlich: L.Perlitt, Sinai und Horeb, passim.
7 Der מלאך Jahwes ist wieder ein typisch dtr. Merkmal (s.o., S.40 mit A.6 zu Gen 24).
  An dieser Stelle schwächt der Zusatz מלאך die unerträglich erscheinende Vorstellung ab, Jahwe selbst sei erschienen.
8 Der Jahwist als Erzähler weiß, um welchen Gott es sich handelt: nämlich יהוה. Mose hingegen begegnet Jahwe als einem unbekannten Numen: אלהים. So erkärt sich die
  Verwendung beider Gottesbezeichnungen durch den Jahwisten, ähnlich auch in Ex 19,
  3 (so mit E.Ruprecht, Ex 24,9-11, S.156). Zu einem sicheren Kriterium für eine
  Quellenscheidung zwischen dem Jahwisten und einem Elohisten (so zuletzt noch W.H.
  Schmidt, a.a.O., S.107f. u.ö.) kann man dann die Gottesbezeichnung nicht mehr machen.
9 Der oben abgegrenzte jahwistische Anteil von V.1-6 stellt einen festen formgeschichtlichen Zusammenhang dar, aus dem V.4b und V.6 nicht gelöst werden können:
  1. Mose trifft unterwegs auf das unbekannte Numen (V.1f.). 2. Er versucht, sich
  dem Numen zu nahen, was ihm aber durch Anruf und Hinweis auf die Heiligkeit des
  Ortes verwehrt wird (V.3-5). 3. Jahwe stellt sich Mose vor (V.6a). 4. Mose verbirgt sein Gesicht vor der Erscheinung (V.6b). Der ganze Zusammenhang der Begegnung Moses mit Jahwe scheint mir die Züge eines höfischen Empfangszeremoniells
  zu tragen und drückt in der ausführlichen Darstellung des Vorgangs die Unbehol-
  fenheit des einfachen Hirten Mose angesichts der neuen durch das Königtum erforderlich gewordenen Verhaltensweisen ("Höflichkeit") aus. In Ex 3 ist Jahwe als
  König vorgestellt.

3. Jahwe teilt Mose seinen Entschluß mit, das Volk Israel aus
   Ägypten zu retten und aus jenem Land herauszuführen:
   3,7.8aα (bis מן־הארץ הוא) (1).

4. Jahwe beauftragt Mose, diesen Entschluß den Ältesten mitzuteilen und mit den Ältesten zum Pharao zu gehen mit der Bitte, ihnen die Feier eines Gottesdienstes drei Tagesreisen
   entfernt in der Wüste zu erlauben:
   3,16.17a (bis מצרים) (2).18b (3).

II. Ausführung des Auftrages

1. Der Weg des Boten

   a. Mose macht sich auf den Weg zurück zu seinem Schwiegerva-
      ter Jethro und bittet ihn um Entlassung, damit er nach
      Ägypten zu seinen Brüdern gehen kann: 4,18 (4).
   b. Mose macht sich mit seiner Frau und seinem Sohn auf den
      Weg nach Ägypten: 4,20a.
   c. Eine Gottesbegegnung unterwegs ("Blutbräutigam"):
      4,24-26a (5).

2. Mose versammelt die Ältesten und teilt ihnen den Rettungsbe-
   schluß Jahwes mit: 4,29 (ohne ואהרן (6)).31b.

3. Mose und die Ältesten (7) gehen zum Pharao und überbringen
   ihm die Botschaft Jahwes, das Volk für ein Fest in der Wüste
   freizulassen: 5,1.

4. Pharao weigert sich, auf den Inhalt der Botschaft einzugehen:
   5,2.

5. Mose und die Ältesten präzisieren ihre Bitte und machen sie
   dadurch dringlicher: Der Jahwe-Gottesdienst in der Wüste
   dient dem Zweck, Gefahren vom Volk abzuwenden: 5,3.

6. Pharao verschärft den Frondienst: 5,5 (8).6-21.

III. Rückmeldung

   Klage des Mose: 5,22f.
   mit Antwort Jahwes, auf die Klage eingehend: 6,1.(9)

Die dtr. Redaktion von Ex 3,1-6,1 umfaßt kurze präzisierende Erweiterungen des
jahwistischen Textes und einen großen Einschub in *3,9-4,31. Gerade in diesem Miteinander von kurzen Erweiterungen einer literarischen Vorlage und einem großen eigenständigen Darstellungszusammenhang erweisen sich die dtr. Partien als Redaktionsschicht und nicht als eigenständige Quelle, wenn auch sichtbar werden wird, daß

---

1 Die Präzisierung der Ortsangabe ist dtr. Erweiterung, cf. W.H.Schmidt, a.a.O.,
  S.137-142.
2 s. A.1
3 3,18b gehört zur Grundstruktur der jahwistischen Fassung unbedingt hinzu, gg.
  W.H.Schmidt, a.a.O., S.142, der 3,18 ganz für dtr. hält. 3,18a (dtr.) hingegen
  nimmt den Einwand 4,1 vorweg.
4 4,19 ist (dtr.) Zusatz, der nach dem langen Einschub 3,9-4,17 klären will, daß
  Mose im Auftrag Jahwes aufbricht.
5 V.26b ist interpretierender Zusatz.
6 Aaron ist von der dtr. Redaktion dem Mose an die Seite gestellt.
7 Die dtr. Redaktion ersetzt die Ältesten des Jahwisten wieder durch Aaron.
8 5,4 ist späterer (dtr.?) Zusatz.
9 Der jahwistische Anteil von Ex 3,1-6,1 ist am Schluß des Buches in Übersetzung
  beigegeben (S.218).

die dtr. Redaktion aus eigener vom Jahwisten und der Priesterschrift unabhängiger
Überlieferung schöpfte (1). Zu den kurzen präzisierenden dtr. Erweiterungen zählen
die Ortsangaben: אל־הר אלהים החרב ויבא אל־הר (V.1) (2); אל־ארץ טובה ורחבה (V.8) (3); אל־
מקום הכנעני והחתי והאמרי והפרזי והחוי והיבוסי (4); ארץ זבת חלב ודבש (V.8.17) (V.
8.17) (5) und folgende Angaben zur Person Jahwes: אלהי אברהם (ו)אלהי יצחק ואלהי יעקב
(V.6.15) (6). Nach 4,31 beschränkt sich die dtr. Redaktion darauf, Aaron, dem Mose
an die Seite zu stellen. Wie aber ist der große dtr. Komplex *3,9-4,31 zu beurteilen?

Es handelt sich bei dem dtr. Einschub *3,9-4,31 um einen Gesamtüberblick über das
Mittlertum im Alten Testament von den Rettern (*3,9-4,9) über die Propheten (4,10-
12) bis hin zu den Leviten (*4,13-31) (repräsentiert durch Aaron) unter dem Aspekt
des Glaubens bzw. Unglaubens des Volkes. Das Nichtglaubenwollen des Volkes (4,1 u.ö.)
bildet den Spannungsbogen für diese theologische Erzählung, an deren Ende dann auch
festgestellt wird, daß das Volk glaubte (4,31a). Die dtr. Redaktion stellt mit diesem Einschub ihr eigenes Legitimationsproblem gegenüber dem Volk dar in einer Zeit,
da die Priesterschrift schon nach Juda gelangt sein mußte, also nach 536 v.Chr. Wenn
die Geschichte des Mittlertums bis zu den Leviten ausgezogen wird, dann ist damit
ein Anhaltspunkt gewonnen für die Kreise, in denen die dtr. Redaktion des Tetrateuch
entstanden sein wird: Es sind levitische Kreise in frühnachexilischer Zeit, die sich
auseinandersetzen mit den Priestern (bes. Num 16), ohne daß der Tempelbau schon in
Sicht kommt, also am ehesten um 530 v.Chr.. Wie legitimieren sie sich?

1. Zunächst greift die dtr. Redaktion zurück auf den Vorgang der Retterbeauftragung, der auch an anderen Stellen des Alten Testaments durch andere Hände der
dtr. Schule aufgenommen wurde und formgeschichtlich faßbar ist in folgenden Elementen:

		Ex 3f.	Ri 6	1 Sam 9f.
I.	Klage des Volkes und Zuwendung Jahwes	3,9	6,12f.	9,16b
II.	Beauftragung des Retters	3,10	6,14	9,16; 10,1
III.	Einwand des Retters	3,11	6,15	9,21
IV.	Abweisung des Einwands und Zusicherung des Mitseins Jahwes	3,12	6,17-21	10,2ff.
V.	Ausstattung des Retters mit einem Be- glaubigungszeichen	4,2-4 (7) 4,6-7 (8)	6,21	10,2ff.

---

1 Durch die Entdeckung eines vergleichbaren Miteinanders von kurzen Erweiterungen
und großen eigenständigen Partien hat W.Thiel, Jeremia; ders., Jeremia 1-25 die
Erforschung der dtr. Redaktion des Jeremiabuches auf eine solide Basis gestellt.
2 s. dazu oben, S.46, A.6
3 cf. W.H.Schmidt, a.a.O., S.139
4 Cf. ebda., S.137f.. Diese Verheißung gehört in die Situation des Auftrags zur
Transmigration in einem elementaren Versorgungsnotstand des Kleinviehnomaden (so
E.Ruprecht, Gen 12,1-3, S.187; cf.a. C.Westermann, Verheißungen, S.128-130), zum
Vorgang cf. Joel 1,18 mit 4,18, zur Situation Dtn 32,13f., muß deshalb aber nicht
den "alten Quellen" in Ex 3 zugeschrieben werden (gg. E.Ruprecht, ebda.). Vielmehr gewann diese alte Verheißung in dtr. Zeit neue Bedeutung (mit H.H.Schmid,
ארץ, Sp.235), wie auch die oft nachklappende Stellung dieser Verheißung zeigt,
so auch in Ex 3. Dem Jahwisten geht es in Ex *1-18 nur um die Errettung aus Ägypten. Darüber spannt sich die Landverheißung von Gen 12,1-9 über Num 10,29-36 bis
hin nach Ri 1. Darin geht es aber um den Landbesitz, nicht nur um Lebensraum wie
in Ex 3,8.17.
5 Cf. W.H.Schmidt, a.a.O., S.140f..
6 Daß zwischen dem Jahwisten und der dtr. Erweiterung ein Bruch liegt, zeigt der
(beizubehaltende) Singular אביך.
7 Cf. dazu innerhalb des dtr.(!) Geschichtswerkes 2 Kön 4,29.31.
8 Cf. dazu 2 Kön 5,1ff..

48

Die dtr. Redaktion hat diese Grundstruktur (1) erweitert, ohne daß literarische Brüche erkennbar wären: Auf die Abweisung des Einwands und die Zusicherung des Mitseins Jahwes in 3,12 folgt in 3,13 ein weiterer Einwand in der Form einer Nachfrage, auf die Jahwe in 3,14 antwortet mit der Mitteilung seines Namens. Diese Mitteilung des Namens stellt nicht nur einen Ausgleich her zwischen der Retterbeauftragung und und der Mitteilung des Jahwenamens in 3,6 (J), sondern ist zu sehen vor dem Hintergrund der dtr. Schem-Theologie (2), wie auch der dtr. Vers 15 zeigt (3). Auf diese Weise hat die dtr. Redaktion die beiden Retterzeichen 4,2-4.6-7 von der Retterbeauftragung 3,9-12 gelöst, was ihr gleichzeitig Gelegenheit gab, das Thema des Unglaubens bzw. des Glaubens des Volkes einzubringen: 4,1.5 und noch ein weiteres Beglaubigungszeichen anzufügen: 4,8f., das von den priesterschriftlichen Plagegeschichten abhängig ist: Ex 7,19-22 (4).

2. An die Retterbeauftragung fügt die dtr. Redaktion in 4,10 einen Einwand des Propheten an:

Ach, Herr, ich bin kein beredter Mann,
weder früher war ich es, noch von jetzt ab,
da du zu deinem Knechte redest, bin ich es.
Denn schwerfällig bin ich mit Mund
und schwerfällig bin ich mit Zunge,

der von Jahwe in 4,11f. zurückgewiesen wird mit folgenden Worten:

Wer hat dem Menschen den Mund gemacht?
Oder wer macht ihn stumm oder taub oder sehend oder blind?
Bin nicht ich es, Jahwe?
Nun geh, und ich werde mit deinem Munde sein
und dich lehren, was du sagen sollst.

Ex 4,10-12 setzt die gleiche formgeschichtliche Abfolge eines Einwandes des Propheten und Zurückweisung durch Jahwe mit neuer Beauftragung durch Jahwe voraus wie Jer 1,6-8 und erweist sich mit dem Rückgriff auf das frühere Reden Jahwes zu seinem

---

1 Die Struktur der Retterbeauftragung ist trotz mancher Gemeinsamkeiten wohl zu unterscheiden von der Struktur der Botenbeauftragung: Der Bote ist Mittler des Wortes, der Retter Mittler der Tat. Dem Mittler der Tat entsprechen auch die Beglaubigungszeichen 4,2-4.6-7. Sollte dennoch der Jahwist die Form der Retterbeauftragung vor Augen gehabt haben, als er aus seinem Mosebild alle Züge des Mittlers der Tat tilgte, dann hätten wir in Ex 3,9-4,9 einen Zusammenhang vor uns, der form- und überlieferungsgeschichtlich älter ist als 3,1-8 (J), redaktionsgeschichtlich in seiner jetzigen Gestalt aber jünger. Die dtr. Redaktion hätte dann die jahwistische Tilgung der Züge des Mittlers der Tat wieder rückgängig gemacht.
2 G. von Rad, Deuteronomium-Studien, S.127f.
3 ... עלם לשמי זה. V.14b ist späterer Zusatz. Zur Sache cf.a. 6,2f. P.
4 Daß die beglaubigenden Zeichen zur dtr. Redaktion gehören, bestätigt indirekt auch F.Stolz, Zeichen und Wunder: Nachdem er S.135 auf den Gebrauch der Formel "Zeichen und Wunder" in der dtr. Literatur hingewiesen hat, untersucht er S.135f. die Verwendung der Worte "Zeichen" und "Wunder" in Ex 4 unter der Voraussetzung, daß es sich hier um jahwistische Belege handele, und kommt entsprechend zu einer neuen - im übrigen sehr unscharfen - zeitlichen Ansetzung des Jahwisten "zwischen Jesaja und dem Deuteronomium" (S.136). Die zur Diskussion stehenden Texte sind dtr. und daher in eine viel spätere Zeit (nachexilisch) zu versetzen, während für den Jahwisten durchaus die Zeit Salomos beibehalten werden kann (cf. dazu die Bemerkungen oben, S.40f. zu Gen 24). Die jahwistische Darstellung beschränkt sich ganz auf eine vorsichtige Auseinandersetzung mit dem Königtum. Der Unglaube des Volkes wird noch nicht reflektiert.

49

Knechte (d.h. zu den Knechten, den Propheten, überhaupt) in V.10 und der Art des Einwandes mit anschließender Gegenfrage als dtr. (1), wobei V.12 die Erfahrungswelt des deuterojesajanischen Liedes vom Knecht (!) Gottes Jes 50,4-9 vorauszusetzen scheint.

3. Es folgt ein weiterer Einwand des Mose in der Form einer Verweigerung (4,13), auf die Jahwe mit der Anweisung antwortet, daß Aaron, der L e v i t, der Mund des Mose werden soll (4,14-16), wobei offenbleibt,ob Aaron auch mit dem Stab als dem Insignium des Mittlers der Tat ausgerüstet wird oder dieses Mose vorbehalten bleibt (4,17. 20b). (2)

4. 4,21-23 faßt das Thema "Zeichen und Wunder" zusammen und greift voraus auf die ägyptischen Plagen bis hin zur Tötung der Erstgeburt mit dem dtr. Hinweis auf Israel, den Erstgeborenen Jahwes (3): Die dtr. Redaktion aktualisiert die Tradition von der Herausführung Israels aus Ägypten im Blick auf die Herausführung aus dem babylonischen Exil.

5. Nicht nur die "Sukzession" von Mose über die Retter und Propheten bis auf die Leviten wird hergestellt (*3,9-4,20b), sondern Aaron erhält auch einen direkten Auftrag von Jahwe, Mose entgegenzugehen zum Gottesberg. Es kommt zur direkten Begegnung zwischen Aaron und Mose (4,27b). Mose teilt Aaron alle Worte Jahwes und alle Zeichen mit (4,28). Aarons Aufgabe besteht darin, diese Worte vor dem Volk zu sagen und diese Zeichen vor dem Volk zu tun (4,30).

Die dtr. Redaktion legitimiert sich in dem Leviten Aaron also nicht nur durch den Rückgriff auf die Kette der Mittler, sondern auch durch den Hinweis auf den direkten Auftrag durch Jahwe. Zum Abschluß gibt sie die Antwort auf die Frage, die der theologischen Erzählung spätestens ab 4,1 ihre Spannung verleiht: Das Volk glaubt (4,31a) (4).

Wie ist die jahwistische Darstellung Moses als eines Boten mit einer Botschaft an Pharao *zeitgeschichtlich* einzuordnen? Die Antwort auf diese Frage kann wiederum (5) von der These *F.Crüsemanns* ausgehen, der Jahwist sei in landjudäischen Kreisen beheimatet, also nicht am Jerusalemer Hof. Diese These läßt sich noch präzisieren: Der Aufbau der jahwistischen Erzählung von Ex *3,1-6,1 zeigt deutlich, daß die *Ältesten* fest in den Vorgang der Überbringung der Botschaft Jahwes an den König eingebunden sind. Die Ältesten sind Vertreter einer vorköniglichen akephalen Gesellschaft, die wesentlich in Verwandtschaftsstrukturen dachte (6), und andererseits in der Zeit des Königtums Träger einer Gesellschaftskritik, die in die Linie der Gerichtsprophetie

---

1 Zu Jahwes Knechten, den Propheten, vgl. Jer 7,25; 25,4; 35,15; 44,4 und unten, Teil IV.. Alle genannten Stellen sind dtr.. Einwand mit Gegenfrage: Jer 32,17ff.27.
2 In 4,30 tut Aaron allerdings auch die Zeichen.
3 Cf. ferner die dtr. Belegstellen: Dtn 32,18; Jer 31,20. Die Vorstellung von Israels Kindschaftsverhältnis zu Jahwe geht aber sicherlich weit in vorexilische Zeit zurück, z.B. in die Prophetie Hoseas.
4 Auch R.Rendtorff, a.a.O., S.71.155 sieht die übergreifende Bedeutung des Glaubensmotivs in der Erzählung des Exodus-Geschehens, kann diese Erkenntnis aber nicht weiter ausführen, da er nicht zwischen dem Jahwisten und der (nachpriesterschriftlichen!) dtr. Redaktion unterscheidet.
Auch die Belege, die H.H.Schmid, a.a.O., S.19-43 für eine Spätansetzung des Jahwisten anführt, sind fast ausschließlich der dtr. Redaktion zuzuschreiben. Die restlichen Belege haben ambivalente Beweiskraft.
5 s.o., S.41 zu Gen 24
6 F.Crüsemann, a.a.O., S.208 verweist von soziologischen Überlegungen her auf die Rolle der Ältesten, ohne auf Ex 3,1-6,1 zu sprechen zu kommen.

gehört. (1) In die Frühgeschichte der Gerichtsprophetie ist auch die jahwistische Darstellung Moses in Ex 3,1-6,1 einzuordnen, und zwar in die Zeit Salomos. Es ist ja immer schon aufgefallen, daß in der Zeit Salomos kein Prophet auftritt. Nathan wirkt nur noch bei der Salbung Salomos mit (1 Kön 1,32-38), und erst kurz vor dem Tode Salomos tritt Ahia von Silo als der nächste Prophet auf, bezeichnenderweise außerhalb von Jerusalem (1 Kön 11,29-31). Mose wird vom Jahwisten als Gerichtsprophet dargestellt, der dem fremden König wegen der Unterdrükkung der Israeliten das Gericht ansagt. Indirekt zielt er damit auf Salomo; denn wieviel mehr gilt die Gerichtsansage dem, der sein eigenes Volk (Ex 5,16!) unterdrückt.

Diese zeitgeschichtliche Einordnung der jahwistischen Moseüberlieferung ist nicht aus der Luft gegriffen, hat sich Salomo doch mit dem Pharao verschwägert (1 Kön 3,1 u.ö.) und taucht im Zusammenhang der Aufstände gegen Salomo doch ein Überlieferungsstück auf, das vom Vorgang her (Hadad bittet um Entlassung durch den Pharao) genau Ex 5,1-3 entspricht: 1 Kön 11,14-25. Orte der Handlung sind dabei genau wie in Ex 3,1-6,1 Midian und Ägypten.

Indem der Jahwist vor diesem zeitgeschichtlichen Hintergrund Mose aller Züge eines Mittlers der Tat (Retter, Führer) entkleidet, will er zum Ausdruck bringen: "Jahwe allein ist der in der Geschichte Handelnde." Gleichwohl kann der Jahwist nicht übersehen, daß auch der König der in der Geschichte Handelnde ist. Dieses spannungsvolle Miteinander zwischen Jahwes Handeln und dem Handeln des Königs kommt sehr klar zum Ausdruck in der abschließenden Klage Ex 5,22f.:

22 Warum handelst du (sc. Jahwe) übel an deinem Volke?
23 (der König) hat übel an diesem Volke gehandelt.

Diese Spannung zwischen der Wirkmächtigkeit des Königtums in seinen positiven und negativen Aspekten und ihrer theologischen Bewältigung bestimmt den ganzen jahwistischen Erzählzusammenhang von Ex 3,1-6,1. So vollzieht sich die Begegnung zwischen Jahwe und Mose in 3,1-6 wie die zwischen König und Untertan (2). Wenn aber diese Begegnung gleichzeitig an einen Dornbusch "jenseits der Wüste" verlegt wird, dann ist darin eine versteckte Kritik an dem salomonischen Tempelkult und der damit verbundenen Zentralisation des Kultus zu erblicken. Ebenso unbefangen erzählt der Jahwist dann später noch einmal, wie Mose mit seiner Familie "unterwegs" eine Gottesbegegnung hat (4,24-26a). Die Familienreligion spielt schon in der Dornbusch-Szene eine Rolle, indem sich Jahwe Mose als "Gott deines Vaters" zu erkennen gibt (3,6a) (3). Dieser Familiengott ist aber gleichzeitig der Gott, der sein Volk Israel aus der Gewalt des Königs retten will (3,7 u.ö.) (4). Dies sagen die Ältesten, ausgestattet mit der prophetischen Autorität des Mose, ihrem König an in der verschleierten Form, daß das Volk Jahwe in der Wüste ein Fest feiern möchte (5,1.3). Wenn dieses Fest den Sinn haben soll, zu verhindern daß Jahwe "mit der Pest oder mit dem Schwert über uns komme" (5,3), dann kann dies nur als Argument Salomo gegenüber verstanden werden: Wenn Salomo das Volk weiter unterdrückt, könnte Gott eine Strafe schicken, die das ganze Volk mit einschließt.

---

1 In diesen Argumentationsgang paßt ausgezeichnet die These von H.W.Wolff, Micha von Moreschet, Micha sei einer der Ältesten. Daß die Ältesten auch sonst an der Weitertradierung prophetischer Gerichtsworte beteiligt waren, beweist Jer 26,17-18: Die Ältesten zitieren ein Gerichtswort Michas.
2 s.o., S.46, A.9
3 Wenn die LA אביך (MT) beibehalten werden kann, hätten hier einen unmittelbaren Beleg für Jahwe als den θεὸς πατρῷς (cf. A.Alt, Gott der Väter, passim).
4 Daß das Volk durch seinen eigenen König unterdrückt wird, geht eindeutig aus 5,16 (MT) hervor: וחטאת עמך (cf. dazu a. F.Crüsemann, a.a.O., S.176 mit A.56).

Schließlich fällt von diesen Überlegungen zu den zeitgeschichtlichen Bezügen der jahwistischen Erzählung von Ex *3,1-6,1 neues Licht auf 4,24-26a: Diese ganz an die Gottesbegegnungen der Vätergeschichten der Genesis erinnernde (1) Szene bewegt sich einerseits im Rahmen der Familienreligion und dem Denken in den Strukturen der (Bluts-)Verwandtschaft, stellt aber andererseits Jahwe als einen Gott dar, der wirkmächtig in das Leben, und das heißt auch das politische Leben eingreift. Wenn Jahwe sich V.24 dem Mose in den Weg stellt, um ihn zu töten, so will der Jahwist hiermit daran erinnern, daß Mose sich ja nach wie vor auf der Flucht von Ägypten nach Midian befindet, weil er einen Ägypter erschlagen hatte (Ex 2,11-15) (2). Sehr geschickt hält der Jahwist mit V.24 dem Salomo einen Spiegel vor: Jahwe kann den töten, der andere umgebracht hat. Der König ist von diesem Vorwurf nicht frei (5,21). In dieser für Mose lebensgefährlichen Situation bewahrt nun das familiale Übergangsritual der Beschneidung Mose vor dem Tode. Dieses Ritual wird nun übertragen auf einen anderen Übergang: den Übergang von Midian nach Ägypten. Der Jahwist verbindet auf diese Weise sehr geschickt die Beschneidung als "rite de passage" (3) innerhalb der Familie mit der Beschneidung als einem Kennzeichen völkischer Zugehörigkeit und spielt sie gegen Salomo aus: Wenn der noch unbeschnittene Sohn des Mose und seiner midianitischen Frau auf der Schwelle seines Wiedereintritts nach "Ägypten" (und damit doch auch in die Gemeinschaft des geknechteten Volkes Israel) beschnitten wird, so soll der Sohn des Mose in die Verwandtschaftsstrukturen der israelitischen Gesellschaft "heimgeholt" und damit Mose der (jahwistischen) Kritik an den ausländischen Frauen Salomos (4) entzogen werden. Wenn gleichzeitig Moses' Geschlechtsteil mit der Vorhaut des Sohnes berührt wird, so wird Mose, der ja als in Ägypten Geborener und von der Tochter des Pharao adoptierter (Ex 2,10) schon beschnitten war, von der Kritik an den familiären Beziehungen mit der Familie des Pharao befreit, der sich Salomo kaum entziehen konnte (5).(6)

In der jahwistischen Erzählung von dem Boten Mose, der von Jahwe mit einer diplomatisch formulierten Gerichtsbotschaft (7) an den König beauftragt und auf den Weg geschickt wird (Ex *3,1-6,1), ist also die Grenze vom vorprophetischen Botenvorgang hin zur frühen Gerichtsprophetie an den König (8) überschritten; das bedeutet: Die Klage des Mose in Ex 5,22f. ist als *gerichtsprophetische Klage* anzusehen und gehört in die Vorgeschichte der Konfessionen Jeremias, die auf einen Botenvorgang bezogen sind. Für diese Form der gerichtsprophetischen Klage macht es keinen Unterschied, ob der Adressat des Gerichtswortes

---

1 bes. Gen 32,23-33, zum Ganzen cf. C.Westermann, Arten der Erzählung, S.83-87.
2 Dazu cf. F.Crüsemann, a.a.O., S.176.
3 A.van Gennep, Les rites de passage, Paris 1909
4 Cf. dazu die Bemerkungen o., S.41 mit A.3 zu Gen 24.
5 Auch die Ägypter kannten die Beschneidung, cf. K.Galling, Beschneidung, Sp.1091. Zur Verschwägerung Salomos mit dem Pharao s.o., S.41 mit A.2.
6 Auf diese Weise ist innerhalb des jahwistischen Erzählzusammenhanges von Ex 3,1-6,1 ein plausibler Ort für 4,24-26a gefunden, den G.von Rad, Moseerzählungen, S.193, A.10 noch vergeblich sucht. W.Beltz, Ex 4,24-26 vermutet hinter Ex 4,24-26 einen Ritus, nach dem durch die Berührung der pudenda des Kultbildes oder des Gottes mit dem Präputium des Beschnittenen die Ehe mit dem Gott geschlossen wird und der von der Mutter beschnittene Sohn in diese Ehe mit eingebracht wird. Mir erscheint diese Vermutung für den Jahwisten als sehr unwahrscheinlich.
7 Ex 5,3: Laß uns in die Wüste ziehen drei Tagesreisen weit
    und Jahwe, unserm Gott, opfern,
    daß er uns nicht schlage mit Pest oder Schwert.
Der Jahwist hat in der abschließenden Drohung geschickt eine Gerichtsankündigung versteckt, die auch den König (Salomo) mitbetrifft.
8 So auch M.S.Luker, a.a.O. und R.Friebe, a.a.O. zu den Plagegeschichten.

ein Einzelner (König) ist oder das ganze Volk. In den wesentlichen Zügen ist die Form der gerichtsprophetischen Klage hier (Ex 5,22f.) und dort (Jer 20,7-9) die gleiche (1).

Der Jahwist steht mit seiner Darstellung des Botenvorgangs scharf auf der Grenze zwischen dem zwischenmenschlichen Botenvorgang und dem Botenvorgang zwischen Gott und Prophet. Dies sei abschließend noch verdeutlicht an einem Vorgang, der als ganzer in der Gesamtstruktur von Ex 3,1-6,1 (J) seinen Ort hat innerhalb der negativen Reaktion des Pharao auf die Ausführung des Botenauftrags Jahwes durch Mose (und die Ältesten), in sich aber wieder die Struktur des Botenvorgangs aufweist: 5,6-18:

I.   Erteilung des Auftrags: Pharao befiehlt den Fronvögten und Aufsehern die Verschärfung des Frondienstes (V.6-9)

II.   Ausführung des Auftrags:

     1. Der Weg zum Volke (ganz kurz berichtet) (V.10aα) (2)
     2. Die Ausrichtung der Botschaft (V.10aβ.b.11)
     3. Reaktion des Volkes: Gehorsam (V.12)
       Reaktion der Fronvögte: weitere Bedrückung des Volkes und der Aufseher (V.13f.)

III.   Rückmeldung durch die Aufseher an Pharao: Klage (V.15f.) mit Antwort Pharaos, die Klage abweisend (V.17f.).

Als Botenvorgang mit der Rückmeldung in Form einer Klage stellt Ex 5,6-18 das formgeschichtliche Bindeglied dar zwischen 2 Sam 10,1-5 (3) und Ex 3,1-6,1 (J). Die Klage 5,15f. enthält wieder die gleiche Verbindung von Anklage gegen den Auftraggeber und Rückgriff auf den Auftrag, wie wir sie schon in Ex 5,22f. (4) und Jer 20,7-9 (5) feststellten:

15b Warum verfährst du so mit deinen Knechten?
16   Deinen Knechten wird kein Stroh gegeben, und doch sagt man uns: "Macht (Ziegeln)!" (6) Und siehe: Deine Knechte werden geschlagen. So sündigst du an deinem Volk.

Wiederum zeigt sich, daß die Klage aufbricht an einem feindseligen Verhalten gegen die Überbringer eines Auftrags (hier die Aufseher), nicht an der bloßen Erteilung des Auftrags. Auf die bloße Erteilung des Auftrags hingegen reagiert der Bote mit einem Einwand (7).

Die unterschiedlichen Bezüge von Klage und Einwand auf das Botengeschehen sind in der biblischen Überlieferung durchaus nicht selten belegt. Zwei Beispiele aus ganz unterschiedlichen Überlieferungszusammenhängen mögen dies verdeutlichen: Jer 1 und Mt 10. Beide Beispiele setzen den Botenvorgang voraus, fangen die zu erwartenden menschlichen Reaktionen aber von vornherein ganz oder teilweise auf:

Jer 1,4-8: I. Berufung Jeremias durch Jahwe (V.5); II. Einwand Jeremias (V.6); III. Antwort Jahwes: Abweisung des Einwandes und neuer Auftrag: Geh und sage! (V.7); IV. Zusage des Beistandes in Gefahr (mit dieser Zusage wird eine mögliche Klage von vornherein aufgefangen) (V.8).

---

1 s.o., S.46 mit A.3
2 Boten werden nicht nur benötigt, um eine geographische Distanz zu überwinden, sondern auch um eine Distanz innerhalb einer Hierarchie zu überbrücken.
3 s.o., S.42f.
4 s.o., S.46 u.ö.
5 s.o., S.27-32
6 Das absolute עשׂו ist am treffendsten wiederzugeben mit dem absoluten: "Produziert!"
7 So Gen 24,5-8.39-41; Ex 3,11; 4,10.13 (alles dtr. Stellen, s.o., S.40.48-50.).

Mt 10: I. Auftrag Jesu an die Jünger (V.5-6); II. Aufgefangener Einwand (voraus-
gesetzter Einwand der Jünger: "Was sollen wir predigen?" cf. Jes 40,6) (V.7);
III. Konkrete Anweisungen Jesu für unterschiedliche Reaktionen der Adressaten auf
die Ausrichtung der Botschaft (V.8-16); IV. Anfeindungssituationen (V.17-31) (Zusa-
gen: "Sorget nicht!" - dadurch Aufhebung des Einwandes: "Was sollen wir reden?"(V.19)
"Fürchtet euch nicht!" - dadurch Aufhebung der Klage (V.26.28.31).)

Exkurs 1: Die Klage des Mose Num 11,11-15 und die Redaktionsgeschichte von Num 11

In die Nähe der beiden Klagen Jer 20,7-9 und Ex 5,22f. gehört auch die Klage des Mose in Num 11,11-15. Sie besteht aus einer jahwistischen Grundfassung und einer dtr.
Überarbeitung:

11 Warum handelst du übel an deinem Knechte,
und warum finde ich nicht Gnade vor deinen Augen,
daß du mir die Last dieses ganzen Volkes auferlegst?
12 Habe ich etwa dieses ganze Volk empfangen
oder habe ich es geboren, daß du zu mir sagst:
"Trage es an deinem Busen, wie die Amme (1) den Säugling trägt,
in das Land, das du seinen Vätern zugeschworen hast?"
13 Woher nehme ich Fleisch für dieses ganze Volk?
Denn sie weinen vor mir und sprechen:
"Gib uns Fleisch zu essen!"
14 *Ich vermag dieses Volk nicht allein zu tragen;*
denn es ist mir zu schwer.
15 *Willst du so an mir handeln (2) so töte mich lieber,*
wenn ich anders Gnade vor deinen Augen gefunden habe,
damit ich mein Elend nicht mehr ansehen muß.

Spätestens seit M.Noth (3) wird gesehen, daß diese Klage zwei Schichten aufweist,
deren spätere in V.14f. greifbar ist und als Bestandteil einer Redaktionsschicht anzusehen ist, die auch V.16f..24b-30 (Entlastung des Mose durch die Übertragung des
Geistes auf die siebzig Ältesten) umfaßt (4). Weiter hatte Noth gesehen, daß V.12bβ
einen "Zusatz" (5) darstellt. Dieser Satz ist in der Sprache dtr.(6) und fällt gramma-
tisch völlig aus der wörtlichen Rede des Auftrages V.12b heraus. In der Sprache
stimmt dieser Zusatz mit V.14f. darin überein, daß ganz einseitig auf e i n e Funktion
der Amme abgehoben wird, nämlich den Säugling in den Armen zu tragen (נשא) (7).
Nimmt man aber den Auftrag für sich:

"Trage es an deinem B u s e n , wie die Amme den S ä u g l i n g trägt,"

dann kommt die andere, viel wesentlichere Funktion der Amme in den Blick, das Säugen (יָנק hi.) (8). Über diesen Aspekt (Ernährung, Versorgung) geht aber auch die Erzählung von der Klage des Volkes Israel über die eintönige Nahrung (9) und dem Eingehen Jahwes auf diese Klage in Num 11 nicht hinaus, wie immer auch der Umfang dieser Erzählung zu bestimmen ist.

---

1 Trotz der masc. Form אמן ist das fem. gemeint (cf. GK § 122, A.1).
2 l אַח תעשה (hapl.)
3 Numeri, S.75
4 so z.B. H.H.Schmid, a.a.O., S.70
5 a.a.O., S.78
6 cf. H.H.Schmid, אדמה, Sp.55
7 cf. Jes 49,22f.; 2 Sam 4,4
8 cf. Ex 2,7(bis).9 (alles J)
9 cf. dazu E.Ruprecht, Mannawunder, S.283, A.37

Wenn aber in Num 11,11-15 die beiden Funktionen der Amme, das Säugen und das Tragen des Säuglings auf den Armen, so deutlich auf zwei unterschiedliche literarische Schichten der Entstehung dieser Klage verteilt werden können, dann ist auch V.11b ("... daß du mir die Last (משא) dieses ganzen Volkes auferlegst") derselben Hand zuzuschreiben, die auch V.12bβ.14-17 und V.24b-30 ergänzte und sich mit immer neuen Formen der Wurzel נשא (vorausgesetzt in V.12bβ, ferner V.14.17b) mit dem Problem auseinandersetzt, daß dem עבד Jahwes (V.11) die Last des Volkes zu schwer wird (1). Im übrigen ist V.11b durch ל + inf.cs. etwas unbeholfen an das Vorhergehende angeschlossen. Dann bleibt als vorredaktionelle Klage: V.11a.12a.bα.13. Diese Klage weist genau das Miteinander von Anklage Jahwes (V.11a) und Hinweis auf den widerspruchsvollen Auftrag (V.12a.bα) auf wie Jer 20,7-9; Ex 5,22f. und Ex 5,15b.16, nur spricht Mose hier nicht als einer, der mit der Ausrichtung einer (Gerichts-) Botschaft beauftragt ist, sondern als einer der beauftragt ist mit der Versorgung des ihm anvertrauten Volkes. Daher muß nach der Anklage und dem Hinweis auf den widerspruchsvollen Auftrag auch die Klage des Volkes erwähnt werden (V.13), wie auch in Ex 5,22f. aus anderen Gründen der Hinweis auf die nach wie vor bestehende Not des Volkes die Klage beschließt. Num 11,11a.12a.bα.13 entspricht aber nicht nur im Aufbau, sondern teilweise auch in der Wortwahl ("Warum handelst du übel an ..." Ex 5, 22; Num 11,11; zwei למה-Fragen zu Beginn der Klage) so sehr Ex 5,22f. (J), daß diese Klage als jahwistisch bezeichnet werden muß.

Diese beiden Klagen sprechen nicht nur die beiden Grundnöte des Volkes an, wie sie sich ergeben aus der Knechtschaft in Ägypten und der Wanderung durch die Wüste, sondern sie sprechen die beiden Nöte des Volkes an, die charakteristisch sind für die frühe Königszeit. Einerseits bringt das Königtum die Gefahr der Unterdrückung des Volkes mit sich (vorausgesetzt in Ex 5,22f.), andererseits wirkt sich das Königtum positiv aus in einer Sicherstellung der Versorgung der Bevölkerung (2). Damit stiegen aber auch gleichzeitig die Ansprüche der Bevölkerung (3) (vorausgesetzt in Num *11,11-13). Stellte sich Mose in Ex 5,22f. als klagender Gerichtsprophet in verhalten königskritischer Tendenz dar, so in Num *11,11-13 als König, der die durchaus positive Vorstellung des Jahwisten vom Königtum ebenso zur Sprache bringt wie die Schwierigkeiten, mit denen sich das Königtum (zur Zeit Salomos) auseinanderzusetzen hat. Wie schon in Gen 24 bezeichnet sich der Beauftragte Jahwes, in diesem Fall Mose, als עבד Jahwes (Num 11,11). Der Jahwist spielt mit dieser Bezeichnung wieder die altorientalische Königsideologie gegen die Schreckensherrschaft Salomos aus (4): Der König ist als "Knecht" der Gottheit gleichzeitig Beauftragter Gottes. Zu diesem Bild vom König paßt nicht nur, daß Jahwe in der ganzen Klage als der eigentlich Handelnde angesprochen wird (5), sondern auch die Frage: "Warum finde ich nicht Gnade vor deinen Augen?" (6) (V.11a) und der Hinweis auf den widerspruchsvollen Auftrag in V.12. Wenn Mose abschließend die vorwurfsvolle Frage stellt:

---

1 H.H.Schmid setzt die Einheitlichkeit von V.11 voraus, darin der communis opinio der Forschung folgend, und rückt den עבד von Num 11 in die Nähe der Erfahrung, "die gerade im Jeremiabuch eingehend zur Sprache kommt, dass sich ein עבד Jahwes ... von seiner Aufgabe überfordert fühlt" (Jahwist, S.72). Diese Bemerkung trifft zu für die Endgestalt von Num 11,11-15, die in die Nähe der dtr. Redaktion des Jeremiabuches, aber auch der Gottesknechtlieder Deuterojesajas zu rücken ist, nicht aber für die jahwistische Grundfassung.
2 Cf. F.Crüsemann, a.a.O., S.149f. u.ö..
3 F.Crüsemann, a.a.O., S.174. Eine Kritik des Jahwisten an den gesteigerten Bedürfnissen des Volkes ist aus der Klage V.*11-13 nicht herauszulesen.
4 Gg. H.H.Schmid, a.a.O., S.72 (s.o., A.1).
5 Dieser Zug ist typisch für den Jahwisten, s.o., S.51; F.Crüsemann, a.a.O., S.176.
6 Diese Formulierung ist nicht von vornherein als dtr. anzusehen, sondern wird überall da gebraucht, wo Knechte mit ihrem Herrn verkehren (Gen 32,6; 33,8.15; 1 Sam 1,18; 16,22 u.ö.), so schließlich auch die dtr. Verwendung, z.B. Num 11,15.

"Habe ich etwa dieses ganze Volk empfangen
oder habe ich es geboren, daß du zu mir sagst:
'Trage es an deinem Busen, wie die Amme den Säugling trägt,'"

so kommt in diesem Vorwurf eine Not zur Sprache, die typisch ist für die Zeit des
frühen Königtums und die Erwartungen, die infolge der gesellschaftlichen Veränderungen jetzt an den König gestellt werden. In der vorköniglichen akephalen Gesellschaft
spielte die Frau (und daneben die Amme) die Hauptrolle für die Versorgung der Kinder
und der ganzen Familie mit Nahrung. Das, was sich in dieser Gesellschaftsform wesentlich in der Verantwortung der Familie vollzogen hatte, oblag jetzt dem König.
Der König war in dieser Aufgabe überfordert, vor allem dann, wenn die Ansprüche des
Volkes stiegen. Die mit diesem gesellschaftlichen Umbruch entstehende Problematik
steht hinter der Klage des Mose nach dem Jahwisten, und der Jahwist deutet den Weg
an, auf dem eine Lösung zu finden ist: in der Hinwendung zu Jahwe. Hinwendung zu
Jahwe ist die ganze Klage des Mose und auch die "Heiligung", zu der das Volk aufgefordert wird wie bei einer kultischen Begehung (V.18) (1). So kann auch Jahwe nur
derjenige sein, der Hilfe bringen kann. Aber damit ziehen wir schon die Linien aus,
die sich von der jahwistischen Form der Klage des Mose her andeuten. Die Ermittlung
der jahwistischen Erzählung in Num 11 und ihre Abgrenzung von späteren redaktionellen Erweiterungen liegen indes schon außerhalb des Themas dieser Arbeit. Es können
nur einige Linien angedeutet werden, auf denen sich die Analyse von Num 11 und die
Auslegung dieses Kapitels auf den verschiedenen Schichten seiner Entstehung bewegen
könnten:

1. Die Klage des Mose Num 11,11-15 stellt den Kern von Num 11 dar. Als Klage ist
sie bezogen auf eine bestehende Not und zielt ab auf eine Wende dieser Not. Diese
beiden Aspekte müssen Grundbestandteile der Erzählung Num 11 sein. Da sich der jahwistische Anteil der Klage (V.11a.12a.bα.13) aufgrund formgeschichtlicher und redaktionsgeschichtlicher Beobachtungen sehr genau von redaktionellen Erweiterungen
(dtr.) abgrenzen läßt, können diese Verse auch zum Kriterium für die Ermittlung des
jahwistischen Anteils von Num 11 gemacht werden.

2. Die jahwistische Klage des Mose übt keine Kritik an dem Weinen des Volkes Is-
rael über die eintönige Nahrung. Daher ist zu überlegen, ob die gesamte jahwistische
Erzählung Num 11 lediglich besteht aus den Elementen: I. Weinen (Beschwerde) des
Volkes über die eintönige Nahrung (V.4b-6); II. Klage des Mose (V.10a.11a.12a.bα.13);
III. Antwort Jahwes an Mose (V.16: nur משה אל יהוה ויאמר): Sage dem Volke: "Heiligt
euch! (in Erwartung des Fleisches, das Jahwe euch geben wird auf eure Klage hin)"
(V.18); IV. Mose teilt dem Volke die Antwort Jahwes mit (V.24a); V. Jahwe schickt
reichlich Wachteln (V.31aα), so daß auch noch Vorräte angelegt werden können (V.32aα.b).
Diese Verse und Versteile ergeben eine in sich stimmige jahwistische Erzählung, die
ohne jede Kritik am Volk auskommt. Kritik übt der Jahwist erst in Num 21,4-9 in
einer eben so knappen Erzählung, als das Volk immer noch nicht zufrieden ist mit
dem, was Jahwe gegeben hat (2). (3)

3. Die Kritik an der Haltung des Volkes wird erst laut in der dtr. Redaktion von
Num 11. Diese wird faßbar in Num 11,1-3 mit dem typisch dtr. Schema:

    I. Not des Volkes (V.1a)
    II. Murren des Volkes gegen Jahwe (V.1a)
    III. Jahwe wird zornig und bestraft das Volk (V.1b)
    IV. Klage des Volkes (V.2a)
    V. Fürbitte des Mose (V.2bα)
    VI. Jahwe erhört die Fürbitte (V.2bβ)
    VII. Erklärung des Ortsnamens (V.3).

---

1 M.Noth, Numeri, S.79 mit Verweis auf Ex 19,10.
2 Cf. dazu E.Ruprecht, Mannawunder, S. 304.
3 Der jahwistische Anteil von Num 11 ist am Schluß des Buches in Übersetzung beigegeben (S. 220).

Dieses Schema unterscheidet sich grundlegend von dem Aufbau der angenommenen jahwistischen Erzählung, in der alle Elemente fehlen, die am Volk Kritik üben könnten (1). Es bestimmt aber den Aufbau von Num 11,4-34 in seiner Endgestalt:

I. Not des Volkes (V.4a)
II. Klage des Volkes gegen Jahwe (V.4b-6) (negativ beurteilt durch das
    Wort "Gelüste" (V.4a))
    (V.7-9 ist dtr. Beschreibung des Manna in Entsprechung zu Ex 16,14.31 (2))
III. Jahwe wird zornig (V.10)
IV. + V. Klage des Mose mit Rückverweis auf die Klage des Volkes (V.11-15)
VI. Jahwe "erhört" die Klage des Mose (V.16-33)
VII. Erklärung des Ortsnamens (V.34).

Die dtr. Redaktion hat die gesamte Erzählung unter das Thema: תאוה ("Gelüste") gestellt (V.4.34) (3). Jahwe "erhört" diesen Wunsch, aber diese Erhörung stellt doch gleichzeitig eine Strafe dar (V.19f.) bzw. geht zum Schluß in eine Bestrafung in Form einer Plage über (V.33), die alle Zweifel an der Allmacht Jahwes (cf. den Einwand Moses V.21f.) zunichte macht (V.23).

Auch die seit M.Noth (4) immer schon als sekundär angesehene Ergänzung mit dem Thema: Entlastung des Mose durch die Übertragung seines Geistes (nach unserer Analyse (5) V.11b.12bβ.14-17 (außer ויאמר יהוה אל־משה (V.16)).24b-30) ist dieser Hand zuzuschreiben. Denn in Ex 4 verfährt die dtr. Redaktion genauso: Die Kritik am Volk wird dort unter dem Stichwort "Glauben" sozusagen als Leitthema abgehandelt, während vom Mittler Mose her die Linie der Sukzession bis auf Aaron, den Leviten, herabgeführt wird. So auch in Num 11: In drei Schritten wird der prophetische Geist von Mose über die siebzig Ältesten (V.16-18.24b-25), Eldad und Medad (V.26-28) bis auf das ganze Volk herabgeführt (V.29). Dieser Versuch einer Legitimation durch Mose mit starkem Rückbezug auf die prophetische Überlieferung und Ausweitung der "Sukzession" auf das ganze Volk ist aber charakteristisch für die Geistesbeschäftigung der Leviten (cf. z.B. 2 Chr 15,1; 24,20 (6)), die uns schon in Ex 4,14 als Träger der dtr. Redaktion begegneten (7): Ihr Wunsch, alle im Volke Jahwes möchten Propheten sein, bleibt ein Wunschtraum, der sich nur bei den Ältesten erfüllt (V.30). So schließt diese Feststellung die Linie der Geistübertragung mit der Kritik an dem Gelüste des Volkes zusammen: Das Volk verlangt Fleisch statt Geist und geht daran zugrunde (V.33).

4. Die jahwistische Klage des Mose gehört als Klage des Beauftragten in die Vorgeschichte der Konfessionen Jeremias wie Ex 5,22f., während die dtr. überarbeitete Klage des Mose Num 11,11-15 in die Nachgeschichte der Konfessionen einzuordnen ist und noch später ist als die dtr. überarbeiteten Konfessionen, die Klagen Ezechiels

---

1 H.H.Schmid, a.a.O., S.65 bzw. 71 setzt diese beiden unterschiedlichen Grundstrukturen fälschlicherweise völlig gleich.
2 Cf. dazu E.Ruprecht, a.a.O., S.274f..
3 Ähnlich stellt die dtr. Redaktion Ex 15-17 unter das Stichwort "Versuchung"
  (E.Ruprecht, a.a.O., S.304); Ex 4 unter das Stichwort "Glauben" (s.o., S.48)
  und Gen 22 unter das Stichwort "Prüfung" (C.Westermann, Arten der Erzählung,
  S.71f.), um mithilfe aufgenommenen Materials unter diesem Thema Theologie zu erzählen (C.Westermann, ebda.). Ps 78,18 faßt "Versuchung" und "Gelüste" zusammen.
4 s.o., S.54 mit A.3
5 s.o., S.54f.
6 Zur Bedeutung der levitischen Predigt für die Chronikbücher cf. G.von Rad, Levitische Predigt, passim; die Verbindung levitischer Tradition mit prophetischer
  Geistbegabung findet sich schon bei Hosea (9,7-9), dazu H.W.Wolff, Hosea, S.204.
7 s.o., S.48.50

und die Gottesknechtlieder bei Deuterojesaja, also an den äußersten Rand der in die- ser Arbeit untersuchten Klagen gehört (1). Die dtr. Ergänzungen schwächen die Ankla- gen gegen Jahwe ab (2), wie sie für die jahwistische Grundfassung der Klage charak- teristisch waren (3), und gehören mit ihren immer wiederkehrenden Anspielungen auf die "Last" (אשׂמ) des Volkes in die Geistesbeschäftigung levitischer Kreise hinein, denen wir auch einen so späten Text wie Jer 23,33-40 mit eben diesem Thema "Last" zu verdanken haben (4).

d. Zusammenfassung

Die sich von der Untersuchung der Mikrostruktur der Klage Jer 20,7-9 her ergebende These der organischen Zusammengehörigkeit von Klage und Botenvorgang hat sich anhand der Untersuchung der Makrostrukturen von Botenerzählungen bestätigt:

1. In den Botenerzählungen bildet die Klage einen festen Bestand- teil für den Fall, daß die Ausrichtung der Botschaft auf Widerstand stieß. Die Rückmeldung hat dann die Form einer Klage.

---

1 Die jahwistische Klage des Mose Num *11,11-13 gehört auch insofern in die Vorge- schichte der Konfessionen Jeremias, als der Jahwist dem Mose in der Jahwe-Antwort auf diese Klage (V.16a*.18) nur noch eine Aufgabe überläßt, nämlich als Bote Jahwes vor das Volk zu treten und diesem Jahwes Beschlüsse mitzuteilen. Auch hier- in ist wieder die jahwistische Tendenz zu erkennen, Mose möglichst aller Züge eines Mittlers der Tat (Versorgers) zu entkleiden: Jahwe allein ist König, und daher versorgt Jahwe das Volk auch reichlich mit Fleisch (Wachteln) (V.31f.).
2 So ist hinter der dtr. Frage V.15: "Willst du so an mir handeln ...," nur noch ganz versteckt die Anklage gegen Jahwe zu hören, die durch die Formulierung: "... wenn ich anders Gnade vor deinen Augen gefunden habe ..." weiter abgeschwächt wird. Die Ergänzung V.12bβ löst die wörtliche Rede und damit die direkte jahwisti- sche Anklage gegen Jahwe auf. Am ehesten kann man noch die Anklage hinter V.11b feststellen ("... daß du mir die Last dieses ganzen Volkes auferlegst"), aber auch diese Anklage verliert ihren schroffen Charakter durch den Anschluß mit einem inf.cs., der die Wiederholung der direkten Anrede Jahwes überflüssig macht. Im übrigen scheinen die dtr. Erweiterungen V.14 und 15 die Konfessionen Jeremias (bes. Jer 20,9 und 18) als bekannte Größen vorauszusetzen.
3 s.o., S.55
4 Cf. dazu H.H.Schmid, a.a.O., S.72. Jer 23,33-40 ist später als die Redaktion des Jeremiabuches (W.Thiel, Jeremia 1-25, S.282). Es würde sich also auch von dieser Seite her die oben, S.48 geäußerte Vermutung bestätigen, daß die dtr. Redaktion des Tetrateuch erheblich später anzusetzen ist (um 530 v.Chr.) als die dtr. Re- daktion des Jeremiabuches (um 550 v.Chr., W.Thiel, Jeremia, S.674), also etwa zwanzig Jahre später. Daß es in Jer 23,33-40 um die (levitische) Auseinanderset- zung mit den Priestern und dem Volk geht, zeigen V.33 und 34. Eine von der hier vorgetragenen abweichende Sicht der Entstehung von Num 11,24b- 30 finde ich bei R.Albertz/C.Westermann, חור, Sp.746, die hinter den unterschied- lichen Aspekten der Geistmitteilung (1. Übertragung des Geistes von Mose auf die siebzig Ältesten (V.24b-25); 2. Unmittelbare "Begeisterung" (Verzückung) von El- dad und Medad (V.26-28); 3. Übertragung des Geistes auf das ganze Volk) unter- schiedliche Hände am Werk sehen. In Wirklichkeit spiegelt sich in diesen unter- schiedlichen Aspekten die Auseinandersetzung der Leviten um ihre Legitimation. Auch in Ex 4 kennt die dtr. Redaktion beide Aspekte: Nachdem sie erst ausführlich die "Sukzession" von Mose über die Retter und Propheten bis auf den Leviten Aaron nachgewiesen hatte (V.1-17), spricht Jahwe dann doch unmittelbar zu dem Leviten Aaron (V.27), wie er Num 11,26-28 unmittelbar an Eldad und Medad (Leviten?) handelt.

2. Die Rückmeldung wiederum ist ein fester Bestandteil des Botenvorgangs, der aus drei Elementen besteht: I. Beauftragung; II. Ausführung des Auftrags; III. Rückmeldung (1).

3. Die Rückmeldung in der Form der Klage findet sich nicht nur in
Erzählungen, in denen Jahwe der Auftraggeber ist, sondern ebenso in
Erzählungen, in denen ein Mensch der Auftraggeber ist (Ex 5,6-18;
2 Sam 10,1-5).

4. Die Klagen sind in den Erzählungen unterschiedlich ausgeprägt.
Neben dem knappen Bericht einer Klage (2 Sam 10,5) findet sich die explizite Klage im Rahmen einer ausgeführten Botenerzählung (Ex 5,22f.,
cf. a. Ex 5,15b-16).

5. Der Übergang von der Klage des Boten in einem zwischenmenschlichen Botenvorgang hin zur gerichtsprophetischen Klage vollzieht sich
beim Jahwisten, der Mose im Auftrag Jahwes mit einer diplomatisch formulierten Gerichtsbotschaft an Pharao (= Salomo) auftreten läßt.

6. Sowohl vom Umfang als auch von der Form her stehen Ex 5,15b-16
und 5,22f. der Klage Jer 20,7-9 sehr nahe. Zu vergleichen ist auch die
Klage des Beauftragten in Num *11,11-13. Diese drei Klagen sind dem
Jahwisten zuzuweisen und gehören in die Vorgeschichte der Konfessionen
Jeremias, die auf einen Auftrag bezogen sind. Gemeinsam ist diesen
Klagen die Betonung der Anklage gegen Jahwe und ihre Verbindung mit
dem Hinweis auf den zu schweren widerspruchsvollen Auftrag. Es ist
daher zu fragen, ob eine Klage wie Jer 20,7-9 über den innerhalb der
Klage erkennbaren Bezug zum Auftragsgeschehen hinaus ursprünglich zu-
sammen mit dem Bericht von einer Beauftragung überliefert wurde.

7. Der Botenvorgang mit seinen drei Elementen: Beauftragung, Ausführung des Auftrags, Rückmeldung stellt ein formgeschichtliches Kriterium für die Ermittlung des ursprünglichen jahwistischen Anteils
der im Pentateuch überlieferten Botenerzählungen dar. Durch die Voranstellung des formgeschichtlichen Arbeitsganges läßt sich viel eindeutiger als bisher eine dtr. Redaktion abheben, die nicht nur den Jahwisten, sondern auch die Priesterschrift als abgeschlossene Größen
voraussetzt. Die Redaktion schwächt die Anklage des Beauftragten gegen
Jahwe ab (Num 11,11-15) und hebt ganz ab auf die Kritik am Volk, die
ihrerseits die Gesamtgeschichte der Gerichtsprohetie voraussetzt, die
Konfessionen Jeremias, aber auch deren Abwandlung durch die dtr. Redaktion des Jeremiabuches und in den Gottesknechtliedern bei Deuterojesaja, eingeschlossen. Die Integration von formgeschichtlicher und
redaktionsgeschichtlicher Methode erlaubt so nicht nur ein sehr viel
genaueres Bild von der Klage des Beauftragten in der Überlieferungsgeschichte des Pentateuch (bzw. Tetrateuch) als bisher, sondern läßt
eine vergleichbare Klärung auch für die Konfessionen Jeremias innerhalb der komplizierten Entstehungsgeschichte des Jeremiabuches erhoffen.

---

1 Die Rückmeldung auf einen ausgeführten Auftrag stellt durchaus kein singuläres
formgeschichtliches Phänomen dar. Vielmehr ist die Rückmeldung zu sehen im Zusammenhang der Rückkopplungssysteme, die für jedes lebendige System (Organismus)
von Bedeutung sind und wie sie von der Systemtheorie neu ins Bewußtsein gehoben
werden, cf. dazu W.D.Keidel, Rückkopplung; D.Sengbaas, Informations- und Rück-
kopplungsprozesse. Die Rückmeldungen, die uns im Alten Testament literarisch
überliefert sind, wären demnach nur die Spitze eines Eisberges.

7. Es ist zu unterscheiden zwischen Klage und Einwand. Während der
Einwand dem Auftraggeber direkt ins Wort fällt, setzt die Klage die
Ausführung des Auftrags, Widerstände gegen die Botschaft und Leiden
des Beauftragten voraus. Die Unterschiede der Form bedürfen noch einer
eingehenden Untersuchung.

Zur Klärung der Vorgeschichte der Konfessionen Jeremias ist aber
noch ein weiterer Untersuchungsgang erforderlich, der sich von den
Beobachtungen an der Klage Jer 18,18-23 her nahelegte (1). Zu untersuchen sind Klagevorgänge, in denen sich der Gerichtsprophet ganz auf
der Seite des Auftraggebers weiß und in der Spanne zwischen der Ankündigung des Gerichts und dem Eintreffen des Angekündigten nur noch auf
das Gericht *wartet*.

2. Das Warten auf das Gericht und die Klage

a. *Vorbemerkungen*

Überblicken wir die Geschichte der Gerichtsprophetie, so ist die *wachsende Spanne zwischen der Ankündigung und dem Eintreffen des Gerichts*
einer der wesentlichen Unterschiede der Gerichtsprophetie an das ganze
Volk gegenüber der Gerichtsprophetie an den König. Aus dieser Spanne
erheben sich *Klagen*, wie sie in sehr unterschiedlichen Überlieferungskomplexen in sehr unterschiedlicher Form, teilweise nur in Anklängen
laut werden: 1 Kön 19,10=14; Hos 9,7b-9; (Mi 3,8); Jes 6,11; 8,16-18;
Ez 33,30-33. Wird in 1 Kön 19,10=14 die Klage Elias im Rahmen einer
Erzählung überliefert, so die Anklänge an die Klage bei Jesaja im Rahmen eines Eigenberichts, während die Traditionsform für die übrigen
Beispiele das Prophetenwort ist. Diese unterschiedlichen Traditions-
weisen der Klagen gilt es im Blick zu behalten bei der Untersuchung
der Form und der Vorgänge, die diese Klagen ausgelöst haben. Einige
grundsätzliche Überlegungen zum *Warten* werden aber zeigen, wie sehr
die genannten Beispiele zusammengehören und für einen Teil der Konfessionen Jeremias den Hintergrund bilden.

Jedes Warten hat mit einer Zeit*dauer* zu tun, die überbrückt werden
muß. Aus dieser Situation des Wartens entspringt die Frage: "Wie lange
dauert das noch?" Sie taucht in den Klagepsalmen des Einzelnen (2) wie
des Volkes (3) auf und kann zum beherrschenden Motiv werden (4). Das
Warten kommt damit an sein Ende, daß das Erwartete eintrifft oder aber
das genaue Gegenteil des Erwarteten (5), oder aber das Warten wird auf-
gegeben (6).

---

1 s.o., S.33-36
2 C.Westermann, Struktur und Geschichte, S.282, cf.a. Jes 6,11.
3 C.Westermann, a.a.O., S.276
4 So in Ps 13, cf. C.Westermann, a.a.O., S.269.282.
5 In diesem Zusammenhang gehören alle Äußerungen der Enttäuschung über vergebliches
  Warten, die mitunter in die Nähe der Anklage Jahwes rücken:

  Wir warteten auf Frieden - doch es kam nichts Gutes. (Jer 8,15=14,19)
  Sie warte auf Licht - doch es komme nicht! (Hi 3,9)
  ... die auf den Tod warten - doch er kommt nicht. (Hi 3,21)
  Sie warteten bis zum Überdruß. (Ri 3,5)
  Ach, Herr Jahwe, bitter getäuscht hast du dieses Volk und Jerusalem. Du sprachst:
  "Friede wird euch werden!" - doch jetzt geht das Schwert uns ans Leben! (Jer 4,10)
6 Siehe, so groß ist das Unglück, das Jahwe über uns verhängt hat! Was soll ich da
  noch weiter auf Jahwe warten? (2 Kön 6,33)

Das Warten richtet sich in jedem Fall auf ein Ereignis (1), darauf,
daß jemand oder etwas *kommt* (2). Die Erwartung kann auf Erfahrungswis-
sen beruhen (3) oder durch eine Ankündigung erweckt worden sein (4).
Das Warten in der Zeitspanne bis hin zum Eintreffen des Angekündigten stellt nicht einfach ein passives Verhalten dar, sondern vollzieht
sich in einem *Angespanntsein*, das in sich die Möglichkeit zur Aktion
(Reden oder Handeln) birgt (5). Durch das Reden oder Handeln soll die
Dauer des Wartens *überbrückt*, möglicherweise auch *verkürzt* werden. In
dem auf ein Handeln Gottes gerichteten Warten ist nicht nur der war-
tende Beter das Subjekt (6), sondern die Zeitspanne bis hin zum Eintreffen des Erwarteten wird ebenso überbrückt durch das "Warten" Jahwes wie auch durch das "Warten" der Feinde. Diese *drei Subjekte für
das Warten* im Alten Testament kommen in den Blick, wenn man berücksichtigt, daß das Wortfeld für "Warten" sich nicht beschränkt auf Begriffe wie חכה und קוה, die gehäuft im Bekenntnis der Zuversicht belegt sind, sondern das ganze Wortfeld mitberücksichtigt, das im Deutschen etwa durch die Wörter: "warten", "wachen", "lauern", "aufpas-
sen", "spähen", "hinhören", "hinterlistig schauen" (7) umschrieben
wird. Dann lassen einige der Verben innerhalb des entsprechenden hebräischen Wortfeldes die Verbindung mit allen drei genannten Subjekten erkennen, dem Ich des Beters (bzw. des Propheten), den Feinden
und Jahwe:

	Ich des Beters (bzw. Propheten)	Feinde	Jahwe
חכה pi.	Jes 8,17; 64,3; Hab 2,3	Hos 6,9 (Mi 1,12)	Jes 30,18
יחל	Ps 71,14 hi. Mi 7,7; Ez 13,6	-	-
כתר pi	Hi 36,2	Hab 1,4; Ps 22,13	-
צפה	Jes 52,8; 56,10; Jer 6,17; Ez 3,17; 33,2.6.7 pi. Hab 2,1; Mi 7,4.7 Ps 5,4; Thr 4,17 (pl.)	Hos 9,8; Ps 37,32	Ps 66,7
קוה	Jes 40,31; Thr 3,25 Ps 25,3; 37,9; 69,7 pi. Jes 59,9.11; Jer 8,15; 13,16; 14,19 Ps 69,21; 39,8 Hi 30,26; Jes 8,17; 25,9; 33,2 Hos 12,7 u.ö.	Thr 2,16; Ps 56,7; 119,95	Jes 5,2.4.7

---

1 C.Westermann, יחל, Sp.728
2 Hi 6,8; Jer 7,15 (Wort Jahwes); Prov 13,12; Hab 3,3 (Kommen Jahwes, cf.a. 2,1-3)
3 C.Westermann, Hoffen, S.226
4 Ez 13,6; Jer 4,10 u.ö.
5 G.Husserl, Warten, S.212f.
6 C.Westermann, Hoffen, passim (S.223.234 zur Verwendung von קוה und חכה in der
  Feindklage
7 M.Durrell, Warten, S.255 u.ö.

(Forts.)

	Ich des Beters (bzw. Propheten)	Feinde	Jahwe
קשב	Jer 8,6; 23,18	Jer 18,18 (6,10.17.19) Jes 51,4; Hos 5,1 Mi 1,2	Ps 5,3; 55,3; 142,7 Jer 18,19 Ps 66,19; 86,6; 17,1; 61,2
שבר II. pi.	Ps 104,27; 145,15; 119,166	Jes 38,13 (לא)	-
שור II.	(Hi 33,14)	Jer 5,26	Hos 13,7
שקד	Ps 102,8 (1)	Jes 29,20; Jer 5,6	Jer 1,12; 31,28; 44,27

Diese Übersicht zeigt, daß Jahwe als Subjekt eines Verbs innerhalb des Wortfelds "Warten" fast ausschließlich im Prophetenwort auftaucht, die Feinde sowohl im Prophetenwort als auch in der Klage, während das Ich des Beters als Subjekt für das Warten im Rahmen einer Klage des Einzelnen ganz allgemein ein Mensch oder aber ein Prophet sein kann. Das Prophetenwort, insbesondere das prophetische *Gerichtswort an das Volk*, und die Klage umspannen beide eine Zeitdauer: das prophetische Gerichtswort an das Volk die Spanne zwischen der Ankündigung und dem Eintreffen des Gerichts, die Klage des Einzelnen, besonders in ihrer Ausprägung in den Klagepsalmen des Einzelnen, die Dauer einer lang anhaltenden menschlichen Not. In der gerichtsprophetischen Klage kommt beides zusammen: Die Zeitspanne, die sich im prophetischen Gerichtswort an das Volk auftut, wird gespiegelt durch die Klage, die bestimmt ist vom Warten auf das Gericht.

So wird es kein Zufall sein, daß in Jer 1,12 in der Mandelbaum-Vision mit dem Verb שקד ein Begriff eingeführt wird, der auch in der Feindklage (2), aber auch in der Ich-Klage (3) Verwendung findet: Jahwe sagt darauf aus, daß das Gericht eintrifft, auch wenn es in Verzug gerät (4). Daraufhin wird Jahwe angesprochen in der Klage und Bitte, wobei die Klage reagiert auf das Handeln und Reden der Feinde in dieser Dauer des Wartens (5) und die Bitte aus ist auf die Zuwendung und das Eingreifen Jahwes. Je länger die Not dauert, um so mehr wird das Warten einen aktiven Charakter annehmen und sich in der gerichtsprophetischen Klage in der Bitte um Bestrafung der Feinde oder um das Herbeiführen des Gerichts äußern (6).

---

1 Der Beter ist hier nicht einfach wach, weil er nicht schlafen kann vor Schmerzen, sondern weil er wachsam sein muß angesichts der Feinde (V.9).
2 Jes 29,20; Jer 5,6
3 Ps 102,8 (s. dazu A.1)
4 Anders Jes 5,2.4.7: Jahwes Hoffnungen auf eine Besserung Israels sind enttäuscht; daher auch die Nähe zur Anklage (cf. dazu o., S.60 mit A.5).
5 C.Westermann, Struktur und Geschichte, S.286f.
6 Die Bitte ist im Unterschied zur Klage wesentlich menschliche Aktion, die Klage Reaktion auf widriges Geschehen. Beide, Bitte und Klage, sind aus auf die Wende eines Geschehens oder Zustandes. Die Klage hat dabei immer die Rettung des ganzen Menschen im Blick, die Bitte kann sich auf etwas richten, das lediglich

So wird es sich erklären, daß der Klagepsalm des Einzelnen die Ten-
denz hat, bestimmte Elemente zu vereinseitigen: die Feindklage, die
Bitte (um Zuwendung zum Beter und um Eingreifen gegen die Feinde), das
Bekenntnis der Zuversicht und schließlich das Unschuldsbekenntnis (1).

Das Warten auf die Wende eines Geschehens oder das Warten auf das
Eintreffen eines Ereignisses ist etwas grundsätzlich anderes als das
Reagieren auf ein Geschehen: Die Reaktion auf ein (widriges) Geschehen wird sich in der Klage äußern, primär in der Anklage Jahwes, das
Warten auf das Eintreffen eines Geschehens tendieren hin zur Aktion in Form der Bitte. Wird das Warten enttäuscht, kann auf dem Hintergrund dieses Geschehens (!) wiederum die Anklage laut werden.

Nach diesen Vorüberlegungen können nun die Klagen oder klageähnli-
chen Worte untersucht werden, die in die *Gerichtsprophetie an das Volk
vor Jeremia* hineingehören und den Hintergrund für einen Teil der Konfessionen Jeremias zu erhellen vermögen (2).

b. 1 Kön 19,8-18 (19,10=14)

O.H.Steck (3) hat die hinter der Elia-Überlieferung 1 Kön 17-19.21 erkennbare Geschichte nachzuzeichnen versucht und ist dabei zu folgender
Sicht gelangt: Abgesehen von der späteren dtr. Verarbeitung der Elia-
Tradition besteht diese in drei Phasen: 1. Die erste Phase der Gestaltung der Elia-Überlieferung hat noch zu Zeiten Ahabs stattgefunden:
Ahab ist der Gegenspieler Elias und der Adressat seiner Gerichtsbotschaft (4). 2. Die zweite Phase ist bestimmt von einer Weitergestal-
tung der Elia-Überlieferung in der Anfangszeit Jehus: An die Stelle
Ahabs tritt jetzt Isebel als die Gegenspielerin Elias (5). 3. Die dritte Phase wird faßbar in einer nochmaligen Umwandlung der Elia-Überlieferung: Vom Königshaus ist keine Rede mehr, Gegenspieler Elias ist
jetzt das *ganze Volk*. Diese Phase gehört in die Zeit der Aramäerkrie-
ge Hasaels (6). Auf dieser dritten Stufe der Elia-Überlieferung wird

---

der Versorgung des Menschen dient. E.Gerstenberger, Der bittende Mensch, S.43
unterscheidet Klage und Bitte nicht genügend, wenn er meint, daß "die Übergänge
von der einfachen Bedarfs- zur ausgeprägten Notsituation fließend sind".
Ähnliche Beziehungen wie zwischen Klagen und Bitten als Reaktion auf Geschehen
bzw. menschliche Aktion lassen sich feststellen im Verhältnis von Loben und Dan-
ken, cf. dazu C.Westermann, Loben Gottes, S.19.

1 C.Westermann, Struktur und Geschichte, S.280-289 (s.o., S.36 mit A.1-3). E.Ger-
  stenberger, a.a.O., S.110-127 scheint diese Spätform im gattungsgeschichtlichen
  Gefälle der Klage des Einzelnen als die Normalform ansehen zu wollen, ähnlich
  W.Beyerlin, Rettung, S.152-144, der aber neben der Bittgebet-Gattung die gesonderte Existenz der Gattung des Klageliedes des Einzelnen annimmt (S.155), dem
  Bittgebet aber den Vorrang einräumt (ebda.). Umgekehrt weist B. mit Recht darauf
  hin, daß die Klage um so stärker hervortritt, je weniger institutionsgebunden der
  Psalm ist (S.152).
2 Das Warten Habakuks (Hab 2,1-3) wird im folgenden nicht berücksichtigt, weil es
  nicht in die Gerichtsprophetie, sondern in die Kultprophetie hineingehört (cf.
  dazu Jg.Jeremias, Kultprophetie und Gerichtsverkündigung). Entsprechend ist das
  Warten Habakuks auch nicht präzis auf das Eintreffen des (angekündigten) Gerichts
  konzentriert, sondern auf eine Antwort Jahwes, die dann alternativ für den Gerechten und den Ungerechten erfolgt (2,4).
3 Elia-Erzählungen, bes. S.132-135
4 ebda., S.132
5 ebda., S.133
6 ebda.

erstmals die Vorstellung von einem Gericht über das ganze Volk erkennbar, die somit weit hinter Amos hinausreicht (1).

In diese letzte Phase gehört nach der Sichtweise von *Steck* auch 1 Kön 19,10=14:

Geeifert habe ich für Jahwe, den Gott der Heerscharen;
denn die Söhne Israels haben sich (2) verlassen,
deine Altäre haben sie niedergerissen,
und deine Propheten haben sie mit dem Schwert getötet,
und ich bin allein übriggeblieben,
und sie trachten danach, mir das Leben zu nehmen.

In diesem Wort durchdringen sich Klagesätze, wie sie in einem Klagepsalm des Einzelnen stehen könnten:

... und sie trachten danach, mir das Leben zu nehmen ... (3)

(Feindklage), und Sätze, wie sie in der prophetischen Anklage zu finden sind, und zwar lassen sich drei dieser Anklage-Sätze auf den früheren Stufen der Elia-Überlieferung als Anklagen gegen den König, seine Frau und sein Haus feststellen:

Die Söhne Israels haben dich verlassen ...

(vgl. 18,18, Anklage gegen Ahab und sein Geschlecht)

Deine Altäre haben sie niedergerissen ...

(vgl. 18,30, wahrscheinlich gegen Ahab gerichtet)

Deine Propheten haben sie mit dem Schwert getötet ...

(vgl. 18,13, Anklage gegen Isebel).

Diese Sätze der Anklage gegen Einzelne sind in 19,10=14 auf das *ganze Volk* übertragen und gleichzeitig in die Form der an Gott gerichteten *Klage* verwandelt worden: Das Gerichtswort an das Volk wird in dieser Umbruchsituation in der Geschichte Israels und seiner Propheten (4) noch nicht direkt ausgesprochen, sondern in die Form von Erzählungen gekleidet, in denen der Prophet entweder die Anklage gegen das ganze Volk in der Klage vor Gott bringt (1 Kön 19,10=14) oder - wie Elisa in 2 Kön 8,11 - seine Betroffenheit darüber zum Ausdruck bringt, daß Hasael das Gericht über ganz Israel bringen wird und sich gerade darin als Werkzeug Jahwes erweist (5).

Steht somit die sich dehnende Spanne zwischen der Ankündigung und dem schließlichen Eintreffen des Gerichts, wie sie sich im Prozeß der Elia-Überlieferung darstellt, im Hintergrund der Klage Elias, so ist zu fragen, ob sich auf dieser Überlieferungsstufe das *Warten auf das*

---

1 ebda., S.99, A.2 und E.Ruprecht, Designation Hasaels, passim
2 l עזבו c BHS, app.
3 Cf. dazu z.B. Ps 35,4; 38,13; 40,15; 54,5; 70,3; 86,14. Auch die dtr. Redaktion des Jeremiabuches hat sich gern dieser Phrase bedient: Jer 4,30; 19,7.9; 21,7; 22,25; 34,20f.; 44,?0.
4 Diese Umbruchsituation ist in 1 Kön 19,11f. im Blick, s. dazu u., S.65.
5 Daß Jahwe der Initiator ist, zeigt sich in 19,9.13 darin, daß er die Klage Elias provoziert, in 2 Kön 8,10.12 darin, daß er Elisa das Gericht über ganz Israel sehen läßt. Daß Hasael Werkzeug Jahwes ist, zeigt sich darin, daß er vom Propheten Jahwes gesalbt wird.

Kommen Jahwes zum Gericht noch genauer fassen läßt. Das ist der Fall, wenn die Untersuchung sich nicht beschränkt auf die Klage, sondern den gesamten *Vorgang* mitberücksichtigt, in dem sie in 1 Kön 19,8-18 steht. *K.Seybold* hat hinter 19,8-18 den Vorgang einer *Audienz* entdeckt: "Sowohl die doppelte Anrede durch das zum Propheten 'kommende' Wort Jahwes und durch Jahwe in persönlicher Anwesenheit wie auch das zweimalige Vorbringen des Anliegens wie der Bescheid, zu *warten*, vor allem aber die Gotteserscheinung in Vision und Audition mit kosmischem Geleit und schließlich die neue Beauftragung samt Mitteilung der von höchster Instanz getroffenen Entscheidung werden aus diesem Zusammenhang heraus verständlich als Teilphasen des Audienzzeremoniells." (1) Demnach wird die Zeitdauer, in der Elia auf das Kommen Jahwes *wartet*, überbrückt durch die dreiphasige Erzählung von dem Kommen Jahwes 19, 11-12, die aber gerade in diesen drei Phasen auch zeigt, wie sich das Kommen Jahwes *verzögert*. In den gerichtsprophetischen Kreisen, denen wir diese Erzählung zu verdanken haben, hat sich also die Aufgabe gestellt, den Verzug des Kommens Jahwes zu erklären und gleichzeitig zu bewältigen. Dies geschieht durch die Erzählung 19,8-18, die in ihrem Schlußteil verdeutlicht, in welcher Weise das Gericht kommen wird: durch Hasael (19,15-18).

Die Verbindung von Klage und Erzählung wird es auch mit sich bringen, daß die Klage Elias 19,10=14 sich beschränkt auf Sätze der Klage im eigentlichen Sinne, während die Bitte um das Eintreffen des Gerichts oder eine Zuversichtsaussage in der Begrifflichkeit des Wartens auf das Gericht fehlen. Aber diese Elemente sind in der Klage enthalten, ebenso wie in der Erzählung als ganzer die Zuwendung Jahwes impliziert ist und daher die Bitte um Zuwendung überflüssig macht (2). Entfaltet werden hingegen drei Elemente der Klage:

Hinweis auf das eigene untadelige Verhalten
(Geeifert habe ich ...)

Feindklage
(Sie trachten danach, mir das Leben zu nehmen ...)

Ich-Klage
(Ich allein bin übriggeblieben ...).

Festzuhalten bleibt außerdem, daß diese Klage aufbricht im Zusammenhang mit der *Tradierung* der Prophetie Elias und ihrer Aktualisierung für eine neue zeitgeschichtliche Situation durch eine *Redaktion*, die wiederum nichts anderes tut, als was ein klassischer Gerichtsprophet tut, nämlich dem ganzen Volk das Gericht anzusagen. Liegt in dieser Klage Elias das Schwergewicht auf der prophetischen *Anklage*, so bei der Klage Elisas 2 Kön 8,11 auf dem Sehen des *Gerichts*.

---

1 Elia, S.8; Sperrung von mir. Daß die beiden Klagen durch das Motiv des Wartens miteinander verbunden sind, hatte schon J.Wellhausen, Composition, S.280 gesehen.

2 Diese Überlegungen zeigen, daß die bloße Klage ohne Bitte in Erzählungen nicht in jedem Falle ein Zeichen für ein formgeschichtliches Frühstadium der Klage (dazu grundsätzlich: C.Westermann, Struktur und Geschichte, S.291-295) sein muß. Die Form der Erzählung kann die Klage auch auf ihre wesentlichen Elemente zusammendrängen oder bestimmte Elemente einfach überflüssig machen, weil sie schon in der Erzählung selbst mit enthalten sind, so das Warten (≙ Bekenntnis der Zuversicht) oder die Zuwendung (≙ Bitte um Zuwendung). So sind von der noch nicht entfalteten Klage mit dominierender Anklage die komprimierte bzw. die reduzierte Klage zu unterscheiden.

c. Hos 9,1-9 (9,7b-9)

...

7 Gekommen sind die Tage der Ahndung,
  gekommen sind die Tage der Heimzahlung.
  Mag Israel schreien (1):
  "Ein Narr der Prophet!
   Verrrückt der Geistesmann!"
  Wegen der Fülle deiner Schuld
  ist groß die Feindschaft (2).
8 Ephraim liegt auf der Lauer beim Hause des Propheten (3).
  Ein Fangnetz liegt auf allen seinen Wegen,
  Feindschaft (herrscht) im Hause seines Gottes.
9 Sie handeln aufs tiefste verderblich
  wie in den Tagen Gibeas.
  Er͞ gedenkt ihrer Schuld.
  er ahndet ihre Vergehen.

Diese drei Verse bilden den Abschluß einer längeren Disputationsrede (4), die 9,1-9 umfaßt. Im Unterschied zu V.1-6 schiebt sich in V.7-
9 die Gerichtsankündigung gegen das ganze Volk noch stärker in den
Vordergrund (V.7a.9b) (5) und rahmt die übrigen Verse, die bestimmt
sind von einem Wechsel zwischen gerichtsprophetischer Klage und Anklage gegen das Volk (V.7b-9a), darin 1 Kön 19,10=14 vergleichbar. Die
gerichtsprophetische Klage entfaltet sich als Feindklage in der Form
der Aussage (V.8) (6) und in der Form des Zitats der Feinde (V.7) (7).
Eine Bitte fehlt, was bedingt sein dürfte durch die Rahmung als Prophetenspruch (8). Von der Form der Klage her gesehen, könnte man in
V.9b (Gerichtsankündigung) eine prophetische "Gewißheit der Erhörung" (9) sehen. Einen Anklang an ein Bekenntnis der Zuversicht würde
die Klage aufweisen, wenn in V.8a mit *H.W.Wolff* zu lesen wäre: "Der
Wächter Ephraim ist mit Gott." (10)

---

1 1 יריע, s. H.W.Wolff, Komm.z.St.
2 1 רבה המשטמה, s.ebda.
3 Dieser Emendationsvorschlag von E.Sellin, KAT XII, z.St. wird dem Vorschlag von
  H.W.Wolff, a.a.O., z.St.: "Der Wächter Ephraims ist mit Gott. (Prophet)" vor allem deshalb vorgezogen, weil bei Hosea in dreigliedrigen Perioden die beiden
  letzten Glieder normalerweise (cf.z.B. Hos 1,5; 2,2a.8.13.16.25; 3,5) das erste
  Glied entfalten. Da die beiden letzten Glieder in Hos 9,8 Feindklage sind, muß
  demnach auch das erste Glied Feindklage sein.
4 H.W.Wolff, a.a.O., S.194f.
5 Die zweimalige Verwendung von באו in V.7a zeigt, daß das Warten des Gerichtspropheten an sein Ende gekommen ist bzw. keine lange Dauer mehr hat. Daher auch die
  Zuversicht, die 9,7-9 bestimmt.
6 Zu צפה s.o., S.61; zu פח cf. Ps 91,3; 124,7; 119,110; 140,6; 141,9; 142,4 u.ö.;
  zu שטם cf. Ps 55,4.
7 Zur Zitatition in der gerichtsprophetischen Feindklage cf. Jer 17,15; Ez 21,5;
  33,30; Jer 11,19 D; 11,21 D; 18,18 D. Zur Zitation cf. H.W.Wolff, Zitat.
8 In einer an Gott gerichteten Klage könnte man sich eine Bitte so vorstellen:
  "Gedenke ihrer Schuld
     und ahnde ihre Vergehen!" (cf. Jer 18,23)
9 Zur Gewißheit der Erhörung grundsätzlich: C.Westermann, Loben Gottes, S.53-55
10 a.a.O., S.193f.

Diese Sätze der Klage erklären sich nicht einfach aus einer einmaligen Anfeindungssituation, sondern in dieser Situation bricht die Fülle von Anfeindungserfahrungen hervor, die Propheten vor Hosea auch schon gemacht haben. Deshalb ist in Hos 9,7b von der "Gattung 'Prophet'" (1) die Rede. Außerdem lassen die verallgemeinernde Klage/Anklage 9,8 "auf allen seinen Wegen" sowie der Rückblick in die Geschichte der Schuld (9,9) "an eine lange Zeit der Schuldanhäufung denken" (2), wie ja überhaupt charakteristisch ist für das prophetische Gerichtswort an das Volk (3). Die Klage bricht allerdings nicht beliebig im prophetischen Gerichtswort auf, sondern der Leidensdruck entsprechender Anfeindungssituationen läßt das prophetische Gerichtswort in die Klage überströmen, wobei die Klage wiederum ausgerichtet ist auf das Eintreffen des Gerichts.

d. Jes 6-8 (6,11; 8,16-18)

In der sogenannten "Jesaja-Denkschrift" (4) tauchen - abgesehen von Jes 6,5 - zweimal Reaktionen des Propheten mit Anklängen an die Klage des Einzelnen auf: Jes 6,11 und 8,16-18:

Jes 6,11 Wie lange, o Herr?

Jes 8,16 Verschnüre die Bezeugung (5),
         versiegle die Weisung (6).
> *17 Und ich will hoffen auf Jahwe, der sein Antlitz vor dem Haus Jakob verbirgt, und harren auf ihn.*
> *18 Siehe, ich und die Kinder, die mir Jahwe gegeben hat als Zeichen und Wunder in Israel von Jahwe Zebaoth, der auf dem Berge Zion wohnt ...*

Beide Texte haben zu tun mit der *Überbrückung einer Zeitdauer* (7), nach deren Ende gefragt (6,11) bzw. auf deren Ende gewartet (8,17) wird. Beide Reaktionen im Munde Jesajas stehen sprachlich in der Nähe des Klagepsalms des Einzelnen, und zwar mit der Betonung der Wie-lange-Frage (6,11) (8) und des Bekenntnisses der Zuversicht (8,17) (9) in dem formgeschichtlichen Gefälle der Klagepsalmen des Einzelnen, die schon eine länger anhaltende *Dauer der Not* voraussetzen (10).

---

1 H.W.Wolff, a.a.O., S.236
2 ebda.
3 C.Westermann, Grundformen, S.121
4 Diese Bezeichnung stammt von K.Budde, Erleben; zur neuerlichen Diskussion um die Redaktionsgeschichte von Jes 6-9 cf. W.Dietrich, Jesaja, S.62-87 und O.Kaiser, ATD 17, S.117ff..
5 תעודה meint hier soviel wie die Ankündigung des Gerichts, so auch W.Dietrich, a.a.O., S.225.
6 תורה spielt auf das Verhalten des Volkes und damit auf die Anklage gegen das Volk an. תורה und תעודה setzen also das prophetische Gerichtswort mit seinen beiden Teilen: Anklage und Ankündigung des Gerichts voraus.
7 So auch O.H.Steck, Jesaja 6, S.190, A.6; W.Dietrich, a.a.O., S.225-231.
8 S. oben, S.60 mit A.2-4; S.36 mit A.3.
9 Auf das Bekenntnis der Zuversicht weisen die beiden Verben חכה und קוה hin (cf. dazu C.Westermann, Hoffen, S.256-260). הנה steht hier an der Stelle des ו-adversativum des Bekenntnisses der Zuversicht (so auch Ps 54,6) (s. dazu C.Westermann, Loben Gottes, S.52). Die Formulierung: "Siehe, ich und die Kinder ..." ist zu sehen auf dem Hintergrund der "Ich-aber"-Sätze des Bekenntnisses der Zuversicht, die wiederum formgeschichtlich sekundär sind gegenüber den "Du-aber"-Sätzen (dazu C.Westermann, ebda., S.52-56).
10 S. dazu grundsätzlich oben, S.36 mit A.3.

Diese Beobachtungen lassen sich unabhängig von der Frage nach der
literarischen Schichtung von Jes 6,1-13 und 8,16-18 machen. Daß die
beiden klageartigen Worte 6,11 und 8,17-18 aber mit dem Prozeß der
Überlieferung und sukzessiven Ergänzung der Jesaja-Denkschrift zu tun
haben, wird nicht nur erkennbar an der Stellung von 6,11 innerhalb des
uneinheitlichen Schlusses von 6,1-13 (1) und dem literarisch uneinheitlichen Charakter von 8,16-18 (2), sondern hängt mit dem *Wesen der
Überlieferung* der Jesaja-Denkschrift zusammen: Diese hat die Funktion,
eine *Zeitdauer* zu *überbrücken*. Ebendiese Funktion haben auch 6,11 und
8,16-18.

Daß wir mit den beiden auf die Überwindung einer Zeitdauer ausgerichteten Worten
der Klage 6,11 und 8,16-18 in die Überlieferungsgeschichte des Jesaja-Buches von den
ersten Prophetenworten und Eigenberichten bis hin zum Jesaja-Buch geführt werden,
ist nach dem oben, S.33-36 und S.63-65 zur Redaktionsgeschichte von Jer 18,18-23
bzw. 1 Kön 19,10=14 Gesagten nicht mehr verwunderlich. Auch die Klage Hoseas (9,7b-
9) wurde ja erst verständlich auf dem Hintergrund der Auseinandersetzungen der den
Propheten Hosea tragenden Kreise um die Tradierung des Prophetenwortes angesichts
des ausbleibenden Gerichts und ständig wachsender Anfeindungen (3). Diese Problematik ist nicht nur charakteristisch für den Gerichtspropheten selbst, sondern ebenso
für die Redaktion (in diesem Falle) des Jesaja-Buches, nur ist für die Redaktion
mit einer Verschiebung der Problematik insofern zu rechnen, als das vom Propheten
angekündigte Gericht schon eingetroffen ist und das Warten auf das Heil sich neben
die weitergehende Unheilspredigt schiebt.

Die *Angabe einer Zeitspanne* zwischen der Ankündigung und dem Eintreffen des Angekündigten bestimmt die Worte der Jesaja-Denkschrift
von Anfang an. In den Heilsworten, die zunächst indirekt (7,5a.6f. (4);
8,1-4 (5)), dann direkt an Ahas (7,3f.16 (6)) und das Volk (8,12f. (7))
gerichtet sind, bevor sie schließlich in die Gerichtsankündigung gegen das Volk umschlagen (8,11.16.14f. (8)), sind allerdings nur *kurze
Zeitspannen* angegeben von höchstens zwei Jahren (7,16: Fähigkeit des
Kindes, Gut und Böse zu unterscheiden) über etwa ein Jahr (8,4: Fähigkeit des Kindes, die ersten Wörter zu formen) bis hin zu weniger als
neun Monaten (7,14: Niederkunft einer bereits schwangeren Frau) (9).
Die Unfähigkeit des Volkes (wie des Königs), diese kurze Zeitspanne
auszuhalten, mündet ein in die Ansage des Gerichts gegen das Volk (8,14f.),

---

1 W.Dietrich, a.a.O., S.175-179 hält Jes 6,1-9a.12.*13.11 für den ursprünglichen
  Berufungsbericht (allem Anschein nach aus den Jahren 734/33), während der Verstockungsbefehl 6,9b.10 von Jesaja selbst erst 705 in den Berufungsbericht ein-
  getragen worden wäre. In jedem Fall wäre auch nach dieser Sicht der Dinge die
  klagende Frage 6,11 immer schon Bestandteil des Berufungsberichts gewesen.
2 W.Dietrich, ebda., S.73f. hält 8,16 für die ursprüngliche Einleitung von 8,14f.,
  während 8,17f. sich durch die Prosaform und die durchweg dtr. Hand verratende
  Wendung וחכיתי ומומ חאת (S.72f.) als redaktionell erweise. Außerdem läßt sich 8,16-
  18 in seinem jetzigen Nacheinander nicht sinnvoll übersetzen, weil sich zwischen
  8,16 und 8,17f. kaum ein grammatischer Zusammenhang herstellen läßt und 8,17f.
  einen Anakoluth darstellt.
3 s.o., S.66f.
4 Zur Rekonstruktion dieses Wortes cf. W.Dietrich, a.a.O., S.88f..
5 ebda., S.89-92
6 ebda., S.92f.
7 ebda., S.94f.
8 ebda., S.96f.
9 ebda., S.219

68

die von vornherein verbunden ist mit dem Blick auf eine längere Zeitspanne bis hin zum Eintreffen des Angekündigten. Diese Zeitspanne macht die *schriftliche Tradierung der Prophetenworte* erforderlich (8,16), wie ja in 8,1-4 die Überbrückung einer vergleichsweise kurzen Zeitspanne von nur etwa einem Jahr auch schon zur schriftlichen Fixierung des Inhalts des Prophenwortes geführt hatte. Umgekehrt greift 8,11 auf die *Berufung* zurück mit einem Bild, das Jeremia in einer Klage verwendet (1). An dieser Stelle der Prophetie Jesajas, an dem Punkt, da die anfängliche Heilsprophetie umschlägt in die Gerichtsprophetie gegen das ganze Volk, hat nicht nur der Berufungsbericht, sondern auch die *Klage* 6,11 ihren Ort, die nicht zufällig zusammen mit dem Berufungsbericht tradiert wird. Hinter 6,11 steht also nicht einfach nur ein mehr oder weniger neutrales Bedürfnis nach Information über den Plan Jahwes, sondern eine Kette von Erfahrungen, daß den Worten des Propheten kein Vertrauen geschenkt wurde. Daher braucht als Hintergrund für 6,11 auch nicht eine lange Erfahrung Jesajas als Gerichtsprophet angenommen zu werden (2). Jesaja muß aufgrund seiner negativen Erfahrungen als Heilsprophet von vornherein mit einer langen Dauer zwischen der Ankündigung und dem Eintreffen des Gerichts und den entsprechenden Anfeindungssituationen (3) rechnen. Aus diesem Spannungsfeld bricht die Klage mit dem kurzen Wort 6,11 hervor.

O.H.Steck hat darauf hingewiesen, daß es sich in Jes 6 um die "Vergabe eines aussergewöhnlichen Auftrags in der himmlischen Ratsversammlung" (4) handle. Der Auftrag, als Gerichtsprophet vor dem ganzen Volk aufzutreten, stellt in der Tat einen außergewöhnlichen, schweren Auftrag dar, der den Propheten in eine länger andauernde Not hineinführen wird. Daher wird es voll verständlich, wenn der Prophet schon bei der Erteilung des ohnehin viel zu schweren Auftrags in die klagende Frage nach der Dauer des Auftrags ausbricht. In dieser kurzen Frage nimmt er die Klage vorweg, die er mitten in der Not an Gott richten könnte, wie es Jeremia z.B. mit einer Klage wie *18,19-23 tut.

Das Miteinander von Beauftragung und Klage in Jes 6,1-9a.12.*13.11 ist wohl zu unterscheiden von der Klage als Rückmeldung auf die Ausführung des zu schweren Auftrags, wie sie oben innerhalb des Botenvorgangs untersucht wurde (5). Letztere ist bezogen auf den Auftrag, während Jes 6,11 ausgerichtet ist auf das Gericht, mit dessen Eintreffen erst nach einer gewissen Zeitdauer gerechnet wird.

Die Spannung zwischen der Ankündigung und dem Eintreffen des Gerichts wird noch verstärkt durch den Verstockungsbefehl 6,9b.10: Das Volk hat überhaupt keine Möglichkeit, das Gerichtswort als solches wahrzunehmen und Jahwes Gerichtsplan aufzuhalten. So ist es kein Zufall, daß die Klage 6,11 sich jetzt unmittelbar an den Verstockungsbefehl anschließt: Der Prophet selbst muß die Spannung zwischen der Ankündigung des Gerichts und dem schließlichen Eingreifen Jahwes zum Gericht aushalten. Das sich in der Klage äußernde Leiden des Gerichtspropheten ist die eine Weise der Aufbewahrung des prophetischen Gerichtswortes, seine schriftliche Fixierung die andere.(6)

---

1 Jer 20,7; s.o., S.29, A.1
2 Gg. J.M.Schmidt, Verstockungsauftrag, S.76f..85-87; cf. dazu kritisch: O.H.Steck, Jesaja 6, S.197, A.26.
3 Cf. dazu das Zitat der Feinde 5,19, das eine sachliche Entsprechung hat in der Klage Jeremias 17,15, cf. dazu J.Hempel, Glaube, S.634.
4 a.a.O., S.191
5 S.27-32.38-60
6 Eine extreme Spätdatierung von 6,11 schlägt jetzt O.Kaiser, ATD 17, S.120-134 vor: 6,9b-11 hat von vornherein das Ende der Verstockung im Blick und ist daher nach 587. anzusetzen. Kaiser hat zu sehr die Endfassung von Jes 1-12 im Blick.

Diese Zusammenhänge hat auch noch die Redaktion erkannt, als sie die selbstformulierten Klageworte 9,17f. mit dem Auftrag an Jesaja 8,16 verband, die Prophetenworte
schriftlich festzuhalten und zu versiegeln. Das heißt: Auch für die Redaktion bestand
noch die Aufgabe, die Prophetenworte aufzubewahren bis zu einem erwarteten Eingreifen Jahwes. Dazu reichte aber nicht allein der Rückgriff auf die Prophetenworte, sondern
gleichzeitig mußte auf das Leben des Propheten zurückgegriffen werden, das die Funktion eines bestätigenden Zeichens erhielt: Jes 8,18: "Siehe, ich und die Kinder, die
mir Jahwe gegeben hat ..." (1). Eine sachliche Entsprechung zu 8,16-18 würde dann
20,1-6 darstellen, in der vorliegenden Form eine möglicherweise erst aus der Zeit
nach 587 stammende (2) Erzählung von einer Zeichenhandlung, die Jesaja als עבד auftreten läßt und als אות ומופת (V.3) mit dem Ziel, die Hoffnung (מבטח: V.5f.) zu stär-
ken (3). Alle diese Motive finden sich auch in 8,17f.. Ob diese Beobachtungen ausreichen, die Redaktion von Jes 1-12 in exilische Zeit oder gar noch später (4) zu
datieren, oder ob man mit einer vorexilischen Redaktion zur Zeit des Königs Manasse
rechnet (5): 8,17f. entstammt der Hand eines Redaktors, der das von Jesaja angekündigte Gericht als schon eingetroffen voraussetzt (6) und auf das Eingreifen Jahwes
zum Heil wartet. Das vorausgesetzte Gericht dauert schon länger an, und Jesaja und
seine Kinder (8,18) dienen als אתות ומופתים dazu, die Spanne bis zum heilvollen Eingreifen Jahwes zu überbrücken (7). Ist der Redaktor noch in vorexilischer Zeit anzusiedeln, so fällt 8,17f. streng genommen als Beleg für die gerichtsprophetische Klage vor Jeremia aus, gehört er in spätere Zeit, dann ist 8,17f. ein Beleg für die
Nachgeschichte der gerichtsprophetischen Klage (8). In jedem Fall liegt auch in 8,17f.
eine Form der Prophetenklage vor uns, die bestimmt ist vom Warten auf das Eingreifen Jahwes und die damit grundsätzlich unterschieden ist von den Klagen, die die
Funktion der Rückmeldung innerhalb des Botenvorgangs haben. Das Warten auf das
Eingreifen Jahwes verbindet 8,17f. mit den gerichtsprophetischen Klagen. Nur sind
Ausgangspunkt und Ziel des Wartens unterschiedlich: Setzt die gerichtsprophetische
Klage die Ankündigung des Gerichts durch den Propheten voraus und wartet auf das
Eintreffen des Gerichts, so setzt 8,17f. das Eintreffen des Gerichts bereits voraus
und wartet auf das Heil. Das gemeinsame Anliegen des Wartens zeigt, wie sehr die redaktionelle Klage sich auf der Linie der vom Warten auf das Gericht bestimmten Prophetenklage bewegt. Gerade diese Gemeinsamkeit macht die Unterscheidung von vorge-
gebener gerichtsprophetischer Klage und redaktionell geformter Klage auch so schwierig, wie die sehr kontrovers geführte Diskussion zu 8,16-18 zeigt (9). Deshalb muß
bei der Untersuchung dieser Form der gerichtsprophetischen Klage neben die formgeschichtliche Beschreibung des Vorgangs des Wartens auf das Gericht der redaktionsgeschichtliche Arbeitsgang treten (10): Hauptkriterien für eine Spätentstehung von
Jes 8,17-18 sind die Prosaform und die Verwendung von Phrasen und Motiven, wie sie
charakteristisch sind für die dtr. Schule.

---

1 Ähnlich tradiert auch die dtr. Redaktion des Jeremiabuches (D) neben den Worten
  die Leidensgeschichte Jeremias, s. dazu unten, Teil IV..
2 so O.Kaiser, Jesaja 13-39, S.97
3 Auf die מבטח des zeichenhaft Leidenden hebt auch der dtr. Passus Jer 17,5-8 ab
  (V.5.7). Auf Jahwe als die מקוה Israels weist Jer 17,13 (D) hin.
4 O.Kaiser, ATD 17, S.188-192, schlägt jetzt die Perserzeit als Ort für die Redaktion vor, deren Hand 8,16-18 voll (!) entstamme.
5 So W.Dietrich, a.a.O., S.85, A.103.
6 Darauf deutet die Bemerkung 8,17 hin, daß Jahwe "sein Antlitz vor dem Haus Jakob
  verbirgt", so auch W.Dietrich, a.a.O., S.72 gg. H.Wildberger, Jesaja. S.347.
7 Die (nachexilische!) dtr. Redaktion von Ex 3,1-6,1 benutzt in 4,1-31 die "Zeichen
  und Wunder" in ähnlicher Absicht in Verbindung mit dem Thema "Glauben" (s.o., S.48).
8 In die Nachgeschichte der gerichtsprophetischen Klage weist auch die Form des Bekenntnisses der Zuversicht, das D gern benutzt: Jer 11,20; 17,12f.; 20,11f..
9 Cf. W.Dietrich, a.a.O., S.72f gg. Wildberger, a.a.O., S.343-349 (cf.a. A.4).
10 O.Kaiser, a.a.O. bezieht sich neuerdings zu sehr auf die Endfassung von Jes 1-12
   und vernachlässigt dementsprechend formgeschichtliche Kriterien und die Traditionsvorgänge, die zu der Endgestalt von Jes 1-12 führten.

e. Mi 3,1-12 (3,8)

3,8 Dagegen ich - ich bin erfüllt
   mit Kraft, (1) Recht und Mut,
   Jakob sein Verbrechen vorzuhalten
   und Israel sein Unrecht.

Diese Selbstaussage des Propheten steht in der Mitte einer Überlieferungseinheit, die wahrscheinlich vom Propheten selbst schriftlich fixiert worden ist: Mi 3,1-12 (2). Diese Überlieferungseinheit setzt sich
wiederum ab von der "Disputationsniederschrift" (3) 2,1-11, in der Micha sich mit den Gegnern seiner Botschaft auseinandersetzt. In dieser
ist ebenso wie in 3,1-12 immer eine Spanne im Blick: die Spanne zwischen der Gegenwart, in der Micha sein Gerichtswort sagt, und der Zukunft, in der das Angesagte eintreffen wird (4). Dieser Ausblick auf
das erst kommende Gericht macht die Tradition der Prophetenworte erforderlich (5). Was auf der Ebene der Überlieferung des Prophetenwortes festzustellen ist, ist in vergleichbarer Weise aber auch auf der
Ebene der mündlichen Redevorgänge vorauszusetzen: Durch die bekennt-
nishafte Selbstaussage (3,8) setzt Micha sich von seinen Gegnern (6)
ab und verweist mit dem Hinweis auf seine Anklägerfunktion auf das
kommende Gericht. Charakteristisch für Micha ist es aber, daß sich in
seiner "Konfession" keinerlei Anklänge an die Klage (wie in Hos 9,7b
-9) finden, sondern daß Michas Konfession am ehesten mit der Form des
"Prahlliedes" (7) vergleichbar ist. Vom Ort der Selbstaussage 3,8 innerhalb von 3,1-12 her könnte zwar ein Bekenntnis der Zuversicht laut
werden, aber die Besonderheit Michas ist es, daß er sein prophetisches
Ich in der Form des Prahlliedes reden läßt: Die Auseinandersetzung mit
den Feinden kann je nach dem Verhältnis der Überlegenheit oder der Un-
terlegenheit ihnen gegenüber zu einem Prahllied oder einem Bekenntnis
der Zuversicht ausgeformt werden (8). Man könnte daher auch Mi 3,8 als
"verdrängte" Klage ansehen: Das Gefühl der Überlegenheit gegenüber den
Gegnern seiner Botschaft läßt bei Micha die Klage nicht zum Ausbruch
kommen bzw. zumindest nicht an die Öffentlichkeit gelangen. Die überlieferte Form des Prahlliedes 3,8 läßt bei Micha die Möglichkeit der
Klage aber zumindest doch erahnen.

---

1 dl אֶת־רוּחַ יהוה mit H.W.Wolff, Micha von Moreschet, S.406.407, A.12; ders., Micha,
  S.61
2 H.Wolff, Micha von Moreschet, S.413; ders., Micha, S.64f. erschließt dies aus
  ויאמר (Mi 3,1) und dem guten Zustand des Textes von Mi 3.
3 ebda.
4 Cf. dazu 2,3-5; 3,4.6f..12.
5 s.o., S.69 zu Jes 6-8
6 Zu denken ist dabei nicht nur an die falschen Propheten, sondern auch an die in
  3,2-3 Angeklagten.
7 H.W.Wolff, Micha von Moreschet, S.414
8 Cf. dazu die "Ich-aber"-Sätze des Bekenntnisses der Zuversicht, C.Westermann, Loben Gottes, S.55f..
  Daß bei Micha auch immer eine Anfeindungssituation mitzuhören ist, die sich an
  die Sprache der Klage des Einzelnen annähert, hängt mit der Solidarisierung Michas mit den durch die Feinde Bedrohten zusammen. Vgl. dazu den Gebrauch von
  חשב in Mi 2,1 mit den Feinden als Subjekt (wie Ps 10,2; 35,20; 36,5; 41,8; 52,4;
  140,3.5 u.ö.) und in Mi 2,3 mit Jahwe als Subjekt (wie Jer 18,8.11; 26,3; 36,3
  (alles D) und Hi 13,23.

f. Ez 33,23-33 (33,30-33)

33,30 Du aber, Menschensohn, - die Angehörigen deines Volkes,
die sich über dich unterreden an den Wänden und in den
Haustüren, und die einer zum andern (1), ein Mann zu seinem Bruder sagen (2): "Kommt doch und hört, wie das Wort
lautet, das von Jahwe ausgeht!" -
31 die kommen zu dir, wie (das) Volk zu kommen pflegt, und
sitzen vor dir (3).
32 Und siehe, du bist ihnen wie ein Liebesliedsänger (4) mit
schönem Klang und gutem Spiel, und sie hören deine Worte,
aber tun sie nicht.
33 Wenn es aber kommt - siehe, es kommt! -, dann werden sie
erkennen, daß ein Prophet in ihrer Mitte gewesen ist.

Obwohl Ez 33,30-33 zur Nachgeschichte der Konfessionen Jeremias gehört (5), sei dieser Text schon an dieser Stelle herangezogen zur Beschreibung des Zusammenhanges zwischen Prophetenwort und prophetischer
Klage. Die Anordnung der Untersuchung dieses Textes hinter Mi 3,8 zeigt
aber auch den großen Unterschied zwischen Mi 3,8 und Ez 33,30-33. Denn-
noch weist Ez 33,30-33 in Zusammenhänge, die denen von 1 Kön 19,10=14;
Hos 9,7b-9; Jes 6,11; (8,16-18); Mi 3,8 vergleichbar sind und somit
auch helfen können, den Hintergrund von Konfessionen Jeremias wie 18,
18-23 zu klären.

In zwei Versen finden sich in Ez 33,30-33 Aussagen, die man als ins
Prophetenwort umgeformte Klagen bezeichnen kann: V.30 und V.32. In die
Form der Klage zurückübersetzt, würden die beiden Aussagen wie folgt
lauten:

30 ... die Angehörigen meines Volkes unterreden sich an den
Wänden und in den Haustüren
und sagen einer zum andern, ein Mann zu seinem Bruder:
"Kommt doch und hört, wie das Wort lautet, das von Jahwe
ausgeht!"

32 Ich bin ihnen geworden wie ein Liebesliedsänger.

In einer an Gott gerichteten Klage wäre V.30 eine Feindklage mit Zitat
der Feinde (6) und V.32 eine Ich-Klage (7). Aber der Inhalt dieser
"Klage"-Sätze zeigt doch auch den Abstand zur an Gott gerichteten Klage: In dem Zitat V.30 scheint kein Spott durchzuklingen wie etwa Jer
17,15, sondern durchaus Interesse (8), und in V.32 scheint der Prophet
auch wohl nicht mehr in seiner Gerichtsverkündigung, sondern als Heilsprophet gemeint zu sein (9). Andererseits zeigt der Satz:

aber sie tun nicht danach (V.32),

daß selbst in diesem Wort noch die prophetische Anklage durchbricht.

---

1 l אחד‎־את‎ חד‎ c MT
2 l ודברו‎ (cf. dazu W.Zimmerli, Ezechiel 2, S.816)
3 dl עמי‎ und יעשו‎ לא‎ ואתם‎ אתך‎דבריך‎ את‎ושמעו‎ (ebda., S.816f.)
4 l שר‎ (ebda., S.817)
5 s. dazu unten, Teil VII.
6 s. dazu oben, S.66, A.7
7 Zur Ich-Klage in den Klagepsalmen des Einzelnen cf. C.Westermann, Struktur und
Geschichte, S.283-285; cf. ferner: Jer 15,17; 20,7; Jes 49,6.
8 So W.Zimmerli, Ezechiel 2, S.823.
9 So W.Zimmerli, ebda., gg. G.Quell, Propheten, S.184, A.2.

Mit der Frage des Ausbleibens bzw. Eintreffens des Wortes Jahwes
(V.33) ist ein Thema angesprochen, das ja auch die vorexilische Gerichtsprophetie, zum in den behandelten Klagen bzw. den der Klage nahestehenden Texten, bestimmte, allerdings erst seit dem Beginn der Gerichtsprophetie an das ganze Volk, in der diese Frage nach dem Eintreffen des Angekündigten akut wurde (1).

g. Zusammenfassung

Trotz der Verschiedenheit der in diesem Teil der Arbeit untersuchten
Texte lassen sich doch eine Reihe gemeinsamer Linien festhalten:

1. Hinter den fünf untersuchten Texten 1 Kön 19,10=14; Hos 9,7b-9;
Jes 6,11(8,16-18); Mi 3,8 und Ez 33,30-33 wurde die sich dehnende Spanne zwischen der Ankündigung und dem Eintreffen des Gerichts über das
ganze Volk erkennbar. Diese wachsende Spanne ist kennzeichnend für die
Gerichtsprophetie, die sich an das ganze Volk richtet, während in der
Vorgeschichte der Gerichtsprophetie an das Volk die Spanne zwischen
der Ankündigung und dem Eintreffen des Gerichts kurz ist: so in den
jahwistischen Plagegeschichten (2), in der übrigen, nur an den König
adressierten Gerichtsprophetie (3) und in der Heilsprophetie Jesajas (4). An der Stelle, wo die Gerichtsprophetie an das ganze Volk
greifbar wird, bricht auch die gerichtsprophetische Klage auf, die
ein Ausdruck ist für das *Warten auf das Gericht.* Das Warten auf das
Gericht ist der "Sitz im Leben" für diese Klagen.

2. Die wachsende Spanne zwischen der Ankündigung und dem Eintreffen
des Gerichts macht die (schriftliche) Überlieferung der prophetischen
Gerichtsworte (an das Volk) erforderlich. Zusammen mit den prophetischen Gerichtsworten und diesen nahestehenden Redeformen werden auch
die Prophetenerfahrungen angesichts der Anfeindungen in den entsprechenden Redeformen weitergegeben. Es besteht also eine innere Notwendigkeit zum Tradieren dieser Texte.

3. Die von dem Warten auf das Eingreifen Jahwes bestimmten Klagen
ziehen auch das Interesse der jeweiligen *Redaktion* auf sich: Diese befindet sich auch wieder in einer Situation des Wartens: entweder auf
das noch ausstehende Gericht (5) oder, nachdem das Gericht eingetroffen ist, auf das erhoffte Heil (6).

4. Bis auf 1 Kön 19,10=14 und Jes 6,11 ist keine der untersuchten
prophetischen Selbstaussagen direkt an Jahwe gerichtet. Vielmehr sind
die Klagesätze und die der Klage nahestanden Sätze in das Prophetenwort eingebettet. Die Tradierung der Klagen im Zusammenhang anderer
Redeformen dürfte auch der Grund dafür sein, daß in allen untersuchten Texten die Bitte fehlt. Aus den Formunterschieden zwischen den untersuchten Texten und der an Gott gerichteten Klage allein darf also
nicht geschlossen werden, die gerichtsprophetische Klage in der Prophetie vor Jeremia habe eine andere Form als bei Jeremia; vielmehr
sind die unterschiedlichen Tradierungsformen für die Klage (Erzählung,
Prophetenspruch, Eigenbericht) immer mitzubedenken.

---

1 V.33b ist zu verstehen als "gerichtsdoxologisches Bekenntnis zum Propheten als
  dem Boten Gottes" wie Jer 20,13 (D) und Jes 52f..
2 In der Regel wird ein Tag als Spanne angegeben: Ex 8,19; 9,5; 9,18; 10,4.
3 Cf. C.Westermann, Grundformen, S.122.
4 s.o., S.68 mit A.9
5 so 1 Kön 19,10=14
6 so Jes 8,16-18

5. Würde man versuchen, aus den untersuchten Texten isolierte an Gott gerichtete Klagen zu machen, dann würde sich folgende Struktur ergeben, die sich nicht zufällig mit Jer 18,19.20aα.b.22b.23, also dem vordtr. Umfang von Jer 18,18-23 (1), deckt:

	1 Kön 19	Hos 9	Jes	Mi 3	Ez 33
Einleitende Bitte mit Anrede Jahwes			6,11		
Unschuldsbekenntnis	10=14	8 (v.l.)	(8,18)	3,8	
Feindklage	10=14	7b.8	(6,11; 5,19)	(2,11)	30
Ich-Klage (Anklage Jahwes)	10=14	(8)			32
Bekenntnis der Zuversicht		8 (v.l.)	(8,17)	3,8	
Bitte um Bestrafung der Feinde mit Ausblick auf das Gericht	(15-18)	(9)	(6,11b)		(33)

Auffällig ist, daß sich Belege für die Anklage Jahwes nicht finden lassen. Dies mag zusammenhängen mit den besonderen Rede- und Überlieferungsformen, in denen uns diese Klagen überliefert sind, wird aber wahrscheinlicher noch eine Eigenart der gerichtsprophetischen Klage sein, die sich erhebt in der Spanne zwischen der Ankündigung und dem Eintreffen des Gerichts.

6. In dem Fehlen der Anklage oder doch zumindest dem Zurücktreten der Anklage würden sich die im Zusammenhang des Wartens auf das Gericht untersuchten Klagen dann unterscheiden von den in Teil II.1. untersuchten Klagen mit der Funktion der Rückmeldung innerhalb eines Botenvorgangs, für die das Vorherrschen der Anklage geradezu charakteristisch war (2). Somit würden sich auch von dieser Seite her die bei der Untersuchung von Jer 20,7-9 und 18,18-23 erhobenen Unterschiede (3) bestätigen und die entsprechend unterschiedliche Zuordnung auch der übrigen Konfessionen Jeremias nahelegen, wobei zusätzlich die Rolle der Redaktion zu berücksichtigen ist (4).

---

1 s.o., S.34
2 s.o., S.27-32.45.46.53
3 s.o., Teil I.
4 U.Eichler, a.a.O., umgeht die vorjeremianische Überlieferung bei der Frage nach dem Ort der Konfessionen Jeremias durch den unmittelbaren Ansatz bei den Charakteristika, die das jeremianische Reden von D unterscheiden (Teil 2.). Jedoch reichen die von E. angewandten Kriterien (weitgehend Stilkriterien) nicht aus, die Besonderheiten des jeremianischen Gerichtswortes in ihrer Sonderung von Anklage und Gerichtsankündigung in einer Weise zu bestimmen, daß sie als Hintergrund für die Klärung des Ortes der Konfessionen Jeremias dienen könnten. Die ausführliche Diskussion der Thesen U.Eichlers kann erst in Teil V. erfolgen, nachdem der vorwiegend formgeschichtliche Teil III. und der redaktionsgeschichtliche Teil IV. genügend Kriterien für die Beurteilung jeremianischer Anklage und Gerichtsankündigung und deren Verhältnis zur Klage beigebracht haben.

III. BOTENVORGANG UND WARTEN AUF DAS GERICHT ALS HINTERGRUND FÜR DIE KONFESSIONEN JEREMIAS

Nachdem in Teil I. und II. mit der Rückmeldung innerhalb des Botenvorgangs und dem Warten auf das Gericht zwei unterschiedliche Orte für die Konfessionen Jeremias beschrieben worden sind, ist zu fragen, wie weit sich die beiden genannten Vorgänge in Jer 11-20 feststellen lassen und welche Konfession welchem Vorgang zuzuordnen ist. Bei der Untersuchung dieser Zusammenhänge ist immer auch die Rolle der dtr. Redaktion des Buches Jeremia (D) mit im Auge zu behalten, deren Besonderheiten sich auf dem Hintergrund der in den beiden zurückliegenden Untersuchungsgängen gewonnenen formgeschichtlichen Kriterien jetzt eindeutiger herausstellen lassen, als dies der Forschung bislang möglich war. Es wird sich zeigen, daß D sich sowohl im Blick auf den Botenvorgang als auch im Blick auf das Warten auf das Gericht von der vorredaktionellen Stufe unterscheidet. Auf Grund der so gewonnenen zusätzlichen Kriterien können schließlich die Konfessionen Jeremias von drei Seiten her untersucht werden: vom Botenvorgang, dem Warten auf das Gericht und der dtr. Redaktion her.

1. Das Verhältnis der dtr. Redaktion des Jeremiabuches zu Botenvorgang und Warten auf das Gericht

Sowohl von der Form des Eigenberichts als auch von dem programmatischen Charakter innerhalb der Gesamtkomposition von Jer 11-20 her legt es sich nahe, die Besonderheiten von D anhand von Jer 11,1-14 zu beschreiben, einem durch und durch von D geprägten Abschnitt (1). Um ein Gespür für die Eigenart von D zu vermitteln, sei der ganze Abschnitt in Übersetzung dargeboten:

> *1 Das Wort, das an Jeremia erging von Jahwe folgendermaßen:*
> *2 Hört die Worte dieses Bundes und sage sie zu den Leuten Judas und zu den Bewohnern Jerusalems (2).*
> *3 Und sage ihnen: "So spricht Jahwe, der Gott Israels: 'Verflucht ist der Mann, der nicht auf die Worte dieses Bundes hört,*
> *4 die ich euren Vätern befohlen habe damals, als ich sie aus Ägypten, aus dem Schmelztiegel herausführte, folgendermaßen: `Hört auf meine Stimme und tut (3), wie ich euch befehle; so sollt ihr mein Volk sein, und ich will euer Gott sein.'*
> *5 damit ich den Schwur aufrechterhalten kann, den ich euren Vätern geschworen habe, ihnen ein Land zu geben, in dem Milch und Honig fließt, wie es heute der Fall ist.'" Und ich antwortete und sprach: "So sei es, Jahwe!"*
> *6 Und Jahwe sprach zu mir: "Verkündige alle diese Worte in den Städten Judas und in den Gassen Jerusalems folgendermaßen:*
> *7 'Hört auf die Worte dieses Bundes und tut sie! Denn ich habe eure Väter damals, als ich sie aus dem Lande Ägypten herausführte, und bis auf den heutigen Tag nachdrücklich und unermüdlich gemahnt: `Hört auf meine Stimme!'*

---

1 Auch U.Eichler, a.a.O., S.28-33, setzt mit Jer 11,1-17 ein, ohne allerdings vorher formgeschichtliche Kriterien erarbeitet zu haben. Es sei verwiesen auf die sorgfältige redaktionsgeschichtliche Analyse bei W.Thiel, Jeremia 1-25, S.139ff..

2 Vielleicht ist V.2a als Vorwegnahme von V.6b zu streichen und anschließend דבר zu lesen (so W.Thiel, a.a.O., S.141).

3 dl אותם (ex 6)

8 *Aber sie hörten nicht und neigten ihr Ohr nicht, sondern folgten ein jeder*
dem Starrsinn ihres bösen Herzens, so daß ich an ihnen alle Worte dieses Bun-
des erfüllen mußte, die ich ihnen zu tun befohlen hatte, und sie taten (sie)
nicht.'"
9 *Und Jahwe sprach zu mir: "Es wird eine Verschwörung gefunden unter den Männern*
Judas und den Bewohnern Jerusalems:
10 *Sie sind in die Verschuldungen ihrer Vorfahren zurückgefallen, die sich wei-*
gerten, auf meine Worte zu Hören. Auch sind sie andern Göttern hinterherge-
laufen, um ihnen zu dienen. Das Haus Israel und das Haus Juda haben meinen
Bund gebrochen, den ich mit ihren Vätern geschlossen hatte."
11 *Darum so spricht Jahwe: "Siehe, ich bringe Unheil über sie, daß sie ihm nicht*
entrinnen können. Und sie werden zu mir schreien, und ich werde nicht auf sie
hören.
12 *Und die Städte Judas und die Bewohner Jerusalems werden zu den Göttern, denen*
sie Opfer darbringen, gehen und zu ihnen schreien, aber sie werden ihnen ge-
wiß nicht helfen zur Zeit ihres Unheils.
13 *Denn soviel Städte du hast, soviel Götter hast du, Juda, und soviel Gassen Je-*
rusalem hat, soviel Altäre (1) habt ihr errichtet, um dem Baal zu opfern (2).
14 *Du aber bete nicht für dieses Volk und erhebe kein fürbittendes Flehen; denn*
ich höre nicht, wenn du mich anrufst um ihres Unheils willen (3)."

Jer 11,1-14 eignet sich vor allem deshalb zum Vergleich mit den beiden
aus der vorjeremianischen Überlieferung erhobenen Vorgängen Botenvorgang und Warten auf das Gericht, weil auch 11,1-14 Aufträge an den
Propheten enthält (V.2f..6), die auf ein Gerichtswort hinauslaufen
(V.11)' und weil der Prophet an zwei Stellen auf das Wort Jahwes reagiert: V.5 und V.14. Doch damit hören auch schon die Gemeinsamkeiten
zwischen den für den Gerichtspropheten Jeremia vorauszusetzenden, aus
den Verhaltensweisen zwischenmenschlicher Vorgänge wie dem Botenvorgang und dem Warten auf das Gericht erklärbaren Zusammenhängen und
dem dtr. Prophetenbild auf. Unterschiede lassen sich in folgenden Punkten feststellen:

1. Reagiert der Bote auf den Auftrag mit einem Einwand (4), so
schließt sich der Prophet aus der Sicht von D in V.5 mit dem Volk zusammen und bekräftigt stellvertretend für dieses den Fluch (5).

2. V.14 setzt voraus, daß der Prophet *nach* dem Eintreffen des Gerichts Fürbitte für das Volk tut, was ihm aber verboten wird (6). Diese Fürbitte ist etwas grundlegend anderes als das Warten auf das Gericht, das seinen Ort *vor* dem Eintreffen des Gerichts hat.

---

1 dl מזבחות לבשת cf. G
2 Zum Nachweis der Ursprünglichkeit von V.13 cf. W.Thiel, a.a.O., S.153f.
3 l c T קראך cf. 7,16. MT liest: קראַ. Daß an dieser Stelle keine ganz sichere Entscheidung möglich ist, hängt mit dem redaktionellen Prophetenbild zusammen, in
  dem die Funktionen des Volkes und des Propheten ineinanderfließen.
4 s.o., S.29 mit A.5; S.39 mit A.2; S.48-50
5 Daß der Prophet in V.5 stellvertretend für das Volk spricht, zeigt der Vergleich
  mit Dtn 27,15-26, einem Textzusammenhang, der in 11,5 vorausgesetzt wird, cf.
  W.Thiel, a.a.O., S.142 mit A.14: Was in Dtn 27 durch das Volk selbst gesagt wird,
  sagt in Jer 11,5 der Prophet selbst.
6 Das Verbot der Fürbitte ist ein Charakteristikum von D, cf. dazu noch 7,16 und
  15,1, möglicherweise auch 14,11, cf. dazu W.Thiel, a.a.O., S.119. Es stellt eine
  Form der Auseinandersetzung der Redaktion mit den Heilshoffnungen der Zurückgebliebenen in Juda/Jerusalem während der Exilszeit dar.

3. Der Prophet übt stellvertretend für das Volk kultische Funktionen, wenn auch in einem gebrochenen Verhältnis, aus. Der Prophet muß
daher nicht erst zum Volk geschickt werden. In diesem Umstand wird es
begründet sein, daß der Prophet primär Aufträge zum *Reden* erhält, aber
niemals in einer dtr. Neuformulierung den Auftrag: "Geh!" (1). Der Prophet muß demnach in der Sicht von D nicht erst einen Abstand zum Volk
hin überbrücken, er ist in diesem Sinne nicht Bote, sondern *Mund* (2),
Mund Jahwes und Mund des Volkes vor Jahwe (3). Für eine Anklage Jahwes
als Rückmeldung auf den zu schweren Auftrag ist in diesem Zusammenhang
kein Raum.

4. Die *Sprache* ist geprägt von überlangen, formelhaften Satzrei-
hen (4), einer wenig konkreten Ausdrucksweise, überlangen, oft ineinander verschachtelten Redepartien, die sich selten scharf voneinander
abgrenzen lassen. Charakteristisch für die dtr. Sprache von 11,1-14
ist auch der Wechsel der Person, in der das Volk angeredet bzw. in der
über das Volk geredet wird: Durchweg wird das Volk in der Pluralform
angeredet; die Anrede Judas im Singular (V.13) deutet darauf hin, daß
es sich in V.13 um ein vorgegebenes, von D aufgenommenes Traditions-
stück handelt (5). Die Verwendung der 2. und der 3. Pers. für das
Volk lösen einander ab. Sowohl die Stilmerkmale als auch die genannten Unebenheiten im Text sind Kennzeichen für die *literarische* Entstehung von 11,1-14, das heißt, übertragen auf die Auseinandersetzung
mit der Arbeit von D in Jer 11-20 überhaupt: Neben formgeschichtlichen
Kriterien können und müssen literarkritische Kriterien angewandt werden. Für die D überkommene Überlieferung hingegen sind vorwiegend formgeschichtliche Kriterien heranzuziehen, wie sie in den Teilen I. und
II. mit der Beschreibung des Botenvorgangs und des Vorgangs des Wartens auf das Gericht erarbeitet wurden.

2. Botenvorgang und gerichtsprophetische Klage in Jer 11-20

In der uns überlieferten Form von Jer 11-20 wird zwar an keiner Stelle
der Botenvorgang mit seinen drei Gliedern: Erteilung des Auftrages;
Ausführung des Auftrages und Rückmeldung unmittelbar im Zusammenhang
greifbar, aber die Tatsache, daß D in starkem Maße ordnend und über-
arbeitend in die Überlieferung von Jer 11-20 eingegriffen hat (6),
läßt das Unterfangen nicht von vornherein als aussichtslos erscheinen,
vordtr. Zusammenhänge zu entdecken, in denen dann auch ein Teil der
Konfessionen Jeremias seinen Ort hätte.

---

1 D weiß natürlich auch, daß Jahwe in vorexilischer Zeit "unermüdlich" seine Knechte, die Propheten, gesandt hat (cf. z.B. 7,25). Die "Unermüdlichkeitsformel" ohne
  explizite Nennung der Propheten findet sich auch in 11,7, cf. W.Thiel, Jeremia
  1-25, S.150.
2 Cf. dazu auch die dtr. Zusage Ex 4,12: "Ich werde mit deinem Munde sein," (s.o.,
  S.49).
3 D zeichnet also ziemlich genau das Prophetenbild, das H.Graf Reventlow, Jeremia,
  S.258 für das jeremianische hält (s.o., S.15 mit A.6).
4 Kriterienkataloge für den Sprachstil von D finden sich in folgenden Untersuchungen: J.Bright, Prose Sermons; W.Thiel, Jeremia, S.624-635; M.Weinfeld, Deuteronomy and Deuteronomic School, S.320-365; im unmittelbaren Vergleich mit Kriterien jeremianischer Sprache: U.Eichler, a.a.O., S.27-62; I.Riesener, עבד, S.175.
5 Cf. dazu W.Thiel, Jeremia 1-25, S.153-155. U.Eichler, a.a.O., S.41 hält grundsätzlich die Verwendung des Singulars für ein Kriterium jeremianischer Sprache.
6 s.u., Teil IV.

Aufgrund der in Teil I. und II. gewonnenen Kriterien müßte also gefragt werden nach Berichten über Auftragserteilungen und/oder Auftragsausführungen und auf diese reagierenden Klagen, wobei in diesen Klagen die Anklage im Vordergrund stünde. Es kann nun kein Zufall sein, daß in Jer 11-20 an *drei* Stellen in Eigenberichten von Aufträgen zu symbolischen Handlungen, teilweise auch deren Ausführung die Rede ist und daß ebenfalls in *drei* Konfessionen Jahwe angeklagt wird: Die Aufträge zu symbolischen Handlungen finden sich in 13,1ff. (Der linnene Schurz); 16,1ff. (Gehe nicht in ein Haus lauten Geschreis) und 18,1ff. (In der Werkstatt des Töpfers) mit 19,1ff. (Die Zerschmetterung des Tonkruges)(1), in 13,2.5.7 und 18,3 werden auch die Auftragsausführungen erzählt. Die Anklage Jahwes schiebt sich in den Vordergrund in folgenden Klagen: 12,1-4 ("Du hast sie gepflanzt ..."); 15,10-18 ("Du bist mir zum Trugbach geworden ...") und 20,7-9 ("Du hast mich verführt ..."), wobei in 12,5f.; 15,19-21 auf die Klage jeweils ein Jahwewort folgt und in 20,9 ein solches im Reflex der Klage vorausgesetzt wird (2). Während wir allerdings in 20,7-9 eine klar umgrenzte Klageeinheit vor uns haben (3), ist in 12,1-6 und 15,10-21 mit redaktioneller Überarbeitung zu rechnen, und zwar sowohl in der Klage (4) als auch in dem nachfolgenden Jahwewort (5). Redaktionell erweitert sind aber auch die Eigenberichte über die Erteilung (und Ausführung) von Aufträgen zu symbolischen Handlungen, ohne daß es bislang zu einer überzeugenden Abgrenzung von vorredaktionellen (auf Jeremia zurückgehenden) Eigenberichten und redaktionellen Erweiterungen gekommen wäre (6). Daß diese Fragen bislang nicht beantwortet werden konnten, dürfte zusammenhängen mit einer einseitigen Handhabung literarkritischer Kriterien. Weiterführen kann hier aber die *formgeschichtliche* Frage nach den zugrundeliegenden *Vorgängen*, in diesem Fall dem Botenvorgang. Es ist dann also zu fragen: "Welche Elemente gehören zum Botenvorgang unbedingt dazu, welche sind überflüssig?" Die redaktionsgeschichtliche Fragestellung ergänzt dann wieder den formgeschichtlichen Arbeitsgang. Die formgeschichtliche Frage verschiebt sich allerdings bei den drei genannten Beispielen Jer 13,1ff.; 16,1ff. und 18,1ff. mit 19,1ff. gegenüber den

---

1 Diese beiden Aufträge zu symbolischen Handlungen gehören wegen des gemeinsamen Betätigungsfeldes: Machen und Zerstören eines Tonkruges zusammen. H.Lörcher, Verhältnis, S.29f. hält Jer 19 für eine Nachbildung von Jer 18,1-12 (Quelle (!) C) durch die Quelle B und stellt damit die Redaktionsgeschichte des Jeremiabuches auf den Kopf.

2 s.o., S.31 mit A.2

3 s.o., S.32

4 W.Thiel, Jeremia 1-25, S.160 mit A.67 hält 12,4 für dtr.. E.Gerstenberger, Jer 15,10-21, S.399-401 bzw. S.401f. unterscheidet zwei D überkommene nicht jeremianische Klagen 15,15-18 und 15,10; F.Ahuis, Diss., S.106f. bzw. S.124f. zwei jeremianische Klagen 15,10.11.15 und 15,16-18, die erste vom "Feindklage-Typ", die andere vom "Anklage-Typ", während U.Eichler, a.a.O., S.92-101 eine jeremianische "spontane" Klage vom Umfang 15,10.17.18 rekonstruiert.

5 W.Thiel, a.a.O., S.160 hält 12,6 für redaktionell, ähnlich F.Hubmann, Konfessionen, S.72.90 u.ö. und U.Eichler, a.a.O., S.184. In 15,19-21 sind redaktionell: V.19a.21 nach U.Eichler, a.a.O., S.190; V.20f. nach F.Hubmann, a.a.O., S.257.

6 Während sich spätestens seit W.Erbt, a.a.O., S.14, A.2 die Abgrenzung von 19,1. *2a (nur שער פתח ויצאת החרסית).10.11a als vorredaktionell durchgesetzt hat und W.Thiel, a.a.O., S.169-175 13,1-9.10*a (nur הזה העם).b als jeremianischen Bestand überzeugend nachgewiesen hat, ist die Abgrenzung des vorredaktionellen Bestandes in 16,1ff. und 18,1ff. noch ganz ungesichert.

Teil I. und II. untersuchten Botenbeauftragungen dadurch, daß Jeremia mit dem Vollzug von symbolischen Handlungen beauftragt wird, die ihn mit seiner ganzen Existenz noch ungleich stärker zu einem Objekt seiner eigenen Verkündigung machen insofern, als er das Gericht, das er anzukündigen hat, selbst erleiden muß: solange das Gericht noch nicht eingetroffen ist, zeichenhaft durch die symbolische Handlung; wenn das Gericht eintrifft, wird auch Jeremia nicht davon verschont bleiben.

a. *Die Aufträge Jer 13,1-9.10*a.b und die gerichtsprophetische Klage mit anschließendem Jahwewort Jer 12,1-3.*4.5*

13,1 So sprach Jahwe zu mir (1): "Geh und kauf dir einen linnenen Schurz und lege ihn dir um die Hüfte, *laß ihn aber nicht ins Wasser kommen (2)*."
   2 Und ich kaufte den Schurz dem Auftrag Jahwes entsprechend und legte ihn um meine Hüften.
   3 Und das Wort Jahwes erging an mich zum zweitenmal folgendermaßen (3):
   4 "Nimm den Schurz, den du gekauft und um deine Hüften gelegt hast, und mach dich auf: Geh zum Euphrat (4) und verbirg ihn dort in einer Felsspalte."
   5 Und ich ging hin und verbarg ihn am Euphrat, wie Jahwe mir befohlen hatte.
   6 Nach geraumer Zeit aber sprach Jahwe zu mir: "Mache dich auf: Geh zum Euphrat und hole von dort den Schurz, den ich dir dort zu verbergen befohlen habe."
   7 Und ich ging zum Euphrat und grub nach und nahm den Schurz von der Stelle, wo ich ihn verborgen hatte. Und siehe, der Schurz war verdorben, zu nichts nutze.
   8 Und das Wort Jahwes erging an mich folgendermaßen (5):
   9 "So spricht Jahwe: 'Ebenso will ich den Stolz Judas und den Stolz Jerusalems, den großen, verderben:
  10 Dieses *böse* Volk, *das sich weigert, auf meine Worte zu hören, das dem Starrsinn seines Herzens folgt und andern Göttern hinterherläuft, um ihnen zu dienen und sie anzubeten,* soll werden wie dieser Schurz, der zu nichts nutze ist."

---

1 Die Wortempfangsterminologie wird in der Überlieferung des Textes einen Wandlungsprozeß durchgemacht haben, cf. dazu besonders P.K.D.Neumann, Wort. Nimmt man einzelne Thesen Neumanns zusammen, dann könnte man sich folgenden Prozeß vorstellen:
   1. ויאמר יהוה אלי (so noch erhalten in V.6, cf. ders., a.a.O., S.180)
   2. ויהי דבר־יהוה אלי (so V.3.8, cf. 16,1; 18,5 (= Wortereignisformel, cf. ders., a.a.O., S.178 u.ö.))
   3. כה אמר יהוה אלי (so V.1, cf. 17,19; 19,1, cf. ders., a.a.O., S.178, A.1: "Überschrift zu einem größeren Textkomplex")
   Aber diese Entwicklung ist sehr unsicher, zumal sich die Formel כה אמר יהוה ja auch auf der frühesten Stufe der Eigenberichte findet, so 13,9; 16,5. Daher ist in der Übersetzung die in MT überlieferte Wortempfangsterminologie beibehalten und durch **eine besondere Schrifttype** wiedergegeben.
2 V.1b ist vielleicht redaktioneller Zusatz, cf. E.Balla, Jeremia 13,1-11, S.91, A.1.
3 Zu dieser "Wortereignisformel" cf. das o., A.1 zu 13,1 Ausgeführte.
4 Es muß offen bleiben, ob mit פרתה "zum Euphrat" oder "nach פרה עין" gemeint ist (so zuletzt W.Thiel, a.a.O., S.174-176) oder ob bewußtes Wortspiel vorliegt (so A.de Bondt, Jer 13,1-11, S.37f.). Letztere Lösung würde sich auch deswegen nahelegen, weil in 12,5 auch mit einem Wortspiel gearbeitet wird (s.u., S.85). Dies wäre ein Argument mehr für die Zusammengehörigkeit des vorredaktionellen Eigenberichts *13,1ff. und der vorredaktionellen Klage *12,1-6.
5 cf.o., A.1.3

11 *Denn wie der Schurz sich an die Hüften des Mannes anschmiegt, so wollte ich,*
daß das ganze Haus Israel und das ganze Haus Juda sich an mich schmiegen -
Spruch Jahwes -, damit sie mein Volk würden und mir einen Namen machten und
mir zum Preis und zur Zierde würden; aber sie haben nicht gewollt."

Von der dtr. Bearbeitung läßt sich klar ein Eigenbericht abheben, der
besteht aus drei Aufträgen (V.1.4.6b) und deren Ausführung (V.2.5.7)
sowie dem abschließenden Gerichtswort (V.9.10*a.b), das die symbolische Handlung deutet. Das Hauptgewicht liegt auf der abschließenden
Aussage: לכל יצלח לא לכל (V.10, cf. V.7). So viel ist nach der gründlichen
Analyse von *W.Thiel* (1) sicher. Aber es reicht nicht hin, dies einfach
auf der literarischen Ebene festzustellen, sondern es gilt, dieses Ergebnis durch einen Nachvollzug des Eigenberichts *von innen her* zu sichern. Damit aber kommt die *formgeschichtliche* Fragestellung in den
Blick.

D hat den Eigenbericht über die Aufträge und die Ausführung der Aufträge (bis
auf V.1b?) unberührt gelassen und sein Interesse auf die Gerichtsankündigung (V.10a)
gerichtet, indem er die Anklage in der üblichen Phraseologie ausweitete (zu V.10 D
cf. 11,8+10 D) und in diesem Zuge noch eine zweite, stark allegorisierende Deutung
des Schurzes, diesmal nicht allein auf das Geschick, sondern auch auf das Verhalten
des Volkes hin (V.11) hinzufügte.
Die Gerichtsankündigung hingegen wird ausgezogen durch die Anfügung einer Reihe
von Gerichtsworten (V.12-14.18f.20-27) oder Worten der Klage in der eigenartigen
Verbindung mit einem Mahnwort (V.15-17) (2). Das Hauptanliegen von D kommt aber in
diesem Zusammenhang in V.22 zum Ausdruck:

Und wenn du denn bei dir selbst sagst: "Warum hat mich das getroffen?" -
wegen der Fülle deiner Schuld wird dir die Schleppe hochgehoben, wirst du
geschändet (3).

Es handelt sich bei diesem Vers um eine Klage nach dem Eintreffen des Gerichts, die
übergeht in die Frage nach dem Grund des Gerichts (4). Es kommt D also auch in diesem Zusammenhang auf den Nachweis der Schuld an (5), während bei Jeremia zunächst
der Auftrag im Mittelpunkt stand.

Jeremia erhält von Jahwe den Auftrag, sich einen Schurz aus Leinen
zu kaufen und ihn um seine Hüften zu legen. Man muß sich vergegenwär-
tigen, was der Schurz *ethnologisch* bedeutet. G.Fohrer führt uns in diese Welt ein und bemerkt: "... was dem Gürtel geschieht, widerfährt
auch dem Häuptling und seinem Mana" (6). Ähnlich weist die Jesaja-
Überlieferung darauf hin, daß der Krieger, dem der Lendenschurz auf-
geht, dem Untergang preisgegeben ist (5,27). Wenn nun Jeremia den
Schurz umlegen (7), ihn zum "Euphrat" bringen und ihn dort vergraben
soll, um nach geraumer Zeit festzustellen, daß der Schurz verdorben
ist, und das Geschick des Schurzes ein Bild für das Geschick des Volkes

---

1 a.a.O., S.171
2 Auch das Stichwort תפארה dürfte kompositionsbestimmend gewesen sein, cf. W.Thiel,
  a.a.O., S.177.
3 W.Thiel geht auf diesen Text nicht ein. Zu קרא II. ("zustoßen") cf. Dtn 31,29;
  zu רב עוון cf. Jer 30,14.15, zur Form der Gerichtsbegründung im Frage-Antwort-Stil
  cf. W.Thiel, a.a.O., S.295-300.
4 Dieser Übergang wird erkennbar an dem Gebrauch von מדוע statt למה, so auch 14,19D.
5 Cf. dazu grundsätzlich W.Thiel, a.a.O., S.295-300.
6 Symbolische Handlungen, S.35
7 cf.a. Jer 1,17

ist, dann kann das nur bedeuten: Das Geschick des Volkes schlägt auf
Jeremia, den Träger des Schurzes (= Volkes), selbst zurück. Wenn der
Schurz verdirbt, dann bedeutet das nicht nur Verderben für das Volk,
sondern auch Verderben für Jeremia, ganz abgesehen davon, daß Jeremia,
ohne Schurz vom "Euphrat" zurückkehrend (1) sich jetzt schon der Lä-
cherlichkeit preisgibt, dem das Volk nach dem Eintreffen des Gerichts
ausgesetzt sein wird (2). Dann aber verlangt diese symbolische Handlung geradezu nach einer Fortsetzung durch eine Klage gegen den Auftraggeber, der dem Jeremia dies alles zumutet. Diese Klage findet sich
in Jer 12,1-3.*4b, ihr folgt das Jahwewort V.5:

12,1 Du bleibst im Recht Jahwe, wenn ich gegen dich streite,
       doch muß ich Gegenvorschläge für das Urteil bei dir vorbringen (3):
       Warum geht es den Gottlosen so gut,
           können sorglos sein alle, die treulos handeln?
    2 Du hast sie gepflanzt - sie haben auch Wurzeln geschlagen.
       Sie wachsen - und bringen auch Frucht.
       Nah bist du ihrem Munde,
           aber fern von ihrem Inneren.
    3 Aber du, Jahwe, kennst mich, du siehst mich
           und prüfst, wie mein Herz zu dir steht.
       Reiße sie heraus wie Schafe, die zur Schlachtbank geführt werden,
           und weihe sie für den Tag des Würgens.
    4 *Wie lange soll das Land trauern und sollen die Pflanzen des ganzen Feldes ver-*
       dorren? Infolge der Bosheit der darin Wohnenden sind Tiere und Vögel dahinge-
       schwunden.
       Denn sie denken: "Nicht sieht
       Gott (4) unsere Wege (5)."

    5 Wenn du mit Fußgängern um die Wette läufst und sie ermüden dich,
       wie willst du mit Rossen wettrennen?
       Und fühlst du dich nur in friedlichem Lande sicher,
       wie willst du es machen im Dickicht des Jordan?
    6 *Ja, auch deine Brüder und deine Familie, auch sie sind treulos gegen dich,*
       auch sie rufen dir laut nach; traue ihnen nicht, auch wenn sie freundlich mit
       dir reden.

Es ist schon des öfteren aufgefallen, daß die Gerechterklärung Jahwes
(צדיק אתה) am Anfang eines Redeganges wie in 12,1 ungewöhnlich ist. In
der Regel hat man sich mit der Erklärung zufriedengegeben, daß Jahwe
in 12,1ff. gleichzeitig als Richter und Angeklagter angesprochen werde und daher im voraus gerecht gesprochen werden müsse, während dies
normalerweise am Schluß eines Verfahrens geschehe (6). Diese Erklärung

---

1 Die Rückkehr Jeremias ohne den Schurz muß hinter 13,5 vorausgesetzt werden. Sie
  wird an dieser Stelle schamvoll verschwiegen.
2 cf. z.B. 24,9
3 Der feindliche Sinn der Präposition אל kommt in der Übersetzung durch das Wort
  "Gegenvorschlag" zum Ausdruck.
4 ins אלהים c G, L
5 l ארחותינו c G, L
6 H.J.Boecker, Redeformen, S.131f.; G.Liedke, Rechtssätze, S.91, der V.1aβ dann
  so übersetzt: "... doch muß ich einen Urteilsvorschlag gegen dich machen". Lied-
  ke übersieht den Gebrauch der Pluralform: משפטים (so auch 1,16; 4,12; 39,5; 52,9
  (alles D)) und die von ihm selbst an anderen Stellen gesehene Möglichkeit, daß
  משפט einen Urteilsvorschlag bezeichnet, der im Schiedsverfahren eingebracht
  wird (ders., שפט, Sp.1006), also doch schon einen Redegang vorausgesetzt.

mag ihr relatives Recht haben; sie muß aber ergänzt werden durch die
These, daß 12,1ff. schon einen Redegang voraussetzt. Dafür aber eignet
sich das in dem Eigenbericht über die symbolische Handlung *13,1-10
erzählte Geschehen ausgezeichnet. Innerhalb dieses Eigenberichts kommt
als Voraussetzung für die spätere Gerechterklärung Jahwes (צדיק אתה)
nur die abschließende, die Zeichenhandlung deutende Gerichtsankündigung 13,10*a.b in Frage (1): Jahwe hat durch den Propheten das Gericht
gegen das ganze Volk angekündigt. Hiergegen muß Jeremia jetzt Ein-
spruch erheben und Jahwe Gegenvorschläge für ein Urteil (משפטים) un-
terbreiten. Jeremia hält Jahwe gegenüber das Heil der Gottlosen dem
bevorstehenden Unheil für das ganze Volk entgegen: Wenn schon ein Urteil ausgesprochen werden soll, dann doch gegen die Gottlosen, aber
doch nicht gegen das ganze Volk (und damit ja auch gegen Jeremia selbst)!
Daß die Klage 12,1ff. tatsächlich diesen Widerspruch im Blick hat, beweist der Gebrauch der Wurzel צלח in 13,10 und 12,1b, jeweils an pointierter Stelle (2):

13,10 Dieses Volk soll werden wie dieser Schurz,
der zu nichts nutze ist (לא יצלח לכל).

12,1b Warum geht es den Gottlosen so gut (מדוע דרך רשעים צלחה)?

Für dieses Heil der Gottlosen ist Jahwe selbst verantwortlich, wie die
Anklage Jahwes in V.2a zeigt:

12,2a Du hast sie gepflanzt - sie haben auch Wurzeln geschlagen.
Sie wachsen - und bringen auch Frucht (3).

V.2b geht über in die Anklage der Gottlosen, während Jahwe gleichzeitig (V.3a) aus der Rolle des Angeklagten herausrückt in die Rolle des

---

1 U.Eichler, a.a.O., S.84f. führt für den in 12,1 vorauszusetzenden Redegang schöne
Parallelen aus dem Hiobbuch an (9,2; 13,2f.; 23,3; 21,7ff.), hält aber nur teilweise die aus meiner Diss., S.126 übernommene These eines Zusammenhanges von *13,
1-10 und *12,1-4 durch. Wenn E. für *13,1-10 ein "ungebrochene(s) Verhältnis zwischen Auftrag und Ausführung" (S.88) behauptet und meint, daß "die Spannung zum
Auftrag selbst ... noch gar nicht thematisiert wird" (S.88), so übersieht sie,
daß nach der - zugestandenermaßen widerstandslosen - Ausführung des, wie oben
erläutert, viel zu schweren Auftrages dieses ungebrochene Verhältnis nicht mehr
vorausgesetzt werden kann. Dann aber kann man auch nicht mehr so einseitig wie
E. sagen, Jeremia argumentiere in *12,1-4 ohne persönliche Betroffenheit (S.88).
Jeremia ist doch selbst durch die Ankündigung des Gerichts über das Volk in der
Form einer symbolischen Handlung (*13,1-10) mitbetroffen!
Daß tatsächlich in *12,1-4 der viel zu schwere Auftrag im Blick ist, beweist auch
das auf die Klage folgende Jahwewort 12,5, das bei Eichler erst viel zu spät in
einem gesonderten Teil der Arbeit (S.184-187) untersucht wird. Dieses Jahwewort
nimmt auf den Auftrag zum Gehen Bezug, und genau ein solcher wird auch in *13,1-
10 erteilt und ausgeführt, dazu s. weiter unten, S.85f..
2 Es sind die beiden einzigen Belege für צלח im Jeremiabuch. Obwohl die Frage nach
dem Glück der Gottlosen den Klagepsalmen des Einzelnen nicht fremd ist, fehlt
die Vokabel צלח im Psalter (außer in Ps 45,5, dort aber in einem ganz anderen
Zusammenhang).
3 Ob mit dem - aus dem Reden von einem einzelnen Menschen her stammenden (cf. Ps 1;
Jer 17,8) - Bild vom Pflanzen, Wachsen und Fruchtbringen (man beachte die vielen
nebeneinanderstehenden Verbformen der Afformativ-Konjugation) bewußt ein Widerspruch aufgedeckt werden soll zu dem Bild von dem Schurz in *13,1-10, der ja auch
vergraben wird, aber in der Erde (Felsspalte) eben verdirbt, muß dahingestellt
bleiben.

Richters, der Jeremia kennt (1), sieht und prüft, wie es einem Richter
gebührt. Ein expliziter Urteilsvorschlag (2) mit nochmaliger Anklage
der Gottlosen schließt die Klage ab:

12,3b Reiße sie heraus wie Schafe, die zur Schlachtbank geführt werden,
      und weihe sie für den Tag des Würgens.
12,4b Denn sie denken: "Nicht sieht
      Gott unsere Wege."

Jeremia schlägt Jahwe also nicht weniger vor, als die Gottlosen mit
dem Tode zu bestrafen. Die Schärfe dieser Klage kommt aber darin zum
Ausdruck, daß Jahwe die Gottlosen weitermachen läßt. Damit zöge sich
Jahwe selbst das Todesurteil zu, wie denn auch in dem Zitat der Gottlosen in V.4b wiederum versteckt eine Anklage gegen Jahwe enthalten
ist:

"Du, Jahwe, siehst nicht ...!"

Doch kommt diese Anklage gegen Jahwe nicht in aller Schärfe zum Durchbruch, weil Jahwe immer auch als der gerechte Richter angesprochen
wird: Das Gericht über das Volk (13,10) wird mit vollem Recht angekündigt (12,1). Dennoch muß immer auch jener scharfe Unterton mitgehört
werden: Jeremia argumentiert in *12,1-4 nicht einfach nur mit Jahwe
als dem gerechten Richter, sondern er klagt ihn auch an, auf die Seite
der Gottlosen zu stehen, während er, Jeremia, umgekehrt dem ganzen
Volk das Gericht ankündigen soll. Vielleicht muß der Widerspruch, den
Jeremia Jahwe vorhält, noch schärfer gefaßt werden: Das ganze Volk
soll bestraft werden, aber die Gottlosen gehen straffrei aus. Diese
Diskrepanz macht Jeremia mit der Klage *12,1-4 Jahwe zum Vorwurf. Aber
Jahwe fängt diesen Vorwurf mit den Gegenfragen in 12,5 ab: Das Gericht
kommt unablässig, auch wenn es den Gottlosen jetzt noch gut geht. Von
*12,1-4 führen dann zwei Linien weiter: Auf der einen Seite wird Jere-
mias Anklage gegen Jahwe noch schärfer, und auf der anderen Seite er-
bittet Jeremia nicht mehr nur das Gericht über die Gottlosen, sondern
über das ganze Volk. Die Konfessionen *15,10-18 und 20,7-9 markieren
die erste dieser beiden Linien mit ihrer schroffen Anklage gegen Jahwe, die Konfessionen 17,14-18 und *18,19-23 mit ihrer Bitte um die Bestrafung der Feinde des Gerichtspropheten durch die volle Wucht des
Gerichts die andere dieser beiden Linien, die in *12,1-4 noch nicht
gesondert sind (4).

In 12,4a.bα ist eine Dürre-Klage eingeschoben, die sich schon durch ihre Prosa-
form vom Kontext unterscheidet. Als Grund für die Dürre wird die Bosheit der Bewohner des Landes angegeben. Dieses Argument paßt durchaus zu der dtr. Eigenart, das

---

1 F.Hubmann, Konfessionen, S.136 gibt zu erwägen, ob ידעתני (V.3a) auf die Berufung (cf. 1,5) anspiele, wie denn V.3b mit הקדישם eine weitere Vokabel aus 1,5,
  freilich in ironischem Sinne, verwende. So kann man aber nur argumentieren, wenn
  man 1,4-10 für jeremianisch hält, doch cf. dazu unten, S.177-180.
2 So G.Liedke, Rechtssätze, S.91f.; H.J.Boecker, Redeformen, S.117-121. W.Rudolph,
  Jeremia, S.80 versetzt 12,3 zwischen 11,20a und b. Dann würde 12,1f. nur aus
  Klage bestehen. Das ist aber in diesem Fall formgeschichtlich nicht möglich, da
  ein Urteilsvorschlag gemacht werden muß, wie wir ihn in V.3 finden.
3 U.Eichler unterscheidet drei Typen von Klagen Jeremias: die argumentierenden Klagen (17,14-18; 18,18a.19.20.23), die fragende Klage (12,1-3) und die spontanen
  Klagen (15,10.17.18; 20,7-9), wobei die fragende Klage auf der Grenze steht zwischen den argumentierenden und den spontanen Klagen (a.a.O., S.76). Diese Unterscheidung kann präzisiert werden: In 12,1ff. haben sich die betonten Anklagen
  von 15,10ff. und 20,7-9 und die betonten Feindklagen von 17,14-18 und 18,19ff.
  noch nicht gesondert.

eingetroffene Gericht nachträglich zu erklären (1). Das Motiv von der Trauer des Landes infolge des Verhaltens der Bewohner ist ohnehin im Jeremiabuch nicht selten (2), so daß D durch den Einschub von V.4a.bα eine redaktionelle Klammer schaffen konnte z.B. auch zu den beiden großen Dürre-Klagen in Jer 14. Wahrscheinlich hat das Thema "Gottlose" dieses Motiv angezogen. In der vorredaktionellen Klage geht es aber noch gar nicht darum, daß das Gericht schon eingetroffen ist, sondern sie setzt sich auseinander mit Jahwe angesichts des noch ausstehenden Gerichts und des zu schweren Auftrags, dieses Gericht dem ganzen Volk ankündigen zu müssen.

Wird so die Klage *12,1-4 nur verständlich auf dem Hintergrund des Eigenberichts über die Erteilung und Ausführung einer symbolischen Handlung *13,1-10, wie umgekehrt dieser Eigenbericht nach einer Fortsetzung durch eine Klage verlangt, so spiegelt sich in diesem engen Miteinander das *formgeschichtliche Gefüge des Botenvorgangs* wider:

I. Erteilung des Auftrags (13,1.4.6)

II. Ausführung des Auftrags (13,2.5.7)

mit Deutung der symbolischen Handlung (13,9.*10)

III. Rückmeldung:

Hinwendung zu Jahwe: Klage (*12,1-4).

Jer *12,1-4 und *13,1-10 gehören *von der Sache her* zusammen, auch wenn die *Darstellungsformen* unterschiedlich sind (Eigenbericht, Klage) und die Form des Eigenberichts sich nicht fortsetzt bis in die Rückmeldung in der Form der Klage hinein. Diese Besonderheit unterscheidet Jer 13/ 12 von der Darstellung des gesamten Botenvorgangs einschließlich der Klage in der Form einer Erzählung in Ex 3,1-6,1 (3). Diese Beobachtung ist nun aber kein Argument *gegen* die Zusammengehörigkeit von Eigenbericht und Klage, sondern ein Argument *dafür*: Das Kontinuum zwischen der Erteilung und Ausführung des Auftrags und der Rückmeldung in der Form der Klage ist nicht die Darstellungsform, sondern *der klagende Gerichtsprophet selber*: Was in Ex 3,1-6,1 von außen her aus der Sicht des Erzählers dargestellt wird, wird in Jer *13,1-10; *12,1-4 *von innen her* durch den Gerichtspropheten selbst zur Sprache gebracht, der in den unterschiedlichen tradierbaren Darstellungsformen des Eigenberichts und der Klage seine Auseinandersetzung mit dem zu schweren Auftrag ausspricht.

Wie eng der sachliche Zusammenhang zwischen Klage und Auftragserteilung bzw. Auftragsausführung ist, zeigt auch das auf die Klage folgende Jahwewort 12,5, das sich bislang einer Erklärung entzogen hat, weil der *Vorgang* nicht in den Blick kam, auf den die beiden Gegenfragen bezogen sind (4): Im ersten Teil der Frage wird jeweils der *Vorgang* des Gehens mit Fußgängern bzw. des Wettrennens mit Rossen beschrieben und im zweiten Teil der Frage ein *Bereich*, in dem sich dieser Vorgang vollzieht (friedliches Land, Dickicht des Jordan), wobei beide Fragen eine Steigerung vom Leichteren zum Schwierigen enthalten.

---

1 s.o., S.80 mit A.3

2 4,28; 12,11; 23,10

3 s.o., S.43-53

4 W.Rudolph, a.a.O., S.86 nimmt bildliche Redeweise an und wendet sich ebda, A.3 gegen jeden Versuch, die Fragen wörtlich zu verstehen. Wenn R. die Gegenfragen auch als "seltsam" (S.86) empfindet, erschließt er doch einen Zusammenhang mit dem Auftrag, der allerdings ganz unscharf als "Aufgabe" (S.86) bezeichnet wird.

Mit dem Hinweis auf Jeremias "Gehen mit Fußgängern" "in friedlichem Lande" sind genau der Vorgang und der Bereich abgesteckt, die auch in *13,1-10 im Blick sind: Jeremia wird dreimal beauftragt: Geh! (V.1.4. 6), zweimal muß er zum "Euphrat" gegen. In den Gegenfragen wird dieser Jeremia ohnehin schon zu schwere Auftrag noch schwerer gemacht: Es kommt für Jeremia alles noch schwerer, wenn die Feinde aus dem Norden erst einmal richtig heranrücken: Darauf spielen der "Wettlauf mit den Rossen" und der "Dickicht des Jordan" an (1). So schließt sich mit dem Jahwewort 12,5 der Zusammenhang, der mit der Beauftragung Jeremias und der gehorsamen Ausführung des Auftrags (*13,1-10) seinen Anfang nahm; die Schwere und der Umfang des Auftrags riefen Jeremias Klage (*12,1-4) hervor, auf die Jahwe mit einer Zurückweisung in Form zweier auf den Auftrag bezogener Gegenfragen reagiert (12,5). Nach allem, was wir von den Botenvorgängen im Alten Testament wissen, *muß* auf die negative Rückmeldung in der Form einer Klage (oder auch in anderer Form) ein Wort des Auftraggebers folgen. So gibt *13,1-10; *12,1-4.5 einen in sich geschlossenen Zusammenhang wieder. Weil diese Abschnitte aber zusammengehalten werden durch den *Gerichtspropheten* und nicht durch das Kontinuum einer Darstellung wie einer Erzählung, war der Redaktion ungleich leichter als in Ex 3,1-6,1 die Möglichkeit gegeben, Zusammengehöriges voneinander zu lösen und in unterschiedliche redaktionelle Zusammenhänge einzufügen.

V.6 stellt eine dtr. Erweiterung dar, was schon deutlich wird an der Prosa-Form (2), aber auch an der immer wieder beobachteten Verklammerungsfunktion dieses Verses (3). V.6 verklammert aber nicht nur 11,18 und 11,19 miteinander (4), sondern greift mit dem Verb בגד auch auf die בגדי בגד von 12,1 zurück und scheint sich in der Formulierung an die Form von 12,5 anzulehnen (5). Weitere sichere Anzeichen für die Zuweisung zu D fehlen aber, wenn sich auch der Inhalt dieses Jahwewortes gut aus der Entstehungszeit von D in Juda während der Exilszeit verstehen läßt: Auch die engsten Verwandten Jeremias schließen sich der verbreiteten Heilserwartung an. Wenn sie "freundlich mit Jeremia reden", heißt das: Sie versuchen die Prophetie Jeremias in Heilsprophetie umzuformen. Dagegen wendet sich D (6).

---

1 So mit Recht H.Graf Reventlow, Jeremia S.250 (dagg. W.Rudolph, Jeremia, S.86, A.3); J.M.Berridge, Prophet, S.165. Immer wieder werden wir an die Texte erinnert, die vom Kommen der Feinde vom Norden sprechen: Zu "Rosse" cf. Jer 4,13; zu "Dickicht" 4,7; cf. ferner: "Tag des Würgens" (12,3; 4,7).
 U.Eichler, a.a.O., S.184 sieht in der Gegenfrage einen Ausdruck der Souveränität Jahwes, die auf die Frage antworte: "Warum klagst du?" Diese nur vom Miteinander von Klage und Gegenfrage Jahwes bestimmte Interpretation bedarf der Ergänzung durch den Hinweis auf den Botenvorgang, wie er oben entfaltet wurde.
 Den Zusammenhang zwischen 12,5 und Jeremias Bote-Sein sieht auch F.Hubmann, Konfessionen, S.151.
2 Cf. W.Thiel, Jeremia 1-25, S.158, der diesen Vers aber für jeremianisch hält und ihn zwischen 11,18 und 19, ebenfalls zwei Prosaverse, versetzt.
3 Cf. W.Thiel, a.a.O., S.157. In der Regel (z.B. W.Rudolph, a.a.O., S.80; W.Thiel, a.a.O., S.158) wird dieser Vers aber umgestellt zwischen 11,18 und 19.
 Für redaktionell halten diesen Vers U.Eichler, a.a.O., S.184 und F.Hubmann, a.a.O., S.72.90 u.ö..
4 So viele Ausleger, s.o., A.3.
5 Cf. F.Hubmann, a.a.O., S.72. U.Eichler, a.a.O., S.184 sieht auch eine Ähnlichkeit der Formulierung zu 15,19 D und zu den Verboten der Fürbitte bei D.
6 Dies wird in Teil IV. im Gesamtzusammenhang von D weiter ausgeführt werden. Auch von dieser Sicht der Dinge her wäre es nicht verwunderlich, daß 12,6 von der Form her in der Nähe der Verbote der Fürbitte (s.o., A.5) steht: Auch in diesen werden die Heilserwartungen der in Juda Zurückgebliebenen korrigiert.

Ist der so beschriebene redaktionelle Charakter von 12,6 schon ein sicheres Zeichen für die Verklammerung von 12,1-3.4bβ.5 mit einem neuen, von dem ursprünglichen jeremianischen Zusammenhang unterschiedenen Kontext, so weist ein weiterer, sicher von D stammender Verklammerungsvers in die gleiche Richtung:

11,17 Und Jahwe Zebaoth, der dich gepflanzt hat, hat Unheil gegen dich angedroht wegen der Bosheit des Hauses Israel und des Hauses Juda, die sie verübt haben (1), um mich zu kränken, indem sie dem Baal opferten.

Dieser Vers verbindet nicht nur durch die Verknüpfung des Bildes vom Pflanzen mit der Götzenanbetung das (stark verderbte) jeremianische Gerichtswort 11,15f. (2) mit 11,1-14, sondern das Partizip הנוטע אותך ("der dich gepflanzt") schafft auch eine Brücke hinüber zu 12,2: נטעתם ("du hast sie gepflanzt"). Auf diese Weise verbindet D nicht nur die Klage 12,1-4.5f. mit 11,1-16, sondern die bei Jeremia noch sehr genaue Unterscheidung zwischen der Anklage der Gottlosen und der zunächst noch angenommenen Schuldlosigkeit des Volkes (3) wird nivelliert: Das ganze Volk wird von vornherein als massa perditionis angesehen.

Wie sind vor diesem Hintergrunde die bis auf V.20 sich in Prosa-Form darbietende Konfession 11,18-20 und das direkt daran anschließende gegen die persönlichen Feinde Jeremias gerichtete Gerichtswort 11,21-23 zu beurteilen?

11,18 Und Jahwe ließ es mich wissen, da erkannte ich es, damals sah ich ihre Taten (4).
19 Ich aber war wie ein zahmes Lamm, das zur Schlachtbank geführt wird, und erkannte nicht, daß sie gegen mich Pläne schmiedeten: "Laßt uns den Baum in seinem Mark (5) verderben und ihn ausrotten aus dem Land der Lebendigen, daß seines Namens nicht mehr gedacht werde!"
20 Aber Jahwe Zebaoth ist ein gerechter Richter,
er prüft Nieren und Herz.
Ich werde deine Rache an ihnen schauen,
denn dir habe ich meinen Rechtsstreit anheimgestellt.

21 Darum, so spricht Jahwe über die Männer von Anatot, die dir nach dem Leben trachten, folgendermaßen: "Du darfst nicht im Namen Jahwes prophezeien, sonst stirbst du durch unsere Hand."
22 Darum, so spricht Jahwe Zebaoth: "Siehe, ich suche es heim an ihnen. Die Jünglinge sollen durchs Schwert sterben, ihre Söhne und Töchter sollen Hungers sterben.
23 Und Nachkommen werden ihnen nicht verbleiben, wenn ich über die Leute von Anatot Unheil bringe im Jahr ihrer Heimsuchung.

Es ist bislang nicht gesehen worden, daß Jahwe nur in einem Vers in der 2. Pers.Sing. angeredet wird, in V.20. Dieser Vers aber ist in 20,12 im gleichen Wortlaut überliefert und dort sicher sekundär (6). Durch die poetische Form weicht aber V.20 so vom Kontext ab, daß V.20 als Bruchstück einer Klage angesehen werden muß. V.20 kann also

---

1 om להם (dittogr.)
2 Cf. dazu J.P.Hyatt, Original Text. Die Verknüpfungsfunktion von V.17 haben schon W.Rudolph, a.a.O., S.81 und W.Thiel, a.a.O., S.156 gesehen.
3 s.o., S.82
4 l ראיתי c G, cf. P.Volz, Jeremia, S.136
5 l בלחו mit F.Hitzig, Jeremia, z.St. oder בלחמו II. mit A.Guillaume, Prophecy, S.343, A.2 (cf. W.Rudolph, a.a.O., S.80 mit A.1)
6 Cf. W.Thiel, a.a.O., S.159; U.Eichler, a.a.O., S.68. In diesem Wort klingt wieder das Warten auf das Gericht durch, das ja nicht nur für eine Form der gerichtsprophetischen Klage charakteristisch ist, sondern auch für die Weiterführung der prophetischen Klage durch die Redaktion (s.o., S.73 (3.)).

erst mit dem Kontext zusammengekommen sein, als schon Bruchstücke von Klagen gesondert literarisch überliefert wurden. V.20 ist aber nicht etwa nicht erst sekundär
in den Kontext von 11,18-23 eingefügt worden, sondern D hat V.20 aus der Überlieferung aufgenommen und mit V.18-23 eine Konfession mit anschließendem Gerichtswort
gegen die persönlichen Feinde Jeremias neu geschaffen (1). Diese These wird gestützt
durch den Nachweis W.Thiels, daß 11,21-23 durch und durch von D gestaltet ist (2).
Aber auch V.19 weist auf eine späte Entstehungszeit: Das Bild vom Lamm, das zur
Schlachtbank geführt wird, findet sich so im vierten Gottesknechtlied (Jes 53,7),
ebenso ist dort (53,8) vom Ausrotten aus dem Land der Lebendigen die Rede. Außerdem
könnte das Bild vom Lamm und der Schlachtbank angeregt sein durch Jer 12,3 (3). Das
Bild vom Baum, der verdorben werden soll, muß nicht unbedingt sprichwörtliche Redeweise sein (4). Vielmehr legt sich das Bild vom Baum nahe durch das Bild vom Ölbaum
in 11,16 und das Bild vom Pflanzen, Wurzelschlagen, Wachsen und Fruchtbringen in
12,2. Es wird weitverbreitet gewesen sein, besonders in seiner Anwendung auf einen
Einzelnen. So verwendet D dieses Bild auch in 17,8. Die Formulierung חשב מחשבות
("Pläne schmieden") findet sich so nicht in den Psalmen (5), wohl aber in Jer 18,
18 D (6).

Somit bleibt nur noch V.18, der wegen seiner Sprache in der Form des Eigenberichts mehrfach als typisch jeremianisch angesehen worden ist (7), während umgekehrt
der abrupte Einsatz von V.18 bemängelt worden ist (8). Abrupt wirkt der Einsatz aber
nur, wenn V.18 nicht von vornherein im Zusammenhang von 11,1-17, also der dtr. Redaktion gelesen wird. Die Formulierung von V.18 als Eigenbericht paßt aber gut zu
der Form des Eigenberichts, wie sie 11,1-14 (15-17) bestimmt.

Was will D mit dieser selbstformulierten Klage sagen? Jahwe hat dem Propheten
wegen der Bosheit des Volkes die Fürbitte nach dem Eintreffen des Gerichts untersagt (11,14). Die Bosheit des Volkes und die daraus resultierende Logik des Gerichts werden noch einmal unterstrichen (V.15-17) und bilden den Hintergrund dafür,
daß der Prophet das Treiben des Volkes sieht (V.18). An die Stelle des fürbittenden
Propheten tritt so der leidende Gottesknecht, gegen den Pläne geschmiedet werden, wobei vorausgesetzt wird, daß der leidende Gottesknecht an der Verkündigung
im Namen Jahwes gehindert wird (V.19.21). Der Gottesknecht blickt auf das Gericht
aus (V.20), das ihm in einer Gerichtsankündigung gegen seine persönlichen Feinde
in Anatot in einer Form angekündigt wird (V.22+23), wie es sonst auch auf das ganze
Volk bezogen sein kann (9). Die persönlichen Feinde Jeremias in Anatot sind aber
diejenigen, die in exilischer Zeit in Juda die Gerichtsbotschaft Jeremias zum Schweigen bringen wollen. Über sie, die auf eine rasche Wende zum Heil hoffen, ergeht das
gleiche Gerichtswort wie über das ganze Volk: Die Gerichtsankündigung Jeremias geht
weiter. Das Heil rückt damit in eine ferne Zukunft (10).

---

1 So auch U.Eichler, a.a.O., S.68-71.
2 a.a.O., S.159
3 So auch U.Eichler, a.a.O., S.72.
4 So W.Rudolph, a.a.O., S.80.
5 Cf. W.Baumgartner, Klagegedichte, S.31.
6 s.o., S.34 mit A.1+2
7 So bes. H.J.Stoebe, Seelsorge, S.126.
8 W.Thiel, a.a.O., S.158
9 Cf. dazu die Belege bei W.Thiel, a.a.O., S.159.
10 A.H.J.Gunneweg, Konfession oder Interpretation, S.400f., hat mit Recht darauf
   aufmerksam gemacht, daß hinter 11,18-23 das Bild vom exemplarisch leidenden Gerechten steht, das zwar an die Prophetie Jeremias anknüpft, doch eine Interpretation des Wirkens und des Geschicks Jeremias aus der Sicht Späterer darstellt.
   Doch können wir nicht die Resignation G.s teilen, der keine der Konfessionen mehr
   auf Jeremia selbst zurückzuführen vermag.

Im übrigen ist der Zusammenhang zwischen Klage und Gerichtswort in 11,18-23 ein ganz anderer als der zwischen Klage und Jahwewort in *12,1-5 (1). Nimmt das Gerichtswort Bezug auf die Anfeindungen gegen den Propheten und seine Botschaft (11,21-23), so das Jahwewort (12,5) auf den Auftrag an den Propheten.

D schließt an 12,6 dann noch ein Jahwewort mit starken Anklängen an die Klage Jahwes (12,7-13) und ein selbstformuliertes Heilsangebot an die Völker mit angefügter Alternativ-Predigt (12,14-17) an (2).

b. _Der Auftrag Jer *16,5-7 und die gerichtsprophetische Klage mit anschließendem Jahwewort Jer 15,10.17.18.19b.20*a_

Der Botenvorgang mit seinen Elementen: "Erteilung des Auftrages"; "Ausführung des Auftrages" und "Rückmeldung in der Form einer Klage" kann auch eine Hilfe sein für die Klärung der Redaktionsgeschichte 1. von Jer 16,1-9 und 2. von Jer 15,10-21, die bislang forschungsgeschichtlich auf ganz unterschiedlichen Wegen verlaufen ist und zu keinen gesicherten Ergebnissen geführt hat (3). Wie schon bei der Untersuchung von Jer 13/12, so ist auch im Blick auf ein mögliches ursprüngliches Nacheinander eines noch aus 16,1-9 zu erschließenden Auftrages an Jeremia und einer ebenso noch aus 15,10-21 zu erschließenden Klage Jeremias mit nachfolgendem Jahwewort als methodisches Kriterium festzuhalten, daß zu allererst _nicht_ nach einem _literarischen_ Zusammenhang zwischen Auftrag und Klage zu suchen ist (4), sondern nach einem _formgeschichtlichen_ Zusammenhang zwischen beiden, der bedingt ist durch das _Kontinuum des Boten_ (5), wobei die Form der Klage gewissermaßen der Spiegel für die Form des Auftrags ist (6). Daher kann der bisherige

---

1 Cf.a. W.Thiel, a.a.O., S.157.

2 W.Thiel, a.a.O., S.162-168

3 Zu den forschungsgeschichtlichen Unsicherheiten hinsichtlich der Beschreibung der Redaktionsgeschichte von Jer 15,10-21 s.o., S.78, A.4 und 5. W.Thiel, a.a.O., S.194, A.43 veranschlagt den Umfang der dtr. Redaktion in den Konfessionen viel zu niedrig.
Die Lösungsvorschläge zu Jer 16,1-9 reichen von der Annahme nur eines kurzen auf Jeremia zurückgehenden Auftrags mit anschließendem Gerichtswort hinter V.5-7 (B.Duhm, Jeremia, S.138) über die Rückführung des ganzen Abschnitts im vorliegenden Wortlaut auf Jeremia (P.Volz, Jeremia, S.177f.) bis hin zur Zuweisung des ganzen Abschnitts an D (W.Rudolph, Jeremia, S.109, differenzierter aber noch ders., Jeremiabuch, S.90). W.Thiel, a.a.O., S.194-198 weist nur V.3b (?) und 4b D zu, erwägt aber, ob nicht auch an anderen Stellen (V.3a.b.4a.9) die Hand von D am Werk ist.

4 So wundert sich P.Welten, Leiden und Leidenserfahrung, S.132, daß "in diesen Prosareden keine Klagen (begegnen)". Klagen lassen nicht auf der literarischen, sondern auf der vorliterarischen und daher nur mithilfe formgeschichtlicher Kriterien faßbaren Ebene einen Bezug zum Auftrag erkennen.

5 Der Beauftragte ist als Kontinuum freilich nie isoliert zu sehen, als Individuum, sondern immer in seinen Bezügen zu Jahwe und den Mitmenschen, so gestört diese Bezüge auch immer sein mögen.

6 Der Zusammenhang zwischen 16,1-9 und 15,10-21 wird in der Regel so gesehen, daß 16,1-9 die Klage 15,17 illustriert (so zuletzt W.Thiel, a.a.O., S.201, cf.a. W. Rudolph, a.a.O., S.110; A.H.J.Gunneweg, a.a.O., S.414). P.Welten, a.a.O., S.130-132 bzw. 137-145 ordnet 16,1-9 einer früheren literarischen (!) Schicht zu als die Konfessionen. Zwischen beiden liegt noch die Schicht der sog. Baruch-Erzählungen (S.132-137). Ganz anders W.Rothstein, Jeremia, S.769, der annimmt, daß 15,17 den Auftrag 16,8 voraussetze und im Hinblick darauf hier eingefügt (!) sei. Einen Wandel in der Diskussion haben erst die Dissertationen von F.Ahuis (1973/74)

Versuch der Forschung, den vorredaktionellen Umfang von Auftrag und
Klage je für sich allein mit den (literarischen) Kriterien der redaktionsgeschichtlichen Methode zu ermitteln, ergänzt und unterbaut
werden durch das formgeschichtliche Kriterium der ursprünglichen Zusammengehörigkeit von Auftrag und Klage: Die Klage bietet als Rückmeldung auf den zu schweren Auftrag ein Kriterium für die Bestimmung des
vorredaktionellen Umfangs des Auftrages und umgekehrt.

16,1 *Und es erging das Wort Jahwes an mich folgendermaßen:*
  2 *"Du sollst dir keine Frau nehmen, und du sollst keine Söhne und Töchter haben*
    an diesem Orte."
  3 *Denn so spricht Jahwe über die Söhne und Töchter, die an diesem Orte geboren*
    werden, und über ihre Mütter, die sie gebären, und über ihre Väter, die sie
    zeugen im Lande:
  4 *"An tödlichen Krankheiten werden sie sterben; man wird sie nicht betrauern*
    und begraben; als Dünger auf dem Acker werden sie dienen. Durch Schwert und
    Hunger werden sie ans Ende kommen, und ihre Leichen werden den Vögeln des
    Himmels und den wilden Tieren zum Fraße dienen."

  5 Denn so spricht Jahwe (1):
    "Betritt kein Haus des lauten Geschreis (2)
        und gehe nicht hin zur Totenklage *und bezeuge ihnen kein Beileid;*
    denn genommen habe ich meinen Frieden
        von diesem Volke - *Spruch Jahwes - , die Gnade und das Erbarmen,*
  6 *und groß und klein werden sterben in diesem Lande, man wird sie nicht begra-*
    ben. Nicht wird man um sie klagen oder sich für sie die Haut aufritzen und
    sich kahlscheren.
  7 Und man wird keinem Trauernden (3) das Brot (4) brechen,
        um ihn wegen eines Gestorbenen zu trösten,
    und man wird ihm (5) nicht den Trostbecher zu trinken geben
        wegen seines Vaters oder seiner Mutter.
  8 *Und betritt kein Haus, in dem ein Trinkgelage stattfindet, mit (6) ihnen zum*
    Essen und zum Trinken zusammenzusitzen."
  9 *Denn so spricht Jahwe der Heerscharen, der Gott Israels: "Siehe, ich lasse*
    von diesem Orte vor euren Augen und in euren Tagen verschwinden Jubel- und
    Freudenklang, Zuruf von Braut und Bräutigam."

---

und in dessen Gefolge U.Eichler (1978) gebracht, die, einer Anregung ihres Leh-
rers C.Westermann folgend (Jeremia, S.48), in der Klage eine Reaktion auf den
Auftrag sehen.
1 Zur Übersetzung der Wortempfangsterminologie s.o., S.79, A.1.
2 Diese Übersetzung läßt die Frage offen, ob das laute Geschrei aus Freude (so Am
  6,7) oder aus Trauer geschieht. Die Auffassung als Freudengeschrei (so B.Duhm,Je-
  remia, S.138) würde V.8 überflüssig machen, was ja wegen des dtr. Charakters dieses Verses durchaus erwägenswert wäre.
  Die Auffassung als Trauergeschrei (so die meisten Ausleger) würde sich von den
  im folgenden (abgesehen von D) ausschließlichen genannten Trauerbräuchen her nahelegen. Vielleicht wird aber auch auf רזה II. abgehoben: Dann wäre ganz neutral
  die Versammlung von Menschen aus einem bestimmten Anlaß gemeint.
3 1 אבל c BHS, app.
4 1 לחם c BHS, app.
5 1 אותו c G
6 1 אתם c nonn MSS

15,10 Weh mir, Mutter, daß du mich geboren,
      einen Mann des Streites *und einen Mann des Zanks (1)* für das ganze Land.
Nicht habe ich geliehen, noch hat man mir geliehen,
      und doch verfluchen mich alle (2)!
11 *So sei es (3), Jahwe! Ich habe dir gewiß zum Guten gedient (4), und habe gewiß*
Fürbitte eingelegt bei dir (5) zur Zeit des Unheils und zur Zeit der Bedräng-
nis (6).
12 *Zerbricht man Eisen, Eisen von Norden und Erz (7)?*
13 *Deine Habe und deine Schätze gebe ich der Plünderung preis (8) zum Lohn für*
alle (9) deine Sünden in allen (10) deinen Grenzen
14 *und mache dich zum Sklaven (11) deiner Feinde in einem Lande, das du nicht*
kennst; denn Feuer ist entbrannt in meiner Nase, das über euch (12) brennt.
15 *Du weißt es (13).*
Jahwe, gedenke mein und nimm dich meiner an
      und räche mich an meinen Verfolgern!
Raffe mich nicht weg in deiner Langmut (14),
      erkenne, daß ich um deinetwillen Schmach trage!
16 *Fanden sich Worte von dir, so verschlang ich sie, und dein Wort ward mir zur*
Wonne, und zur Freude meines Herzens ward es, daß dein Name über mir genannt
ist, Jahwe, Gott der Heerscharen!
17 Nicht sitze ich im Kreise der Fröhlichen
      und frohlocke;
von deiner Hand gebeugt sitze ich einsam,
      denn mit Zorn hast du mich erfüllt.
18 Warum dauert mein Schmerz ewig
      und ist meine Wunde bösartig, *will nicht heilen?*
Wehe (15), du bist mir zum Trugbach geworden,
      zu einem Wasser, auf das kein Verlaß ist!
19 *Darum so spricht Jahwe: "Wenn du umkehrst, will ich dich wieder (16) vor mir*
stehen lassen, und wenn du Edles hervorbringst statt Gemeinem, kannst du mir
als Mund dienen.
Diese kehren zu dir zurück;
      du aber kehre nicht zu ihnen zurück.
20 Und ich mache dich für dieses Volk
      zur ehernen, unbezwinglichen Mauer.

---

1 ואיש מדון ist Variation von איש ריב (B.Duhm, a.a.O., S.134) und metr.cs. zu str..
2 1 כלהם קללוני c BHS, app.
3 1 אמן c G, L
4 1 שרתיך c W.Rudolph, a.a.O., S.104
5 Zu ב פגע hi. cf. Jer 36,25 D; Jes 53,12 (mit ל); cf. ferner ב פגע q. Jer 7,16 D.
6 אֶת־הָאִיב ist entweder Glosse oder aus V.14 eingedrungen.
7 Dieser Vers muß nicht unbedingt von 17,1 abhängen, s.u., S.99.
8 dl לא c G
9 1 בכל c BHS, app. (ut 17,3)
10 1 בכל c BHS, app. (ut 17,3)
11 1 והעבדתי c BHS, app. (ut 17,4)
12 עליכם wird hier beibehalten (trotz 17,4, cf. BHS, app.), weil es sich hier möglicherweise um eine gezielte Änderung handelt, die klarstellen soll, daß V.12-14
im Unterschied zu V.11 gegen das Volk gerichtet ist.
13 Oder ist אתה ידעת mit G zu streichen?
14 1 לארך c G
15 1 הוי
16 ואשיבך ist Formverb.

Und sie werden gegen dich kämpfen, dich aber nicht bezwingen; denn ich bin
mit dir, dir zu helfen und dich zu retten - Spruch Jahwes -
21 *und rette dich aus der Hand der Bösen und befreie dich aus der Hand der Ge-*
walttätigen."

Ein sicheres Anzeichen für die Überarbeitung eines vorredaktionellen
Zusammenhanges durch die (dtr.) Redaktion ist wieder der *Wechsel von*
Poesie und Prosa, und zwar sowohl im Eigenbericht 16,1-9 als auch in
der Klage 15,10-18 und dem nachfolgenden Jahwewort 15,19-21 (1). Mit
Ausnahme dieses Jahwewortes weisen die jeremianischen Anteile des
Eigenberichts über die Auftragserteilung (16,*5.7) und der Klage (15,
10.17.18) das *Qina-Metrum* auf (2), was die Ausscheidung einiger klei-
nerer dtr. Erweiterungen in 15,10a.18a und 16,5a (3) ermöglicht, die
unterderhand die poetisch geformten Partien dem Prosa-Stil der Redaktion angleichen (4).

Das gemeinsame Qina-Metrum schließt auf der vorredaktionellen Stufe Auftrag und Klage ungleich enger zusammen, als dies in dem Nacheinander des Prosa-Eigenberichts über einen Auftrag in *13,1-10 und
der poetisch geformten Klage mit anschließendem Jahwewort *12,1-5 der
Fall war (5). Das Qina-Metrum entspricht dem Inhalt des Auftrags 16,
*5.7 und der Klage 15,10.17f. voll: Es gilt immer im Blick zu behalten,
daß der Grundton der Totenklage Auftrag und Klage inhaltlich und formal bestimmt.

Versucht W.*Thiel* noch vergeblich, in 16,1-4 und 8f. auf Jeremia
zurückgehende Aufträge von dtr. Erweiterungen abzugrenzen (6), so ist
von vornherein davon auszugehen, daß diese beiden Aufträge ganz dtr.
sind. Dafür spricht zunächst nicht nur die Phraseologie (7), sondern
vor allem der Prosa-Stil und die Beobachtung, daß D sich nicht beschränkt auf den Bereich der Trauerriten, sondern diese ergänzt um
den Bereich der Hochzeit, des Zeugens und Gebärens und Geborenwerdens
(V.2f.) und schließlich den Bereich fröhlichen Zusammenseins von Menschen überhaupt (V.8f.). Der Auftrag an Jeremia hingegen beschränkte
sich ganz auf ein Verbot, an den für das Menschsein in Israel so wichtigen Bekundungen der Gemeinschaft anläßlich eines Trauerfalles teilzunehmen (V.5a). Durch seine Abstinenz von den Trauerriten verkündet
der Prophet das Gericht (8), und so wird das Gerichtswort denn auch
direkt (ohne die Zwischenschaltung einer Botenformel) angeschlossen
und entfaltet: Jahwe hat dem Volk seinen Frieden entzogen. Das äußert

---

1 In der Regel (so zuletzt z.B. W.Thiel, a.a.O., S.195 bzw. 161f., A.71) hält die
  Forschung 16,1-9 für Prosa und 15,10-21 für Poesie (so noch BHS).
2 Diesen Hinweis verdanke ich E.Ruprecht (mündlich).
3 15,10a: ואיש מדון
  15,18a: מאנה הרפא
  16,5a: ואל־הגד להם
4 Diese Erweiterungen sind also keineswegs erst im Zuge der Textgeschichte hinzu-
  gekommen und daher textkritisch zu eliminieren, sondern sie sind bereits der Redaktionsgeschichte zuzuschreiben.
5 s.o., S.84
6 a.a.O., S. 95-198
7 dazu s.u., S.95f.
8 In der vorjeremianischen Gerichtsprophetie ist der Vollzug bestimmter Trauerbräu-
  che in Wort und Handlung ein Hinweis des Propheten auf das nahende Gericht, cf.
  dazu Chr.Hardmeier, Trauermetaphorik. Aber selbst diese Möglichkeit der Kontaktaufnahme wird Jeremia untersagt.

sich darin, daß die einfachen Begehungen menschlicher Kontaktaufnahme nach einem Trauerfall wie das Brotbrechen und das Reichen des Trostbechers aufhören (V.7) (1). Nicht einmal anläßlich des Todes von Vater und Mutter werden diese gemeinschaftsstiftenden Bräuche vollzogen werden.

Durch das ihm von Jahwe aufgetragene gemeinschaftswidrige Verhalten wird der Prophet mit seiner ganzen Existenz zu einem Symbol für das bei Jahwe schon beschlossene Gericht. Deswegen fehlt auch die Botenformel zwischen dem Auftrag zur symbolischen Handlung (V.5a) und deren Deutung (V.5b.7). Deswegen kann aber auch der Bericht über die Ausführung der symbolischen Handlung selbst fehlen (2). Jeremia selbst ist die Ankündigung des Gerichts, und deshalb provoziert das Gerichtswort V.7 auch unmittelbar die Klage Jeremias: Es gibt mit der abschließenden Nennung der "Mutter" das Stichwort für die folgende Klage 15,10ff..

Jeremia klagt zu seiner toten Mutter (15,10): Obwohl er sich von allen sozialen Bezügen fernhält, wird er doch von allen verflucht, als wenn er wegen Geldangelegenheiten Streit hätte mit anderen Menschen. Aus den Bezügen zur Gemeinschaft seiner Mitmenschen war er schon herausgerissen worden durch die Aufträge *13,1-10 ("Linnener Schurz") (3), deren schroffe Gerichtsankündigung (*13,10), zumal in der Verstärkung durch das Jahwewort 12,5, Jeremia darin gehindert haben wird, noch weiter "im Kreise der Fröhlichen" zu sitzen und zu "frohlocken". Vielmehr ist Jeremia von Jahwes "Zorn" erfüllt (4), dem Gegenteil von "Frieden" (5). Auf diese - schon durch den Auftrag *13,1-10 und das Jahwewort 12,5 verursachte - Befindlichkeit nimmt die Klage 15,17 Bezug:

Nicht sitze ich im Kreise der Fröhlichen
    und frohlocke;
von deiner Hand gebeugt sitze ich einsam,
    denn mit Zorn hast du mich erfüllt.

Jeremia sitzt ohnehin schon einsam, aber jetzt kommt es noch schlimmer: Jeremia soll sich auch noch der letzten Möglichkeit entziehen, soziale Kontakte wahrzunehmen: Jeremia soll auf die Teilnahme an Trauerbräuchen verzichten (16,5). Der ohnehin schon viel zu schwere Auftrag *13,1-10 (verschärft durch das Jahwewort 12,5) wird noch weiter erschwert durch dieses Verbot. Diese zusätzliche, unmenschliche Belastung läßt Jeremia in die Klage 15,10.17.18 ausbrechen, die mit V.17

---

1 Cf. dazu C.Westermann, Frieden, S.169. Überhaupt dienen die "rites de passage" (s.o., S.52 mit A.3) nicht nur der Kontinuität des Segens (C.Westermann, Segen, S.109-115), sondern auch der Wiederherstellung des Friedens.

2 W.Baumgartner, Erzählungsstil, S.145-150 hat darauf hingewiesen, daß in Botenerzählungen die Ausführung des Auftrags nicht immer auch erzählt werden muß, sondern stillschweigend vorausgesetzt wird. In Jer 16,*5.7 liegen die Dinge insofern anders, als Jeremia ja spätestens mit *13,1-10 schon der Beauftragte ist. Daher kann in diesem Falle die Klage 15,10.17.18 direkt an 16,7 anschließen. U.Eichler, a.a.O., S.147 vermutet zwischen 16,7 und 15,10 eine Zäsur, in der es zu den Anfeindungen gekommen wäre, auf die 15,10 anspielt, zu Unrecht.

3 s.o., S.80f.

4 cf. Jer 6,11

5 Der Entzug des Friedens durch Jahwe (16,5) und die Erfüllung des Propheten mit dem Zorn Jahwes entsprechen einander und bestimmen schon 12,5: dem Land des Friedens wird der Dickicht des Jordan entgegengestellt, der nach 4,7-8 der Ausgangspunkt des Zornes Jahwes ist.

die gleiche Struktur aufweist wie 16,*5.7, nur in etwas anderer Reihenfolge:

Auftrag: 16,*5.7	Klage: 15,17
"Betritt nicht ...; gehe nicht ..."	"Von deiner Hand gebeugt sitze ich einsam ..."
Begründung:	Begründung:
"denn genommen habe ich meinen *Frieden* von diesem Volke ..."	"denn mit *Zorn* hast du mich er- füllt ..."
Entfaltung:	Entfaltung:
"... und man wird *nicht* ..." (zweimal)	"*Nicht* sitze ich im Kreise der Fröhlichen und frohlocke ...".

Den negierten Aufträgen 16,5a hält Jeremia entgegen, daß er doch ohnehin schon all' das *nicht* tut in seiner Existenz als Gerichtsprophet,
was zum normalen Leben in menschlicher Gemeinschaft dazugehört (1).
Jahwe macht durch den neuen Auftrag die Not Jeremias noch unerträgli-
cher, und diese Last läßt ihn nach der Dauer der Schmerzen fragen, die
Jahwe ihm zufügt (V.18a), bevor die Klage ganz überfließt in die Anklage Jahwes (V.18b). Jahwe wird verglichen mit einem Trugbach, einem
Wasser, auf das kein Verlaß ist (2). Dieses Bild ist ein genaues Ge-
genbild zu dem Selbstvergleich Jahwes mit dem Quell lebendigen Wassers
in 2,13: Jeremia kehrt also ein Bild, in dem Jahwe als der Lebendige
spricht, in sein genaues Gegenteil um: Ein Jahwe, auf den kein Verlaß
ist, ist ein toter Jahwe, und so ist es denn auch kein Zufall, wenn
Jeremia Jahwe mit dem יה der Totenklage (3) beklagt: Wenn Jeremia
schon nicht mehr bei toten Menschen die Totenklage halten darf, muß
er diese elementare menschliche Tätigkeit auf Jahwe richten: Jahwe
verhält sich wie ein Toter. Hatte Jeremia in der Klage *12,1-4 schon
anklingen lassen, daß Jahwe mitschuldig sei an dem todeswürdigen Verbrechen der Gottlosigkeit, so lenkt er in 15,18 viel offener die Klage um einen Toten um in Richtung auf Jahwe.

Auf diese schroffe Anklage geht Jahwe ein: Jahwe nimmt noch einmal
auf, was Jeremia belastet (15,19b): Obwohl Jeremia sich von allen Menschen fernhalten soll, versuchen sie zu ihm Kontakt aufzunehmen, feindselig freilich, aber Jeremia soll sich auch daran nicht stören und
in seiner Selbstisolierung verharren. Jahwe rüstet Jeremia dazu sogar
so aus, daß er das feindselige Verhalten des Volkes ihm gegenüber aushalten kann (4). In diesem feindseligen Verhalten richtet sich die

---

1 Cf. dazu auch schon den betonten Gebrauch von לא (zweimal) in V.10. U.Eichler,
  a.a.O., S.99 weist auch sehr schön anhand des Gebrauchs der Negierungen die formgeschichtliche Integrität der Klage 15,10.17.18 nach.
2 Es handelt sich hierbei um ein in sein Gegenteil verkehrtes Bekenntnis der Zuversicht.
3 Cf. dazu Chr.Hardmeier, a.a.O., S.219-222, der allerdings Jer 15,18 übergeht.
4 Mit dieser Zusage 15,20aα wird Jeremia ausgerüstet wie ein König, cf. dazu A.Alt,
  Hic murus, S.47: "... Wiederaufnahme und Abwandlung ... (einer) alten Formel der
  ägyptischen Königshymnik ..."; ähnlich F.M.Th.Boehl, Opera Minora 377.517; B.Cou-
  royer, L'arc d'airain, S.510f.; O.Keel, Siegeszeichen, S.133. Das Besondere dieser Zusage ist es, daß das Bild von der ehernen Mauer auf Jeremia selbst und
  nicht auf Jahwe bezogen ist: Jeremia selbst wird (wie ein König gegen seine Feinde) zur ehernen Mauer gemacht. Darin unterscheidet sich 15,20aα von Zuversichtsaussagen, in denen das Bild von der Mauer auf Jahwe bezogen ist (cf. dazu M.Noth,

schon in 12,1 vorausgesetzte *Schuld des ganzen Volkes* gegen Jeremia.
Der Prophet muß ein Dasein aushalten, das bestimmt ist von der Erfahrung: Das Gericht kommt, und das Volk drängt immer stärker feindselig
gegen mich an (V.20aα).

Jer 16,*5.7; 15,10.17.18; 15,19b.20aα stellt also einen in sich
stimmigen formgeschichtlichen Zusammenhang dar, der den Botenvorgang
zum Hintergrund hat:

I.   Erteilung des Auftrages (16,*5.7)

     in die Situation des Beauftragtseins hinein, daher kein ge-
     sonderter Bericht über die

(II. Ausführung des Auftrages)

III. Rückmeldung in der Form der Klage (15,10.17.18),

     direkt an die Erteilung des Auftrages anschließend,

     mit nachfolgendem Jahwewort (15,19b.20aα),

     auf die Klage eingehend.

Im Unterschied zu den in Teil I. und II. untersuchten Erzählungen von
Botenvorgängen wird in Jer 16/15 die Erteilung und Ausführung des Auftrages allerdings nicht als etwas *Einmaliges* dargestellt, was denn im
Falle eines widrigen Verlaufs des Botenvorgangs höchstens noch einmal
wiederholt wird, sondern Jeremias Existenz als Gerichtsprophet ist
schon zu etwas *Dauerndem, Stetigen* geworden. Jeremia erhält also nicht
einen einmaligen Auftrag, und nachdem er den Auftrag ausgeführt hat,
ist seine Mission beendet. Jeremia wird von Jahwe in ein länger an-
dauerndes Beauftragt*sein* hineingezwungen. Dieses stetige Beauftragt-
sein wird dann allerdings wieder durch konkrete Aufträge wie 16,*5.7
durchbrochen, die aber in sich auch wieder auf etwas Stetiges hin

---

Personennamen, S.157f.; R.Albertz, Persönliche Frömmigkeit, S.68). Die "eherne
Mauer" bringt nicht nur Schutz nach innen, sondern ist gleichzeitig ein Symbol
für die Macht nach außen hin (cf. z.B. Hi 6,12: das "Fleisch aus Erz" als Symbol
der Macht; Hi 40,18: die "ehernen Knochen" und "eisernen Gebeine" als Symbol für
die Macht des Ungetüms). In diesen Zusammenhang gehört auch das Reden vom König
als "Schild" (Ps 84,10; 89,19), das wohl zu unterscheiden ist von der Beziehung
dieses Bildes auf Jahwe (O.Kaiser, Genesis 15 differenziert nicht genügend, wenn
er das Bild vom Schild durchweg auf das Königsorakel bezieht.). Wenn Jahwe mit
der "Mauer" oder dem "Schild" verglichen wird, dann ist damit seine Schutzfunk-
tion, vielleicht auch seine Funktion als König angesprochen.
Wenn Jeremia nun durch Jahwe zur "ehernen Mauer" gemacht wird, dann wird auf ihn
ein Königsattribut übertragen: Wie Jahwe sich gegen sein eigenes Volk wendet, so
auch Jeremia. Außerdem ergibt sich die Ausrüstung Jeremias wie ein König mit Notwendigkeit aus folgender Überlegung: Jeremia ist wie der König ein Einzelner, der
nicht nur den außenpolitischen, sondern auch den innenpolitischen Feinden gegen-
übersteht. In dieser isolierten Stellung braucht Jeremia ebenso wie der König
eine besondere Ausrüstung, die ihn sein Amt aushalten läßt. Jeremias Prophetsein
ist auch darin dem Amt des Königs vergleichbar, daß es auf eine gewisse Stetigkeit hin angelegt ist.
Etwas anderes ist es noch, wenn in exilischer Zeit nach dem Ende des Königtums
Funktionen des Königs auf den Propheten übertragen werden, so z.B. den Gottesknecht bei Deuterojesaja: Jes 49,2 und Jeremia aus der Sicht von D (Jer 1,17-19).
Zu 15,19b.20a sehr schön U.Eichler, a.a.O., S.189: "Gott verlangt ... von Jeremia etwas sehr Schweres: daß er ... seine Not einfach durchhält."

angelegt sind: Das Verbot, an Trauerriten teilzunehmen, führt Jeremia
in eine länger andauernde Not, wie sie ja auch in der Klage 15,18a gespiegelt wird:

Warum dauert mein Schmerz ewig?

Der zusätzliche Auftrag löst also eine Klage aus, läßt Jeremia all'
das zur Sprache bringen, was ihn in seiner andauernden Not als Gerichtsprophet quält (1). Damit rückt die Klage, was ihre Funktion im
Blick auf den Auftrag angeht, in die Nähe des Einwandes. Doch muß gesehen werden, daß gegenüber dem schweren Auftrag 16,*5.7 nicht - wie
im Einwand üblich -argumentiert (2), sondern nur geklagt werden kann.
So weist denn auch die Klage mit ihren drei Versen 10, 17 und 18 genau die drei Grundelemente der Klage auf (Feindklage: V.10; Ich-Klage: V.17; Anklage Jahwes: V.18) (3).

Trotz der engen sprachlichen und inhaltlichen Zusammengehörigkeit des Auftrags
16,*5.7 und der Klage 15,10.17.18 hat D beide vorsichtig voneinander gelöst, umgestellt und in unterschiedliche Kontexte eingefügt: die Klage in den großen Zusammenhang der Volksklage-Liturgie 14,1-15,9 (D) und den Auftrag in den großen Zusammenhang einer dtr. Gerichtspredigt 16,1-13. Letztere konnte direkt an das jeremianische Gerichtswort 16,7 anknüpfen, nachdem einmal die Klage an dieser Stelle entfernt
war, während Jeremias Klage als Klage des Mittlers der Volksklage zugeordnet werden
konnte. Aber D hat die Nähe von Auftrag und Klage wahrscheinlich doch klar gesehen.
Das zeigt sich z.B. darin, daß er Klage (15,10-18), Jahwewort (15,19-21) und Auftrag (16,1-9) direkt hintereinandergestellt hat. Andererseits hat D den ganz auf
die Trauerriten beschränkten jeremianischen Auftrag 16,*5.7 mit einem Motiv der
Klage Jeremias (15,17) verändert: dem Motiv des Sitzens im Kreis der Fröhlichen
(16,8f. D). In diese Richtung weist auch das Verbot, selbst Hochzeit zu feiern und
eine Familie zu gründen (V.2), in dem D das Verbot an Jeremia in V.5 in zweifacher

---

1 Gg. U.Eichler, a.a.O., S.147, für die "die Anfeindungssituation ... als Auslöser
  zwischen der Zeichenhandlung und der Klage (steht)".

2 U.Eichler, a.a.O., S.105: "Im Einwand reagiert der Betroffene mit menschlichen
  Mitteln und Argumenten auf das von Gott Gesprochene. Die Klage liegt dementsprechend auf der existentiellen Ebene, der Einwand auf der argumentierend-überzeu-
  genden."

3 So mit Recht U.Eichler, a.a.O., S.100, gg. P.Volz, Jeremia, S.171; h.W.Jüngling,
  Mauer, S.18, die in 15,10-18 zwei Klagen unterscheiden: Mit der einen Klageeinheit richte sich der Prophet gegen seine Feinde (15,10-12.15), mit der anderen
  gegen Jahwe. Es bleibt offen, ob diese beiden Einheiten auch literarisch voneinander zu trennen sind, da das Jahwewort 15,19f. auf beide Klageeinheiten bezogen
  sei, und zwar in umgekehrter Reihenfolge (W.Jüngling, a.a.O., S.19f.).
  Den zunächst abrupt erscheinenden Übergang von den Feinden (V.10) zur Anklage
  Jahwes (V.18) erklärt U.Eichler, a.a.O., S.99 so: "Die Ich- und Feindklage von
  V.10 führen zu Ich-Klage und Anklage Jahwes in V.17 und 18. Die Dimensionen 'Ich'
  und 'Feind' sind also funktional auf die Anklagen Gottes ausgerichtet."
  Vergleicht man vor dem Hintergrund dieser Feststellung die Konfessionen *12,1-4;
  15,10.17f. und 20,7-9 miteinander, so ist ein ähnliches Gefälle festzustellen:
  Stehen in *12,1-4 die Gottlosen ganz im Mittelpunkt, so in 15,10.17f. das Ich
  des Propheten und in 20,7-9 das Du Jahwes. Aber niemals fehlen in den einzelnen
  Konfessionen die jeweils anderen beiden Elemente der Klage. Dieser Befund ist
  ein sicherer Hinweis darauf, daß die dreigliedrige Klage im Hintergrund der Konfessionen Jeremias steht. Die gerichtsprophetische Klage ist nicht isoliert von
  der Struktur und der Geschichte der allgemeinen Klage zu sehen. Die strukturel-
  len Besonderheiten der gerichtsprophetischen Klage werden auf diesem Hintergrund
  erst voll erkennbar.

Weise abwandelt: D versteht מרזח als "Freudengeschrei" und nicht, wie Jeremia, als "Trauergeschrei". Jeremia wird nicht verboten, an der Hochzeit anderer teilzunehmen, sondern ihm wird untersagt, selbst zu heiraten. Das daran anschließende Verbot, Kinder zu haben, stellt genau die Umkehrung der Heilshoffnung dar, wie sie der redaktionelle und wahrscheinlich aus späterer Zeit als D stammende Vers Jes 8,18 ausprach (1). Sind danach Kinder ein bestätigendes Zeichen für die Hoffnung auf Heil, so will D sagen: Es ist (noch) keine Hoffnung auf Heil, zumindest "an diesem Orte" (V.2.3.8 = Jerusalem) bzw. "in diesem Lande" (V.6 = Juda) nicht, typischen dtr. Ortsbezeichnungen (2). Die Begründung für das Verbot, eine Familie zu gründen, gibt D in genau der langatmigen Nennung der Adressaten wie in 11,21 (V.3) (3) und einer Beschreibung der Folgen des Gerichts in typisch dtr. Phraseologie (V.4) (4). D malt seinen Adressaten in Juda/Jerusalem ein Bild des Todes aus: Neues Leben wird nicht bestehen, ja nicht einmal entstehen können. Auf eine kurze Formel gebracht, sagt D damit: Jahwe entzieht Juda Jerusalem seinen Segen. Damit aber hat D die Aussage der Symbolhandlung Jeremias umgedeutet: Bei Jeremia ging es um den Entzug des Friedens durch Jahwe (16,5). Diese Verschiebung der Aussageintention erklärt sich aus dem unterschiedlichen geschichtlichen Ort beider Aussagen: Jeremia tritt als Gerichtssymbol v o r dem Eintreffen des Gerichts auf, D hingegen versucht n a c h dem Eintreffen des Gerichts den in Juda/Jerusalem Zurückgebliebenen klarzumachen, daß kein Anlaß zu einer Hoffnung auf Heil besteht.

D sieht natürlich auch die unterschiedliche Zuspitzung der Aussage bei Jeremia und bei sich selbst, und so versucht er durch die Anfügung von V.8f. die soziale Dimension des Zusammenseins in einem Hause, wie sie Jeremia mit 16,*5.7, pointiert mit dem Stichwort "Frieden" im Blick hatte, zusammenzubinden mit der Gerichtspredigt: Alle Freude, speziell bei der Hochzeit, wird ein Ende haben (5).

Hat D somit in 16,1-9 konsequent den Gerichtsaspekt für seine Zeit ausgezogen, so wird in 16,10-13 eine Gerichtsbegründung im Frage-Antwortstil angefügt (6), die in manchem an 13,22 erinnert (7), aber sich noch stärker als 13,22 von der Klage unmittelbar angesichts des eingetroffenen Gerichts entfernt und auf den Zusammenhang zwischen der Gerichtsankündigung und der diese begründenden Schuld hinweist:

16,10 Warum hat Jahwe uns all dieses große Unheil angekündigt, und was ist unsere Schuld und was unsere Sünde, die wir wider den Herrn, unsern Gott, begangen haben? (8)

Die Antwort auf diese Frage wird wieder in typisch dtr. Phraseologie gegeben (9): Der Götzendienst ist der Hauptanklagepunkt. Diese Gerichtsbegründung setzt voraus, daß das Gericht schon eingetroffen ist, ja sie ist schon aus einem gewissen Abstand von der Erfahrung des Gerichtsschlages heraus formuliert.

---

1 s.o., S.70
2 cf. z.B. 7,3.7.14 und W.Thiel, a.a.O., S.108f.
3 s.o., S.86f.
4 Zu V.4a cf. 8,2 D, cf. W.Thiel, a.a.O., S.196, der V.4a dann aber doch nicht ausscheidet. Zu V.4b cf. den Nachweis von W.Thiel, ebda..
5 Die Einleitung des Gerichtswortes durch הנני (cf. dazu P.Humbert, Hineni), findet sich so auch 11,22 D.
6 Cf. dazu W.Thiel, a.a.O., bes. S.295-300.
7 s.o., S.80
8 In dieser Frage bekommen wir etwas mit von den Bedingungen für den formgeschichtlichen Wandel von der Klage über die Frage nach dem Grund des Gerichts bis hin zum Lobpreis des gerechten Gottes (cf. dazu C.Westermann, Struktur und Geschichte, bes. S.298f.)
9 Einzelnachweis: W.Thiel, a.a.O., S.198f.

D schließt mit 16,16f. ein wahrscheinlich auf Jeremia zurückgehendes Gerichtswort (1) an, das er durch einen weiteren Schuldaufweise begründet (16,18).

Zeigt die Art und Weise der dtr. Redaktion von Jer 16, daß D nicht nur einen jeremianischen Eigenbericht über einen Auftrag, sondern auch eine jeremianische Klage voraussetzte, die auf einen Auftrag bezogen war, so ist jetzt zu fragen, wie D diese Klage in seinen Kontext einfügte. Dazu ist zunächst der Zusammenhang 14,1-15,4 zu betrachten.

Es handelt sich bei 14,1-15,4 um eine von D komponierte Liturgie mit dem Aufbau:

I.	Elendsschilderung	14,2-6	14,17-18
II.	Volksklage	14,7-9	14,19-22
III.	Wort an Jeremia: Abweisung der Fürbitte	14,11-12	15,1-4,

wobei 14,13-16 (Auseinandersetzung um die Heilsprophetie) den Übergang vom ersten zum zweiten Durchgang herstellt (2). Wenn D auch in manchen Punkten auf vorredaktionelle Worte zurückgegriffen haben wird (3), so ist diese Liturgie doch ein Musterbeispiel für das dtr. Prophetenbild:

1. Der Prophet erhebt stellvertretend für das Volk (in der Form der Volksklage!) Fürbitte angesichts des schon eingetroffenen Gerichts.

2. Der Prophet wird in eine Linie mit Mose und Samuel gestellt (3).

3. Die למה-Frage schlägt um in die מדוע-Frage (14,19, cf. schon 13,22).

4. Das Lob des gerechten Gottes und das Schuldbekenntnis (14,20), die negative Bitte (14,21) sowie eine Art katechetischer Fragen (14,19.22) (4) und das Bekenntnis der Zuversicht treten stark hervor.

5. Wie schon in 11,14, so wird auch in 14,11-12 und 15,1-4 Jeremia die Fürbitte versagt.

In dieser Liturgie spiegelt sich das Ringen der Exilsgeneration in Juda/Jerusalem um die Hoffnung auf Heil wider, nachdem die Katastrophe von 587/86 eingetreten war. Diese Katastrophe wird auch in dem von D angeschlossenen Wort 15,5-9 vorausgesetzt, ein - entgegen der herrschenden Forschungsmeinung (5) - schwerlich auf Jeremia zurückzuführendes, mit Motiven der Jahweklage durchsetztes Wort, auch wenn dieses zu einer gewissen poetischen Form im Qina-Metrum hin tendiert. Es setzt das dtr. Thema fort, daß für Juda/Jerusalem auch nicht der Rest einer Hoffnung auf Heil (שלום) besteht (V.5.9), weil eben das Volk sich trotz der Katastrophe überhaupt noch nicht geändert hat (V.6.7b) (6).

---

1 16,14f. und 16,19-21 sind wahrscheinlich nachdtr. Einfügungen, cf. W.Thiel, a.a. O., S.199f.

2 Cf. W.Thiel, a.a.O., S.193 u.ö.

3 Zu verweisen ist besonders auf 14,10, ein Botenwort, das nicht recht in das dtr. Schema paßt. Möglicherweise stellte ursprünglich 14,7-9 (Volksklage) eine zitatweise Entfaltung der Anklage gegen das Volk in 14,10 dar (so auch M.Gerlach, Prophetische Liturgien, S.13).

4 Wenn G.Chr.Macholz gerade in der Fürbitte "Jeremia in der Kontinuität der Prophetie" (Kontinuität, passim) sieht, so gibt er damit das dtr. Jeremiabild zutreffend wieder.

5 So z.B. noch W.Thiel, a.a.O., S.194.

6 Es muß bei diesem Wort allerdings gesehen werden, daß sich nur Ansätze zu dtr. Phraseologie finden (את נטשת אותי (V.6, cf. Dtn 32,15); אחור תלכי (V.6, cf. ויהי לאחור 7,24), נלאיתי הנחם (V.6, cf. 9,4 (לאה) und 18,8 (נחם))). Das Bild vom Besuch im Trauerhause und der Frage nach dem Wohlergehen ist möglicherweise von 16,5.7 abhängig.

Das Bild von der dahinsiechenden, ihrer Kinder beraubten Mutter schafft außerdem nicht ungeschickt den Übergang zu der jeremianischen Klage 15,10.17f., die vielfach erweitert wird. Die Einfügung der Klage in den neuen Kontext und die redaktionellen Erweiterungen verändern die Klage grundlegend. Am wenigsten ist dies vielleicht noch in V.10 zu spüren. Doch zeigt der Vergleich der beiden Kontexte von V.10 bei Jeremia (16,*5.7) und in der dtr. Redaktion (15,5-9) doch eine deutliche Verschiebung des Akzents der Klage hier und dort: Jeremia ging es in V.10 primär um die Feststellung, daß er sich aller sozialen Beziehungen enthalte, und jetzt verlange Jahwe auch noch von ihm, sich der Trauerriten zu enthalten, während doch auf der anderen Seite alle Jeremia schon verfluchen. Dies klagt Jeremia seiner toten Mutter. Im dtr. Kontext hingegen klagt Jeremia darüber, daß er überhaupt noch lebt in einer hoffnungslosen Welt, nachdem Jahwe sein Volk kinderlos und die Mütter zu Witwen gemacht hat (15,7-9). Diese Akzentverschiebung erklärt sich aus der unterschiedlichen Klagesituation: Klagte Jeremia angesichts eines zu schweren Auftrags vor dem Eintreffen des Gerichts, so läßt die dtr. Redaktion Jeremia klagen nach dem Eintreffen des Gerichts. - Ist die Verfluchung durch "alle" (V.10) für Jeremia der Hintergrund dafür, Jahwe die Widersprüchlichkeit zwischen dem Auftrag und seinem Befinden vorzuhalten (V.17+18) und in eine schroffe Anklage gegen Jahwe auszubrechen, so verschiebt D mit dem Einschub V.11-16 diese Aussageintention völlig. Mit dem Versuch einer Klärung und Erklärung dieses Einschubs begeben wir uns allerdings auf ein forschungsgeschichtlich sehr umstrittenes Feld. Die Fülle divergierender Meinungen an dieser Stelle darzustellen, würde den Rahmen dieser Untersuchung sprengen und auch nicht unbedingt hilfreich sein (1). Von einer auch nur einigermaßen befriedigenden Lösung ist die Forschung immer noch weit entfernt (2). Festzustehen scheint lediglich, daß sich in V.11-16 von Jeremia an Jahwe gerichtete Worte und von Jahwe an Jeremia bzw. das Volk gerichtete Worte finden (3). Nun sind aber durch den bisherigen Untersuchungsgang genügend Kriterien für die formgeschichtliche Eigenart der jeremianischen Klage und gleichzeitig für das dtr. Jeremiabild gesammelt worden, daß der Versuch gewagt werden kann, mithilfe der formgeschichtlichen und der redaktionsgeschichtlichen Kriterien zu einem einigermaßen gesicherten Lösungsvorschlag zu gelangen. Die Anwendung beider Kriterien ließ hingegen die bisherige Forschung vermissen (4). Es sei folgende Lösung vorgeschlagen: Ähnlich, wie D in 11,18-20 eine neue Klageeinheit schuf, um die Situation der Anfeindung gegen Jeremia und das untadelige Verhalten Jeremias darzustellen, so fand D diese beiden Motive in 15,10

---

1 Cf. die Diskussion der Lösungsvorschläge bei U.Eichler, a.a.O., S.95-98 und F. Hubmann, Konfessionen, im Abschnitt zu Jer 15,10-21.

2 U.Eichler schwankt zwischen der Annahme dreier bzw. vierer ursprünglich selbständiger Elemente: V.15 (Rachebitte der Klage des Einzelnen im Psalter) (S.96), V.16 (Lobpreis des Wortes Jahwes im Stile späterer Psalmen) (S.97), während ungeklärt bleibt, ob V.11 mit MT zur Gerichtsankündigung an die Jahwerede (V.12-14) zu ziehen ist (S.96) oder als nach 1 Kön 19,18 konzipierter Auftrag an den Propheten (S.70) anzusehen ist oder aber ein selbständiges Unschuldsbekenntnis darstellt (S.95f.).
Gegenüber dieser Frage nach der möglichen Herkunft dieser von D lediglich aneinandergereihten Elemente tritt bei ihr die Frage nach der Funktion dieser Verse bei D ganz zurück.

3 Umstritten ist, ob V.11 noch als vom Propheten an Jahwe gerichtetes Wort anzusehen ist (so G, B.Duhm, Jeremia, S.134; W.Rudolph, Jeremia, S.104) oder schon der Beginn eines Jahwewortes (so E.Gerstenberger, Jer 15,10-21, S.406), s. vor.A..

4 E.Gerstenberger, a.a.O. wendet formgeschichtliche Kriterien nur auf der Stufe der Redaktion an, H.Graf Reventlow nur auf der von ihm angenommenen jeremianischen Stufe (Jeremia, S.210ff.). U.Eichler, a.a.O., S.95-98 wendet zwar formgeschichtliche Kriterien auf beiden Stufen an, aber keine redaktionsgeschichtlichen. W.Thiel, Jeremia 1-25, S.194 mit A.43 läßt die Redaktionsgeschichte von 15,10-21 gänzlich unberücksichtigt.

schon vor und verstärkte letzteres durch V.11. Im Kontext der dtr. Redaktion lösen sich eine ganze Reihe textkritischer Schwierigkeiten von V.11: Während MT mit V.11 schon ein Jahwewort beginnen läßt, eingeleitet durch אמר יהוה, ist mit G יהוה אמן zu lesen. Diese Formel findet sich so schon in 11,5 D: Jeremia nimmt den Fluch auf sich, den nach V.10 seine Feinde gegen ihn aussprechen. Damit aber erhält die Klage Jeremias V.10 einen ganz anderen Sinn als durch die Fortsetzung mit V.17 und 18 auf der vorredaktionellen Stufe: Begehrte Jeremia auf gegen die Anfeindungen, so nimmt der dtr. Jeremia die Leiden auf sich, die ihm die Anfeindungen bereiten. Damit aber rückt die Klage ganz in die Linie der Interpretation Jeremias als des leidenden Gottesknechts, wie wir sie schon in der dtr. Klage 11,18-20 feststellten (1). Aber auch der Hinweis auf die frühere Fürbitte gehört in dieses dtr. Bild hinein und erinnert nicht nur an 11,14 D, sondern auch an die beiden Klagen des Volkes 14,7-9 und 14,19 -22, die Jeremia stellvertretend für das ganze Volk vor Jahwe gebracht hatte: Daran erinnern die beiden Hinweise בעת־רעה ובעת־צרה (2), die so von D geformt sind und für die keine abweichende LA vorauszusetzen ist (3). Daß der leidende Gottesknecht Fürbitte tut, wird schließlich auch in Jes 53,12 vorausgesetzt. - Mit V.12 beginnt in jedem Fall ein Jahwewort, das mit V.14 endet. Es ist in V.13f. im wesentlichen mit 17,3f. identisch, nicht nur in V.13/17,3 (4), sondern auch in V.14/17,4, dtr. Gerichtsankündigungen in Prosa-Form (5). Die Gemeinsamkeiten zwischen 15,13f. und 17,3f. haben die Vermutung nahegelegt, auch 15,12 sei nach dem Vorbild von 17,1 gestaltet, nur stelle 15,12 in der vorliegenden Form des MT eine Verstümmelung von 17,1 dar (6). Für diese Vermutung spricht, daß vier Vokabeln von 15,12 und 17,1 in ihrem Schriftbild fast gleich sind: יהודה/הירע, ברזל/ברזל, בצפרן/מצפון, הרוש/ונחשת. Doch kann diese Ähnlichkeit auch reiner Zufall sein; denn sie erstreckt sich nur auf einen Teil von 17,1, und für 17,2 gibt es keinerlei Entsprechung in 15,12-14 (7). Hauptargument für die Annahme eines ursprünglich von MT abweichenden Wortlauts von 15,12 aber ist die Behauptung, dieser Vers gebe keinen Sinn (8). Diese Behauptung aber ist vor dem Hintergrund der bisherigen Überlegungen zu den zeitgeschichtlichen Bezügen von D durchaus in Frage zu stellen. V.12 kann durchaus verstanden werden als eigenständige Einleitung eines Jahweworts V.12-14, die in der Form einer rhetorischen Frage Bezug nimmt auf das Geschick der Prophetie Jeremias zur Zeit von D: Der Heilshoffnung, daß die Bedrängnis durch die Babylonier ein baldiges Ende haben werde und die sich äußert in massiven Angriffen gegen den Gerichtspropheten, d.h. gegen die Aufrechterhaltung der Gerichtsprophetie durch D auch noch nach der Zerstörung Jerusalems (V.10), wird die Frage entgegengestellt, ob denn die Herrschaft der Babylonier ("Eisen vom Norden") überhaupt gebrochen werden könne (9). Diese Heilshoffnung steht aber nicht nur im Gegensatz zur tatsächlich weiterbestehenden Herrschaft der Babylonier, sondern auch zu der von D weitergeführten Gerichtsprophetie Jeremias. Von daher wird es auch verständlich, wenn an die rhetorische Frage noch der Hinweis auf das Erz angefügt wird (נחשת) wird. Dieser Hinweis würde dann vorausgreifen auf die "Mauer von Erz" (וחומת נחשת), zu der Jeremia durch Jahwe ausgerüstet wird (V.20). Wer gegen die Gerichtsbotschaft Jeremias ist, der ist auch

---

1 s.o., S.86f.
2 Zu בעת־צרה cf. 14,8; zu בעת־רעה cf. 11,12.14 D.
3 gg. BHS, app.
4 So W.Thiel, Jeremia 1-25, S.202.
5 Der Prosa-Vers 17,4 entspricht inhaltlich dem Aussagewillen von D: Der Zorn Jahwes geht weiter. Ein Ende des Gerichts ist noch nicht abzusehen.
6 So W.Rudolph, a.a.O., S.114.
7 W.Rudolph, a.a.O., S.114, hält V.2 für eine späte Glosse; doch ist V.2 derselben Hand zuzuschreiben, der wir auch V.3 und V.4 verdanken, nämlich D.
8 So W.Rudolph, a.a.O., S.104.
9 Ähnlich schon H.Ewald, Propheten II, S.167 und H.Graf Reventlow, Jeremia, S.215, beide allerdings noch nicht im Rahmen der dtr. Redaktion, sondern der Prophetie Jeremias selbst.

gegen Jeremia selbst (V.10), aber die Gegner können Jeremia, der "Mauer aus Erz"
nichts anhaben (V.12). So wäre in V.12 ein persönliches Wort an Jeremia enthalten (1),
11,21-23 vergleichbar, während V.13+14 eine Gerichtsankündigung gegen die Feinde
der Gerichtsbotschaft Jeremias darstellen, darin auch 11,21-23 vergleichbar (2).
Für diesen Lösungsvorschlag dürfte hier zuletzt auch die Beobachtung sprechen, daß
D sich gern der rhetorischen Frage bedient (3). - Sind mit dem Bild von Jeremia als
dem leidenden Gottesknecht in V.11 schon die schroffen Anklagen Jeremias gegen Jahwe in V.17+18 von vornherein aufgefangen, so gestaltet D ab V.15 eine neue Klageeinheit, die die Anklagen zusätzlich abschwächt. Mit V.15 hat D wahrscheinlich eine
Bitte aufgenommen, die schon als verselbständigtes Element in der Überlieferung zur
Verfügung stand (4). Nicht ungeschickt hat D diese Rachebitte zur einleitenden Bitte für die redaktionelle Klage 15,15-18 gemacht und der Bitte mit V.16 einen wahrscheinlich selbstformulierten Hinweis auf das untadelige Verhalten des Propheten
beim Wortempfang angefügt. Dieser Hinweis hat seine Entsprechungen in 1,9 (5) und
16,9 (6), dtr. Stellen (7), und scheint mir verständlich auf dem Hintergrund der
Heilserwartungen der Zeitgenossen von D, die mit dem Hinweis auf die erfreulichen
Worte ja einen Anhaltspunkt hatten in den Heilsworten Jeremias ganz am Ende seiner
Prophetie (z.B. 32,15). Wenn D diesen Hinweis auf die früheren Heilsworte hart neben die schweren Erfahrungen Jeremias stellt, wie D sie in V.17+18 dargestellt fand,
so wird sich hierin etwas andeuten von den Spannungen, die in der Zeit von D herrsch-
ten zwischen denen, die sich auf die Heilsworte Jeremias beriefen und denen, die
für das Weitergehen der Gerichtsprophetie eintraten und erst an einem fernen Horizont auch das Heil als Möglichkeit sahen (so D selbst). - D hat auf diese Weise eine
Klagestruktur geschaffen, die auf den ersten Blick in sich geschlossen wirkt:

I.   Einleitende Bitte (V.15)

II. Hinweis auf das eigene untadelige Verhalten (V.16)

III. Klage (V.17+18)

und der Struktur von 17,14-18 und 18,18-23 nahezukommen scheint (8), so daß einige
Forscher 15,15-18 gar als eine genuin jeremianische Klageeinheit angesehen haben (9).

---

1 MT hat schon V.11 als persönliches Wort Jahwes an Jeremia angesehen. Wahrscheinlich hat schon MT den Sinn von V.12 im Zusammenhang von D nicht mehr verstanden.
2 s.o., S.86f.
3 Cf. z.B. 32,27; oder Ex 4,11f. (dtr.).
4 Daß solche Rachebitten auch gesondert tradiert werden konnten, zeigt deren Auftauchen in einer Erzählung, Ri 16,28:

      Herr Jahwe, gedenke doch meiner
      und stärke mich nur diesmal noch,
      daß ich mich für eines meiner beiden Augen
      an den Philistern räche.

  In diesem Falle wird die Erzählung zu einer Konzentration der Klage des Einzelnen
  auf dieses eine Element geführt haben, das mit den beiden Bitten genau die Teile
  enthält, die z.B. in Jer 18,*19-23 am Anfang und am Schluß stehen.
5 U.Eichler, a.a.O., S.97f. nimmt als Hintergrund den Lobpreis des Wortes Gottes
  "im Stile späterer Psalmen" an, cf.a. Ez 3,3.
6 Cf. dazu E.Gerstenberger, a.a.O., S.401 mit A.32 und J.M.Berridge, Prophet, S.
  121f. mit jeweils ganz unterschiedlichen Schlußfolgerungen.
7 Zur Formel אלי שמך נקרא cf. 14,9 als Bezugspunkt, cf.a. 7,10.11.12.14 D und 11,
  19 D ("seines Namens werde nicht mehr gedacht"). Die deplaziert wirkende Gottesbezeichnung יהוה אלהי צבאת findet sich so auch in 16,9 D.
8 Zur Struktur von 18,18-23 s.o., S.34.
9 So W.Baumgartner, Klagegedichte, S.33-44 und F.Hubmann, a.a.O., S.256, beide ohne
  Berücksichtigung der dtr. Redaktion.

In Wirklichkeit handelt es sich aber um eine Angleichung. Das Fehlen der abschlies-
senden Bitte zeigt, wie künstlich dieser redaktionell geschaffene Zusammenhang ist,
der der Abschwächung der schroffen Anklage Jahwes durch Jeremia in V.17+18 dient
und die neue Problematik der Exilszeit zur Sprache bringt.

Der Einschub V.11-16 hat die Anklage Jahwes durch Jeremia im Grunde schon genügend abgeschwächt: Ein gewandeltes Jeremia-Bild, das Bild vom leidenden Gottesknecht, hat sich vor die Worte des klagenden Gerichtspropheten geschoben. Aber diese
Aufhebung der Anklage Jahwes in dem Bild vom leidenden Gottesknecht allein genügt
D nicht. D erweitert auch das ursprünglich auf die Klage eingehende Jahwewort 15,
19b.20aα: Zunächst erhält Jeremia von Jahwe einen Tadel, der mit der Botenformel
eingeleitet wird: V.19a (1): So, wie in V.17 und 18 redet man nicht zu Jahwe! Erweist sich allein schon in dieser Eigenart der Tadel als dtr., so zeigt - abgesehen
von der Prosa-Form - die Tatsache, daß er noch einmal das mit anderen Worten sagt,
was vorher schon längst gesagt ist, den redaktionellen Charakter dieses Verses an.
Die Redaktion hält sich nicht an einen bestimmten Ablauf des Geschehens, sondern
fügt ihre Anmerkungen ein, wo immer das möglich und wo immer ihr das nötig scheint,
und nimmt damit dem Geschehensablauf seine Spannung. - D hat dem ursprünglichen
Jahwewort an Jeremia dann mit V.20aβ.b.21 einen Hinweis auf zu erwartende Anfeindungen und eine Beistands- und Rettungszusage angefügt, die ihre Entsprechungen in
den dtr. Versen 1,8; 1,18f. (V.20b) und 20,13 (V.21) hat (2) und zu erkennen gibt,
daß D ein übergreifendes Band um Jer 1-20 legt (3).

---

1 Als erste hat U.Eichler, a.a.O., S.187f. V.19a D zugewiesen und formgeschichtlich
  mit M.Ogushi, Tadel, S.105ff. als "Tadel" bestimmt.
2 W.Baumgartner, a.a.O., S.34 streicht V.20aβ.b als aus 1,18f. eingedrungen; W.
  Thiel, a.a.O., S.77, A.42 hält 15,19f. für ursprünglich und 1,18f. für sekundär;
  U.Eichler, a.a.O., S.189f. weist 15,19a.21 D zu. Mir scheint die Beistands- und
  Rettungszusage in 1,8 ursprünglich (so die meisten Ausleger); nach dem "Fürchte
  dich nicht!" hat sie ihren natürlichen und notwendigen Ort. Die Zusage: "Ich
  mache dich für dieses Volk / zur ehernen, unbezwinglichen Mauer," hat in 15,20a
  ihren ursprünglichen Ort. Die Rettungs- und Beistandszusage ist dann nach 15,20b.
  21 eingedrungen, und 1,18f. stellt eine vollständig redaktionelle Kombination
  dar (ähnlich auch S.Herrmann, Heilserwartungen, S.231f.).
3 Im Aufbau von 14,1-15,21 D zeigen sich starke Entsprechungen mit 11,1-12,6:

I.	Dtr. "Liturgie" mit Verbot der Fürbitte	11,1-14	14,1-15,4
II.	Gerichtswort (jeremianisch oder dtr.) (Verklammerung)	11,15f. (11,17)	15,5-9 (=15,5-9)
III.	Anfeindungssituation mit Hinweis auf das unschuldige Leiden des "Gottes-knechts"	11,18-20	15,10f.
IV.	Antwort Jahwes: Gerichtswort gegen die Feinde Jeremias (Volk)	11,21-23	15,12-14
V.	Klage Jeremias (des "Gottesknechtes")	12,1-4	15,15-18
VI.	Antwort Jahwes an Jeremia	12,5f.	15,19-21

Der Hauptunterschied ist der, daß in 11,1-14 die dtr. Gerichtspredigt im Vordergrund steht, innerhalb derer der Prophet auf den Fluch antwortet (11,5), während
in 14,1-15,4 der Prophet zum Sprecher der Volksklage wird, auf die Jahwe antwortet.
  W.Thiel, a.a.O., S.161f. mit A.70 und 71 schematisiert zu stark, wenn er nur

c. Die Aufträge Jer 18,1-6a; 19,1-2a*.10-11a und die gerichtsprophe-
tische Klage Jer 20,7-9

Im Gegensatz zu Jer 16,1-9 herrscht in der Forschung bei den beiden
Aufträgen 18,1-6a und 19,1-2a*.10-11a kaum noch Streit über die Abgrenzung der dtr. Bearbeitung (1) zweier auf Jeremia zurückgehender
Eigenberichte (2). Bei dem zweiten Eigenbericht stellt sich aber zusätzlich das Problem der sogenannten "Baruch-Biographie" (3), während
umgekehrt die Klage 20,7-9 eine in sich geschlossene Einheit bildet,
die einen oder mehrere Aufträge und deren Ausführung voraussetzt (4).
Die Klage stellt die Rückmeldung auf die Erteilung und Ausführung der
Aufträge dar und kann daher auch wieder zum methodischen Kriterium für
die Ermittlung des Umfangs der entsprechenden Eigenberichte gemacht
werden. Der besseren Übersichtlichkeit wegen wird die dtr. Redaktion
in der folgenden Übersetzung nur zur Klärung des Übergangs von 18,6a
nach 18,6b und der großen Erweiterung der Klage 20,7-9 durch 20,10-13
mitberücksichtigt.

18,1 Das Wort, das an Jeremia von Jahwe erging folgendermaßen (5):
   2 "Auf, geh hinab ins Haus des Töpfers, und dort werde ich dich
     meine·Worte hören lassen."
   3 Und ich ging hinab ins Haus des Töpfers, und siehe, er war gerade
     bei der Arbeit an der Töpferscheibe.
   4 Und wenn das Gefäß, das er gerade in Arbeit hatte, mißriet, wie
     das bei Ton in der Hand des Töpfers vorkommt (6), so machte er
     daraus wieder ein anderes Gefäß, wie es dem Töpfer gutdünkte, es
     zu machen.
   5 Und es erging das Wort Jahwes an mich folgendermaßen (7):
   6 "Kann ich nicht wie dieser Töpfer mit euch verfahren, Haus Is-
     rael?"
     - Spruch Jahwes - Siehe, wie Ton in der Hand des Töpfers, so seid ihr in mei-
     ner Hand, Haus Israel!

---

die Elemente I., II., III. und V. berücksichtigt und dieses Schema auch auf
18,1-4/5-17/18/19-23 sowie 19,1f./3-15/20,1-6/7-12.14-18 ausdehnt, cf.a. G.Jaco-
by, Glossen, S.79.84f.. Erst die Abfolge der genannten sechs Elemente führt zu
einem einsichtigen redaktionellen Geschehenszusammenhang, der den zeitgeschichtlichen Erfordernissen von D entspricht: Obwohl das Gericht schon eingetroffen ist
(I.), geht die Gerichtsprophetie Jeremias weiter (II.); dies führt zu Anfeindungen (III.), einem Gerichtswort gegen die Feinde (IV.) und der Klage des Propheten zu Jahwe (V.), auf die Jahwe antwortet mit einer Zurückweisung und einer neu-
en Anweisung des Propheten zum Durchhalten der Gerichtsprophetie (VI.).
1 Bei 18,1-6 ist noch genauer als bei W.Thiel, a.a.O., S.212-214 zu fragen, ob
  nicht schon V.6b zur dtr. Redaktion zu ziehen ist, s.u.. H.Weippert, Prosareden,
  passim behandelt 18,1-12 allerdings wieder als zusammenhängende Prosarede.
2 H.Lörcher, Verhältnis, S.86 hält 19,1ff. für eine Analogiebildung der Quelle B
  zu 18,1-12 (dtr. Redaktion, diese wird als Quelle (!) angesehen).
3 Cf. dazu zuletzt die Untersuchungen von G.Wanke, Untersuchungen und H.Lörcher,
  Verhältnis sowie die Bemerkungen von P.Welten, Leiden und Leidenserfahrung, S.
  132-137.
4 s. dazu o., S.27-32
5 Zur Wortempfangsterminologie s. wieder o., S.79, A.1.
6 1 כחמר c BHS, app.
7 cf. A.5

19,1 Dann (1) sagte Jahwe zu mir (2):
"Geh und kaufe einen tönernen (3) Krug und nimm mit dir (4)
einige von den Ältesten des Volkes und einige von den Priestern (5)
  2 und gehe hinaus an den Eingang des Scherbentors (6)
    (... dtr. Erweiterung)
 10 und zerschmettere dort den Krug vor den Männern, die mit dir ge-
    gangen sind,
 11 und sage zu ihnen: 'So spricht Jahwe Zebaoth:
    `So werde ich dieses Volk und diese Stadt zerschmettern, wie man
    Töpfergeschirr zerschmettert, so daß man es nicht mehr ganz ma-
    chen kann.´'"
    (... dtr. Erweiterung)

20,7 Du hast mich verführt, Jahwe, und ich habe mich verführen lassen;
       du hast mich gepackt und die Oberhand behalten.
     Ich bin zum Gelächter geworden den ganzen Tag;
       jedermann spottet mein.
   8 Ja, sooft ich rede, muß ich schreien: "Gewalttat!"
       und: "Unterdrückung!" muß ich rufen;
     denn das Wort Jahwes ist mir geworden zur Schmach
       und zum Spott den ganzen Tag.
   9 Sage ich aber: "Ich will seiner nicht (mehr) gedenken,
       nicht mehr reden in seinem Namen,"
     dann wird es in meinem Herzen wie Feuer,
       brennend in meinem Gebein.
     Ich mühe mich ab, es zu tragen
       und kann nicht.
  *10 Denn ich höre das Geraune der Vielen: "Grauen ringsum! Zeigt ihn an! Wir wol-
     len ihn anzeigen!" Alle mir Befreundeten lauern auf meinen Fall: "Vielleicht
     läßt er sich verführen, daß wir ihm beikommen und unsere Rache an ihm nehmen!"*
  *11 Aber Jahwe ist mit mir (7) wie ein gewaltiger Held, darum müssen meine Verfol-
     ger stürzen und siegen nicht; sie werden zuschanden, denn sie haben keinen Er-
     folg, in ewiger, unvergeßlicher Schmach.*
  *12 Aber Jahwe Zebaoth ist ein gerechter Prüfer,
       er sieht Nieren und Herz.
     Ich werde deine Rache an ihnen schauen,
       denn dir habe ich meinen Rechtsstreit anheimgestellt.*
  *13 Singet Jahwe,
       lobpreiset Jahwe,
     denn er hat das Leben des Armen gerettet
       aus der Hand der Übeltäter.*

Ähnlich wie in der Abfolge von *13,1-10 und *12,1-4 sind die Berichte
über Auftragserteilungen und -ausführungen wieder in Prosa gehalten,

---

1 l prb אך c G
2 ins frt אלי c nonn Mss G,S,T^ed
3 יצר dient wahrscheinlich der Kennzeichnung des Zusammenhanges mit 18,1-6a, dl.
4 ins ולקחת אתך, cf. BHS, app.
5 l ומהכהנים, cf. G
6 l שער החרסית; die Erwähnung des Hinnom-Tales dürfte eine präzisierende Einfügung
  der dtr. Redaktion sein.
7 l אתי c W.Rudolph, Jeremia, S.132

während die Klage poetisch geformt ist und das Qina-Metrum aufweist (1).
Welche Aufträge setzt die Klage voraus? Diese Frage kann zunächst nicht
mit Mitteln der redaktionsgeschichtlichen Methode beantwortet werden,
sondern mithilfe *formgeschichtlicher* Beobachtungen. Wie wir oben feststellten (2), setzt die Klage 20,7-9 den Gesamtablauf eines Botenvorgangs voraus. Dazu paßt 18,1-6a ausgezeichnet: 18,1-6a berichtet von
der Erteilung (V.2) und der Ausführung eines Auftrages (V.3-6a). Aber
auch von der *Motivik* her entspricht 18,1-6a der Klage 20,7-9: Klagt
Jeremia Jahwe an, daß er ihn in seiner *Willkür* vergewaltigt habe (20,
7), so vergleicht sich in 18,6a Jahwe selbst mit dem Töpfer, der ebenso *willkürlich* mit dem Ton umgehen kann (3). Diese Entsprechung wird
noch unterstrichen durch den Gebrauch von zwei Formen der Wurzel יכל
hier und dort:

18,6a Kann ich nicht (אוכל) wie dieser Töpfer mit euch verfahren,
Haus Israel?

20,7 ... du hast mich gepackt und die Oberhand behalten (ותוכל),

in beiden Zusammenhängen an pointierter Stelle.

Demnach könnte man einen Augenblick überlegen, ob nicht die Klage 20,7-9 ursprünglich direkt an 18,1-6a anschloß. Dann würde sich eine sehr einfache Lösung für
die Verflechtung des ursprünglichen jeremianischen Zusammenhanges mit der ersten der
sogenannten "Baruch-Erzählungen" (B) (19,1-2a*.10-11a.14f.; 20,1-6) ergeben: Erst
D hätte beide aufgrund der gemeinsamen Motivik: "Töpfer" (K.18) - "Ton" (K.19) miteinander verbunden und einer umfassenden Überarbeitung unterzogen. Doch sind dies
redaktionsgeschichtliche Erwägungen, die keineswegs den formgeschichtlichen
Beobachtungen vorangehen können. So gelangt W.Thiel denn auch aufgrund redaktionsgeschichtlicher Beobachtungen zu einem ganz anderen Bild der Entstehung von 19,1-
20,6: D hat in 19,1-2a*.10-11a einen jeremianischen Eigenbericht vorgefunden, diesen überarbeitet und mithilfe der selbstformulierten Verse 19,14f. mit einer aus B
übernommenen Szene *20,1-6 verbunden. Diese Szene ist von D dann auch noch einmal
überarbeitet worden (4). Danach hätte D die beiden Eigenberichte K.18 und 19 nicht
erst zueinandergebracht, sondern sie vielmehr umgekehrt gerade voneinander gelöst.
Die Stellung der beiden Eigenberichte im jetzigen Kontext spricht sehr für diese Erklärung.

D hat in V.6b den Selbstvergleich Jahwes mit dem willkürlich handelnden Töpfer
allegorisierend umgebogen auf das Verhältnis "Ton" - "Haus Israel" und verwendet
dabei ein Bild, das häufig im Rahmen des Redens von der Menschenschöpfung sowohl
in psalmenartigen Stücken (cf. Hi 10,9; Jes 64,7) als auch in der Weisheit (cf. Jes
29,16) (5) Verwendung findet und wahrscheinlich eine besonders innige Beziehung zur
Klage des Einzelnen hat (cf. z.B. Jer 22,28), wobei der Bezug auf das Volk in V.6b
ein sekundäres Stadium der Verwendung dieses Bildes widerspiegelt (6).

---

1 s.o., S.27, A.3
2 s.o., S.30f.
3 Zu der Begrifflichkeit aus der Sprache im Umfeld des Sexualdelikts der Vergewaltigung s.o., S.28, A.4. - U.Eichler, a.a.O., S.91f. hingegen stellt fest: "Sprachliche oder motivliche Verbindungen zur Zeichenhandlung Jeremias als eines Gastes
  beim Töpfer in Jer 18 finden sich (sc. in 20,7-9) nicht, aber es liegt nahe, den
  drei Anklagen Gottes jeweils die drei überlieferten Zeichenhandlungen zuzuordnen,
  zumal für 12,1-3 und 15,10.17.18 sprachliche und motivliche Verbindungen mit den
  jeweiligen Zeichenhandlungen aufgewiesen werden können."
4 W.Thiel, a.a.O., S.219-227.
5 cf.a. Jes 45,9
6 Ferner zeigt die Formel נאום־יהוה die Einführung eines Zusatzes an (R.Rendtorff,

Die offene Frage 18,6a verlangt nach einer Fortsetzung. Ist sie in der Klage 20,7-9 zu suchen, oder ist zwischen 18,1-6a und 20,7-9 noch der Auftrag 19,1-2a*.10-11a anzusiedeln? *Formgeschichtliche Beobachtungen* müssen den Weg zu einer Antwort bahnen:

1. Die Klage 20,7-9 setzt wiederholte Auftragserteilungen und -ausführungen voraus. Das zeigen die Iterative: "Sooft ich rede ..." (V.8) und: "Sage ich aber ..." (V.9). Dazu würde ausgezeichnet passen, wenn vor 20,7-9 zwei Aufträge, nämlich 18,1-6a und 19,1-2a*.10-11a stünden.

2. Die Klage 20,7-9 enthält die Struktur des Botenauftrags: "Geh und sage!" (1). Diese Struktur bestimmt auch 18,1-6a und 19,1-2a*.10-11a:

> Geh!   18,2; 19,1.2a
>
> Sage!   (18,6a) 19,11a.

Der Auftrag, die Gerichtsbotschaft *expressis verbis* und *öffentlich* zu verkündigen (enthalten in der Anrede "Haus Israel" in 18,6a, unter Zeugen gar in 19,11a), fand sich so in *13,1-10 und 16,*5.7 noch nicht, ebenfalls noch nicht in den Klagen *12,1-4 und 15,10.17.18. Vielmehr erhielt Jeremia dort den Auftrag, *öffentlich* die symbolische Handlung zu vollziehen, aber das *deutende Jahwewort* wurde nur Jeremia zuteil. Die öffentliche Ausrichtung der Gerichtsbotschaft aber ist nicht nur in den beiden Aufträgen K.18 und 19 vorausgesetzt, sondern auch in der Klage 20,7-9.

Vergleicht man die beiden Aufträge in K.18 und 19 miteinander, so vollzieht sich der Besuch beim Töpfer (K.18) in einem *nichtöffentlichen* Bereich. So ist Jeremias Aufgabe zunächst auch nicht die, eine Botschaft auszurichten, sondern dem Töpfer bei seiner Arbeit *zuzuschauen* (2). Dieses Gefälle vom *Schauen* (des Gerichts) hin zur *öffentlichen Ankündigung* des Gerichts läßt sich auch sonst in der prophetischen Überlieferung des Alten Testaments feststellen, so bei Elisa (2 Kön 8,10.11.13), in den Visionen des Amos (Am 7-9), in den Gedichten vom Kommen des Feindes von Norden (bes. Jer 4) (3). So sind auch die unterschiedlichen Adressaten in K.18 und 19 durchaus kein Anzeichen für unterschiedliche literarische Schichten (4), sondern sie zeigen den *Weg des Gerichts* an, das schließlich Jerusalem gilt: Dieser Weg des Gerichts wird analog in den Gedichten vom Kommen des Feindes vom Norden beschrieben (5), ebenfalls im Auftrag zum Nachprüfen Jer 5,4 (6), in beiden Fällen verbunden mit einem *Schauen* (einmal des

---

נאום־יהוה, bes., S.35). Das einzige Argument, das gegen eine Herleitung des Versteils 6b von D spricht, besteht darin, daß D niemals die bloße Anrede "Haus Israel" verwendet (W.Thiel, a.a.O., S.212-214), doch fehlt diese Anrede in G und erklärt sich ungezwungen als Angleichung an die Anrede in V.6a. - H.Weippert, Prosareden, S.53 kann zwischen V.6 und 7 keine Nahtstelle feststellen, mit Recht. Aber dies ist kein Argument für die Einheitlichkeit von 18,1-12 und erst recht nicht für zu Zuweisung von 18,1-12 zur authentischen Jeremia-Überlieferung. Die Nahtstelle liegt vielmehr zwischen 18,6a und 6b.

1 s.o., S. 28f.
2 cf. 18,3: והנה
3 s. dazu u., Teil B.V.2
4 Gg. H.Lörcher, Verhältnis, S.86.
5 s. dazu wieder u., Teil B.V.2
6 s. dazu u., Teil B.V.3

kommenden Gerichts: Jer 4,21, einmal des strafwürdigen Verhaltens des Volkes: 5,1). Auf das *Schauen* des Gerichts und des strafwürdigen Verhaltens des Volkes muß aber das *Sagen* der Gerichtsbotschaft folgen, wie es in 19,11a (und schon in 18,6a) geschieht und in 20,7-9 vorausgesetzt wird.

3. Der Auftrag 19,1-2a*.10-11a, einen Krug zu kaufen und diesen am Scherbentor vor Zeugen zu zerschmettern, bleibt in der Erfahrungswelt von 18,1-6a. Nur steht in K.18 der Töpfer, in K.19 das Schicksal des Topfes im Vordergrund, ohne Bild gesprochen: K.18 thematisiert das *Eingreifen Jahwes*, K.19 die *Folgen* dieses Eingreifens für das Volk: Das Volk wird das Gericht erleiden, die Stadt Jerusalem zerstört werden. In dieser Abfolge ist durchaus keine literarische Spannung zu sehen (1), sondern es prägt sich in ihr ein Formprinzip des prophetischen Gerichtswortes an das Volk aus, für das diese Abfolge: "Eingreifen Jahwes" - "Folgen des Eingreifens" charakteristisch ist (2). Wie stark dieses Prinzip auf die Formung der beiden Aufträge eingewirkt hat, zeigt die Verwendung der Formen von יכל in 18,6a und 19,11a:

18,6a Kann ich nicht (אוכל) wie dieser Töpfer mit euch verfahren, Haus Israel?

19,11a ... daß man es nicht mehr ganz machen kann (לא־יוכל).

Zwei Formen von יכל umschließen ähnlich pointiert die Klage 20,7-9, und zwar in der entsprechenden Abfolge: War in 18,6a *Jahwe* das Subjekt der Form von יכל und in 19,11a das *Volk und die Stadt*, so in 20,7 wieder *Jahwe* (תוכל) und in 20,9 der *Prophet* (ולא אוכל). Das heißt: Wie in den Aufträgen, so spiegelt sich auch in der Klage die Struktur: "Eingreifen Jahwes" - "Folgen des Eingreifens" wider: Was dem ganzen Volk und Jerusalem in symbolischer Handlung und Gerichtswort angekündigt wird, erfährt der Prophet schon an seinem eigenen Leibe.

4. Der zerschmetterte Krug deutet auf mehr hin als auf die Zerschmetterung des Volkes und Jerusalems. G.*Fohrer* hat darauf hingewiesen, daß die ägyptischen Ächtungstexte vergleichbare symbolische Handlungen voraussetzen (3). Danach symbolisiert die Zerschmetterung eines Kruges die Zerschmetterung der *Feinde* des Pharao. Das bedeutet: Wenn Jeremia den Tonkrug zerschmettert, werden damit sinnbildlich das Volk und Jerusalem als die *Feinde Jahwes* (und damit auch des Propheten) zerschmettert. Diese Handlung mußte unweigerlich *Anfeindungen* nach sich ziehen, und diese sind auch in 20,7 und 8 vorausgesetzt (4). Das Bittere für Jeremia aber ist es, daß er nicht nur von diesen Anfeindungen direkt betroffen ist, sondern daß er auch von dem betroffen werden wird, was er ankündigt. Jeremia bemüht sich, diese Spannung auszuhalten, aber er kann es nicht (20,9). So muß Jahwe Jeremia schließlich auch als Feind erscheinen, wie Jeremia es Jahwe in 20,7f. klagt.

---

1 Gg. H.Lörcher, Verhältnis, S.86.
2 Cf. C.Westermann, Grundformen, S.122; W.Erbt, Jeremia, S.13: "(In 18,1-6a) ist der Töpfer und sein Tun Sinnbild des göttlichen Waltens, (in 19,1-2a*.10-11a) ... das Geschick des Töpfergeschirrs Sinnbild des göttlichen Gerichts."
3 G.Fohrer, Symbolische Handlungen, S.39f..
4 Auch U.Eichler, a.a.O., S.148, nimmt zwischen der Ausführung des Auftrags und der Klage Anfeindungen gegen Jeremia an. Diese Anfeindungen müssen aber nicht ein Ergebnis des ungeduldigen Wartens der Hörer der Gerichtsprophetie Jeremias auf das Eintreffen des Gerichts sein (S.150), sondern stellen eine ganz natürliche Reaktion auf die feindselige Zeichenhandlung dar.

Nachdem somit genügend formgeschichtliche Argumente gesammelt sind, die für eine ursprüngliche Abfolge 18,1-6a; 19,1-2a*.10-11a; 20,7-9 sprechen, kann jetzt versucht werden, an diesem Zusammenhang Vers für Vers entlangzugehen.

Jeremia erhält von Jahwe den Auftrag, ins Haus des Töpfers zu gehen und dort das Wort Jahwes zu erwarten (18,2). Jeremia führt diesen Auftrag aus. Er geht in das Haus des Töpfers und erblickt ihn bei seiner Arbeit (V.3). Der Töpfer formt seine Gefäße mit der Hand. Jedesmal, wenn ihm ein Gefäß mißrät, stellt der Töpfer aus demselben Material ein anderes Gefäß her: Das mißratene Gefäß ist verschwunden (V.4). Da hört Jeremia das Wort Jahwes. Jahwe fragt das "Haus Israel" (gemeint sind die Bewohner Judas (1)), ob er mit ihnen nicht genauso verfahren könne wie der Töpfer mit dem Ton (V.6a).

Nachdem D in V.6b diesen Vergleich allegorisierend umgebogen hat auf das Verhältnis "Ton" - "Haus Israel" (2), zieht er diese Linie aus zu einer Reflexion über die Möglichkeiten des Handelns Jahwes an den Völkern in den Alternativen "Unheil" (V.7f.) und "Heil" (V.9f.), um mit V.11f. zum Schuldaufweis gegen die "Männer Judas und die Bewohner Jerusalems" zurückzukehren. Durch diese Verklammerung wird das Gerichtswort mit dem Unterton der Gottesklage V.13-17 vorbereitet, an das D die Konfession 18,18-23 anschließt (3).

Die offene Frage 18,6a enthält in sich schon die Tendenz, daß Jahwe zum Gericht eingreifen wird (4); sie findet ihre Fortsetzung in einem neuerlichen Auftrag an Jeremia. Jeremia soll einen Tonkrug kaufen, einige von den Ältesten des Volkes und von den Priestern als Zeugen mitnehmen (19,1) und an den Eingang des Scherbentors gehen (V.2a), um dort vor jenen Männern den Krug zu zerschmettern (V.10). Daß dem Jeremia die Ältesten des Volkes und die Priester ohne größere Schwierigkeiten zur Verfügung stehen, ist keineswegs verwunderlich (5). Vielmehr werden hiermit die beiden hauptsächlichen Tradentenkreise für die Überlieferung der prophetischen Gerichtsworte in vorexilischer Zeit angesprochen: Unter den Ältesten aus dem Lande Juda hatten wir schon den Jahwisten angesiedelt (6); zu ihnen zählt auch Micha von Moreschet (7), an dessen Gerichtswort sich nicht zufällig die "Ältesten des Landes" im Prozeß gegen Jeremia (26,17) erinnern. Außerdem dürfte es Jeremia an seinem Heimatort Anatot nicht schwer gefallen sein, Kontakt mit den landjudäischen Ältesten zu halten. Daß levitische Kreise immer wieder in unmittelbarer Nachbarschaft zu Gerichtspropheten stehen, ist der Forschung längst aufgefallen (8). Zwar wird vorrangig das

---

1 So mit Recht W.Thiel, a.a.O., S.213.
2 s. dazu o., S.104
3 Zur Arbeit von D cf. W.Thiel, a.a.O., S.212-214; zur Überarbeitung einer ursprünglichen Konfession Jeremias durch D in 18,18-23 s.o., S.34-36.
4 So W.Thiel, a.a.O., S.214 im Gefolge von W.Erbt, a.a.O., S.157. Thiel geht allerdings noch von der These aus, das tertium comparationis sei in V.6b zu suchen.
5 Gg. B.Duhm, a.a.O., S.160, der Jer 19,1ff. deswegen in nachexilische Zeit datiert.
6 s.o., S.50f.
7 s.o., S.51, A.1; 71
8 Cf. z.B. H.W.Wolff, Hoseas geistige Heimat, der Hosea einem "levitisch-prophetischen Oppositionsbündnis" (S.250) in den letzten Jahrzehnten des Nordreichs zuordnet. G.von Rad, Deuteronomium-Studien, S.148 führt die Entstehung des Deuteronomiums auf landlevitische Kreise zurück.

Nordreich als Wirkungsbereich der Leviten angesehen (1), aber die Levitenstädte erstreckten sich auch auf Juda (2), und Anatot ist eine von ihnen, im Grenzgebiet zwischen dem untergegangenen Nordreich und Jerusalem, in Benjamin liegend. Außerdem wird in Jer 1,2 die Herkunft Jeremias erwähnt: Er stammt als Sohn Hilkias aus einem "Priestergeschlecht", das heißt doch wohl: aus einer Levitenfamilie. In dieser Umgebung dürften die Traditionen des Nordreichs gepflegt worden sein, darunter die Prophetie Hoseas (3). Unter den Ältesten hingegen dürften stärker die prophetischen Traditionen des Südreichs gepflegt worden sein, darunter die Prophetie Michas (4). Wenn nun Jeremia sowohl einige Älteste als auch einige Priester, das heißt: Leviten als Zeugen mit ans Scherbentor in Jerusalem nehmen soll, damit sie der Zerschmetterung des Tonkruges beiwohnen (19,10) und Jahwes Ankündigung des totalen Gerichts über das Volk und Jerusalem vernehmen (V.11a), dann wird damit die gesamte gerichtsprophetische Überlieferung als Zeuge aufgeboten für das endgültige Gericht, das so lange auf sich warten ließ.

Die Zerschmetterung des Tonkruges besagt: Jahwe (und damit auch Jeremia) betrachtet das Volk und Jerusalem als seine Feinde, die es zu vernichten gilt. Daher sind Anfeindungen seitens des Volkes gegen Jeremia die natürliche Reaktion auf die Zeichenhandlung. Diese werden zwar auf der Stufe der jeremianischen Überlieferung nicht expressis verbis erzählt (erst D schafft durch die Einfügung der Paschur-Szene in 20,1-6 einen entsprechenden Übergang), sind aber doch vorauszusetzen zwischen dem Auftrag 19,1-2a*.10-11a und der Klage 20,7-9. Denn daß Jeremia nach der Erteilung des Auftrags diesen auch ausgeführt haben wird, ist anzunehmen (5), wie denn auch umgekehrt die Klage 20,7-9 1. die Ausführung von Aufträgen und 2. die daraus resultierenden Anfeindungen voraussetzt (6).

In seiner Klage (20,7-9) verwendet Jeremia die Sprache aus dem Bereich eines Sexualdelikts. Jeremia klagt Jahwe an, er habe ihn verführt (7) und vergewaltigt (8), und Jeremia ist so dumm gewesen, daß er sich hat verführen lassen: Jahwe hat die Oberhand behalten (V.7). Deswegen muß Jeremia immer wieder die Anklage gegen Jahwe erheben und: "Gewalttat!" und: "Unterdrückung!" rufen wie eine Vergewaltigte (9). Jeremia muß die Schmach einer Vergewaltigten erdulden (V.8)(10). Mit dieser Anklage greift Jeremia zurück auf den Auftrag 18,1-6a: Genauso willkürlich, wie Jahwe mit dem Volk verfährt, so verfährt er jetzt schon mit Jeremia. Jahwe hat Jeremia in Beschlag genommen, und Jeremia hat sich von Jahwe in Beschlag nehmen lassen, so daß er sogar den Tonkrug kauft und ihn vor Zeugen zerschmettert (19,1-2a*.10-11a). Das Schlimme für Jeremia ist es, daß er Jahwe nicht entrinnen kann (V.9).

---

1 So Hosea (cf. H.W.Wolff, Hoseas geistige Heimat) und das Deuteronomium (F.Horst, Deuteronomium, Sp.102).
2 Cf. die Liste der Levitenstädte Jos 21,8-42, bes. V.9-16.
3 Zu den Beziehungen zwischen Hosea und Jeremia cf. die - allerdings überholte - Diss. von K.Groß, Literarische Verwandtschaft.
4 s.o., S.107 mit A.7
5 So G.Fohrer, Gattung, S.115, undeutlich U.Eichler, a.a.O., S.147f..
6 s.o., S.106
7 Zum Verführen (פתה) im sexuellen Sinne cf. Ex 22,15.
8 Zu חזק im Zusammenhang der Vergewaltigung cf. Dtn 22,25, zu יכל cf. Jer 38,22.
9 Zu dieser Deutung cf. J.M.Berridge, Prophet, S.153f. unter Verweis auf Dtn 22,27.
10 Zu חרפה als Ausdruck für die Schmach der Verführten cf. 2 Sam 13,13.

Jahwe ist vielmehr die einzige Instanz, an die Jeremia sich wenden kann, und das, obwohl Jeremia Jahwe eines Verbrechens bezichtigen muß, das nur mit dem Tode geahndet werden kann (1). Dabei ist Jahwe derjenige, der sein Volk bestrafen wird, und Jeremia gehört zu diesem Volk dazu. Jeremia versucht, diese Unentrinnbarkeit auszuhalten, aber er kann nicht (V.9). Mit dieser Feststellung kommt die Klage an ihr Ende: So wie der Tonkrug nicht mehr ganz gemacht werden kann, so zerbricht auch Jeremia und kann nicht mehr.

In der Abfolge: 18,1-6a; 19,1-2a*.10-11a; 20,7-9 kommt also wieder die Grundstruktur des Botenvorgangs zum Vorschein:

I. Erteilung des Auftrags	1. 18,2	2. 19,1-2a*.10
II. Ausführung des Auftrags mit deutendem Jahwewort	1. 18,3+4 18,5f.	2. -- 19,11a
III. Rückmeldung in der Form einer Klage	20,7-9	

Man könnte einen Augenblick lang schwanken, ob die Klage 20,7-9 wirklich auch die Ausführung des Auftrags K.19 voraussetzt oder ob sie vielmehr Jahwe direkt ins Wort fällt bei der Erteilung des Auftrags K.19; dann stünde die Abfolge von Auftrag und Klage derjenigen von 16,*5.7; 15,10.17.18 sehr nahe (2). Doch zeigt im Unterschied zu K.16/ 15 in K.18f./20 die Form der Darstellung (Eigenbericht über Aufträge: Prosa; Klage: Poesie), daß doch ein gewisser Abstand zwischen beiden besteht und zwischen Auftragserteilung und Klage die Ausführung des Auftrags K.19 und die Anfeindungen gegen Jeremia vorauszusetzen sind, auf die jeweils auch die Klage 20,7-9 anspielt (3). Wie in K.13/12 ist das Kontinuum zwischen Auftrag und Klage nicht die Form der Darstellung (Prosa/Poesie) (4), sondern der Prophet selbst, der in den unterschiedlichen tradierbaren Formen des Eigenberichts und der Klage seine Auseinandersetzung mit dem zu schweren Auftrag zur Sprache bringt.

Exkurs 2: Die Klage Jeremias 20,14f..16b-18

20,14 Verflucht sei der Tag,
      an dem ich geboren;
      der Tag, an dem mich meine Mutter gebar,
      sei nicht gesegnet.
   15 Verflucht sei der Mann, der frohe Kunde
      meinem Vater brachte:
      "Dir ist ein Junge geboren!"
      und ihn damit hoch erfreute.
   16 Und es wird diesem Mann (5) ergehen wie den Städten, die Jahwe ohne Mitleid
      zerstörte.
      Er höre (6) Hilfeschrei am Morgen
      und Kriegslärm um die Mittagszeit,
   17 weil er mich nicht schon im Mutterleib tötete,
      daß meine Mutter mir ein Grab geworden
      und ihr Schoß auf ewig schwanger!

---

1 cf. Dtn 22,26
2 s.o., S.91
3 s.o., S.105f., gg. H.Lörcher, a.a.O., S.86
4 s.o., S.84
5 האיש kann beibehalten werden (gg. B.Duhm, Jeremia, S.167; W.Rudolph, Jeremia, S. 132): V.16a ist dtr. Erweiterung.
6 l ישמע c Vrs.

18 Warum nur kam ich aus Mutterleib,
   um nur Mühsal und Kummer zu sehen
   und um in Schmach meine Tage zu beenden?

Diese Klage hat für das jeweils vorausgesetzte Jeremiabild eine sehr unterschiedliche Berücksichtigung gefunden: Die betonte Hineinnahme in die Jeremia-Interpretation wechselt ab mit deren bewußter Ausscheidung oder Vernachlässigung, und zwar sowohl auf der Ebene der authentischen Jeremia-Worte als auch auf der Ebene der dtr.
Redaktion (1). Nun zeigt aber gerade die dtr. Erweiterung V.16a (2), daß D sehr wohl
an dieser Klage gelegen gewesen ist (3). Umgekehrt entsprechen die Motive dieser
Klage zu deutlich Motiven authentischer Jeremia-Worte, als daß diese Klage auf der
vorredaktionellen Stufe für die Jeremia-Interpretation einfach vernachlässigt werden könnte: Die Verfluchung des Tages der Geburt (V.14f.) entspricht der auftragsbezogenen Klage 15,10, während V.16b ein Klagemotiv verwendet, das an die Gedichte
vom Kommen des Feindes aus dem Norden (bes. 4,19) erinnert, während das Mutterleib-
Motiv (V.17f.) D (1,5) zur Abrundung des Komplexes nach vornhin diente, den 20,14-18
auf der vorredaktionellen Stufe abschloß.

Die Nähe dieser Klage zu Hi 3 ist oft beobachtet worden (4) und wird noch deutlicher nach der Ausscheidung des im Vergleich zu den übrigen Versen viel zu langen
Prosaverses V.16a, der den Bezug von V.16b auf den Tag der Geburt stört und zu text-
kritischen Eingriffen Anlaß gegeben hat (5). Die Grundstruktur des Redens in Hi 3
und Jer 20,14-18 besteht in der Umkehrung der elementaren menschlichen Entsprechung
von Geburt und Freude (6) in Verwünschungen (7) auf dem Hintergrund der widrigen
Lebenserfahrungen (8) und der Einsicht, von diesen nicht einmal durch den Tod er-
löst zu werden (9), sondern sie durchhalten zu müssen (10). Diese Grundform des Redens ist gebündelt enthalten in Hi 3,3 und 3,10:

3,3   Es vergehe der Tag,
         an dem ich geboren,
      und die Nacht, die sprach:
      "Empfangen ist ein Knabe!"

10 ... weil er nicht schloß
         meines (d.h. meiner Mutter) Schoßes Pforten
      und nicht verbarg das Leid
         vor meinen Augen.

---

1 Starke Berücksichtigung findet 20,14-18 auf der Ebene der authentischen Jeremia-
   Worte bei G.von Rad, Konfessionen, S.230f. und U.Eichler, a.a.O., S.154, überhaupt nicht bei H.Graf Reventlow, Jeremia.
   Auf der Stufe der Redaktion erhält die Klage großes Gewicht bei A.H.J.Gunneweg,
   Konfession oder Interpretation, S.411f., während U.Eichler, a.a.O., S.66 meint,
   "daß D nichts mit ihr anfangen konnte".
   Gefragt werden muß nach der Rolle von 20,14-18 auf beiden Überlieferungsstufen.
2 Außer der für die poetische Form der Klage sprengenden Prosa-Form von V.16a ist auf
   die häufige Verwendung von נחם durch D zu verweisen (26,3.13.19; 15,6; 18,8.10),
   ferner auf das Motiv der Zerstörung der Städte (הפך) Dtn 29,22.
3 Cf. dazu A.H.J.Gunneweg und u., S.137.
4 Cf. z.B. B.Duhm, Jeremia, S.167f.; C.Westermann, Hiob, S.32, A.1.
5 s.o., S.109, A.5
6 Geburt: Hi 3,3a/Jer20,14; Freude über die Geburt Hi 3,3b/Jer 20,15
7 Verwünschungen: Hi 3,4-9 (Tag: V.4f. (= Entfaltung von V.3a); Nacht: V.6-9 (Entfaltung von V.3b))/Jer20,15
8 widrige Lebenserfahrungen: Hi 3,10b (entfaltet in V.20-26)/Jer 20,18
9 keine Erlösung durch den Tod: Hi 3,10a (entfaltet in V.11-19)/Jer 20,17
10 Hi 3,25f./Jer 20,17

Diese beiden Aussagen gehören zusammen: V.10 begründet die Verwünschung V.3. Sie werden in Hi 3 und Jer 20,14-18 in unterschiedlicher Weise und unterschiedlichem Umfang entfaltet, was mit der Stellung der Klage am Anfang des Hiob-Buches und am Ende der Konfessionen Jeremias zusammenhängen dürfte. Die Klage Jeremias 20,14-18 ist die Konsequenz aus dem Unvermögen, den Auftrag Jahwes und seine Folgen noch länger zu ertragen.

- Ende des Exkurses -

Die Erweiterungen von D in K.19+20 müssen in drei gesonderten Problemkreisen gesehen werden:

1. Daß D den Eigenbericht über den Auftrag durch die breite Gerichtspredigt 19, 2a*.b-9.11b-13 erweitert hat, ist in der Forschung allgemein anerkannt (1). Diese Gerichtspredigt ist deutlich aus dem Blickwinkel des schon eingetroffenen Gerichts konzipiert und läßt allein schon darin den Abstand zu dem Auftrag Jahwes an Jeremia erkennen.

2. D hat den ursprünglichen Eigenbericht 19,1-2a*.10-11a zu einem Fremdbericht gemacht und durch 19,14f. mit der Paschur-Szene im Tempelbereich aus den sogenannten "Baruch-Erzählungen" verbunden (20,1-3) und dieser Szene nochmals eine breite Gerichtsankündigung (20,4-6) angefügt. Diese Erweiterung setzt schon voraus, daß Paschur in die Verbannung gebracht worden ist (2). Die dtr. Redaktion rückt die Klage 20,7-9 weit vom Auftrag in K.19 fort und gibt damit der Klage auch eine neue Funktion: Sie ist nicht mehr primär auf den Auftrag bezogen, sondern auf die Anfeindungen, die sich erheben angesichts seiner Gerichtspredigt.

3. Kaum beachtet wurde bislang, daß 20,10-13 eine von D gestaltete Erweiterung und Umformung der Klage Jeremias 20,7-9 darstellt (3), was sich schon von der Mischung von Prosa und Poesie her nahelegt, die schon öfter bei D festzustellen (4) war. - 20,10 greift mit der Wendung מגור מסביב auf 20,3, mit יפתה und ואפת (20,7) zurück und mit ונוכלה auf ותוכל (20,7) und ולא אוכל (V.9) zurück, mit נקמתנו auf נקמתך (V.12) vor, hat also eindeutig Verklammerungsfunktion (5). Typisch für D ist dabei die Bildung von Redepartien (6), wobei sich D gern der durch אולי eingeleiteten Rede bedient (7). Überdies zeigt 20,10 starke Entsprechungen zu Ps 31,14a (8). - 20,11 scheint ein von D neugebildetes Wort in der Sprache des Bekenntnisses der Zuversicht zu sein mit dem Ausblick auf die Rache, die Jahwe an den Gegnern des Propheten nehmen wird. Dieser Vers dient lediglich dazu, Verbindungen herzustellen zwischen den dtr. Bearbeitungen der Konfessionen: So geprägt das Bild von Jahwe als dem starken Helden auch ist und so wenig redaktionell es auch wirkt (9), es stammt in diesem Falle von D, cf. die Bezeichnung Jahwes als גבור in 32,18 D, der auf diese Weise die עריצים aus der Beistandszusage 15,21 D wieder aufgreift, mit den Verfolgern des Propheten die von D eingefügte Bitte 15,15 und mit dem Wort יכלו das Zitat

---

1 Cf. dazu zuletzt W.Thiel, a.a.O., S.220-226; H.Lörcher, Verhältnis, S.86.201.
2 s. dazu o., S.104
3 In diesem Punkte wirkt sich wieder W.Thiels allzu zurückhaltende redaktionsgeschichtliche Untersuchung der Konfessionen Jeremias negativ aus (cf.bes. S.228, A.25; 194, A.43).
4 s.o., S.33f..81.89-91 u.ö.
5 Diese Technik war auch sonst schon festzustellen, s.o., S.85.86.101,A.3.
6 cf. z.B. 18,18; 11,19
7 cf. z.B. 26,3; 36,3.7
8 Cf. dazu W.Thiel, a.a.O., S.228 mit A.26
9 Cf. W.Baumgartner, Klagegedichte, S.50, der in dem plastischen Bild gerade ein Zeichen für die Echtheit sieht. Zur Bezeichnung Jahwes als גבור עריץ ist ferner Jes 49,24f. zu vergleichen.

in 20,10 (ונכלו). 20,11b greift mit בשו die Bitte von 17,18 auf, während 20,11bβ sich wortwörtlich so in dem sicher späten Stück 23,40 findet. - 20,12 schafft, wie bereits erwähnt (1), die Querverbindung zu 11,20. Auch auf diese Weise deutet D an, daß er eine übergreifende Konzeption im Blick hat mit seiner Verarbeitung der Konfessionen Jeremias. D nimmt dafür in Kauf, daß in 20,11 und 20,12 zwei Bekenntnisse der Zuversicht direkt hintereinander stehen. - Welche Konzeption D im Blick haben könnte, zeigt das von D aus der Tradition aufgenommene Loblied 20,13, das auf das gesamte Geschick des leidenden Propheten/Gottesknechtes zurückblickt (2) und auf diese Weise die Brücke schlägt zu dem Thema, das zum erstenmal in 11,18 mit dem Bild vom unschuldig leidenden Lamm angerissen worden war (3): Die Aufträge an Jeremia und seine Klagen werden dem Bild vom leidenden Gottesknecht untergeordnet und der Schärfe ihrer Aussage beraubt. Nicht ungeschickt fügt D mit 20,10-13 der jeremianischen Klage genau die Elemente hinzu, die wir in den Klagepsalmen des Einzelnen finden: Feindklage (V.10), Bekenntnis der Zuversicht (V.11.12) und abschliessender Lobpreis Jahwes (V.13) und erweckt auf diese Weise den Eindruck, als handle es sich in 20,7-13 um einen gewöhnlichen Klagepsalm des Einzelnen, aber die Untersuchung der Einzelverse hat doch gezeigt, wie künstlich diese Komposition ist. Immerhin hat D auf diese Weise der Klage Jeremias 20,7-9 ihre Schärfe genommen.

D erweist sich in diesen vier Erweiterungsversen 20,10-13 allerdings nicht einfach als Sammler von Überlieferungsstücken und die ursprüngliche Prägnanz der Gerichtsworte abschwächender Redaktor, sondern als Theologe mit einer eigenständigen Konzeption, die bezogen ist auf die neue Situation nach der Zerstörung Jerusalems. In dieser Situation wahrt D die Kontinuität zu dem klagenden Gerichtspropheten, interpretiert seine Klagen aber um. D ist in der Sprachwelt der Gerichtsprophetie ebenso zu Hause wie in der Sprachwelt der Psalmen. Mit dem dtr. Jeremiabuch schafft er ein literarisches Werk, das keineswegs als die Arbeit eines geistlosen Epigonen anzusehen ist. Vielmehr bewahrt D durch seine eigenständige Rezeption der Gerichtsprophetie Jeremias diese für seine Zeit und für die weitere Überlieferung des Alten Testaments.

d. Zusammenfassung

Die Untersuchung von Jer 11-20 hat zu folgenden Ergebnissen geführt:

1. Grundsätzlich sind *alle* Worte in Jer 11-20 *sowohl* unter der redaktionsgeschichtlichen *als auch* unter der formgeschichtlichen Fragestellung zu untersuchen. Dabei hat die formgeschichtliche Fragestellung sowohl unter sachlichen als auch unter methodischen Gesichtspunkten den Vorrang gegenüber der redaktionsgeschichtlichen: Die redaktionsgeschichtliche Methode stellt zwar eine notwendige Ergänzung der formgeschichtlichen dar, aber keineswegs so, als wenn redaktionsgeschichtliche Kriterien in einem ersten Arbeitsgang ohne Rücksicht auf formgeschichtliche Kriterien angewandt werden könnten.

2. *Formgeschichtlich* läßt sich in Jer 11-20 dreimal die Geschehensabfolge feststellen, die auch den *Botenvorgang* bestimmt:

---

1 s.o., S.86
2 D scheint also eine Konzeption im Blick zu haben, die auf der Linie der Gottesknechtlieder liegt. Diese Konzeption kann aber erst voll erfaßt werden, wenn das gesamte dtr. Jeremiabuch berücksichtigt wird, s. dazu u., Teil IV..
3 In diese Richtung weisen auch die Thesen von E.Gerstenberger, Jer 15,10-21; A.H. J.Gunneweg, Konfession oder Interpretation; P.Welten, Leiden und Leidenserfahrung, bes. S.137-145. Doch kann der Umfang und die Eigenart der dtr. Redaktion erst bestimmt werden, wenn zuvor aufgrund formgeschichtlicher Beobachtungen der jeremianische Anteil von Jer 11-20 ermittelt worden ist.

	A.	B.	C.
I. Erteilung des Auftrags	13,1.4.6	16,*5.7	18,2
			19,1-2a*.10-
			11a
II. Ausführung des Auftrags	13,2.5.7	(16,*5.7)	18,3f.
III. Rückmeldung: Klage	12,*1-4	15,10.17f.	20,7-9
mit Antwort Jahwes:	12,5	15,19b.20aα	(20,9aβ).

Die *Darstellungsformen* für die drei Elemente des Botenvorgangs in Jer
11-20 sind unterschiedlich: Die Erteilung und die Ausführung des Auftrags sind jeweils in der Form des Eigenberichts überliefert, teils
in Prosa-Form (K.13; 18; 19), teils in poetischer Form (K.16), während
die Rückmeldung jeweils in der Form der poetisch geformten Klage mit
anschließendem Jahwewort erfolgt. Das Kontinuum zwischen den drei Elementen ist also nicht die Darstellungsform, sondern *der klagende Gerichtsprophet selbst.*

Die Form des Botenvorgangs wird niemals schematisch angewandt, sondern vielfach abgewandelt. So ist der Abstand zwischen der Erteilung,
der Ausführung des Auftrages und der Rückmeldung unterschiedlich groß,
so daß vor 20,7-9 eine Anfeindungssituation vorausgesetzt werden kann,
während in K.16/15 die Besonderheit des Auftrages die Erwähnung seiner
Ausführung überflüssig macht und die Klage besonders eng an sich zieht.
Umgekehrt fehlt in 20,7-9 ein explizites Jahwewort; doch kann dieses
aus der Klage (V.9) erschlossen werden.

Die Lebendigkeit und der sprachliche Reichtum, in denen der Botenvorgang jeweils laut wird, sind ein Zeichen dafür, daß hier keineswegs
ein literarisches Schema angewandt wird; vielmehr spricht hier der Gerichtsprophet selbst in seinem Spannungsfeld zwischen dem Empfang und
der Ausführung der Aufträge und der Erfahrung von Anfeindungen.

3. Auffällig ist in den drei Klagen die beherrschende Rolle der *Anklage gegen Jahwe.* Sie steht in Spannung zu dem Bekenntnis zu Jahwe
als dem gerechten Richter (12,1) und schiebt sich immer stärker in den
Vordergrund: Überwiegt in 12,*1-4 noch das Bekenntnis zu Jahwe als dem
gerechten Richter und halten sich in 15,10.17.18 die Richterfunktion
und die Angeklagtenfunktion Jahwes noch die Waage (1), so ist in 20,
7-9 Jahwe nur noch Angeklagter, und Jeremia verzweifelt daran, daß er
sich ja nur an ihn als Richter wenden kann.

4. Neben die Beobachtungen zu der Funktion Jahwes sind die Beobachtungen zu den beiden anderen Subjekten der Klage zu stellen, dem Ich
des Klagenden und seinen Feinden. Diese beiden Subjekte sind in den
drei Klagen auch immer mitenthalten; unterschiedlich ist aber das Gewicht dieser drei Subjekte: Während in 12,*1-4 das Ich des Klagenden
fast hinter dem Subjekt: die Gottlosen verschwindet, in 15,10.17.18
die Einsamkeit des Klagenden das beherrschende Motiv ist, so steht in
20,7-9 die Anklage Jahwes im Vordergrund. Diese unterschiedliche Gewichtung hängt zusammen mit den unterschiedlichen Aufträgen, die Jeremia erhält: Sie heben immer deutlicher auf das Gericht gegen das ganze
Volk und Jerusalem ab: Der wachsenden Aggressivität Jahwes von Auftrag

---

1 In 15,10 ist Jahwe noch als Richter angesprochen (im Unterschied zu 12,1 aber
  nicht mehr direkt!), in 15,17f. hingegen nur noch als Angeklagter.

zu Auftrag entspricht die wachsende Aggressivität Jeremias von Klage zu Klage, aber Jeremia kann sich gegen Jahwe nicht durchsetzen (20,9).

5. Die Eigenberichte über die Auftragserteilungen und -ausführungen sowie die entsprechenden Klagen haben sicherlich bald schriftliche Form erlangt; doch waren die Darstellungsformen (Eigenbericht bzw. Klage) so unterschiedlich, daß D sie leicht wieder voneinander lösen konnte. Ohne daß schon die Gesamtkonzeption von D voll in den Blick genommen werden konnte, läßt sich schon so viel sagen: D fügte die Eigenberichte und Klagen an unterschiedlichen Stellen seiner Gesamtkomposition von Jer 11-20 ein und überarbeitete sie entsprechend den Erfordernissen seiner Zeit. Die scharfen Anklagen Jeremias gegen Jahwe wurden abgeschwächt, die Klagen so weit wie möglich der Normalform des Klagepsalms des Einzelnen angepaßt. Die *Feindklage* schob sich dabei in den Vordergrund. Aus dem klagenden Gerichtspropheten wurde der *leidende Gottesknecht*.

6. Die drei Zusammenhänge 13,1-10a*.b/12,*1-4.5; 16,*5.7/15,10.17-18.19b.20aα; 18,1-6a.19,1-2a*.10-11a/20,7-9 sind nicht je für sich, sondern miteinander literarisch überliefert worden. Darauf deuten die Rückgriffe von 16,5 und 15,17 auf 12,5 hin. Letztere drei Stellen schlagen aber auch den Bogen zurück zu den Gedichten vom Kommen des Feindes vom Norden (4,7.8.13), so daß zu überlegen ist, ob ein ursprünglicher literarischer Zusammenhang zwischen diesen Gedichten (K.4) und K.13/12 sowie K.16/15 bestanden hat. In diese Richtung weist auch die abschließende Klage Jeremias 20,14-18: Sie spielt auf 4,19 an. Lediglich zwischen 15,20aα und 18,1-6a war kein direkter literarischer Zusammenhang festzustellen. Diese Beobachtung führt zu der Frage, ob nicht die beiden bislang nicht berücksichtigten Klagen Jeremias 17,14-18 und 18,*19-23 genau an diese Stelle gehören und den Übergang zwischen 15,20aα und 18,1 vermitteln (1).

Die beiden im folgenden zu untersuchenden Klagen 17,14-18 und 18,*19-23 sind nun *formgeschichtlich* vor einem etwas anderen Hintergrund zu sehen als dem Botenvorgang: vor dem Hintergrund des *Wartens auf das Gericht* (2). Auch bei diesen beiden Klagen ist die *redaktionsgeschichtliche* Frage von vornherein mitzubedenken (3).

---

1 Der Ansatz, Klagen aus dem Bereich der Gedichte vom Kommen des Feindes aus dem Norden (die sog. "Skythenlieder") zur Klärung des Hintergrundes der Konfessionen Jeremias heranzuziehen, ist nicht neu, cf. W.Baumgartner, Klagegedichte, S.68-79; U.Eichler, a.a.O., S.42-62; W.Zimmerli, Jeremia, S.100f.. Doch sind die Kriterien für die Rückführung dieser Lieder auf Jeremia keineswegs so eindeutig, wie es zunächst den Anschein hat. Außerdem ist in der bisherigen Forschung noch ganz unklar, in welchem Textzusammenhang diese Gedichte mit den Konfessionen Jeremias stehen. Diesen Fragen kann erst unten in Teil V.2. nachgegangen werden. Der gesamte auf Jeremia zurückzuführende Textzusammenhang ist am Ende dieses Buches als Beilage beigegeben (S.221-225).
2 s.o., Teil B.II.2.
3 s. dazu schon o., S.33-36 zu 18,18-23

3. Warten auf das Gericht und gerichtsprophetische Klage in Jer 17,14-18 und 18,*19-23

a. Jer 17,14-18

17, *12 Ein herrlicher Thron, eine Höhe von Anbeginn, ist die Stätte unseres Heiligtums.*

13 Du Hoffnung Israels, Jahwe, alle, die dich verlassen, werden zuschanden, die Abtrünnigen (1) werden aus dem Lande (der Lebendigen) ausgerottet (2), denn sie haben den Quell lebendigen Wassers verlassen, (Jahwe (3)).

14 Heile mich, so werde ich heil;
    hilf mir, so wird mir geholfen.
        Denn du bist meine Hoffnung (4).
15 Siehe, sie sagen zu mir:
    "Wo ist das Wort Jahwes? Es treffe doch ein!"
16 Ich aber habe mich nie in böser Absicht (5) an dich gedrängt
    oder den Unheilstag herbeigewünscht.
    Du weißt, was über meine Lippen kam,
        es liegt offen vor dir!
17 Werde mir nicht zum Schrecken,
    du bist meine Hoffnung am Unglückstage!
18 Meine Verfolger mögen beschämt dastehen,
    ich aber möge nicht beschämt dastehen;
    sie mögen erschrecken,
    ich aber möge nicht erschrecken.
    Laß den Unglückstag sie treffen
    und zerschmettere sie mit doppelter Zerschmetterung!

17,14-18 unterscheidet sich von der Form her grundlegend von den drei untersuchten Klagen 12,*1-4; 15,10.17.18 und 20,7-9. Auch läßt sich kein Auftrag als Bezugsgröße für diese Klage finden.

Einleitende Bitte (V.14), Unschuldsbekenntnis (V.16), Feindklage (V.15), Bekenntnis der Zuversicht (V.14b.17b) und abschließende Bitte (V.17a) mit Verwünschung der Feinde (V.18) sind die konstitutiven Elemente dieser Klage, also genau wie in dem vorredaktionellen Kern von 18,18-23 (6). Auffällig ist, daß die *Feindklage* zwar im Vordergrund dieser Klage steht (V.15) und von der Anklage Jahwes nur noch eine Spur in der negativen Bitte (V.17b) zurückläßt (7), sich aber beschränkt auf ein Zitat der Feinde (8):

"Wo ist das Wort Jahwes? Es treffe doch ein!"

---

1 1 יסורים (P.Volz, Jeremia, S.186) oder יסוריך (F.Giesebrecht, Jeremia, S.101). H.Graf Reventlows Vorschlag, MT beizubehalten (Jeremia, S.232ff.), würde voraussetzen, daß V.13b ein Jahwewort ist. Gerade die Tatsache, daß sich durch einen bloßen Suffixwechsel aus einer Gebetsanrede ein Jahwewort herstellen läßt, zeigt, daß sich im Stil von D die Gattungen mischen, so auch in 17,12f..

2 1 יכרתו (P.Volz, F.Giesebrecht, z.St.). Diese LA legt sich vor allem auch deshalb nahe, weil D diese Wendung auch in 11,19 benutzt.

3 את־יהוה ist wahrscheinlich Glosse.

4 1 חללתי c BHS, app.

5 1 לרעה c BHS, app.

6 s.o., S.33-36

7 U.Eichler, a.a.O., S.82 spricht von einer "zurückgehaltenen Anklage Gottes".

8 Deswegen aber zu sagen, diese Klage sei "nicht aus einer unmittelbaren Not heraus gesprochen" (U.Eichler, ebda.), ist unangemessen. Vielmehr scheint Jeremia die ganze Aggression, die er in 12,*1-4; 15,10.17f. und 20,7-9 in der Anklage

Dieses Wort der Feinde ist der Grund für ihre heftige Verwünschung durch Jeremia: Nicht der Prophet allein ist mit diesem Wort herausgefordert, sondern Jahwe selbst. Deshalb die heftigen Bitten, den Unglückstag eintreffen zu lassen, und die kaum zu überbietenden Verwünschungen gegen die Feinde, selbst dabei aber verschont zu bleiben (V.18). Diese Verwünschungen und Rachebitten sind nicht ein Ausdruck von Jeremias persönlicher Rache, sondern auf dem Hintergrund des Unschuldsbekenntnisses (V.16) zu sehen, daß nicht er, Jeremia, das Unglück herbeigewünscht habe, sondern - so ist wohl sinngemäß fortzusetzen - dieses Gericht ankündigte, weil Jahwe es ihm befahl aufgrund des bösen Verhaltens des Volkes, wie es sich jetzt in dem Reden der Feinde wieder bestätigt (V.15).

Diese Klage ist also bestimmt von der *Spanne zwischen der Ankündigung und dem Eintreffen des Gerichts*, wie sie schon in der an das ganze Volk gerichteten Gerichtsprophetie vor Jeremia festzustellen war und den Hintergrund bildete für klageartige Stücke (1). Das Besondere bei Jeremia aber ist, daß er diese Spanne zwischen der Ankündigung und dem Eintreffen des Gerichts nicht distanziert betrachtet, sondern in der Klage vor Gott bringt. Jeremia bringt sich selbst in die Klage mit ein. So geht es ihm schon in der einleitenden Bitte nicht zuallererst darum, daß Jahwe auf ihn *hört*; vielmehr geht es Jeremia sogleich um sein persönliches *Heilsein* (V.14), das sich Jeremia auch wünscht im Gegenzuge zu den Verwünschungen seiner Feinde (V.18) (2). Persönliche Sehnsucht nach Glück und Heilsein durchdringen sich mit dem Angriff der Feinde auf Jahwe, dessen Konsequenz nur das Gericht sein kann. Es bleibt nur zu fragen, wie Jeremia reagieren wird, wenn Jahwe diesem Wunsche nicht entspricht, sondern ihm neue zusätzliche Aufträge gibt, die Jeremia in noch größere Schwierigkeiten bringen werden. Die Anklage gegen Jahwe, die dann zu erwarten ist, wird noch zurückgehalten, wie die negative Bitte in V.17a zeigt, aber sie kann auch wieder zum Durchbruch kommen.

Die sich aus der Spanne zwischen der Ankündigung und dem Eintreffen des Gerichts erhebende Klage Jeremias ist selbst kein prophetisches Gerichtswort (3), sondern sie setzt die gleiche Spannung voraus wie das prophetische Gerichtswort an das Volk. Es ist die Spannung des

---

gegen Jahwe richtet, jetzt in der Bitte gegen die Feinde zu richten (17,18). Daß in 17,14-18 und 18,*19-23 mehr argumentiert wird als in den Anklagen gegen Jahwe, ergibt sich aus der Natur der Rederichtung.

1 s.o., S.60-74. Das Warten auf das Gericht drückt sich in dieser Klage u.a. aus in der Zuversichtsaussage: "... denn du bist meine Hoffnung" (V.14). Es ist aber ein ungeduldiges Warten, das in der abschließenden Bitte (V.18) umschlägt in Aktion.

2 Daher kann ich mich U.Eichlers, a.a.O., S.77-83 Vorschlag nicht anschließen, 17, 14-18 lediglich als "argumentierende Klage" zu bezeichnen.

3 Gg. S.Mowinckel, Motiver, S. 304. F.Hubmann, Konfessionen, S.317 wendet sich mit Recht gegen die These (z.B. von H.J.Stoebe, Seelsorge, S.131 mit A.146), daß die Antworten Jahwes auf die Klagen Jeremias allein wesentlich zur Weitergabe und Aufnahme dieser Texte in das Prophetenbuch beigetragen haben, und behauptet: "... es müssen die Klagen als solche einen Anteil daran und somit auch einen Zeugnischarakter haben". Leider bleibt Hubmann bei dieser Feststellung stehen. Über Hubmann hinaus muß aber gefragt werden: Ist in 17,14-18 von vornherein eine Notwendigkeit zur Weitertradierung angelegt, und worin ist diese zu sehen?

Wartens auf das Gericht. In dieser Spannung können Zitate der Anklage gegen das Volk in die Feindklage umgewandelt werden:

5,12 Sie sprechen: "Das tut er nicht!
     Es wird kein Unheil über uns kommen!" (= Anklage gegen das
                                      Volk, cf.a. Jes 5,19)

17,15 Siehe, sie sagen *zu mir*:
      "Wo ist das Wort Jahwes? Es treffe doch ein!"
                                      (=Feindklage (1)).

Oder es werden Worte der Gerichtsankündigung umgewandelt in die Bitte gegen die Feinde:

19,11 Ich werde dieses Volk und diese Stadt zerschmettern ...
                                  (= Gerichtsankündigung)

17,18 ... zerschmettere sie mit doppelter Zerschmetterung!
                                      (= Bitte).

Läßt sich also diese Klage durchaus verstehen aus der Spannung des Wartens zwischen der Ankündigung und dem Eintreffen des Gerichts heraus, so ist zu fragen, auf welche Weise diese Klage *tradiert* werden konnte. Diese Frage ist vor allem deshalb zu stellen, weil sich ja in diesem Falle kein Auftrag und auch kein auf die Klage folgendes Jahwewort als Traditionsbrücke für die Klage anbieten. Die Antwort auf die Frage nach der *Traditionsbrücke* für einen Text wie 17,14-18 ist von dem Text selbst her zu geben: *Die Klage ist selbst auf Tradition hin angelegt*. Sie blickt aus auf das ausstehende Gericht und wird daher *von der Sache her* eine Tendenz haben, tradiert zu werden, bis das Gericht eintrifft (2). So war ja auch schon für die aus der gleichen Spannung erwachsenen klageartigen Stücke in der Prophetie vor Jeremia die Tendenz zur Tradierung bis hin zur baldigen schriftlichen Fixierung festzustellen (3).

Ein Schritt über die Tradierung von 17,14-18 als Einzelwort hinaus wäre die Einbindung dieses Wortes in den Zusammenhang der Abfolgen K.13/12; K.16/15 und K.18f./20, die *von der Sache her* gegeben wäre: In 15,18 hatte Jeremia Jahwe die *Dauer* seines Leids als Gerichtsprophet im Bilde einer bösartigen, dauernden Schmerz verursachenden Wunde geklagt. Die Bitte 17,14 stellt dementsprechend die *Heilung* in den Vordergrund. In Antwort auf die Klage 15,10.17.18 hatte Jahwe Jeremia ausgestattet zu einer ehernen, unbezwinglichen Mauer (15,20aα), die den Propheten schützt vor den Anfeindungen durch das Volk. Als einer, der auf diese Zusicherung Jahwes vertraut, klagt Jeremia in 17,14-18 und wünscht das Gericht über seine Feinde herab. Jeremia kann sich in diesen Verwünschungen ganz auf Jahwe berufen und darauf, daß er selbst

---

1 Weitere (nicht immer überzeugende) Beispiele: U.Eichler, a.a.O., S.137-141.
2 Ähnliches ist für die Tradierung des prophetischen Gerichtswortes anzunehmen: Ist die Spanne zwischen der Ankündigung und dem Eintreffen des Gerichts kurz (Gerichtswort an den König), so ist die Überlieferung dieses Wortes entsprechend kurz. Daher sind die Gerichtsworte an Einzelne auch nur im Zusammenhang von Erzählungen überliefert. Das Gerichtswort an das Volk setzt eine längere Spanne bis zum Eintreffen des Gerichts voraus, wird daher zunächst als Einzelwort mündlich tradiert und geht als solches in Sammlungen in schriftlicher Form über.
3 s.o., S.60-74

in einer Klage wie 12,*1-4 alles daran gesetzt hat, um das Gericht vom ganzen Volk abzuwenden (17,16). 17,17 hält die Anklage gegen Jahwe zurück. Stattdessen wird in 18,*19-23 eine weitere Klage mit betonter Feindklage folgen, bevor dann in 20,7-9 die Anklage wieder voll aufbricht. Wenn ein solcher Zusammenhang zwischen den auf Jeremia zurückgehenden Texten von der Sache her, also von dem Gegenüber zwischen dem Gerichtspropheten und Jahwe als dem Kontinuum zwischen den verschiedenen Redeformen her, gegeben ist, dann wäre es verwunderlich, wenn dieser Kontext-Zusammenhang sich nicht auf den weiteren Prozeß der Tradierung ausgewirkt hätte. Dieser Prozeß wird abgeschlossen durch D.

D hat mit 17,12f. der Klage Jeremias zwei Verse vorangestellt, die eindeutig erst von ihm formuliert worden sind. Darauf weist nicht nur die Prosaform hin, die 17, 12f. von den poetisch gestalteten Versen 17,14-18 unterscheidet. Vielmehr ist diese ganze Erweiterung durchsetzt von Wendungen, wie sie sich erst in späten Texten finden: Zu כסא כבוד cf. 14,21 D; zu מרום cf. 25,30 D; zu מקום מקדשינו cf. Jes 60,13 und die bevorzugte Verwendung von מקום durch D (18,7 u.ö.), zu מארץ יכרתו cf. 11, 19 D. Überdies finden sich Rückgriffe auf weitere Worte aus der Jeremia-Überlieferung: Zu מקוה־ישראל cf. 14,8; zu מקור מים חיים cf. 2,13. Schließlich trägt 17,12f. alle Merkmale eines Lobpreises des gerechten Gottes (durch das Volk!), wie es gerade für die dtr. Phase der Geschichte der Klage (1), nicht aber für den Klagepsalm des Einzelnen charakteristisch ist (2): Elemente der Gerichtsprophetie sind mit der Psalmensprache verschmolzen, so besonders in V.13aß.b, wo die Struktur eines prophetischen Gerichtswortes, freilich schon in der für D charakteristischen Abschwächung zur Gerichtsrede hin, erkennbar wird:

Anklage: ... *die dich verlassen* ...

Ankündigung: ... *werden zuschanden* ...

Anklage: ... *denn sie haben den Quell des Lebens verlassen* ... .

Durch diese Erweiterung wird also die Konfession Jeremias 17,14-18 in die dtr. Gerichtspredigt eingebettet, wobei die Anklage in 17,12f. im Vordergrund steht und die Verwünschung der Feinde in V.18 als Entfaltung der Ankündigung erscheint. - Im übrigen hat 17,12f. die Funktion, 17,14-18 mit 17,1-4 zu verklammern (3). Folgende Indizien sprechen dafür, daß D 17,14-18 schon in einem anderen literarischen Kontext, präzis dem Kontext von 15,10.17.18.19b.20a (4), vorfand und bewußt nach K.17 versetzte: Mit dem Bild von Jahwe als dem Quell lebendigen Wassers nimmt D korrigierend Bezug auf die Anklage Jeremias, Jahwe habe sich ganz im Gegenteil wie ein Wasser erwiesen, auf das kein Verlaß ist (15,18), wie umgekehrt die dtr. Erweiterungen in 15,10-21 zweimal auf 17,14-18 anspielen: Der dtr. Zusatz: מאנה הרפא (15, 18) nimmt auf die Bitte um Heilung: רפאני יהוה וארפא (17,14) Bezug und die Zusage in der dtr. Erweiterung des Jahwewortes: להושיעך (15,20) auf die Bitte: הושיעני ואושעה (17,14).

Auf die Klage folgt eine breit angelegte dtr. "Alternativ-Predigt" zum Thema Sabbatheiligung: 17,19-27 (5).

---

1 Cf. C.Westermann, Struktur und Geschichte, S.296-300.
2 Dies hat schon J.Begrich, Vertrauensäußerungen, bes. S.202 erkannt, ohne aus dieser Beobachtung die entsprechenden redaktionsgeschichtlichen Konsequenzen zu ziehen.
3 Zum Rückgriff von 17,12f. auf 17,1-4 cf. W.Rudolph, Jeremia, S.81; außerdem greift יבשו (V.13a) auf יבשו (V.18) vor. Zur Funktion von 17,5-8 s.u., Teil B.IV. 2.a..
4 Cf. dazu die Überlegungen oben im Text, S.117f..
5 Cf. dazu W.Thiel, Jeremia 1-25, S.203-209.

b. Jer 18,19.20a*.b.22b.23

18,19 Gib du, Jahwe, acht auf mich
       und höre, was meine Widersacher sagen!
20 Soll denn Gutes mit Bösem vergolten werden?
       Gedenke, wie ich vor dir gestanden habe,
   um zu ihrem Besten zu reden,
   um deinen Zorn von ihnen abzuwenden.
22 Denn sie haben, mich zu fangen, eine Grube gegraben
   und meinen Füßen heimlich Schlingen gelegt.
23 Aber du, Jahwe, weißt,
       wie alle ihre Pläne auf meinen Tod aus sind.
   Vergib ihnen ihre Schuld nicht
       und tilge ihre Sünde nicht vor deinem Angesicht;
   ihr Anstoß sei stets vor dir,
       zur Zeit deines Zorns handle an ihnen! (1)

Während die Klage 17,14-18 durch die vorangestellte Erweiterung 17,
12f. in Richtung auf die dtr. Gerichtspredigt umgebogen wurde, erfährt
18,*19-23 eine vergleichbare Abwandlung durch einen erweiterten Prosa-
Hinweis auf die Feinde des Propheten (V.18.20a*)(= Entfaltung der Anklage) und die Übermalung der Bitte durch die Sprache der prophetischen Gerichtsankündigung (V.21.22a) (2).

Gemeinsam ist 17,14-18 und 18,*19-23 die *Struktur*: Auch in 18,*19-
23 sind die einleitende Bitte (V.19), der Hinweis auf das eigene untadelige Verhalten (V.20), die Feindklage (V.22), das Bekenntnis der
Zuversicht (V.23a) und die Bitte um die Bestrafung der Feinde (V.23aβ.
b) die fünf konstitutiven Elemente dieser Klage (3). Diese Gemeinsamkeit unterscheidet 17,14-18 und 18,*19-23 von den im vorigen Abschnitt
untersuchten Klagen 12,*1-4; 15,10.17.18 und 20,7-9 (4). Aber das, was
die Klage 18,*19-23 sagt, unterscheidet sich doch von dem in 17,14-18
Gesagten. Das Ich des Klagenden tritt gegenüber der Feindklage stark
zurück. Die Feindklage erwähnt jetzt nicht in erster Linie das *Reden*
der Feinde, sondern deren *Handeln* (V.22b.23a). Dieser Tendenz entspricht es auch, daß die Bitte um die Bestrafung der Feinde (V.23) in
ihrem ersten Teil zwei negative Bitten enthält:

Vergib ihnen ihre Schuld *nicht*
und tilge ihre Sünde *nicht* vor deinem Angesicht.

Diese Bitten stellen stellen in die Form der an Jahwe gerichteten Rede umgewandelte *Gerichtsworte* dar:

Auch wenn du Lauge zum Waschen nimmst,
   viel Seife an dich wendest,
schmutzig bleibt doch deine *Schuld* (עַוֺנֵךְ) vor mir,
   ist der Spruch des Herrn Jahwe (Jer 2,22).

---

1 Zur Rekonstruktion der vordtr. Klage s.o., S.33-36.
2 s.o., S.34f.
3 s.o., S.34
4 Cf. dazu U.Eichler, a.a.O., S.77-83, die 17,14-18 und 18,*19-23 als "argumentierende Klagen" unter einem gemeinsamen Blickwinkel betrachtet. Aber diese beiden
  Klagen sind nicht nur "gemäß einem Rechtsverfahren" (S.77) aufgebaut, sondern
  es geht Jeremia um Hilfe in seiner Notsituation als Gerichtsprophet. Daher wird
  auch in dieser Klage nicht nur argumentiert, sondern aggressiv das Gericht über
  die Feinde herbeigewünscht.

119

Jahwe hat kein Gefallen an ihnen,
nun gedenkt er ihrer *Schuld* (עונם)
und sucht ihre *Sünde* (חטאתם) heim (14,10 (1)).

Fürwahr, diese *Schuld* (העון)
kann nicht vergeben werden,
bis daß ihr sterbt (Jes 22,14)!

Die Bitten 18,23 sind zwar nicht selbst Gerichtsankündigung, aber sie
sind nur vor dem Hintergrund des prophetischen Gerichtswortes an das
Volk verständlich (2). Im Vergleich zu der abschließenden Verwünschung
der Feinde 17,18 liegt das Gewicht von 18,23 stärker auf dem *Aufweis
der Schuld* als Begründung für die *Gerichtsankündigung*, die dann in der
verwandelten Form der Bitte noch einmal ganz deutlich in 18,23 zum
Schluß zu erkennen ist:

Zur Zeit deines Zorns handle an ihnen!

Mit dieser Bitte greift Jeremia ein Gerichtsmotiv auf, auf das D in
einer Erweiterung eines Gedichtes vom Kommen des Feindes aus dem Norden (4,8) mit folgenden für sein Verständnis zentralen Worten Bezug nimmt:

Nicht hat sich der glühende Zorn Jahwes von uns gewendet.

Mit dem Motiv des Zornes Jahwes greift die abschließende Bitte zurück
auf den Hinweis Jeremias in V.20, er habe den Zorn Jahwes immer von
den Feinden abzuwenden versucht. Ganz ähnlich wie in 17,14-18 will
Jeremia mit diesem Hinweis zeigen, daß die Feinde in dem Propheten
letztlich Jahwe selbst angreifen. Deshalb bleibt der Schuldaufweis
auch nicht stehen bei dem Hinweis auf das Reden und Handeln der Feinde gegen Jeremia, sondern der Rückgriff auf die Motive der gerichtsprophetischen Anklage zeigt, daß es sich um die Gegner Jahwes handelt,
denen daher auch das entsprechende Gericht zusteht.

Allerdings verschwindet der Prophet mit seinen persönlichen Interessen niemals völlig hinter diesem Aufweis des Zusammenhangs zwischen der Schuld der Gegner des Gerichtspropheten vor Jahwe und dem
Gericht. Der Prophet ist ja der von den Feinden unmittelbar Bedroh-
te (3). Deswegen bittet Jeremia Jahwe um persönliche Zuwendung und
Gehör (V.19), und die gegenüber 17,15 verstärkte Feindklage V.19.23a

---

1 Cf.a. Hos 8,13; 9,9. Jer 14,10 stellt zusammen mit 14,7-9 ein prophetisches Gerichtswort an das Volk dar, das die Volksklage als Zitat aufnimmt (so auch M.
Gerlach, Liturgien, S.13). Es ist das einzige Wort, das sich nicht in die Sche-
matisierungen von 14,1-15,4 durch D (s.o., S.97 mit A.3) fügt.
Die Nähe von 18,23 zu Hos 9,9 (s.o., S.66f.) zeigt, daß die hinter den Konfessionen stehenden Erfahrungen in die Geschichte der Prophetie zurückreichen.

2 R.Knierim, Sünde, S.201 hat gezeigt, daß die "Verbindung des kultischen Begriffs
kpr mit dem bis dahin unkultischen Begriff ᶜawon" ihren Sitz in der "propheti-
sche(n) Sprache" hat und erst in der prophetischen Gerichtsankündigung vorgenom-
men wurde (cf.a. S.202.223). U.Eichler, a.a.O., S.139 hingegen meint in Jer 18,
23 keinen Bezug zum prophetischen Gerichtswort feststellen zu können, zu Unrecht.

3 Daher halte ich auch bei dieser Klage die Bezeichnung "argumentierende Klage"
(U.Eichler, a.a.O., S.77-83) nicht für angebracht. Die Erfahrung der unmittelbaren Bedrohung durch seine Feinde wird bei Jeremia den Zwang verstärkt haben,
Anklage gegen das ganze Volk zu erheben und das Gericht über das ganze Volk
herbeizuwünschen, wie es in 18,*19-23 geschieht.

läßt dieses persönliche Bedrohtsein Jeremias ebenso zur Sprache kommen. Aber Jeremia wird sich dem Gericht, das er auf die Feinde herabwünscht, selbst auch nicht entziehen können. Es werden neue Aufträge kommen, in denen Jeremia durch den Vollzug symbolischer Handlungen noch stärker in dieses Gerichtsgeschehen hineingenommen wird als schon durch die Aufträge in K.13 und K.16 ("Linnener Schurz" bzw. "Gehe nicht in ein Trauerhaus"). Noch spricht Jeremia negative Bitten aus (V.23aβ) und hält in ihnen die Anklage gegen Jahwe zurück (1), aber unter der Last neuer Aufträge kann es auch zu neuen Anklagen gegen Jahwe kommen.

Für die *Tradierung* dieser Klage ist das zu 17,14-18 Gesagte (2) zu wiederholen: Die Klage selbst ist durch ihren Ausblick auf das ausstehende Gericht auf Tradition hin angelegt. Sie hat von der Sache her die Tendenz, bis zum Eintreffen des Gerichts tradiert zu werden. In dem, was die Klage 18,*19-23 als Besonderes gegenüber den anderen Klagen sagt, zeichnet sich eine Klagesituation ab, die das in 17,14-18 Geklagte und Erbetene voraussetzt (3) und in der sich das, was in 20, 7-9 geklagt wird, als Möglichkeit abzeichnet: Die beiden Klagen 17,14 -18 und 18,*19-23 schließen also *von der Sache her* die Lücke, die wir oben zwischen 15,20aα und 18,1 feststellten (4). Daß dieses sachlich, das heißt: von der Kontinuität des Gerichtspropheten in seinem Gegenüber zu Jahwe und dem Volk her sinnvolle Nacheinander so auch aufgeschrieben wurde und in dieser Reihenfolge D zugrundelag (5), kann nach allem, was wir bislang über die Eigenart von D und der ihm zugrundeliegenden Überlieferung feststellten, vorausgesetzt werden. Andererseits war aber die *Art der Darstellung* der Spannungen, in denen sich der klagende Gerichtsprophet vorfand (Eigenbericht, Klage, Jahwewort), so unterschiedlich, daß sie dem Redaktor Einschübe wie den zwischen 17,19 und 18,18 sowie Umstellungen der Texte ermöglichten: Waren diese unterschiedlichen Darstellungsformen auf der Ebene der mündlichen Redevorgänge notwendig, so ermöglichten sie dem späten literarisch arbeitenden dtr. Redaktor umfassende literarische Eingriffe.

Hatte D durch die Vorfügung von 17,12f. die in der Klage 17,14-18 vermißte Anklage gegen das Volk eingebracht, so verstärkt D in 18,18-23 durch die Einfügung von V.21-22a die Gerichtsankündigung gegen das Volk, ausgewandelt in die Bitte, während die Anfeindungssituation durch V.18 und V.20a* ausgemalt wird. D bringt durch diese Erweiterungen die Klagen in ein gewisses Gleichgewicht: Er gleicht die unterschiedlichen Akzente in den beiden jeremianischen Klagen aus, indem er gerade die Inhalte ergänzt, die von Jeremia weniger stark betont worden waren.

Diese Ergänzungen zeigen aber auch, daß D ganz auf der Linie dieser beiden Klagen 17,14-18 und 18,*19-23 arbeitet, während seine Erweiterungen bei den Klagen 12,*1-4; 15,10.17f. und 20,7-9 eher gegenläufig waren. Daß D die Bitte V.21-22a in

---

1 U.Eichler, a.a.O. mißt den negativen Bitten in 18,23 keine Bedeutung in dieser Richtung bei und kommt im Vergleich mit 17,14-18 zu dem Schluß: "Die Klage 18, 18a.19.20.23 dagegen gehört ganz in die Linie der Feindklage," (S.82).
2 s.o., S.117f.
3 Von der Sache her knüpft 18,19 an die Wünsche und Bitten 17,18 an.
4 Die auf Jeremia zurückzuführenden Textzusammenhänge werden zur besseren Verifizierung des hier Gesagten am Ende des Buches in Übersetzung beigegeben.
5 Zu 18,1-6a.6b-12 s.o., S.104f. mit A.6; zu 17,19-27 s.o., S.118 mit A.5. Es ist zu überlegen, ob die dtr. Alternativ-Predigt 18,6b-12 mit ihrer Abwägung der Möglichkeiten des Handelns Jahwes zum Guten wie zum Bösen nicht die Klage Jeremias 18,20 voraussetzt: "Soll denn Gutes mit Bösem vergolten werden?"

der Sprache der Gerichtsankündigung aber unmittelbar an Jeremias Hinweis auf seine Fürbitte (V.20) anschließt, könnte zusammenhängen mit dem für D charakteristischen Verbot der Fürbitte (1): Spielt Jeremia auf seine Fürbitte an, so muß der Redaktor sie ihm sofort wieder aus der Hand schlagen, indem er Jeremia eine Gerichtsbitte gegen das ganze Volk in den Mund legt.

c. *Zusammenfassung*

Die Untersuchung der beiden Klagen Jer 17, (12f.)14-18 und 18,18-23 hat zu folgenden Ergebnissen geführt:

1. Beide Klagen sind durch D erweitert worden. Nach Abhebung der Erweiterungen im Prosa-Stil bleiben zwei Klagen vom Umfang 17,14-18 und 18,19.20a*.b.22b.23. Vorredaktionelle Klage und redaktionelle Erweiterung lassen sich grundsätzlich nicht einseitig mithilfe literarischer Kriterien voneinander unterscheiden, sondern immer von zwei Seiten her: Für die vorredaktionelle Klage sind primär *formgeschichtliche* Kriterien anzuwenden, für die redaktionellen Erweiterungen daneben auch *redaktionsgeschichtliche* (das heißt: *literarische*) Kriterien.

2. Die beiden vorredaktionellen Klagen haben die gleichen konstitutiven Elemente: Einleitende Bitte, Hinweis auf das eigene untadelige Verhalten, Feindklage, Bekenntnis der Zuversicht, Bitte um Bestrafung (bzw. Verwünschung) der Feinde. Die Anklage Jahwes wird abgeschwächt in die indirekte Form der negativen Bitte, während das Ich des Klagenden ebenfalls weniger in der Form der Ich-Klage als vielmehr innerhalb der Bitten zu finden ist.

Mit diesen Merkmalen unterscheiden sich die beiden Klagen 17,14-18 und 18,*19-23 von den Klagen 12,*1-4; 15,10.17.18 und 20,7-9, die Rückmeldungen auf Auftragserteilungen und -ausführungen darstellen. In diesen taucht zwar auch die Feindklage auf, erhält aber gegenüber der Anklage Jahwes eine zunehmend untergeordnete Rolle, während die Bitte und das Bekenntnis der Zuversicht nur in 12,*1-4 noch auftauchen, allerdings mit viel weniger Gewicht als in 17,14-18 und 18,*19-23, und die einleitende Bitte in jenen Klagen überhaupt fehlt (2).

3. Nicht nur von der *Form* her sind zwei Typen gerichtsprophetischer Klage zu unterscheiden, sondern auch von ihrer *Funktion* her: 17,14-18 und 18,*19-23 reagieren nicht auf die erfolglose Auftragsausführung, sondern erwachsen aus der Situation des *Wartens auf das Gericht*: In der Spanne zwischen der Ankündigung und dem Eintreffen des Gerichts kommt es zu Anfeindungen gegen den Propheten (und damit gegen Jahwe). Aus dieser Spannung heraus erhebt sich die Klage, die das Gericht über die Feinde herabbittet. Die Spannung, die hinter diesen beiden Klagen steht, entspricht also der Spannung, die das prophetische Gerichtswort an das Volk bestimmt.

4. Diese gemeinsame Spannung von prophetischem Gerichtswort an das Volk und gerichtsprophetischer Klage schlägt sich auch nieder in der

---

1 s.o., S.76, A.6

2 Außerdem folgt auf 17,14-18 und 18,*19-23 kein Jahwewort wie in 12,5; 15,19b. 20aα oder wie es in 20,9 durch die Klage gespiegelt wird.

D hingegen läßt auch auf 11,18-20 ein Jahwewort folgen, das sich aber als prophetisches Gerichtswort an eine Gemeinschaft grundlegend von den Jahweantworten auf die auftragsbezogenen Klagen Jeremias unterscheidet.

Ausformung der beiden Klagen 17,14-18 und 18,*19-23: In beiden Klagen finden sich Aussagen des prophetischen Gerichtswortes an das Volk, allerdings umgewandelt in die Form des an Gott gerichteten Redens: in 17,14-18 stärker die Gerichtsankündigung, in 18,*19-23 stärker die Anklage gegen das Volk.

5. Hinter dieser die beiden Klagen 17,14-18 und 18,*19-23 bestimmenden Spannung verschwindet das Ich des klagenden Gerichtspropheten aber niemals so sehr, daß man von keiner konkreten Anfeindungssituation gegen den Propheten mehr sprechen könnte. Vielmehr ist der Jeremia, der in 17,14-18 und 18,*19-23 klagt, derselbe klagende Gerichtsprophet wie in 12,*1-4; 15,10. 17.18 und 20,7-9, nur mit dem Unterschied, daß er hier an seinem Auftrag Verzweifelnde und dort der von Jahwe Ermutigte und auf das Gericht Ausblickende ist, der allerdings jederzeit wieder in diese Situation hineingeraten kann, da er Jahwe wegen des zu schweren Auftrags und der Erfolglosigkeit seiner Ausführung anklagt (1).

6. Von der Klagesituation her, wie sie sich in den beiden Klagen spiegelt, stehen 17,14-18 und 18,*19-23 in einem sinnvollen Nacheinander und lassen sich auch sinnvoll anordnen zwischen den Klagesituationen von 15,10.17.18 und 20,7-9 mit den ihnen vorangehenden Aufträgen und den ihnen folgenden Jahweworten, so daß die Vermutung naheliegt, daß die Konfessionen Jeremias zusammen mit den jeweiligen Geschehensabfolgen einmal in folgender Reihenfolge überliefert worden sind:

I.   13,1-10a*.b; 12,*1-4.5

II.   16,*5.7; 15,10.17.18.19b.20aα

III. 17,14-18

IV.   18,19.20a*.b.22b.23

V.   18,1-6a; 19,1-2a*.10-11a; 20,7-9

VI.   20,14-18 (2).

Abgesehen von dieser wahrscheinlichen Kontextbildung tragen die beiden Klagen 17,14-18 und 18,*19-23 aber auch schon in sich die Tendenz zur Weitertradierung.

7. Diese Abfolge hat der dtr. Redaktion als literarische Größe vorgelegen. D hat die Konfessionen Jeremias abschließend bearbeitet, in noch größere Zusammenhänge hineingestellt und sie damit aus den ursprünglichen Klagesituationen gelöst. Die dtr. Ergänzungen zu 17,14-18 und 18,*19-23 zeigen aber auch, daß die Interpretation von D auf der Linie dieser beiden Klagen zu suchen ist (3).

---

1 Wenn hier das Ich des Propheten herausgestellt wird, so ist damit etwas anderes gemeint als ein Verständnis der Konfessionen im Sinne "eines sehr persönlichen Herzensergusses des Propheten", gegen das sich A.H.J.Gunneweg, Konfession oder Interpretation, S.404 mit Recht absetzt. Es geht um den Gerichtspropheten in seinen Bezügen zu Jahwe und seinen Mitmenschen und den Störungen dieser Bezüge.

2 Cf. dazu die Überlegungen bei J.Bright, Reminiscence, passim. Schon G.Hoelscher, Profeten, S.390-399 verhandelt die Konfessionen innerhalb seiner "Kritik der Ich-Berichte", um sie dann allerdings als unecht auszuscheiden.

3 Vor dem Hintergrund dieser Ergebnisse erledigen sich die Einwände P.Weltens, Leiden und Leidenserfahrung, gegen die weithin anerkannte These, hier spreche der Prophet "seine persönlichsten Empfindungen" aus: "Wollte man an dieser Deutung festhalten, müßte man einen jeremianischen 'Kern' herausarbeiten ... Um diesen

Exkurs 3: Die Konfessionen Jeremias und die Redeformen des Rechtslebens

In der neueren Forschung ist immer wieder die Verwandtschaft des prophetischen Gerichtswortes mit den Redeformen des Rechtslebens herausgestellt worden (1). Der Vergleich hat sich weitgehend auf den Prophetenspruch beschränkt; hin und wieder sind auch die Prophetenerzählungen mit herangezogen worden (2), während die gerichtsprophetischen Klagen bislang kaum mit den Redeformen des Rechtslebens verglichen worden sind (3). Nun fanden sich in den Konfessionen Jeremias immer wieder Anspielungen auf Vorgänge aus dem Rechtsleben, so in 12,1 (4), aber auch in 20,7f. (5), ferner in dem mehrfachen Auftauchen der Wurzel ריב (12,1; 15,10; 18,19), so daß sich die systematische Darstellung der Konfessionen auf dem Hintergrund der Redeformen des Rechtslebens anbietet.

Für diesen Untersuchungsgang ist eine in der deutschen Forschung unberücksichtigt gebliebene Forschungslinie aufzunehmen: die Untersuchung der Konfessionen Jeremias in der jüdischen alttestamentlichen Wissenschaft. *S.H.Blanks* Aufsatz: "The Confessions of Jeremiah and the Meaning of Prayer" (6) stellt einen der wesentlichen Beiträge dieser Forschungsrichtung zu den Konfessionen Jeremias dar (7). Zum erstenmal seit der Untersuchung von *W.Baumgartner* (8) werden in diesem Aufsatz die Konfessionen Jeremias unter einem neuen formgeschichtlichen

---

'Kern' müßte sich weiteres Material gesammelt haben, in dem dann etwa die Bezüge zu den anderen Jeremiastellen vorkämen. Dieser erweiterte jeremianische 'Kern' müßte dann erst nach der Vereinigung der verschiedenen Schichten ins Buch aufgenommen worden sein, da in den Konfessionen Stichwortverknüpfungen zu allen drei Schichten feststellbar sind," (S.144). Bei den Stichwortverknüpfungen handelt es sich - das muß zur Ergänzung der Thesen von Welten gesagt werden - durchweg um die Arbeit von D, der entweder nur Kompositionsarbeit leistete (z.B. Anschluß von 15,10-21 an 15,5-9) oder bewußt Verklammerungen schuf (20,10 als Klammer zwischen 20,7-9 und 20,1-6; 18,18 als Klammer zwischen 18,19-23 und 18,11). Zu diesem Ergebnis gelangt man allerdings nur, wenn man nicht wie Welten und H. Lörcher, Verhältnis B für eine spätere Schicht (oder gar Quelle) als D (nach Welten und Lörcher: C) hält. - Außerdem galt es nicht, einen jeremianischen 'Kern' herauszuarbeiten (dieses Forschungsziel ist rein gedanklich-literarisch gefaßt), sondern jeremianische Texte mit einer trotz der dtr. Redaktion erkennbaren gerichtsprophetischen Struktur und dem entsprechenden Vorgang auf der Stufe mündlicher Überlieferung zu unterscheiden von der dtr. Rezeption dieser Texte.

1 Cf. dazu bes. H.J.Boecker, Redeformen; G.Liedke, Rechtssätze.
2 So z.B. H.J.Boecker, a.a.O., Reg. zu Jer 26.
3 Versuche, einen Teil der Beispiele für die Gattung des Klagepsalms des Einzelnen aus forensischen Redevorgängen herzuleiten, finden sich bei H.Schmidt, Gebet und dann besonders bei E.A.Leslie, Psalms; cf. ferner H.Richter, Hiob, der die Klagen Hiobs aus forensischen Zusammenhängen erklären möchte, und die einseitige Herleitung der Fürbitte aus diesen Zusammenhängen bei N.Johansson, Parakletoi.
4 s.o., S.81 mit A.6; 82 mit A.1
5 s.o., S.108 mit A.7-10; 109 mit A.1
6 = S.H.Blank, Confessions
7 Daneben wäre noch besonders hinzuweisen auf manche treffende Bemerkung zu den Konfessionen bei M.Buber, Glaube, bes. S.236f., z.B.: "Der Mensch kann reden, er darf reden; wenn er nur wirklich zu Gott redet, gibt es nichts, was er ihm nicht sagen darf" (S.237); cf. ferner: A.J.Heschel, The Prophets, bes. S.108-130.
8 Klagegedichte

Aspekt zu erfassen versucht: den Redeformen des Rechtslebens: "In the confessions we observe a man claiming the right to appear before a higher authority and present his case. We see this man in that presence condemning his adversaries and protesting his innocence. He pleads and challenges, and demands justice. Then he appears to await the verdict, which, for the most part, is forthcoming." (1) Die Konfessionen sind demnach bestimmt von drei Strukturelementen: "narrative", "plea" und "expression of confidence" (2), wobei das Strukturelement "narrative" die beherrschende Rolle spielt. Es wird folgendermaßen beschrieben: "The narrative describes to God the treacherous conduct of Jeremiah's adversaries, with the purpose of influencing God to punish them; it also describes the unimpeachable conduct of the prophet himself, with the purpose of influencing God in his favor." (3) Damit sind genau die beiden Redeelemente des Rechtsverfahrens "Anklage in Form eines Geschädigtenberichtes" und "Hinweis des Klägers auf sein tadelloses Verhalten" umschrieben, wie sie O.H.Steck im Anschluß an H.J.Boecker für 1 Kön 19,10=14 festgestellt hat (4).

Diese Beschreibung der Konfessionen Jeremias hätte einen Durchbruch von einem einseitigen Vergleich der Konfessionen mit der Gattung des Klagepsalms des Einzelnen hin zu einem Vergleich mit den Grundstrukturen gerichtsprophetischen Redens bedeuten können; doch endet Blanks Beschreibung der Konfessionen mit der Feststellung: "The confessions are prayers and answers to prayers." (5)

Der Mangel der Untersuchung Blanks besteht darin, daß sie alle Konfessionen unter ein Schema zu pressen sucht. Die Ergebnisse werden aber klarer, wenn unterschieden wird zwischen den unterschiedlichen Orten der Konfessionen Jeremias: 1. auf der Stufe der dtr. Redaktion, 2. im Zusammenhang des Botenvorgangs und 3. im Zusammenhang des Wartens auf das Gericht. Dann zeigt sich, daß Blanks Beschreibung zutrifft für die Umformung der Konfessionen durch D und deren Verbindung mit einem Gerichtswort an die Feinde Jeremias (11,21-23) und für die Konfessionen, die das Warten auf das Gericht ("to await the verdict") aussprechen. Für die Konfessionen, die im Rahmen des Botenvorgangs eine Rückmeldung auf den zu schweren Auftrag und seine Ausführung darstellen, trifft Blanks Beschreibung aber nicht zu. Denn wird in den Konfessionen, die ein Warten Jeremias auf das Gericht aussprechen (17,14-18; 18,*19-23) Jahwe als Richter (und Kläger) gegen die von Jeremia angeklagten Feinde angesprochen, so ist Jahwe in den übrigen drei Konfessionen 12,*1-4; 15,10.17.18 und 20,7-9 nicht nur als Richter angesprochen (12,1), sondern auch als Angeklagter, der letztlich für das Verhalten der Feinde Jeremia gegenüber und überhaupt für Jeremias Geschick als Gerichtsprophet verantwortlich ist:

12,2 Du hast sie gepflanzt - sie haben auch Wurzeln geschlagen.

15,17 Mit Zorn hast du mich erfüllt.

20,7 Du hast mich verführt ...
      Du hast mich ergriffen und die Oberhand behalten.

---

1 S.332f.
2 S.332
3 ebda.
4 O.H.Steck, Elia-Erzählungen, S.120f., A.3
5 S.H.Blank, a.a.O., S.336

Blank sieht, daß auch diese Aussagen von der Form her den Feindklagen nahestehen, zieht allerdings aus dieser Beobachtung ganz eigenartige Konsequenzen: Die Anklagen Jahwes haben "the form of narrative, and it is only the challenging nature of what they say which suggests their classification als pleas by implication." (1) Nun kann nicht bestritten werden, daß die Anklagen Jahwes die Wende eines Geschehens zum Ziel haben (2), wenn auf diese Weise nur nicht verdeckt wird, daß Jahwe in diesen drei Klagen nicht nur Richter, sondern Richter und Angeklagter zugleich ist.

Die dtr. Redaktion hingegen baut - ganz auf der Linie der beiden vom Warten auf das Gericht bestimmten Klagen 17,14-18 und 18,*19-23 - das Bekenntnis zu Jahwe als dem gerechten Richter (11,20=20,12; 15,11. 15) aus (3). Auf dieser Linie liegen auch das zweite und dritte Gottesknechtlied: Jes 49,1-6 und 50,4-9 (4).

Das Besondere der gerichtsprophetischen Klagen Jeremias ist es, daß sie Jahwe nicht nur als Richter (und Kläger) gegen seine und des Propheten Feinde anrufen, sondern daß Jahwe selbst immer stärker in die Rolle des Angeklagten gedrängt wird bis hin zu dem Punkt, da Jahwe eines todeswürdigen Verbrechens (Vergewaltigung: 20,7f.) angeklagt wird. In der Schärfe der Anklage bleibt Hiob noch fast hinter Jeremia zurück. Gemeinsam ist Hiob und Jeremia aber, daß der so angeklagte Jahwe die einzige Instanz ist, an die der Klagende sich wenden kann. Die dtr. Redaktion hingegen schwächt diese Anklagen gegen Jahwe so weit wie nur eben möglich ab und ordnet sie dem Bekenntnis zu dem gerechten Gott (z.B. 20,12) unter.

---

1 a.a.O., S.334
2 Cf. C.Westermann, Rolle der Klage, S.251f..
3 Diese Sicht der Konfessionen steht in Spannung zu der Behauptung einer Reihe von Forschern, die Verwendung der Wurzel ריב habe nichts mit dem Gerichtsverfahren zu tun (so F.Hubmann, Konfessionen, S.260 zu 15,10; W.Schottroff, Gedenken, S. 229f. zu 18,19, dagg. aber G.Liedke, ריב, Sp.775).
4 Für Jes 50,8f. hat C.Westermann, Dtjes, S.187 bereits die Form der Gerichtsrede festgestellt, und zwar handelt es sich um eine "Appellation zur Einleitung eines Feststellungsverfahrens" (cf. dazu H.J.Boecker, Redeformen, S.68-70). Spuren der Rechtssprache finden sich auch hinter Jes 49,4b:

Mein Recht ist bei Jahwe
und mein Lohn bei meinem Gott.

IV. DAS JEREMIABILD IN DER DEUTERONOMISTISCHEN REDAKTION VON JER 1-45

1. Zur Forschungsgeschichte

Die bisherige Untersuchung der Funktion Jeremias in der dtr. Redaktion von Jer 1-45 hat die Bedeutung der Konfessionen Jeremias für die Ausgestaltung des dtr. Prophetenbildes erkannt, sich aber ganz auf die dtr. Aussagen in Jer 11-20 beschränkt und ist methodisch in zwei Lager gespalten: Während *E.Gerstenberger* (1), *A.H.J.Gunneweg* (2) und *P.Welten* (3) in den Konfessionen aus der Psalmentradition übernommene Klagepsalmen des Einzelnen oder Bruchstücke davon erblicken, die dann von der Redaktion durch kleine Ergänzungen biographischer oder auf die Funktion des Propheten abzielenden Art überarbeitet und so in den Kontext der dtr. Redaktion eingearbeitet wurden, fragt *W.Thiel* (4) im Gefolge von *G.Jacoby* (5), aber unabhängig von diesem (6), nach der Funktion der Konfessionen Jeremias innerhalb "stilisierter Szenen jer(e-mianischer) Verkündigung" (7), hält die Konfessionen selbst in eigenartiger Zurückhaltung aber im großen und ganzen für jeremianisch und will in ihnen nur ganz wenige Spuren dtr. Bearbeitung feststellen.

Diesem unterschiedlichen methodischen Ansatz entsprechen auch die Beschreibungen des dtr. Jeremiabildes. Sehen erstgenannte drei Forscher in den Konfessionen den exemplarisch leidenden Gerechten dargestellt (8), so *W.Thiel* den "Ankläger und Gerichtsverkündiger, aber auch den für seine Botschaft Leidenden" (9). Beide Beschreibungen bleiben merkwürdig blaß. Ist über *Thiel* hinaus zu fragen, worin sich denn nun das sich in den Konfessionen im Rahmen der stilisierten Verkündigungsszenen äußernde dtr. Jeremiabild unterscheidet von dem klagenden Gerichtspropheten Jeremia, so ist über erstere drei Forscher hinaus zu fragen, wie sich denn der leidende Gerechte in den Konfessionen verhält zu dem Jeremia, wie er in den übrigen Partien der dtr. Redaktion von Jer 1-45 dargestellt wird (10).

Aber nicht nur die Beschreibung des dtr. Jeremiabildes bleibt noch unbefriedigend, sondern auch die Ergebnisse der redaktionsgeschichtlichen Untersuchung insbesondere von Jer 11-20 und die Wege, auf denen sie erreicht werden. So kann *W.Thiel* Jer 17,14-18 in keiner der von D

---

1 Jer 15,10-21
2 Konfession oder Interpretation
3 Leiden und Leidenserfahrung
4 Jeremia; ders., Jeremia 1-25
5 Glossen
6 Cf. die Bemerkungen von W.Thiel, Jeremia 1-25, S.161, A.70.
7 a.a.O., S.286f.. Diese Szenen sind natürlich erst von D geschaffen worden.
8 E.Gerstenberger, a.a.O., S.407 u.ö.; A.H.J.Gunneweg, a.a.O., passim; P.Welten, a.a.O., bes. S.137-145.
9 a.a.O., S.287
10 Diese Frage ist natürlich nie ganz ausgeklammert worden. So fragt E.Gerstenberger, a.a.O., bes. S.407f. nach dem Verhältnis von 15,10-21 zu 14,1-15,4; A.H.J. Gunneweg, a.a.O., S.413 beiläufig nach dem Verhältnis von Konfession und dtr. Geschichtswerk, P.Welten, a.a.O., passim nach der Darstellung von Leiden in den verschiedenen Schichten des Jeremiabuches. Die Frage nach der Beziehung der Darstellung Jeremias in den (dtr. überarbeiteten) Konfessionen zu seiner Darstellung in Jer 1-45 überhaupt ist so aber noch nicht gestellt worden.

stilisierten Szenen jeremianischer Verkündigung unterbringen (1), was ebenso eine neue Untersuchung der dtr. Kompositionsarbeit erfordert wie die bei den übrigen Forschern vermißte Frage nach dem Verhältnis der Konfessionen zu den übrigen Texten von D. Überdies ist das Verhältnis von Konfession und dtr. Überarbeitung in der bisherigen Forschung sehr unklar geblieben: Was ist aus der Tradition übernommene Klage? Was ist Überarbeitung? Wie ist mit den tradierten Stücken umgegangen worden? Sind sie nur additiv hintereinandergestellt worden, oder spricht sich selbst in der Komposition der kleinen Stücke ein klarer dtr. Formungswille aus? Läßt D den Willen zu einer Formung übergreifender Zusammenhänge erkennen?

Die Bemerkungen in Teil III. zu den dtr. Überarbeitungen zeigten schon, daß sich in diesen Fragen ein erhebliches Stück weiterkommen läßt, nachdem erst einmal auf der Basis formgeschichtlicher Kriterien die den gerichtsprophetischen Klagevorgängen entsprechenden Texte von der dtr. Bearbeitung gesondert worden sind. Die in Teil III. gewonnenen Ergebnisse sollen im folgenden zusammengefaßt und für die Beschreibung des Jeremiabildes in der dtr. Redaktion von Jer 11-20 aufgearbeitet werden, bevor auch die übrigen Partien des dtr. Jeremiabuches (außer den Fremdvölkersprüchen Jer 46-51 (2)) in die Untersuchung einbezogen werden. Bei diesem Untersuchungsgang ist methodisch davon auszugehen, daß es sich bei der dtr. Redaktion um *Literatur* handelt. Daher werden im folgenden immer wieder die *literarischen Techniken von D* angesprochen werden. Darin unterscheidet sich dieser Teil der Untersuchung grundsätzlich von den Teilen B.I.-III., die *formgeschichtliche Kriterien*, das heißt: Kriterien der *mündlichen, vorliterarischen* Überlieferung in den Mittelpunkt stellten.

Daß D *Literatur* verfaßt, ist in der bisherigen Forschung kaum genügend ins Bewußtsein gehoben worden. Dabei zeigt gerade *W.Thiel*s Untersuchung der dtr. Redaktion von Jer 1-45, daß diese gar nicht anders in den Blick kommen kann, als wenn man konsequent ausgeht von dem dtr. *Jeremiabuch* (3), wie denn auch die weitgehende Anwendung von Stilkriterien in der redaktionsgeschichtlichen Untersuchung des Jeremiabuches zeigt, daß stillschweigend die Jeremia-Überlieferung als *literarische Größe* vorausgesetzt wird. Diese Voraussetzung läßt aber auch die Frage nach dem *Entstehungsbereich* des dtr. Jeremiabuches und nach seinen *Adressaten* in einem neuen Licht erscheinen. Bislang ist durchweg davon ausgegangen worden, daß Entstehungsbereich und Adressaten deckungsgleich sein müßten (4). Literatur, schriftliche Überlieferung dient aber unter anderem auch dem Zwecke, eine räumliche Distanz zu überbrücken. Damit *kann* der Adressat von Geschriebenem räumlich durchaus weit entfernt sein von dessen Entstehungsbereich. Außerdem kann Geschriebenes sich an eine Mehrzahl von Adressaten in unterschiedlichen

---

1 a.a.O., S.161f., A.71
2 Es wird im folgenden davon ausgegangen, daß Jer 46-51 erst in einem nachdtr. Stadium in das Jeremiabuch Eingang fanden, so auch W.Thiel, a.a.O., S.281; J.Kegler, Leid, S.286f..
3 Cf. bes. a.a.O., S.280.
4 So ist nach E.W.Nicholson, Preaching, S.117-135 die babylonische Gola als Entstehungs- und Adressatenbereich von D anzunehmen, nach W.Thiel, Jeremia, S.672f. der Bereich Juda/Jerusalem, während K.F.Pohlmann, Studien, eine gesonderte gola-orientierte Redaktion von ihrem juda-orientierten Vorstadium abhebt. Es wird im folgenden deutlich werden, daß diese Unterscheidungen überflüssig sind.

Lebensbereichen richten. So wird im folgenden davon ausgegangen, daß das dtr. Jeremiabuch entstanden ist in Juda (1), aber adressiert ist a. an die in Juda/Jerusalem Zurückgebliebenen, b. an die babylonische Gola und c. möglicherweise auch an die kleine jüdische Kolonie in Ägypten. Auf diese Weise löst sich am besten die bislang ungeklärte Frage, ob die dtr. Redaktion ihren "Sitz im Leben" im Juda der Exilszeit oder in der babylonischen Gola habe (2). Im übrigen zeigt der Brief Jer 29, welch reger Austausch zwischen Juda und der babylonischen Gola bestand.

Literatur - auch dies ist in der bisherigen Forschungsgeschichte zu Jer 1-45 nicht genügend berücksichtigt worden - ist oft an einen begrenzten Kreis einflußreicher Gebildeter gerichtet. So ist das jahwistische Literaturwerk wahrscheinlich von einem Ältesten für andere Älteste geschrieben und in diesen Kreisen tradiert worden (3). Entsprechend werden in der Reihe der Adressaten des Briefes Jeremias an die Verbannten (Jer 29) als erste die Ältesten genannt (V.1). Auch diese Beobachtungen weisen in die babylonische Gola als *einen* der von D gemeinten Adressatenkreise; denn 587/586 wurde die Oberschicht dorthin verschleppt (4). Da die dtr. Redaktion, wie sich zeigen wird, im Gegensatz zu verfrühten Heilserwartungen zunächst an die Gerichtsprophetie Jeremias anknüpft und das Heil erst als Möglichkeit in einer ferneren Zukunft ansieht, wird mit *W.Thiel* die Zeit um 550 v.Chr. für die Fertigstellung der dtr. Redaktion angenommen (5).

Diesen Hintergrund gilt es im folgenden immer im Blick zu behalten. Wenn nicht sogleich von Jer 1-45 als einer Ganzheit ausgegangen wird, sondern zunächst von Jer 11-20, so hängt das zusammen mit der gegenwärtigen Forschungssituation. Zum andern kann von Jer 11-20 ausgehend am besten der Weg gezeichnet werden von den kleinen überschaubaren Klagezusammenhängen auf der Stufe der Konfessionen Jeremias bis hin zu der umfassenden literarischen Konzeption des Gottesdienstes im dtr. Jeremiabuch.

2. Die Arbeitsweise von D

a. *Die dtr. Verknüpfungs- und Kompositionstechnik*

Die Arbeitsweise von D ist bestimmt von dem Bestreben, die Konfessionen Jeremias mit der dtr. Gerichtspredigt angesichts des eingetroffenen Gerichts zu verbinden und durch Querverweise ein übergreifendes Band um Jer 11-20 zu legen. Hierbei handelt es sich um ein *literarisches Verfahren*, das Jer 11-20 als *Ganzheit* verstanden wissen will. Die Funktion des *Verklammerns von dtr. Gerichtspredigt und Klage* haben folgende Worte: 11,17 (6); 15,5-9 (7); 17,12f. (8); 18,18 (9) und 20, 10 (10).

---

1 Eine noch präzisere Festlegung des Entstehungsortes (evtl. Mizpa (cf. 41,17)?) ist kaum möglich.
2 s.o., S.128 mit A.4
3 s.o., S.50
4 Cf. dazu z.B. S.Herrmann, Geschichte Israels, S.347-349.
5 Jeremia, S.674
6 s.o., S.86
7 s.o., S.97f.
8 s.o., S.118
9 s.o., S.34 mit A.2
10 s.o., S.111f.

Bis auf 15,5-9, eine möglicherweise schon von D vorgefundene Klage aus der Exilszeit (1), sind alle diese Worte von D neu formuliert worden. Im einzelnen werden durch diese Klammern folgende Texte miteinander verbunden:

Gerichtspredigt	-	Klammer	-	Klage
11,1-16	-	11,17	-	12,*1-4 (2)
13,1-15,4	-	15,5-9	-	15,*10-18 (3)
16,1-17,4	-	17,12f.	-	17,14-18 (4)
18,1-17	-	18,18	-	18,*19-23 (5)
19,1-20,6	-	20,10	-	20,7-9 (6).

Als Verklammerungen weisen sich diese Worte dadurch aus, daß sie auf den vorangehenden Textzusammenhang zurückgreifen und auf die folgende Klage vorgreifen (7).

So greift in 11,17 das Partizip "der dich gepflanzt" zurück auf das Bild von dem grünenden Ölbaum in 11,16 und voraus auf die Anklage "du hast sie gepflanzt" in 12, 2. - Die Klage 15,5-9 greift zurück auf die Klagen in 14,2-6.7-9.17-18.19-22 und mit dem Bild von der dahinwelkenden Mutter voraus auf die Klage an die tote Mutter in 15,10. - 17,12f. ist formuliert als Lobpreis des gerechten Gottes und fügt sich als an Gott gerichtetes Reden gut vor die folgende Klage 17,14-18, greift aber inhaltlich auf die prophetische Gerichtsverkündigung zurück und schafft so die Verbindung zu der vorhergehenden Partie 16,1-17,4. - 18,18 greift mit dem Kohortativ נחשבה מחשבות על-ירמיהו zurück auf die ähnliche Formulierung innerhalb eines Gerichtswortes in 18,11 und voraus auf הקשיבה in der Klage 18,19. - 20,10 stellt eine Erweiterung der Klage 20,7-9 dar und greift als Feindklage zurück auf die Gerichtsankündigung an Paschur in 20,3.

Diese Verklammerungen bestätigen die These *W.Thiel*s, D habe durch die Verbindung von Klage und Gerichtsverkündigung Jeremia als den unter den Folgen seiner Botschaft Leidenden zeichnen wollen (8). Man wird *Thiel* auch folgen können in seiner Einordnung wenigstens dreier Konfessionen Jeremias in von D stilisierte Predigtszenen mit folgendem Aufbau:

		A.	B.	C.
I.	Anlaß zur Verkündigung	11,1-6	18,1-4	19,1f.
II.	Gerichtswort	11,7-17	18,5-17	19,3-15
III.	Verfolgung	11,18-23	18,18	20,1-6
IV.	Klage	12,1-6	18,19-23	20,7-18 (9).

---

1 s.o., S.97
2 Cf. dazu o., S.79-88.
3 Cf. dazu o., S.88-101.
4 Cf. dazu o., S.115-118.
5 Cf. dazu o., S.119-122.
6 Cf. dazu o., S.102-112.
7 Einzige Ausnahme ist hierin 20,10, eine Klammer, die erst auf die jeremianische Klage 20,7-9 folgt und diese mit der voraufgehenden Gerichtspredigt 19,1-20,6 verbindet.
8 Jeremia 1-25, S.287
9 ebda., S.161

In dieser engen Verknüpfung von Klage und Gerichtsverkündigung zeigt
D, daß auch zu seiner Zeit die Gerichtsbotschaft Jeremias das Volk
noch nicht zum Gehorsam Jahwe gegenüber geführt hat, und das, obwohl
das Gericht eingetroffen und Jerusalem zerstört ist (14,19). Nicht nur
die Priester (20,1-2) und Heilspropheten (14,13-14) gehorchen nicht
dem Worte Jahwes, sondern auch das übrige Volk, das in Juda (14,2.19)
zurückgeblieben ist, bis hin zu den Männern von Anatot (11,21), den
Vertrauten Jeremias (20,10) und sogar Jeremias nächsten Familienangehörigen (12,6). Statt Jahwe Gehorsam zu leisten (11,3), wehren sie
sich erbittert gegen die Gerichtsbotschaft Jeremias und verfolgen ihn,
das heißt: Sie wenden sich gegen die Fortführung seiner Gerichtsbotschaft, nachdem die Katastrophe eingetroffen ist.

Mit dieser stilisierten Predigtszene hat *W.Thiel* wie vor ihm schon
G.Jacoby (1) eine für die Ermittlung der dtr. Aussageabsicht wichtige
Struktur erschlossen; doch muß gesehen werden, daß diese Struktur nur
den *Teil eines größeren Geschehenszusammenhanges* darstellt, der für
den dtr. Rückblick auf die Prophetie Jeremias und ihre Folgen konsti-
tutiv ist:

		A.	B.	C.	D.	E.
I.	Gerichtsverkündigung Jeremias	11,1-11	13,1-21	16,1-13	17,19-18,17	19,1-15
II.	Eintreffen des Gerichts	(11,11)	(13,22)	(16,13)	(18,17)	(19,3.6-9. 11b-13.15)
III.	Klage des Volkes	11,11-12	14,2-6	(16,1o. 17,12f.)		
IV.	Verbot der Fürbitte an Jeremia	11,14	14,11f. 15,1-4	(17,16)	(18,20b)	
V.	Fortsetzung der Ge- richtsverkündigung	11,15-17	14,12b 15,3f.	(17,15)		
VI.	Verfolgung Jeremias	11,18f.	15,10	17,15	18,18	20,1-2
VII.	Antwort Jeremias					
	1. Gerichtswort an die Verfolger	11,21-23	15,12-14	(17,18)	(18,21. 22a.23)	20,3-6
	2. Klage zu Jahwe (mit Antwort Jahwes	12,1-4 12,5f.	15,15-18 15,19-21)	17,14-18	18,19-23	20,7-12

In dieser Struktur bildet sich ein Geschehenszusammenhang ab, der von
der Gerichtsprophetie Jeremias bis in die Zeit des Exils hinabreicht
und den im Exil aufbrechenden Fragen entspricht, wie sie dann von D
formuliert werden. Die Hauptfrage, die sich im Exil erheben mußte, war
die *Frage nach dem Heil*, nachdem das Gericht eingetroffen war. Die dtr.
Antwort auf diese Frage an die in Juda/Jerusalem Zurückgebliebenen
lautet:

I. Die Gerichtsverkündigung dauert fort und findet ihr Recht in der
fortdauernden Abwendung der Zurückgebliebenen von Jahwe. Lediglich für
die im Exil Lebenden kommt Heil in den Blick: 12,14-15; 16,14-15. Wenn
17,19-27 D zuzuschreiben ist (2), dann besteht für die Zurückgebliebenen eine Aussicht auf Heil, indem sie nämlich den Sabbat heilig halten.

---

1 s.o., S.10, mit Wiedergabe des Schemas nach G.Jacoby, der diese redaktionelle
  Struktur allerdings für 15,1off.; 17,14-18 und 18,18-23 annimmt (Glossen, S.85).
2 So mit Recht W.Thiel, a.a.O., S.208.

II. Demgegenüber scheint es in Juda Bestrebungen sogar aus dem engsten Vertrautenkreis Jeremias gegeben zu haben, sich schon bald nach der Zerstörung Jerusalems auf eine Wende einzustellen. Darauf scheint die Nennung der "Männer von Anatot" (11,20) und der nächsten Verwandtschaft Jeremias (12,6) durch D hinzuweisen, die Jeremia (und das heißt: die Jeremia-Überlieferung) für andere Ziele in Anspruch nehmen wollen als für die Gerichtsbotschaft. Dabei können sich die Genannten auf den historischen Jeremia berufen, der ja mit dem Ackerkauf in Anatot ein Zeichen gesetzt hatte für eine Wende zum Guten (32,1-15) (1). Doch D kommt alles darauf an, die Fortdauer des Gerichts zu betonen. Deshalb muß er das "Eintreffen des Gerichts" als Konsequenz aus der früheren Gerichtsverkündigung Jeremias hervorheben.

III. Die Erwartung einer Wende unter Berufung auf Jeremia scheint sich auch in den Anspielungen auf die Volksklage (z.B. 11,11-12) bzw. in den ausgeführten Volksklagen widerzuspiegeln (14,2-6.7-9.17f..19-22). Es scheint in Juda/Jerusalem Kreise gegeben zu haben, die in der Exilszeit die Jeremia-Überlieferung für ihre Heilserwartung in Anspruch nahmen, indem sie Jeremia zum Sprecher der exilischen Volksklage machten.

IV. Mit diesen Kreisen setzt D sich auseinander: Jahwe verbietet Jeremia die Fürbitte (11,14; 14,11f.; 15,1-4). Aus dieser Auseinandersetzung erklärt sich auch am besten der Abschnitt 14,13-16, der denen, die sich auf die Heilspropheten berufen, eine schroffe Abfuhr erteilt (2).

V. Vor diesem Hintergrund ist die Fortsetzung der Gerichtsverkündigung durch Jeremia nur verständlich: Es besteht noch keine Aussicht auf eine rasche Wende.

VI. Wie wenig Anlaß besteht, eine rasche Wende zu erhoffen, zeigt sich gerade darin, daß die so Hoffenden Jeremia wegen seiner Gerichtsbotschaft verfolgen (11,18f.; 15,10; 17,15; 18,18; 20,1-2). Diese Verfolgungen sind ein Ausdruck andauernden Ungehorsams Jahwe gegenüber. Die Verfolger Jeremias haben seine Gerichtsbotschaft nicht verstanden. Wer so Jahwe den Gehorsam verweigert, zieht auch nach der Zerstörung Jerusalems noch das Gericht auf sich, wie die Gerichtsworte 11,21-23; 15,12-14 und 20,3-6 zeigen.

VII. 1. Mit diesen Gerichtsworten wendet sich Jeremia ebenso wie mit den Gerichtsbitten 17,18 und 18,21.22a.23 gegen seine Verfolger. 2. Aber Jeremia wendet sich nicht nur gegen seine Gegner, sondern auch an Jahwe. Angesichts der Verfolgungen erhebt er seine Klage zu Jahwe: 12,1-4; 15,15-18; 17,14-18; 18,19-23 und 20,7-12. Soweit diese Klagen gegen Jahwe aufbegehren, werden sie umgebogen durch Erweiterungen (12,4a.ba; 15,15; 20,10-12) oder dtr. Jahweworte, die Jeremia korrigieren (12,6; 15,19a.20aβ-21): Der vordtr. *klagende und gegen Jahwe aufbegehrende Jeremia* wird uminterpretiert zu dem unter den Folgen seiner Gerichtsbotschaft *leidenden* und darin *Jahwe gehorsamen* Jeremia.

---

1 Charakteristischerweise entkräftet D diese Hoffnung auf Heil durch den langen Einwand 32,16-25, dem dann zunächst ein Gerichtswort (32,26-35) und dann erst ein Heilswort (32,36-44) folgt.

2 Insofern bedarf E.Gerstenbergers Bemerkung einer Korrektur, Jer 14,11-16 sei eingefügt worden, um zu verdeutlichen, daß das Prophetenamt ein Mittleramt sei (Jer 15,10-21, S.404). Hinter 14,(11f.)13-16 steht das Ringen um das Weitergehen der Gerichtsbotschaft allen verfrühten Heilshoffnungen zum Trotz zur Zeit von D.

Die gerichtsprophetische Klage wird von D also in einen umfangrei-
cheren Geschehenszusammenhang eingebettet, als *Jacoby* und *Thiel* dies
sehen. Die Klage steht nicht nur in der Abfolge Gerichtsverkündigung-
Verfolgung-Klage, sondern setzt noch vier weitere Elemente voraus:
die Gerichtsverkündigung Jeremias, das Eintreffen des Gerichts, die
Klage des Volkes und das Verbot der Fürbitte an Jeremia. Dieser umfangreiche Geschehenszusammenhang ist auch in den Verklammerungen der
Konfessionen mit dem Kontext vorausgesetzt: Handelt es sich bei 11,17
um ein Gerichtswort, bei 18,18 und 20,10 um Feindklagen angesichts von
Verfolgungen, so bei 15,5-9 und 17,12f. um Klammern, die auch die Verbindung zwischen Konfession Jeremias und Volksklage herstellen (1).

Wenn D auch die Konfessionen Jeremias mit der Volksklage verklammert, so weiß er sehr wohl zu differenzieren: Die Volksklage erhebt
sich als Klage der Gemeinschaft angesichts des eingetroffenen Gerichts,
die gerichtsprophetische Klage hingegen als Klage des Einzelnen in
einer Verfolgungssituation infolge seiner Gerichtsverkündigung (2).
Darin wird auch noch aus dem Abstand der Redaktion deutlich, daß die
Klage des Gerichtspropheten nur *Klage des Einzelnen* sein kann, weil
sie sich erhebt in einer Situation, die mit der *Botenfunktion* des Propheten zu tun hat (3).

Der umfangreiche siebengliedrige Geschehenszusammenhang, wie er auf
S.131f. dargestellt ist, entspricht den zeitgeschichtlichen Gegebenheiten in Juda/Jerusalem während der Exilszeit und erlaubt die Berücksichtigung fast aller Worte der dtr. Redaktion von Jer 11-20 (4). Wenn
sich auch in den beiden letzten Durchgängen (D. und E.) die Fürbitte
nicht mehr explizit findet, so ist dies kein Argument gegen die Trag-
fähigkeit des oben entworfenen dtr. Schemas, sondern deutet nur an,
worauf D hinauswill: Die Fürbitte Jeremias kommt zum Verstummen. So
will es Jahwe. Diejenigen, die sich auf die Heilsbotschaft Jeremias
berufen, wie sie sich z.B. auch hinter der Fürbitte verbirgt, werden
zum Schweigen gebracht. Es ist keine Aussicht auf eine schnelle Wende
für Juda/Jerusalem. Die Gerichtsbotschaft Jeremias geht weiter. Gerade
in der unterschiedlichen Verteilung der Elemente des dtr. Geschehenszusammenhanges in den fünf Durchgängen A. bis E. zeigt sich, daß D
kein geistloser Kompositeur vorgegebenen Stoffes ist, sondern in der
Strukturierung seines Stoffes den zeitgeschichtlichen Notwendigkeiten
entspricht. Daß D den siebengliedrigen Geschehenszusammenhang fünfmal
durchführt, hängt damit zusammen, daß D fünf Konfessionen in der Überlieferung vorfand. Diese Beobachtung wiederum deutet darauf hin, daß
D nicht beliebige Klagepsalmen des Einzelnen aufgenommen hat (5), sondern die Konfessionen in der ihm überkommenen Jeremiaüberlieferung

---

1 15,5-9 verklammert die Konfession 15,10.17.18 mit den Volksklagen in K.14 (s.o.,
  S.97f.), während 17,12f. selbst Elemente der Volksklage enthält (s.o., S.118).
2 E.Gerstenberger, a.a.O., S.407f. zieht beide Klageformen zu eng zusammen.
3 H.Graf Reventlow, Jeremia differenziert in diesem Punkte nicht genügend.
4 U.Eichler, a.a.O., S.65f. versucht auch alle Worte in Jer 11-20 zu berücksichtigen und teilt diesen Komplex auf in fünf Durchgänge (11,1-12,17; 13,1-15,21;
  16,1-17,27; 18,1-23; 19,1-20,18), die jeweils "ein Heilsausblick (beschließt)"
  (S.65) und die in sich gegliedert sind durch den Rhythmus Gerichtsankündigung-
  Klage als Reflex auf die Gerichtsankündigung. Aber weder werden alle Komplexe
  von einem Heilsausblick beschlossen, noch ordnet D die Klagen so undifferenziert
  an, daß sie lediglich ein Reflex auf die Gerichtsankündigung sind.
5 Gg. E.Gerstenberger, a.a.O., S.399-402; A.H.J.Gunneweg, a.a.O., passim; P.Welten,
  a.a.O., bes. S.144f..

vorfand. In der fünfmaligen Wiederholung des siebengliedrigen Geschehenszusammenhanges bildet sich ein *Prozeß theologischer Auseinandersetzung um Gericht und Heil* ab, wie er für die Zeit um 550 v.Chr. am
wahrscheinlichsten ist (1).

Gewissermaßen quer zu der fünfmaligen Durchführung des genannten
siebenteiligen Geschehenszusammenhanges liegt ein anderes Aufbauprin-
zip, das sich wie ein übergreifendes Band um Jer 11-20 legt und sich
fassen läßt in den vielen *Querverweisen*, bei denen sich *Doppelüberlieferungen* (an zwei Stellen eingesetzte Texte mehr oder weniger gleichen Wortlauts) unterscheiden lassen von *Anspielungen*.

Doppelüberlieferungen sind:

11,20	-	20,12
11,22-23	-	18,21-22a
15,13-14	-	17,3-4.

Sie haben sehr unterschiedliche Form: Stellt 11,20//20,12 ein Bekenntnis zu Jahwe als dem gerechten Richter dar, so 15,13-14//17,3-4 ein
Gerichtswort an das Volk (2), während uns in 11,22-23 und 18,21-22a
die Doppelüberlieferung einmal in der Form einer Gerichtsankündigung
an die Feinde Jeremias und einmal der Gerichtsbitte gegen die Feinde
vorliegt. In keinem dieser drei Fälle stimmen beide Worte voll überein. Dieser Befund ist ein Zeichen dafür, daß D diese Doppelüberlieferungen nicht wahllos in den jeweiligen Zusammenhang einsetzte, sondern sie den jeweiligen Kontexten anpaßte, die formal teils als Klage
(11,18-20; 18,18-23; 20,7-12), teils als Gerichtswort (11,21-23; 15,
12-14; 17,1-4) zu bestimmen sind. Auch in diesen Doppelüberlieferungen
zeigt sich, wie nahe Gerichtsverkündigung und gerichtsprophetische
Klage bei D einander rücken.

Die Querverweise dienen aber auch noch einem anderen Zweck: Sie
stellen einen übergreifenden Zusammenhang zwischen den fünf Konfessionen Jeremias her. In diese Richtung weist auch die Beobachtung, daß
alle drei Doppelüberlieferungen in unmittelbarer Verbindung mit den
Konfessionen Jeremias stehen. Für D sind diese Querverweise ein *literarisches Mittel*, um ein übergreifendes interpretatorisches Band um
Jer 11-20 zu legen. Diese Absicht wird schon daran erkennbar, daß D
die drei Doppelüberlieferungen *gegenläufig* anordnet, so daß sich der
Stoff zu *konzentrischen Kreisen* ordnet:

11,20	-	20,12
11,21-23	-	18,21-22a
15,12-14	-	17,1-4.

Bevor dieser Hinweis von D für die Auslegung des dtr. Verständnis-
ses des klagenden Gerichtspropheten aufgenommen werden kann, ist zunächst nach weiteren Belegen zu suchen, die die Annahme einer konzentrischen Anordnung des Stoffes von Jer 11-20 durch D bestätigen. Hilfreich ist hierbei die Berücksichtigung der zahlreichen *Anspielungen*
von D, von denen hier nur die auffälligsten herangezogen werden können:

---

1 s.o., S.129 mit A.5
2 Cf. dazu o., S.99f..

Voller Anspielungen ist das von D geschaffene Wort 17,12f., das uns bei der Untersuchung der Verklammerungen beschäftigte (1):

12 Ein herrlicher Thron, eine Höhe von Anbeginn ist die Stätte unseres Heiligtums.

13 Du Hoffnung Israels, Jahwe, alle, die dich verlassen, werden zuschanden; die Abtrünnigen werden aus dem Lande (der Lebendigen) ausgerottet, denn sie haben den Quell des Lebens verlassen, (Jahwe).

17,12 spielt mit dem Bekenntnis zu der Stätte des Heiligtums als des ewigen Thrones Jahwes auf die Volksklage 14,19-22 (bes. V.21) an, das Bekenntnis zu Jahwe als der Hoffnung Israels in 17,13 auf die Volksklage 14,7-9 (bes. V.8) und erklärt sich gut aus den Umständen in Jerusalem während der Exilszeit: 17,12 läßt die Hoffnung anklingen, die sich mit der Stätte des (zerstörten) Heiligtums verbindet. 17,13 rückt zurecht, worauf sich die Hoffnung richten müßte: auf Jahwe, und jeder, der sich von ihm abwendet, bringt sich damit ums Leben. - Die aufeinander bezogenen Texte in Jer 14 und 17,12f. sind wieder gegenläufig angeordnet:

14,8	-	17,13
14,21	-	17,12.

Stehen sich die Stellen aus Jer 14 und 17,12f. im Duktus von Jer 11-20 relativ nahe, so läßt sich die Anordnung des Stoffes zu konzentrischen Kreisen auch an der Peripherie von Jer 11-20 feststellen: Jer 11,18f. und Jer 20,13 entsprechen einander:

11,18 Und Jahwe ließ es mich wissen, da erkannte ich es, damals sah ich ihre Taten.

19 Ich aber war wie ein zahmes Lamm, das zur Schlachtbank geführt wird, und erkannte nicht, daß sie gegen mich Pläne schmiedeten: "Laßt uns den Baum in seinem Mark verderben und ihn ausrotten aus dem Land der Lebendigen, daß seines Namens nicht mehr gedacht werde!"

20,13 Singet Jahwe, lobpreiset Jahwe,
denn er hat das Leben des Armen
gerettet aus der Hand der Übeltäter.

Auf den, der im klagenden Eigenbericht von seinem Leiden als ahnungsloses Lamm spricht (11,18), wird im Lobwort der Gemeinschaft reagiert (20,13), das nicht zufällig die gleiche Form hat wie die "eschatologischen Loblieder" bei Deuterojesaja (2), wobei die besondere Form des lobenden Rückblicks der Gemeinschaft auf das Geschick eines Einzelnen ihre stärkste Entsprechung findet in dem vierten Gottesknechtlied, bes. Jes 53,1-11a, während die Form des klagenden Eigenberichts das zweite und dritte Gottesknechtlied bestimmt (49,1-6; 50,4-9). Diese Entsprechungen dürften kein Zufall sein: Wie die eschatologischen Loblieder und das vierte Gottesknechtlied jeweils Responsorien darstellen auf das Geschick des leidenden Gottesknechts, so ist auch Jer 20,13 als Responsorium auf das Geschick des unschuldig leidenden Jeremia anzusehen, wie es sich in den Konfessionen, besonders aber in den von D verfaßten Einleitungsversen 11,18f. darstellt. Diese Gemeinsamkeiten dürften sich aber nicht aus literarischer Abhängigkeit erklären,

---

1 s.o., S.130
2 Imperativischer Lobruf mit nachfolgendem berichtenden Lob der Gemeinschaft (Jes 42, 10-13; 49,13; 51,3, cf. C.Westermann, Sprache und Struktur, S.157-163).

sondern eher gelangen D und Deuterojesaja unabhängig voneinander aufgrund einer gemeinsamen Hintergrundproblematik zu dem gleichen Bild
von dem unschuldig Leidenden. Dieser ersetzt als Mittler in der Linie
der Gerichtspropheten den König, der in seiner Mittlerfunktion versagt
hat (1): D und Deuterojesaja knüpfen beide an die vorexilische Gerichtsprophetie an und führen diese je an ihrem Ort und je zu ihrer
Zeit weiter: D von vornherein Literatur schaffend, die eine Mehrzahl
von Adressaten an unterschiedlichen Orten im Blick hat, Deuterojesaja
hingegen seine Heilszusage direkt an die Adressaten im Exil richtend
in Formen, die der Literatur vorauf liegen und in den Bereich mündlicher Überlieferung hineingehören. D kommt es in seiner zeitgeschichtlichen Situation mehr als zwanzig Jahre vor Deuterojesaja darauf an,
Jeremia als den zu zeichnen, der sich allen Widerständen und verfehlten Hoffnungen zum Trotz als der erweist, der Jahwe gehorsam ist und
so am Leben bleibt. Die Gemeinde wird dazu aufgefordert, dies zu bejahen (20,13) (2).

Die Entsprechung zwischen Jer 11,18+19 und 20,13 wird auch bestätigt durch eine weitere Beobachtung: Das Verbot der Männer von Anatot
an Jeremia:

*11,21 Du darfst nicht im Namen Jahwes prophezeien, sonst stirbst du durch unsere
Hand,*

entspricht genau dem Verhalten Paschurs Jeremia gegenüber, wie es in
20,2 erzählt wird, nachdem Jeremia im Vorhof des Tempels als Prophet
aufgetreten ist (20,1, cf.a. 19,14), das heißt: Das physische Leiden,
wie es in dem Verbot 11,21 als Möglichkeit hingestellt wird, wird in
20,2, also zum Schluß des Komplexes, Wirklichkeit, allerdings nicht
in der Weise, daß Jeremia sterben muß, sondern aus dem Leiden gerettet
wird (20,13).

---

1 Das Zusammenfließen von Königtum und Gerichtsprophetie läßt sich vor allem an
  den Gottesknechtliedern bei Deuterojesaja ablesen, cf. dazu C.Westermann, Dtjes,
  S.78f..169 u.ö..
  Auch in Jer 1,5 fließen diese beiden Linien zusammen: Nicht nur das Motiv der
  Erwählung im Mutterleib (cf. dazu R.Albertz, Weltschöpfung und Menschenschöpfung, S.49f..59; H.Graf Reventlow, Jeremia, S.31-37) sondern auch die Verleihung des Titels (in diesem Fall: Prophet für die Völker) (zu dieser Problematik
  grundsätzlich: C.Westermann, a.a.O., S.169) deutet in die Richtung der Königseinsetzung: Der Prophet übernimmt die Rolle des versagenden Königs angesichts
  der dem Volk drohenden Gefahr (cf.bes. Jer 1,11-14). Wie weit die Verschmelzung
  dieser beiden Linien in Jer 1,4-10 schon Jeremia zuzuschreiben ist, oder ob 1,4-
  10 schließlich ganz D zugewiesen werden muß, kann erst unten in Teil B.V.5. entschieden werden.
  Der Vorgang, daß der König in bestimmten Situationen ersetzt wird, ist zu vergleichen mit den Ersatzritualen für den König in der Umwelt des Alten Testaments,
  dazu cf. H.M.Kümmel, Ersatzrituale und B.Landsberger, Asarhaddon (Hinweis von
  Herrn Herbert Westerkamp, Northeim).
  Der Chronist (2 Chr 36,22f. = Esr 1,1f.) scheint noch der Auffassung gewesen zu
  sein, Deuterojesaja sei ein Werk Jeremias gewesen, wenn er Jes 44,28 Jeremia zu-
  schreibt (cf. dazu B.Duhm, Propheten, S.242).
2 F.Crüsemann, Hymnus und Danklied, S.40 hat die Eigenständigkeit von 20,13 richtig erkannt, nur reicht die Zuordnung dieses Verses zur von C. postulierten
  Gattung des "imperativischen Hymnus" nicht aus, die Funktion von 20,13 innerhalb der dtr. Redaktion von Jer 11-20 verständlich zu machen.

Gibt D durch Doppelüberlieferungen und Anspielungen zu erkennen,
daß er Jer 11-20 als *Ganzheit* verstanden wissen möchte, so ist zu fragen, ob die noch nicht berücksichtigten Abschnitte 11,1-17 und 20,14-
18 nicht bewußt von D als äußerer Kreis um Jer 11,18-20,13 gelegt worden sind. Auszugehen ist von der Beobachtung, daß sowohl in 11,3-5 als
auch in 20,14-18 die *Verfluchung* im Mittelpunkt steht, wenn auch in
unterschiedlicher Weise: Steht hinter 11,3-5 ein Fluchritual, wie es
auch in Dtn 27,15-26 belegt ist, so verflucht in 20,14-18 Jeremia den
Tag seiner Geburt. Es ist eine weitere Beobachtung hinzuzuziehen, über
die die neuere Forschung ohne weitere Diskussion hinweggegangen ist:
Nimmt in Dtn 27,15-26 das *Volk* den Fluch auf sich, so in 11,5 *Jeremia*
selbst, das heißt: *Jeremia wird zum stellvertretenden Leidenden* (1).
Andererseits verknüpft der dtr. Prosa-Einschub 20,16a das Geschick
Jeremias mit dem Gericht, das Jahwe hat hereinbrechen lassen ohne Erbarmen über die Städte, eine Aussage, die sich nicht zufällig auch in
Dtn 29,22 in Entsprechung zu dem Fluchritual 27,15-26 findet: 20,16a
scheint im Zusammenhang von Jer 20,14-18 andeuten zu wollen, daß für
den Gerechten (verkörpert durch den unschuldig leidenden Jeremia) das
Leiden weitergeht, daß es mit der Zerstörung der Städte nicht zum Abschluß gekommen ist (2). Dem Gerechten bleibt nur das Leben (20,13),
aber der so Lebende muß den Fluch aushalten, den der Ungehorsam des
Volkes nach sich zog in der Zerstörung der Städte (3).

Wenn D also bewußt seinen Stoff um eine Mitte herumkomponiert, dann
ist zu fragen, ob sich nicht in der Mitte von Jer 11-20 ein dtr. Text
findet, der genau das zur Sprache bringt, was D seinen Adressaten sagen will. Als Mitte von Jer 11-20 und daher auch als zentraler Text
für die dtr. Jeremiabild ist 17,5-8 anzusehen:

> 5 *Verflucht ist der Mann, der auf Menschen vertraut*
> *und Fleisch zu seinem Arm macht, während sein Herz von Jahwe weicht.*
> 6 *Er wird sein wie der kahle Strauch in der Steppe;*
> *er braucht nicht zu fürchten, daß Gutes kommt.*
> 7 *Gesegnet ist der Mann, der auf Jahwe vertraut*
> *und dessen Hoffnung Jahwe ist.*
> 8 *Er wird sein wie ein Baum, der am Wasser gepflanzt ist,*
> *der nach dem Bach seine Wurzeln ausstreckt;*
> *er braucht nicht zu fürchten, wenn die Hitze kommt:*
> *Seine Blätter bleiben grün.*
> *Auch im Jahr der Dürre bangt ihm nicht;*
> *er hört nicht auf, Früchte zu bringen.*

Durch die Gegenüberstellung von Fluch und Segen wird die Verbindung
hergestellt zu dem, der in 11,5 den Fluch auf sich nimmt und in 20,14-
18 den Tag seiner Geburt verflucht, während die Erwähnung der Dürre in
V.8 abhebt auf die dtr. Dürre-Klagen in 14,2-6.7-9.17-18.19-22 (4) und
12,4. Überhaupt scheint das Bild vom Baum an dieser Stelle in bewußtem

---

1 s.o., S.76 mit A.5
2 Der Rückblick auf das an den Städten vollzogene Gericht in 20,16a entspricht ferner dem Hinweis auf die abgefallenen Städte in 11,13 D.
3 Es stimmt also nicht, daß "D (mit 20,14-18) nichts anfangen konnte," wie U.Eichler,
 a.a.O., S.66 behauptet.
4 17,6 scheint mit der Formulierung: "... *er braucht nicht zu fürchten, daß Gutes*
 kommt," anzuspielen auf die dtr. Volksklage 14,20: "*Wir hoffen auf Frieden, aber*
 es ist nichts Gutes."

Kontrast zu seinem Bezug auf das ganze Volk (11,1-17; 12,2) gebraucht zu sein: Wer auf Jahwe vertraut, braucht sich nicht vor dem Verwelken zu fürchten. Das Volk aber vertraut nach wie vor nicht auf Jahwe (1).

Jeremia wird zum Vorbild solchen Gottvertrauens, wenn auch nicht für das ganze Volk, so doch zumindest für Einzelne. Eine *Konzentration auf das Individuum* beginnt sich abzuzeichnen. Die Hoffnung des Einzelnen wird nicht auf eine schnelle Wende der politischen Verhältnisse gelenkt, sondern auf Jahwe. Wenn man in 17,5-8 überhaupt eine Anspielung auf politische Gegebenheiten entdecken will, dann in dem Bild von dem Bach, nach dem der Gesegnete seine Wurzeln ausstreckt. Mit dem Bach könnte von Ferne angespielt sein auf Babylonien: Aus dem Gehorsam den Babyloniern gegenüber geht Segen hervor. So wenigstens sieht es D in Jer 29,7.8-14.

Daß in Jer 17,5-8 die interpretatorische Mitte der dtr. Konzeption von Jer 11-20 zu suchen ist, gibt auch der wahrscheinlich noch spätere Abschnitt 17,9-11 zu erkennen: V.10 stellt die Entsprechung dar zu den Bekenntnissen zu Jahwe als dem gerechten Richter, der Nieren und Herz prüft, in 11,20=20,12 (2):

> *17,10 Ich, Jahwe, erforsche das Herz, ich prüfe die Nieren,*
> *einem jeden zu vergelten nach seinem Wandel, nach der Frucht seiner Taten.*

Dieses Jahwewort beantwortet die Frage 17,9:

> *17,9 Trügerischer als alles ist das Herz und heillos, wer kann es ergründen?*

und gibt damit eine ähnlich abschließende Antwort auf die Auslegung der Jeremia-Überlieferung, wie es Hos 14,9 für die Hosea-Überlieferung tut. Daß aber Jer 17,9f. nicht am Ende, sondern in der Mitte von Jer 11-20 steht, zeigt an, daß genau hier die interpretatorische Mitte zu suchen ist.

Somit ergibt sich folgendes *konzentrische dtr. Kompositionsschema*:

11,1-17	- 17,5-8 -	20,14-18
11,18+19	-	20,13
<u>11,20</u> (3)	- 17,10 -	<u>20,12</u>
11,21	-	20,1-6
<u>11,22-23</u>	-	<u>18,21-22a</u>
14,8	-	17,13
14,21	-	17,12
<u>15,13-14</u>	- <u>17,3-4</u>.	

Bei dieser Kompositionsarbeit handelt es sich eindeutig um ein *literarisches Verfahren*: Läßt sich auf der D vorgegebenen Stufe der Konfessionen Jeremias eine Steigerung von einem Klagevorgang zum nächsten hin feststellen (4), so bringt D diesen spannungsvollen Prozeß durch seine konzentrische Anordnung des Stoffes in ein gewisses Gleichgewicht und ordnet und verarbeitet den vorgegebenen Stoff unter einem

---

1 D verzeichnet damit das Problem, das Jeremia Jahwe in 12,2 vorhält: Jeremia ging es um das mangelnde Gottvertrauen der Gottlosen.

2 s.o., S.134

3 Unterstrichen sind die Doppelüberlieferungen (s.o., S.134).

4 s.o., Teil B.III.

Gesichtspunkt: Für Juda/Jerusalem besteht keine Hoffnung auf eine baldige Wende. Vielmehr bleibt kein anderer Weg als der, daß Jahwe das
Volk den Feinden dienstbar macht (15,14//17,4), wobei der Gehorsam
Jahwe gegenüber, wie Jeremia ihn hält, einen beispielhaften Weg an-
zeigt, das Leben zu bewahren (17,5-8).

Es muß auffallen, daß dieses Kompositionsschema entwickelt werden
konnte ohne Berücksichtigung der Eigenberichte über symbolische Handlungen 13,1ff.; 16,1ff.; 18,1ff. und 19,1ff., die ja für die Ermittlung des Ortes der auftragsbezogenen Klagen Jeremias eine zentrale
Rolle spielten (1). Die symbolischen Handlungen werden ganz in die
dtr. Gerichtspredigt eingeebnet. Daß hinter ihnen *Aufträge* an den Gerichtspropheten stehen, wird vernachlässigt. Die *Klagen* werden aus
ihrem Bezug auf die Aufträge gelöst und erhalten in dem oben beschriebenen siebenteiligen Geschehenszusammenhang einen Ort, der weit von
den symbolischen Handlungen entfernt ist (2) und primär bestimmt ist
von *Anfeindungen* gegen den Gerichtsverkündiger Jeremia. Auf diese Weise ist es D auch möglich, die beiden vom Warten auf das Gericht bestimmten Klagen 17,14-18 und 18,*19-23 unterschiedslos mit den übrigen drei auftragsbezogenen Konfessionen 12,*1-4; 15,10.17.18 und 20,
7-9 zu verarbeiten.

Die Eigenberichte über symbolische Handlungen 13,1ff.; 16,1ff.; 18,
1ff. und 19,1ff. sind durch die unterschiedlichen Formen der dtr. Reflexion über das Gericht übermalt worden und laufen in 13,22 und 16,10
auf *Schuldaufweise* hinaus:

> 13,22 *Und wenn du dann bei dir selbst sagst: "Warum hat mich das getroffen?" -*
> *Wegen der Fülle deiner Schuld wird dir die Schleppe hochgehoben, wirst*
> *du geschändet.*

> 16,10 *Warum hat Jahwe uns all dieses große Unheil angekündigt, und was ist unsere*
> *Schuld und was unsere Sünde, die wir wider Jahwe, unseren Gott, begangen*
> *haben?*

In diesen Schuldaufweisen (3) vertritt Jeremia Jahwe, den gerechten
Richter, der dem Volk den Zusammenhang zwischen dem eingetroffenen
Gericht und der Schuld erklärt: Aus der Klage, die von Jahwe eine
Wende der Not erfleht, wird die Frage (4), die eine Erklärung der Ursache der Not erwartet. - Dem dtr. Bekenntnis zu Jahwe als dem gerechten Richter entspricht es auch, daß D in der Form der *Alternativ-Predigt* dem gehorsamen Volk Aussicht auf Heil gibt (12,14-17; 17,19-27;
18,1-12). - Auch die Formen dieser dtr. Predigten sind wieder konzen-
trisch angeordnet:

Gerichtspredigt	11,1-17	-	19,1-13
Alternativ-Predigten	12,14-17	-	17,19-18,12
Schuldaufweis	13,22	-	16,10

und zeigen, daß die Gesamtexegese der dtr. Redaktion von Jer 11-20
abgesehen von 17,5-8 von den jeweiligen Entsprechungen der konzentrischen Kreise ausgehen muß. Doch bevor auf dem Hintergrund dieser Ergebnisse das dtr. Jeremiabild in Jer 11-20 beschrieben werden kann,
ist zunächst ein Blick zu werfen auf:

---

1 s.o., S.79-114
2 s.o., S.131
3 Cf. dazu W.Thiel, Jeremia 1-25, S.295-300.
4 Das למה der Klage wird abgelöst durch das מדוע (13,22) bzw. das על־מה (16,10) der
  Frage.

b. *Die dtr. Umformung der Konfessionen Jeremias*

Blicken wir noch einmal auf die dtr. Verknüpfungstechnik zurück, so fällt zweierlei auf: D löst die Klagen 12,*1-4; 15,10.17-18; 20,7-9 von den Aufträgen, auf die sie bezogen waren und nimmt damit auch den schroffen Anklagen, die in diesen drei Klagen enthalten sind, ihren Anhaltspunkt. Zusätzlich relativiert D die Anklagen gegen Jahwe durch eine Entgegnung Jahwes wie 12,6 oder gar einen Tadel Jahwes wie 15,19: D hat kein Verständnis für die Anklagen, mit denen Jeremia sich gegen Jahwe aufbäumt. Diese Tendenz zeigt sich auch in den *Überformungen* der Anklagen gegen Jahwe.

Die auftragsbezogene Klage 12,*1-4 zog die Dürreklage V.4a.b* an, die aber den Anklagepunkt von 12,2 gründlich mißversteht: Ging es Jeremia um die Frage, warum es den Gottlosen so gut gehe, so versucht D eine Erklärung dafür zu geben, daß das Land darniederliegt. Die Ursache wird in der "Bosheit der darin Wohnenden" gesucht. Diese Erklärung ist charakteristisch für die Zeit *nach dem Eintreffen des Gerichts*. Nicht nur die Klage erfährt eine Korrektur, sondern auch das folgende Jahwewort: Es wird ergänzt durch eine nähere Identifizierung der "im Lande Wohnenden": Es sind die nächsten Verwandten Jeremias, die sich möglicherweise gerade wegen des von Jeremia selbst noch getätigten Ackerkaufs in Anatot (Jer 32,1-15) Hoffnungen machen auf eine baldige Wende zum Guten und deshalb "freundlich reden" mit Jeremia, das heißt: die Gerichtsbotschaft Jeremias umzuwandeln versuchen in eine Heilsbotschaft (12,6).

Außerdem nimmt D die Gelegenheit wahr, durch die Voranstellung der selbstgeschaffenen Klage 11,18-20 mit nachfolgendem Gerichtswort an die Feinde Jeremias (11,21-23) die Hinweise zu formulieren, die ihm für sein Verständnis des leidenden Gerichtsverkündigers wichtig sind. Das auffälligste Formmerkmal in 11,18-20 ist das starke Hervortreten der Feindklage und daneben auch des Bekenntnisses der Zuversicht, wie es auf der Stufe der gerichtsprophetischen Klagen Jeremias für 17,14-18 und 18,*19-23 festzustellen war (1). Diese starke Betonung der Feindklage und des Bekenntnisses der Zuversicht (Bekenntnis zu dem gerechten Gott!) scheint D für seine Darstellung des unschuldig leidenden Jeremia wichtig gewesen zu sein. Gleichzeitig wird auf diese Weise die Anklage Jahwes in den Hintergrund gedrängt, wie die dtr. Umformung von 15,10.17-18 zeigt.

D gelingt die Umformung von 15,10.17-18, indem er V.10 wegen seiner Nennung der Feinde Jeremias von den übrigen Versen löst und vor die stark von der Anklage gegen Jahwe bestimmten Verse 17 und 18 zwei Verse setzt, durch die Form der einleitenden Bitte (V.15) und des Unschuldsbekenntnisses (V.16) den Eindruck erwecken, als handele es sich in V.15-18 um eine Klage von genau der Struktur, wie sie den gerichtsprophetischen Klagen 17,14-18 und 18,*19-23 zugrundeliegt (2).

Die von dem Warten auf das Gericht bestimmte Klage 17,14-18 bleibt von D unberührt und wird nur erweitert durch das Bekenntnis des Volkes 17,12f., so daß man fragen kann, ob D auch 17,14-18 als Klage des Volkes verstanden wissen will. Wahrscheinlich ist die Tendenz bei D aber genau umgekehrt: Fort von der Klage des Volkes hin zur Klage des Einzelnen. Im übrigen will D durch 17,12f. darauf hinweisen, daß das

---

1 s.o., S.122 u.ö.
2 s.o., S.100. Will D den Hinweis: ... דע שאתי (15,15) im Sinne von Jes 53,12 ("Er nahm auf sich unsere Schuld ...") verstanden wissen?

in 17,14-18 Geklagte im Zusammenhang mit den Klagen des Volkes 14,1-
15,4 zu sehen ist, in denen Jeremia nach dem Verständnis von D stellvertretend für das Volk als Fürbitter spricht, was ihm aber verboten
wird.

Daß D fast bruchlos Worte der Gerichtsankündigung gegen das Volk
als Gerichtsbitte in die Klage 18,*19-23 einfügen und dieser Klage
ebenso bruchlos die Feindklage 18,18 vorfügen kann, zeigt, wie sehr
die Struktur und der Inhalt dieser von Jeremia überkommenen Klage dem
Aussagewillen von D entsprach: Erhob Jeremia diese Klage aus der Situation des Wartens auf das Gericht, so wird sie bei D zu einem Reflex darauf, daß die Gerichtsbotschaft weitergeht.

Im Gegensatz dazu wird die Klage 20,7-9 an den Anfang von vier Erweiterungsversen gestellt, so daß der Eindruck erweckt wird, es handele sich hier um eine ganz gewöhnliche Klage des Einzelnen ohne einleitende Bitte (1). Nicht ungeschickt wird den beiden Subjekten "Du"
(V.7a) und "Ich" (V.7b-9), gegenüber denen ja in der jeremianischen
Klage 20,7-9 das Subjekt "die Feinde" stark zurücktrat (2), nun ganz
prononciert das Subjekt "die Feinde" zur Seite gestellt (V.10), dem
dann gleich zwei Bekenntnisse der Zuversicht, eines in der gewohnten
Sprache (V.11), eines als Bekenntnis zu Jahwe als dem gerechten Richter (V.12) folgen. Das Loblied der Gemeinschaft (V.13), das, nur im
Zusammenhang der Komposition 20,7-13 gelesen, fast den Anschein eines
Lobgelübdes erweckt, bildet den Abschluß. Aber das völlige Fehlen der
Bitte in 20,7-13 zeigt auch, wie künstlich diese Komposition ist. Um
so erstaunlicher ist aber die starke umbildende Kraft von D. Sie deutet an, wie sehr D sowohl in der Welt der Klagepsalmen des Einzelnen
als auch des Volkes zu Hause ist, und erweckt den Anschein, als seien
die Konfessionen Jeremias mehr oder weniger unterschiedslos nach dem
geläufigen Muster der Klagepsalmen des Einzelnen gebaut. Auf diese
Weise werden die Formunterschiede der gerichtsprophetischen Klagen
Jeremias verwischt. Andererseits macht der Umgang der dtr. Redaktion
mit den Klagen des Einzelnen wie mit Literatur auch deutlich, daß D
einer Zeit zuzuweisen ist, da die Klagepsalmen des Einzelnen nicht
mehr nur mündlich im Zusammenhang mit ihren jeweiligen Sitz im Leben
tradiert wurden, sondern schon von den mündlichen Überlieferungsvor-
gängen gelöst in literarische Zusammenhänge eingefügt werden konnten (3).

Manche Besonderheiten in den von D eingebrachten oder selbstgeschaffenen Formen zeigen aber auch eine Nähe zu den Gottesknechtliedern,

---

1 z.B. Ps 13
2 s.o., S.113f.
3 Die dtr. Phase der Geschichte der Klage bedarf einer umfassenden Untersuchung.
  Die obigen Bemerkungen verstehen sich als Ergänzung zu C.Westermann, Struktur
  und Geschichte, bes. S.296-300. Aber auch die Beispiele aus der Frühgeschichte
  der Klage (ebda., S.291-295) bedürfen einer Verhältnisbestimmung zur dtr. Schule
  in den unterschiedlichen Ausprägungen. Schließlich wird es auch eine lohnende
  Aufgabe sein, die Klagepsalmen des Einzelnen in ihrem Verhältnis zur dtr. Schule
  zu untersuchen.
  Den beschriebenen (literarischen) Umgang mit Klagen und Bruchstücken davon setzen
  auch E.Gerstenberger, A.H.J.Gunneweg und P.Welten (a.a.O.) voraus, gg. W.Thiel,
  a.a.O., der die Texte der Konfessionen in eigenartiger Vorsicht aus seinem sonst
  angewandten redaktionsgeschichtlichen Verfahren aufklammert.
  Daß D daneben auch das mündlich an Gott gerichtete Reden kennt, muß wohl nicht
  eigens betont werden.

so der klagende Eigenbericht 11,18f. oder das Loblied der Gemeinschaft, das auf das Geschick des leidenden Gerechten antwortet (20,13).

3. Das dtr. Jeremiabild in Jer 11-20

Nachdem die Untersuchung der Arbeitsweise von D schon zu manchen inhaltlichen Aussagen hinsichtlich des dtr. Jeremiabildes führte, ist jetzt zu versuchen, diese Beobachtungen auf dem Hintergrund der oben gewonnenen Ergebnisse zur Verknüpfungs- und Kompositionstechnik sowie zur Umformungsarbeit von D zusammenzufassen durch eine Darstellung, die am Text von Jer 11-20 entlanggeht.

Die Spannungen, unter denen der leidende Jeremia in der Sicht von D steht, lassen sich besonders gut verdeutlichen an zwei *Verboten* am Anfang von Jer 11-20, die jeweils ihre Entsprechung finden in einem Geschehen am Schluß von Jer 11-20: Das eine Verbot stammt aus dem Mund der Gegner Jeremias:

> 11,17 *Du darfst nicht im Namen Jahwes prophezeien, sonst stirbst du durch unsere Hand.*

Diesem Verbot entspricht das Verhalten Paschurs 20,2: Er läßt Jeremia mißhandeln, eben weil der Prophet jenem Verbot nicht gehorcht.

Dieses Verhalten Jeremias wird ausgelegt in 17,5-8:

> 5 *Verflucht ist der Mann, der auf Menschen vertraut und Fleisch zu seinem Arm macht und dessen Herz von Jahwe weicht.*
> 7 *Gesegnet ist der Mann, der auf Jahwe vertraut und dessen Hoffnung Jahwe ist.*

Jeremia verhält sich wie der Gesegnete, aber dennoch muß er leiden, muß er schließlich sogar den Tag seiner Geburt verfluchen (20,14-18). In diesem Leiden wird Jeremia zu einem exemplum für Leidensgenossen zur Zeit des Exils, die in Juda darunter leiden müssen, daß sie an der Gerichtsprophetie Jeremias festhalten bzw. die in der babylonischen Gola unter der Fortdauer der Gefangenschaft leiden. Gleichzeitig wird Jeremia zu einer Herausforderung für die, die in Juda auf eine schnelle Wende hoffen, statt auf Jahwe zu vertrauen (1).

Das andere Verbot stammt aus dem Munde Jahwes: Jahwe verbietet Jeremia die Fürbitte:

> 11,14 *Du aber bete nicht für dieses Volk und erhebe kein fürbittendes Flehen; denn ich erhöre nicht, wenn du mich anrufst um ihres Unheils willen.*

Dieses Verbot findet sich schon in 7,16 D und dann wieder in anderer Formulierung in 14,11f. D und 15,1-4 D. Durch diese Verbote unterstreicht D nicht nur die "Unentrinnbarkeit des angekündigten Unheils" (2), sondern hinter dem Verbot der Fürbitte steht eine Weigerung Jahwes, die für Jeremia (und alle, die sich in exilischer Zeit auf ihn berufen) nur einen Weg offenläßt: das Leiden. So wird aus dem fürbittenden der leidende Jeremia. Jeremia hat unter dem Gericht zu leiden, wie 20,16a D im Zusammenhang von 20,14-18 sagt unter deutlichem Rückverweis auf die in dem Verbot der Fürbitte ausgesprochene Erbarmungslosigkeit Jahwes. Diese ist aber kein Zeichen für die Willkür Jahwes (3), sondern begründet in dem Abfall der Städte von Jahwe (11,13+14):

---

1 A.H.J.Gunneweg, a.a.O., S.412f. sieht diese unterschiedlichen Aspekte nur teilweise und berücksichtigt außer den Konfessionen in Jer 11-20 nur noch 17,5-8 für seine Darstellung der exilischen Jeremia-Interpretation.
2 W.Thiel, a.a.O., S.154
3 Jeremia hingegen klagte Jahwe gerade der Willkür an (20,7) (cf.o., S.104).

20,16a Es wird diesem Mann ergehen wie den Städten, die Jahwe ohne Mitleid zerstörte.

Aber gerade weil Jeremia unter der Erbarmungslosigkeit Jahwes zu leiden hat, muß er unter den Anfeindungen seiner Zeitgenossen leiden und müssen alle, die in exilischer Zeit an der Gerichtsprophetie Jeremias festhalten, unter den Anfeindungen ihrer Zeitgenossen leiden (1), wie das Verbot zu prophezeien (11,21) und das Verhalten Paschurs (20,2) zeigen. Aber dieses Verbot kann Jeremia, und das heißt: den Fortgang seiner Gerichtsprophetie in exilischer Zeit nicht mundtot machen, wie das Gerichtswort an die Gegner Jeremias 11,22f. und das Gerichtswort an Paschur 20,3b-6 es bestätigen.

Aber auch gegen das andere Verbot wendet sich der dtr. Jeremia: Er tut Fürbitte für sein Volk, indem er Jahwe auf das Glück der Gottlosen hinweist (12,1-4) und mit der redaktionell eingebrachten Dürreklage (12,4a.b*) schon die Situation anklingen läßt, die in der großen Volksklage-Liturgie 14,1-15,4 vorausgesetzt sein wird. In dieser Fürbitte wird Jeremia zum Sprachrohr für die, die sich in exilischer Zeit Hoffnung machen auf eine baldige Wende. In der redigierten Form von 12,1-4 ist die Fürbitte charakterisiert durch ein eigentümliches Schwanken zwischen der Anklage Jahwes (12,2) und der Zurückführung der Not auf die Bewohner des Landes (12,4). Diese Ambivalenz zwischen der Anklage Jahwes und der Anerkenntnis der Schuld wird auch die Volksklagen 14,7-9.19-22 bestimmen, wobei beide Motive Jahwe umstimmen und zum Eingreifen bewegen sollen. Doch gerade diese Hoffnung, die sich in Juda/Jerusalem auch unter den nächsten Familienangehörigen Jeremias noch lange gehalten zu haben scheint, wird zunichte gemacht durch die dtr. Antwort Jahwes:

12,6 Ja, auch deine Brüder und deine Familie, auch sie sind treulos gegen dich, auch sie rufen dir laut nach; traue ihnen nicht, auch wenn sie freundlich mit dir reden.

Gefordert hingegen wäre ein Vertrauen auf Jahwe, das sich äußert in einem Festhalten an der Gerichtsprophetie Jeremias.

Unter dieser doppelten Spannung hat Jeremia zu leiden: Unter dem Verbot der Fürbitte infolge der Erbarmungslosigkeit Jahwes und unter der Schuld seiner Zeitgenossen, die sich am schärfsten äußert in dem Verbot zu prophezeien und schließlich in massiver physischer Gewaltanwendung. In dieser doppelten Spanne bildet sich aber die Auseinandersetzung ab, die D mit den in Juda/Jerusalem Zurückgebliebenen führt. Sie wird den ganzen Komplex Jer 11-20 bestimmen. Jeremia wird als ein Mittler dargestellt, der die beiden Verbote, das Gericht ankündigen und Fürbitte zu tun, nicht einfach gehorsam hinnimmt, sondern sich immer wieder dagegen aufstemmt, indem er mit der Fürbitte für das Volk vor Jahwe und als Mund Jahwes vor das Volk tritt, das aber auf die Worte Jeremias nur mit Spott und Anfeinsungen reagieren wird.

Die Spannung, die sich in den beiden genannten Linien niederschlägt, wird in den entsprechenden Reaktionen Jeremias erhöht werden: Die eine Linie wird am stärksten ausgezogen werden in der großen Volksklage-Liturgie 14,1-15,4, die andere in den Konfessionen (2).

---

1 Diese beiden Aspekte arbeitet gut heraus auch A.H.J.Gunneweg, a.a.O., S.413 u.ö..
2 Es ist das Verdienst E.Gerstenbergers, die Zusammengehörigkeit dieser beiden Linien für D erkannt zu haben (Jer 15,10-21, bes. S.407); es muß aber auch zwischen beiden Linien differenziert werden.

D kann mit beiden Linien anknüpfen an aus der Jeremia-Überlieferung Vorgegebenes: Das Leiden unter den Zeitgenossen ist am stärksten ausgeprägt in den beiden vom Warten auf das Gericht bestimmten Klagen 17,14-18 und 18,*19-23, nach deren Vorbild D ja die anderen Konfessionen umgeformt hat (1); das Leiden unter der Erbarmungslosigkeit Jahwes ist vorgezeichnet in den auftragsbezogenen Klagen 12,*1-4; 15,10.17-18 und 20,7-9, wie ja auch die fast unveränderte Verwendung von 12,1-4 durch D als Fürbitte für das Volk zeigt.

Der so unter den Begrenzungen durch Jahwe und die Mitmenschen leidende dtr. Jeremia ist aber auch derjenige, zu dem Jahwe spricht und durch den Jahwe spricht, das heißt, übertragen auf die zeitgeschichtliche Situation von D: Jahwe spricht zu denen und durch die, die das Gericht als gerechte Strafe bejahen, an die Gerichtsprophetie Jeremias anknüpfen und unter beidem leiden: dem Gericht und den Anfeindungen auf die im Exil fortgesetzte Gerichtsverkündigung (2).

Jahwe spricht zu Jeremia in den verschiedenartigsten Aufträgen (13,1-11; 16,1-9; 18,1-12; 19,1-13), die von D aber alle der Gerichtsverkündigung unmittelbar dienstbar gemacht werden. Jahwe spricht durch Jeremia nicht nur in der Form des Gerichtswortes, sondern auch in der Form der Alternativ-Predigt (12,14-17; 17,19-27; 18,6b-12) und des Schuldaufweises, in dem sich Jeremia durch den Frage-Antwort-Stil wie ein Vertreter des gerechten Richters erweist, der Einsicht in die Rechtmäßigkeit des eingetroffenen Gerichts bewirken will (bes. 13,22; 16,10). Die Stellung dieser Worte in Jer 11-20 ist nicht zufällig, sondern wohlgeplant (3)..

In diesen sehr unterschiedlichen Worten zeigt sich nicht nur ein Ringen der sich auf den Gerichtspropheten Jeremia Berufenden mit ihren Zeitgenossen, sondern ebenso auch ein Ringen Jahwes mit seinem Volk, das sich niederschlägt in den *Klagen Jahwes* (4), deren erste sich in Jer 12,7-12 findet: Jahwe klagt darüber, daß er selbst das Gericht über sein geliebtes Volk bringen mußte. *C.Westermann*s Bemerkung: "So kann nur in einer äußersten Grenzsituation gesprochen werden, am Rande der Vernichtung, die Gott über sein Volk bringt. Dies wird es dann den Geschlagenen ermöglichen, sich flehend wieder an den Gott zu wenden, der sie schlug," (5) kann so auch für D aufgenommen werden, der in der Zuwendung zu Jahwe im Gehorsam und im Vertrauen den Weg für die Zukunft erblickt (z.B. 29,11-14). So schließt sich konsequent an die Klage Jahwes mit 12,14-17 auch eine Alternativ-Predigt an, deren Inhalt das Erbarmen Jahwes ist, das als Möglichkeit sogar für die Nachbarn Israels hingestellt wird für den Fall, daß die Völker sich

---

1 s.o., S.123 u.ö.

2 Diese beiden Aspekte erarbeitet auch A.H.J.Gunneweg, a.a.O., S.409 für 18,18-23. Direkter Adressat von D ist Jeremia bzw. wer sich in exilischer Zeit auf seine Gerichtsprophetie beruft, also auch D selbst. So erklärt es sich wohl auch am besten, daß das Volk bei D relativ selten direkt angeredet ist und um so häufiger über das Volk in der 3. Person geredet wird.

3 s.o., S.139

4 12,7-12; 15,5-9; 18,13-17, cf. dazu C.Westermann, Theologie, S.153; Rolle der Klage, S.267f.. Daß für D das Erbarmen Jahwes immer auch eine Möglichkeit ist, zeigen die Alternativ-Predigten.

5 Theologie, S.153

Jahwe zuwenden. Aber die folgenden Kapitel werden zeigen, daß nicht
einmal Israel zur Umkehr zu Jahwe bereit war, so daß das erbarmungslose Gericht Jahwes (20,16a) die bittere Konsequenz ist.

Die Enttäuschung Jahwes über Israel (13,1-11) findet ihren Höhepunkt in dem Schuldaufweis im Frage-Antwort-Stil in 13,22. Diesem
Schuldaufweis entsprechen nun die beiden Volksklagen 14,7-9.19-22, die
Jeremia stellvertretend für das Volk vor Jahwe trägt. Wenn auch nicht
sicher ist, ob auch 14,7-9 eine Neuschöpfung von D ist (1), tragen
diese beiden Volksklagen doch so viele gemeinsame Züge, daß sie für
die Darstellung der dtr. Sichtweise zusammen behandelt werden können.
14,7-9 und 19-22 sind nicht einfach mehr Klagen, wie sie sich angesichts eines Schlages erheben, nicht mehr bloß Hilfeschreie, wie sie
noch in 11,11f..14 vorausgesetzt werden, aber auch keine Klagen wie
12,1-4, die als Argument für das Eingreifen Jahwes den Hinweis auf das
Glück der Gottlosen vorbringt, sondern in ihnen verbindet sich in
eigentümlicher Weise die Anklage gegen Jahwe mit dem Sündenbekenntnis,
dem Bekenntnis der Zuversicht zu dem Rettergott, der auch Regen machen
kann, der "dies alles getan hat" (14,22), und der Bitte um Rettung:

14,7 Wenn unsere Sünden gegen uns sprechen,
Jahwe, so handle um deines Namens willen;
denn vielfach sind unsere Obertretungen,
an dir haben wir gesündigt.
8 Du Hoffnung Israels, sein Retter in der Zeit der Not!
Warum bist du wie ein Fremdling geworden
und wie ein Wanderer, der nur zur Nacht heimkehrt?
9 Warum bist du wie ein bestürzter Mann geworden,
wie ein Krieger, der nicht helfen kann?
Aber du bist doch in unserer Mitte, Jahwe,
und dein Name wird über uns ausgerufen,
verlaß uns nicht!

19 Hast du Juda ganz verstoßen?
Bist du Zions überdrüssig geworden?
Warum hast du uns so geschlagen,
daß für uns keine Heilung mehr ist?
Wir hoffen auf Frieden, aber es gibt nichts Gutes,
auf eine Zeit der Heilung, aber siehe da, Schrecken!
20 Wir erkennen, Jahwe, unsern Frevel und die Sünde unserer Väter;
denn an dir haben wir gesündigt.
21 Verschmähe nicht um deines Namens willen!
Schände nicht den Thron deiner Herrlichkeit!
Gedenke deines Bundes mit uns, brich ihn nicht!
22 Sind unter den Götzen der Heiden auch Regenspender?
Oder gibt der Himmel von selbst Regenschauer?
Bist nicht du es, Jahwe, unser Gott, und müssen wir nicht auf dich hoffen?
Hast du doch dies alles getan!

Wir erleben in diesen beiden Volksklagen im Munde des fürbittenden Jeremia den Wandel von der Klage angesichts eines Schlages hin zum Sündenbekenntnis des Volkes, wie es sonst für die dtr. Phase der Geschichte der Klage charakteristisch ist (2). In diesem Wandel spiegelt

---

1 s.o., S.97 mit A.3. Da die Herkunft dieser Volksklage unsicher ist, wird die
Übersetzung in gesonderter Schrifttype dargeboten.
2 Cf. C.Westermann, Struktur und Geschichte, S.296-300.

sich nicht nur das theologische Interesse von D wider, sondern auch
ein gewisser zeitlicher Abstand von dem Eintreffen der Katastrophe,
die diese theologische Reflexion erst möglich macht: Die Katastrophe
ist die Folge unserer Schuld. Die beiden Volksklagen sind von D ganz
bewußt an diese Stelle gesetzt worden (1). Sie greifen zurück auf das
Verbot der Fürbitte in 11,14, erinnern Jahwe an seinen Bund mit dem
Volk (11,1-10) und bekennen die Sünden der Väter (2), von denen in
11,9f. die Rede war, um sich schließlich von den Götzen abzuwenden,
die in 11,11-13 angesprochen waren.

Eine Besonderheit dieser Klagen, bes. 14,19-22, dürfte aber wohl
darin zu erblicken sein, daß das Volk zwar seine Sünden und die Sünden der Väter bekennt, gleichzeitig aber auch Jahwe anklagt (V.19.21),
wenn auch nur in Form von Fragen und negativen Bitten. Ob D bewußt
diese Ambivalenz zwischen Sündenbekenntnis und Anklage Jahwes hervorheben möchte, wie sie ja auch schon für 12,1-4 zu beobachten war (3)?
Das für die Zeit von D immer wieder beobachtete Ringen zwischen der
Anerkenntnis der Rechtmäßigkeit des Gerichts und der Erwartung einer
baldigen Wende zum Guten würde diese Sicht durchaus nahelegen. Dann
würde es auch verständlich, warum auch diese Fürbitte Jahwe nicht umstimmen kann: Das Volk ist nicht bereit, seine Sünden vorbehaltlos
zu bekennen; daher ist keine Aussicht auf eine Zuwendung Jahwes, und
trüge Jeremia die Klage des Volkes auch wiederholt (14,7-9 und 19-22)
vor. Diejenigen, die Heil ankündigen (14,13-16), können sich eben doch
nicht auf Jeremia berufen, solange das Volk seine Schuld nicht voll
bekennt. Ja, selbst wenn Mose und Samuel vor ihn träten (4), Jahwe
würde nicht hören (15,1-4). Jeremia bleibt nichts anderes, als das
Gericht anzukündigen (15,5-9), aber der Inhalt dieses Gerichtswortes
zeigt doch auch, daß Jahwe nicht grundlos der Erbarmungslose ist, sondern daß er selbst in dem Zwiespalt steht, das Volk vernichten zu müssen, das er so liebt (5). Die Tatsache aber, daß Jeremia das Gericht
ankündigt, führt wieder zu Anfeindungen, ja, zu Verfluchungen, so daß
sich auf diese Weise der Fluch Jahwes, der sich nach 11,2-4 doch eigentlich gegen das Volk richten sollte, aber von Jeremia als Mittler
aufgenommen wurde (11,5), nun noch einmal vom Volk her auf Jeremia
richtet und Jeremia in um so tieferes Leiden stürzt (15,10). Jeremia
reagiert auf diesen Fluch mit dem Hinweis darauf, daß er ihn doch eigentlich nicht verdient habe, habe er doch für das Volk Fürbitte eingelegt (15,11). Die Antwort Jahwes ist wieder ein Gerichtswort gegen
das Volk (15,12-14), auf das Jeremia nun mit einer durch D überarbeiteten Klage (15,15-18) reagiert, die in ihrem Tonfall zunächst an das
dritte Gottesknechtlied erinnert (6), dann aber in den aus der Jeremia-Überlieferung aufgenommenen Worten 15,17+18 so scharf wird, daß

---

1 s.o., S.97
2 In diesem Bekenntnis zu den Sünden der Väter ist die spätere Erbsündenlehre ver-
  wurzelt, wie sie in 4 Esr (z.B. 3,21f.) entfaltet ist. Der Gedanke der Kollektiv-
  schuld wird aber durch die Ankündigung des neuen Bundes durch D in 31,29f. wieder zurückgenommen.
3 s.o., S.143
4 Mit der Nennung von Mose und Samuel deutet D an, daß er die ganze Geschichte des
  Mittlertums im Blick hat.
5 s.a. 12,7-12 und 18,13-17
6 V.15: Rachegebet (cf. Jes 50,9, hier aber entscheidend abgewandelt); V.16: Wortempfang (cf. Jes 50,4-6).

Jeremia zurechtgewiesen werden muß:

15,19a *Wenn du umkehrst, will ich dich wieder vor mir stehen lassen, und*
wenn du Edles hervorbringst statt Gemeinem, kannst du mir als Mund
dienen.

Mit diesem Jahwewort werden nicht nur die schroffen Anklagen Jeremias
zurückgewiesen und getadelt, sondern implizit auch diejenigen, die
sich in der Zeit des Exils auf Jeremia berufen und Jahwe mit eben diesen Worten anklagen. Daß diese sich auf Jeremia berufen gerade in ihrer Hoffnung auf Heil, zeigt auch die dtr. Einfügung in die Klage 15,
15-18:

15,16 *Fanden sich Worte von dir, so verschlang ich sie, und dein Wort ward*
mir zur Wonne, und zur Freude meines Herzens ward es, daß dein Name
über mir genannt ist, Jahwe, Gott der Heerscharen!

Dieses Wort läßt sich gut verstehen als Ausdruck der Hoffnung derer,
die sich auf Heil einstellten und sich gerade darin auf Jeremia beriefen, der, so 15,16, doch von Jahwe Heilsworte empfangen hatte. Auch
diese - Jeremia in den Mund gelegte - Hoffnung wird zerstört durch die
Zurechtweisung 15,19a. Worauf es in der gegebenen Situation ankommt,
sagt 15,19a deutlich: Umkehr zu Jahwe.

15,19a nennt die beiden Funktionen Jeremias: Vor Jahwe stehen und
sein Mund sein. Was es bedeutet, Jahwes Mund zu sein, wird D in 18,18
entfalten:

18,18 *... nicht fehlt es dem Priester an Weisung und dem Weisen an Rat und*
dem Propheten an Wort ... .

D zitiert hier die Gegner Jeremias, das heißt auch, übertragen auf die
Situation von D: die Gegner von D. Dann gibt D in diesem Zitat seiner
Gegner eine Selbstbeschreibung: Bei D fließen die Funktionen von Prie-
ster, Weisem und Prophet ineinander zum dtr. Jeremiabild.

Daß D die Linie der priesterlichen Tora aufgreift, zeigen dtr. Anklagen wie 16,
11, die Väter hätten Jahwes Tora nicht gehalten. Die Form der priesterlichen Tora
steht hinter 17,19-27. Daß es D darauf ankommt, seinen Zeitgenossen Rat zu erteilen
wie ein Weiser, zeigt z.B. ein Text wie 17,5-8.

Jeremia wird sich allerdings aus der Sicht von D nicht nur als
Priester, Weiser oder Prophet erweisen, das heißt: als einer, der etwas zu *sagen* hat, sondern auch als *stellvertretend Leidender*, auch in
diesen beiden Funktionen dem Gottesknecht bei Deuterojesaja vergleichbar.

Mit dem stellvertretenden Leiden ist auch schon die zweite Funktion
des dtr. Jeremia angesprochen, wie sie in 15,19a genannt wird: Vor
Jahwe stehen. Wie sich diese Funktion ausprägen wird, werden die folgenden Konfessionen Jeremias zeigen. In dem Verhalten, das Jahwe in
15,19a von Jeremia erwartet (nämlich Umkehr zu Jahwe), zeichnet sich
auch der Weg ab, der schließlich eine Zuwendung Jahwes zum Volk ermöglichen könnte: die Umkehr zu Jahwe. Diese könnte sich konkretisie-
ren in der *Bejahung des Leidens nach dem Vorbild des leidenden Jere-*
mia, wie der abschließende, auf das Geschick des unschuldig leidenden
Jeremia antwortende Lobpreis der Gemeinschaft 20,13 zeigt. Noch aber
beschränkt sich die Zuwendung Jahwes auf Jeremia, der das, was er für
das Volk erfleht hatte (Hilfe, Rettung (14,8.9)), für sich als Mittler
zugesprochen bekommt (15,20aβ.b.21), das heißt, übertragen auf die Situation von D: Wer das Leiden nach dem Vorbild Jeremias bejaht, kann
Jahwes Zusage von Hilfe und Rettung schon jetzt auf sich beziehen.

In 16,1-9 hat D den ursprünglichen Auftrag Jahwes an Jeremia, sich
aus allen sozialen Bezügen herauszuhalten, ganz unter den Gesichtspunkt der Ehelosigkeit Jeremias (16,2-4.9) gestellt. Man kann erwägen,
ob sich auch in diesem Motiv die individualisierende Tendenz von D
niederschlägt, die ja auch anderwärts (1) festzustellen war: Das Leiden im Gehorsam Jahwe gegenüber schließt die Tendenz zur Individualisierung in sich. In diese Richtung weisen auch die folgenden dtr. Partien: Nachdem D die Schuld des Volkes aufgewiesen hat (bes. 16,10 und
16,18 (2)), wird das entsprechende Gerichtswort an das Volk ausgerichtet (17,1-4), das hinausläuft auf die Knechtschaft (V.4) in feindli-
chem Lande. Daß es keine Alternative gegenüber dieser Knechtschaft
gibt, scheint D vorauszusetzen. D kommt es nur auf eins an: Das Dasein
unter den Feinden soll bejaht werden. Dies scheinen aber gerade die
in Juda/Jerusalem Zurückgebliebenen beharrlich zu verweigern. Durch
seinen 15,13-14 entsprechenden Wortlaut zeigt 17,3-4 an, daß die folgenden Worte im Zusammenhang mit 14,1-15,21 gelesen sein wollen. Der
schon mehrfach (3) herangezogene Text 17,5-8 stellt klar, wie der leidende Jeremia zu verstehen ist, nämlich als Gesegneter Jahwes (4), bevor er in 17,12f. zum letzten Mal als Vertreter des Volkes spricht:
In einem Bekenntnis des Volkes, das in manchen Anspielungen auf die
Volksklage 14,19-22 zurückgreift (5), sagt der dtr. Jeremia, daß die,
die Jahwe verlassen, zuschanden werden. Damit ist endgültig gesagt,
daß die Fürbitte für das Volk unmöglich ist; Jeremia selbst stimmt
darin ein. Die Heilung, die das Volk erbeten hatte (14,19), kann jetzt
nur noch der leidende Jeremia für sich selbst erbitten (17,14), während Jeremia statt der Fürbitte jetzt eine Bitte gegen seine und damit Jahwes Gegner erhebt (17,18). Zeigt sich in dem formalen Gefälle
von 17,12f. hin nach 17,14-18 eine Tendenz zur Individualisierung, so
in dem inhaltlichen Gefälle eine Tendenz zur Abgrenzung von denen, die
Jahwe verlassen.

Zwei Alternativ-Predigten (17,19-27 und 18,1-12) zeigen aber, daß
das Erbarmen Jahwes keine Unmöglichkeit ist: Durch das konsequente
Halten des Sabbats wird die Zuwendung Jahwes und die Rückkehr nach
Jerusalem möglich werden, aber nur unter dieser Voraussetzung (17,19-
27): Da mit der Zerstörung des Tempels und der Deportation kein
der Priester kein geregelter Kult mehr möglich war, konnte nur noch
ein Aspekt des aus dem Alltag ausgesonderten Kults hervorgehoben werden: Der Aspekt der *heiligen Zeit*. Die Einhaltung der heiligen Zeit
(des Sabbats) schafft die Voraussetzung dafür, daß dereinst wieder im
Tempelbereich geopfert werden kann (17,26). Die unmittelbar anschlies-
sende Alternativ-Predigt 18,1-12 hebt ab auf die Allmacht Jahwes: Jahwe kann Heil schaffen, indem er baut und pflanzt, aber er kann sich
auch abwenden ohne Erbarmen. Die einzige Möglichkeit, Jahwe von seinem
Tun abzuhalten, ist die Umkehr zu ihm (V.8), während die Abkehr von
Jahwe sogar Anlaß dazu gibt, daß Jahwe selbst seinen Heilsplan wieder
rückgängig macht (V.10). Damit scheint wieder abgehoben zu sein auf

---

1 s.o., S.138.146, A.2.147
2 Die Nähe dieses Schuldaufweises zu Jes 40,2 ist unverkennbar.
3 S.137f..142
4 Die Spannung, daß der Leidende nicht der Verfluchte, sondern der Gesegnete ist,
  steht auch hinter Jes 52f..
5 s.o., S.118

die in Juda/Jerusalem Zurückgebliebenen, die sich Hoffnungen auf Heil machen, sich aber beharrlich von Jahwe abwenden.

Damit ist denn das erbarmungslose Gericht endgültig die einzige noch bleibende Möglichkeit, die andeutet, was in 20,16a von D als schon geschehen vorausgesetzt wird. Aufgrund des Verhaltens des Volkes ist das Gericht unumgänglich, und Jahwe selbst leidet daran (18, 13-17). Jeremia muß dieses Gericht ankündigen, und diese Ankündigung führt wieder zu Anfeindungen (18,18), so daß Jeremia, der einst Fürbitte für das Volk eingelegt hatte, jetzt nur noch um das Gericht am Volk bitten kann (18,21-23). Jeremia erhebt noch viel schärfer als in 17,18 die Bitte um das Gericht, indem er Worte der prophetischen Gerichtsankündigung (11,22f.) in die Bitte einbezieht (18,21.22a D), das heißt: Jeremia stimmt voll in das Gericht ein, das Jahwe seinem Volk ankündigen läßt. Jetzt ist auch die Alternativ-Predigt keine Möglichkeit mehr. 19,1-13.14f. ist reine Gerichtspredigt gegen das Volk (scil. die in Juda Zurückgebliebenen) sowie Jerusalem und ihre Nachbarstädte. Unter den Folgen dieser Gerichtspredigt hat Jeremia nur um so stärker zu leiden, das heißt: die dtr. Gerichtspredigt bleibt nicht unwidersprochen: Paschur, der Oberaufseher im Tempel, läßt Jeremia mißhandeln (20,2). Es ist nicht auszuschließen, daß auch nach der Katastrophe von 587/586 Aufseherfunktionen über das zerstörte Heiligtum wahrgenommen wurden und daß gerade von diesen Aufsehern Hoffnungen ausgingen auf eine Wiederherstellung des Tempels. So wird es auch verständlich. daß der dtr. Jeremia dem Paschur vorwirft, er habe "seinen Freunden" falsch prophezeit (20,6). Für die, die diese falschen Hoffnungen erweckten, gibt es nur einen Weg: den Weg in die Verbannung. So wird auch Paschur die Verbannung und der Tod im Exil angekündigt.

Der Zwang, das Gericht ankündigen und unter den Reaktionen auf diese Gerichtsankündigung leiden zu müssen, führt Jeremia wieder in die Klage, ja, in die Situation, da er den Tag seiner Geburt verfluchen muß. Aber dieser unter den Folgen der Gerichtsankündigung Leidende ist der Gesegnete Jahwes, wie das Loblied der Gemeinschaft 20,13 zeigt, aber auch das Bekenntnis der Zuversicht 20,11:

> *20,11 Aber Jahwe ist mit mir wie ein gewaltiger Held. Darum müssen meine Verfolger zuschanden werden und siegen nicht, sie werden zuschanden und haben keinen Erfolg, in ewiger unvergeßlicher Schmach.*

Der leidende Jeremia kann vertrauen auf den Jahwe, der sich dem Volke gegenüber gerade wie ein ängstlicher Krieger erweist, der - so die Anklage des Volkes 14,9 - nicht helfen kann, und findet bei ihm Schutz - wie der leidende Gottesknecht bei Deuterojesaja (bes. 50,4-9 (1)). Das heißt: Jahwe steht auf der Seite derer, die die Gerichtsbotschaft Jeremias und sein Leiden unter deren Folgen bejahen, indem sie Jahwe vertrauen und ihm gehorsam sind.

D verwendet für Jeremia zwar niemals expressis verbis in Jer 11-20 die Bezeichnung עבד, aber die Verwendung der Wurzel עבד in Jer 21-45 und 1-10 wird zeigen, daß D konsequent in Jer 1-45 die Funktion des leidenden Gottesknechts gegeben hat.

---

1 Das chronistische Geschichtswerk geht noch einen Schritt weiter und verbindet die Eigenschaft der גבורה bewußt mit Jahwe: 2 Chr 14,10; 20,6; 1 Chr 29,11-12 (cf. I.L.Seeligmann, Auffassung von der Prophetie, S.278).

4. Jeremia als der leidende Gottesknecht im dtr. Jeremiabuch (Jer 1-45)

D hat in Jer 11-20 nicht nur die auf Jeremia zurückgehenden Klagevorgänge zu seinem - an den zeitgeschichtlichen Notwendigkeiten um 550 v.Chr. orientierten - Bild von dem leidenden Jeremia umgeschmolzen, sondern in diesen Zusammenhang mit 20,1-3 auch eine der sogenannten "Baruch-Erzählungen" aufgenommen (1), die ihren überlieferungsmäßigen Schwerpunkt in Jer 26-45 haben. Ja, es ist sogar zu überlegen, ob das Bild von dem leidenden Jeremia, wie es sich in diesen Erzählungen darstellt (2), nicht D als Vorbild gedient hat. Daß dies der Fall ist, zeigt die Art der Rezeption dieser Erzählungen durch D in Jer 26-29 und 36-45, wobei die Konzeption von D 1. in der Komposition von Jer 21-45 und 2. in der Überarbeitung der ihm überkommenen Überlieferungen besteht.

a. Die Komposition von Jer 21-45 durch D

W.Thiel hat nachgewiesen, daß D Jer 21-45 unter *sachlichen Gesichtspunkten* komponiert und dafür eine Reihe von Anachronismen in Kauf genommen hat (3). Danach sind vier Komplexe voneinander zu unterscheiden:

---

1 s.o., S.104.111
2 G.Wanke, Untersuchungen unterscheidet drei Komplexe von "Baruch-Erzählungen":

  I.   19,1-20,6; 26; 27-28; 29; 36
  II. 37,1-43,7
  III. 45 und 51,59-64,

  in denen der leidende Jeremia unterschiedlich dargestellt wird:
  zu I.: Es handelt sich um fünf in sich selbständige Einheiten mit dem gleichen
       Aufbau:
       1. Aktion Jeremias
       2. Reaktion seiner Gegner
       3. Bestätigung Jeremias und Gerichtsankündigung gegen
          die Gegner des Propheten;
  zu II.: Es handelt sich um einen Erzählungszyklus, dessen Einzelerzählungen folgenden Aufbau haben:
       1. Einleitung: Exposition
       2. Hauptteil: Gespräch Jeremias mit seinen Gegnern
       3. Schluß: Das Ergehen Jeremias;
  zu III.: Zwei gattungsmäßig völlig verschiedene Worte, die ursprünglich zusammen
       überliefert wurden:
       45: Persönliches Mahn- und Trostwort
       51,59-64: Auftrag zur Ausführung einer symbolischen Handlung.

  Zumal die Darstellung in Komplex I. gibt aus der Sicht eines Dritten (Erzählers) das wieder, was Jeremia in 17,14-18 und 18,*19-23 klagt.
  Eine intensive Untersuchung des Verhältnisses dieser Erzählungen zur dtr. Redaktion würde an dieser Stelle zu weit führen, cf. dazu vorläufig W.Thiel, Jeremia.
3 Daß D seinen Stoff nach sachlichen Gesichtspunkten ordnet, zeigt die Erwähnung Zedekias in K.21,1-10 und 24, cf.a. K.34 vor Jojakim (K.35; 36; 45), cf. dazu W.Rudolph, Jeremia, S.135; W.Thiel, a.a.O., S.260, ders., Jeremia, S.537f..549. 553.620-623.
  Daneben zeigt D aber auch biographisches Interesse an Jeremia (11,18-23; 12,6; 18,18). Die biographischen Angaben sind aber für Jeremia kaum anders auszuwerten als die biographischen Angaben über Jesus im "Rahmen der Geschichte Jesu" (K.L. Schmidt) bei Markus. Stellt Markus den Weg von Galiläa nach Jerusalem dar, so D den Weg Jeremias von Anatot (11,21) nach Jerusalem (19,1-20,6).

I.   Jer 21-24 mit 25,1-13

II.   Jer 26-29

III.   Jer 30-32 mit 34 und 35

IV.   Jer 36-45 (1).

Ähnlich, wie wir es in Jer 11-20 feststellten, legt D auch mit 21,1-10 und 24 ein kompositorisches Band um 21,11-23,33 (2) und mit 36 und 45 ein solches um 37,1-44,30 (3). Jer 26-29 ist nicht nur zusammengehalten durch die Thematik "Wahre und falsche Propheten" (4), sondern entspricht in seiner Abfolge genau Jer 7-20 in der Komposition von D:

26,1-6	Tempelrede	7,1ff.
7-11	Reaktion der Gegner: "Du mußt sterben!"	11,21
26,12-29,23	Entfaltung des Themas: "Wahre und falsche Propheten"	14,13-16
29,24-32	Auseinandersetzung Jeremias mit dem Tempelaufseher	20,1-6
	Semaja / Paschur.	

D hat also auch um Jer 26,12-29,23 mit 26,1-11 und 29,24-32 ein kompositorisches Band gelegt, das durch den *Ort* (Tempel) bestimmt ist, während 21,1-11 und 24 durch die *Person* des Zedekia, 36 und 45 durch die des Baruch zusammengehalten werden (5). Vergleichbare Prinzipien dürften auch bei der Komposition von 30-32 und 34+35 bestimmend gewesen sein: Jer 34 hat den *König* Zedekia als Adressaten und Mittelpunkt zugleich, Jer 30-32 und 35 das *Volk*. Enthält Jer 34 ein *Heilswort* an Zedekia (V.1-7) und den Bericht von seinem *Versagen* (V.8-22), so Jer 30 -32 *Heilsworte* an das Volk und Jer 35 den Bericht vom *Versagen* des Volkes auf dem Hintergrund der Treue der Rekabiter.

Die Komplexe Jer 26-29 und 30-32.34+35 entsprechen einander in der *Auseinandersetzung mit der Heilsprophetie*: Bis zur Zerstörung Jerusalems kann es keine Heilsprophetie im Namen Jahwes geben, von der Belagerung Jerusalems an aber ist sie möglich (Jer 30-32; 34,1-7), kann aber auch verwirkt werden (34,8-35,19).

Überdies lassen sich kompositorische Entsprechungen zwischen den Komplexen Jer 21-24 mit 25,1-13 und Jer 36-45 feststellen: Beginnt Jer 21-24 mit einer *Jahwebefragung* (21,1ff.) und schließt mit einem *Heilswort* an die babylonische Gola (Jer 24), so findet sich in 37,1ff. wieder eine *Jahwebefragung* und am Ende (Jer 42-44) ein längeres *Gerichtswort* an die, die nach Ägypten gezogen sind statt nach Babel.

D ordnet seinen Stoff also auch in Jer 21-45 ähnlich planvoll wie in Jer 11-20. Die auf diese Weise entstandenen Anachronismen zeigen

---

1 Jer 33 ist postdtr., cf. W.Thiel, Jeremia, S.525f..
2 ebda., S.622
3 ebda.
4 So W.Thiel, Jeremia 1-25, S.250 und viele andere.
5 Cf. dazu W.Thiel, Jeremia, S.620-622.

aber auch, daß D in einigem zeitlichen Abstand von den Ereignissen von
587/586 gewirkt und sein Jeremiabild bewußt als *Literatur* konzipiert
hat. Diese Konzeption ist aber nicht in einem luftleeren Raum entstanden, sondern in einer Zeit des *Ringens um die legitime Weise der An-
knüpfung an die Prophetie Jeremias unter den Bedingungen des Exils.*
   Wird in der Kompositionstechnik eine erstaunliche Parallelität zwischen Jer 21-45 und Jer 11-20 bzw. zwischen Jer 26-29 und Jer 7-20 erkennbar, so berechtigen diese Beobachtungen zu einem Ineinssehen des
dtr. Jeremiabildes hier und dort. Dies soll im folgenden geschehen,
indem das dtr. Jeremiabild vor dem Hintergrund der zeitgeschichtlichen
Situation von D unter besonderer Berücksichtigung der dtr. Verwendung
der Wurzel עבד in Jer 21-45 untersucht wird.

b. Das dtr. Jeremiabild und die Verwendung der Wurzel עבד *(1)*
   in Jer 1-45

W.Thiel hat erkannt, daß D Jer 21,1-10 eigenständig in Anlehnung an
die Jahwebefragung 37,3ff. formuliert hat (2); doch ist zu fragen, ob
D mit der Voranstellung von 21,1-10 "hier die Babylonier in der An-
fangsphase der Belagerung dort (scil. 37,3ff., F.A.) unter dem Eindruck des ägyptischen Entsatzheeres die Belagerung aufhebend" (3)
zeichnen wollte. Eher als auf diese Vervollständigung des historischen Ablaufs der Ereignisse wird D mit der Hoffnung auf den Abzug
der Babylonier doch auch auf die zeitgeschichtlichen Gegebenheiten um
550 v.Chr. in Juda anspielen: Die Hoffnung auf eine baldige Wende ist
wach (V.2b). Sie wird in der Befragung vor Jeremia getragen, das heißt:
Die Jeremia-Überlieferung wird zu einem Kriterium für die Heilshoffnung. Die Antwort ist negativ: Schonungslos wird Jahwe Jerusalem mit
allem, was in der Stadt lebt, vernichten und Zedekia an die Babylonier
ausliefern (21,4-7). Für das Volk aber besteht nur eine Überlebens-
chance: zu den Babyloniern überzulaufen (21,8-10), ein Verhalten, das
D später mit: "dem König von Babel dienen (עבד)" (25,11) bezeichnen
kann. Eben dieses Verhalten vermißt D aber und erhebt im gewohnten
dtr. Schuldaufweis im Frage-Antwort-Stil die Anklage des Götzendien-
stes (עבד, 22,8f.). Bewußt schließt D die ihm wohl vorgegebene Anklage
gegen die an, die andere unentgeltlich für sich arbeiten (עבד) lassen
(22,13) (4). Vor diesem Hintergrunde kann es kein Zufall sein, wenn D
in zwei selbstformulierten Partien dreimal von den Dienern (עבדים) des
Königs spricht (21,7; 22,2.4.) (5). Soll damit dies gesagt sein: Der
König hat wohl Diener, ist aber selbst kein Diener Jahwes, so daß sich
an den König auch keine Hoffnungen auf Heil heften können?
   Wer in Wirklichkeit Diener, *Knecht Jahwes* ist, ist für D dann klar:
In stereotyper Formulierung wird in 25,4 von den Propheten, den Knechten Jahwes (עבדי־יהוה) gesprochen, die Jahwe unermüdlich durch die
ganze Geschichte mit seinem Volk hindurch gesandt hat - ohne Erfolg.

---

1 Die Arbeit von I.Riesener, עבד untersucht den Gebrauch von עבד nur unvollständig.
  Die folgenden Überlegungen sind unabhängig von I.Rieseners Untersuchung entstanden. - Was C.Westermann, עבד, Sp.193-195 zum עבד-Gebrauch bei Deuterojesaja aus-
  führt, läßt sich weitgehend auch auf D übertragen.
2 Jeremia 1-25, S.230-237
3 a.a.O., S.232
4 Zur Arbeit von D an 22,13-19 cf. W.Thiel, a.a.O., S.241f..
5 Diese Formulierung findet sich sonst im Jeremiabuch nur noch in 36,24.31 und
  37,2 (alles D).

Aber nicht nur die Propheten sind Knechte Jahwes, sondern auch Nebukadnezar (25,8), und die von ihm heimgesuchten Völker werden ihm dienen (25,11), aber das wird nicht das Ende sein: Auch die Babylonier werden einst anderen Völkern dienen müssen (25,14) (1).

Nebukadnezar ist nach dem Verständnis von D also ein Werkzeug in der Hand Jahwes, und wie sehr er das ist, wird 40,2 zeigen, nachdem D in Jer 32 in einem gewaltigen Lobpreis über Schöpfung und Geschichte die *Allmacht Jahwes* allen Einwänden zum Trotz thematisiert hatte: Nebusaradan, der Oberste der Leibwache Nebukadnezars, antwortet nach dem Eintreffen des Gerichts, als wäre er ein Prophet und hätte die entsprechende Einsicht in die Zusammenhänge zwischen der Schuld des Volkes und dem Gericht. Gerade darin erweist er sich als Knecht Jahwes und wird somit zu einem Vorbild für die Israeliten zur Zeit des Exils, die diese Einsicht in die Geschichte vermissen lassen.

Das Auftreten Jeremias im Tempel wird in 26,5 kommentiert mit der stereotypen Formel von Jahwes Knechten, den Propheten, die er unermüdlich sendet. Wird in 26,3-5 D die Möglichkeit der Umkehr noch ins Auge gefaßt, so muß der Schluß des Komplexes doch die Unausweichlichkeit des Gerichts konstatieren, eben weil das Volk nicht auf die Worte gehört hat, mit denen Jahwe seine Knechte, die Propheten, früh und spät sandte (29,19). Nach den bisherigen Überlegungen zur dtr. Aussageabsicht kommt es nicht überraschend, wenn sich dieses Gerichtswort an alle diejenigen richtet, die in Jerusalem zurückgeblieben und nicht mit in die Verbannung gezogen sind (29,16). Zwischen Jer 26 und 29 komponiert D die Kapitel 27 und 28, in denen D die symbolische Handlung des Jochträgers Jeremia im Blick auf das Volk so auslegt: "Dient (עבדו) dem König von Babel, so werdet ihr leben!" (27,17) Diese Aufforderung wird dem Volke in immer neuen Wendungen mit dem Begriff עבד nahegelegt (2). Der *leidende Jeremia* wird darin dem Volke zum Vorbild, nicht nur durch die symbolische Handlung des Jochtragens, sondern auch durch sein Geschick, wie es in Jer 11-20 durch D dargestellt wurde, in 20,13/20,14-18 bewußt in der Spannung des Leidens bis hin zur Verfluchung des Tages der Geburt (20,14-18) und des Gerettetwerdens (3). Der so als Knecht dargestellte Jeremia wird darin den Exulanten zum Trost und gleichzeitig den in Juda/Jerusalem Zurückgebliebenen zur Herausforderung.

Das Heilswort Jer 30 verwendet in 30,8-10 konzentriert die Wurzel עבד, in 30,10 sicherlich bedingt durch die Aufnahme der Gattung der Heilszusage (an einen Einzelnen), in 30,8 und 9 aber ad hoc formuliert: Unter Rückgriff auf Jer 27f. wird gesagt, daß nach dem Eintreffen des Gerichts Heil möglich sein wird: Das Joch wird dem Volke genommen werden, so daß sie den Fremden nicht mehr dienen (עבד) müssen, sondern nur noch Jahwe und dem König, der dem Volke erweckt werden soll. Aber ähnlich wie am Ende des Komplexes Jer 26-29 wird auch am Ende des Komplexes Jer 30-35 mit dem Hinweis auf die Propheten, Jahwes Knechte, die Jahwe unermüdlich gesandt hat, aber vergeblich, gezeigt werden, daß das Volk das Gericht verdient hat. Denn anstatt auf die

---

1 Ähnlich: 27,6f.; cf. noch 43,10.
2 Die Wurzel עבד wird in Jer 27f. nicht weniger als dreizehnmal verwendet: 27,6
  (bis).7(bis),8.9.11(bis).12.13.14.17; 28,14(bis).
3 Chananja, der in diesem Sinne nicht dienen will, muß sterben (28,17).

Diener (Knechte) Jahwes zu hören, hat das Volk den Götzen gedient (עבד) (35,15) (1).

Zwischen diesen beiden Polen von Jer 30 und Jer 35 ist nun das eigentümliche Kapitel 34 zu sehen: Zedekia hat mit allem Volk in Jerusalem die Übereinkunft getroffen, alle hebräischen Sklaven und Sklavinnen freizulassen. Zunächst werden sie auch freigelassen, aber dann überlegt das Volk es sich doch anders. Zeigt sich auch hierin, daß das Volk In Jerusalem ebenso wie der König (2) nicht bereit ist, Diener (Jahwes) zu sein, sondern Herr bleiben will über die Sklaven, so folgt die Gerichtsankündigung auf dem Fuße: Das Volk wird in die Hand derer gegeben, die ihm nach dem Leben trachten (34,20) (3), und über Zedekia wird das gleiche Gericht ergehen (34,21).

Vergleicht man das, was D in Jer 26-29 sagt, mit dem Skopus von Jer 30-35, so wird deutlich, worum es D geht: um den bewußten *Jahwedienst im Gefolge der Propheten, besonders Jeremias*. Dieser Jahwedienst schließt persönliches Leiden nicht aus, sondern kann gerade geschehen in bewußter Unterwerfung unter Nebukadnezar, aber auch der ist ja ein Diener Jahwes. Dieser Jahwedienst kann sich vollziehen in bewußter Solidarisierung mit den Sklaven (34,11) und den Arbeitenden (22,13). Wo dieses Knechtsein nicht bejaht wird, da wird am Ende der Tod stehen (34,20.21) und gerade nicht das Leben, das ja eine Folge bejahten Knechtseins ist (27,17) (4). Auch auf diese Weise fordert D die in Juda/Jerusalem Zurückgebliebenen heraus und mahnt gleichzeitig die Exulanten zum Durchhalten.

Hatte D Jeremia in Jer 26-35 in seinen "klassischen" Funktionen als Gerichtsboten in Verkündigung und symbolischer Handlung sowie als Heilspropheten gezeichnet und ihn in die Reihe der Propheten als den Knechten Jahwes hineingestellt, um auf diese Weise die lebensrettende Funktion des bejahten Dienens herauszustellen, so tritt in Jer 36-45 das *Leiden selbst* in den verschiedenartigsten Ausprägungen in den Vordergrund (5).

Es sind vergleichsweise wenige Verwendungen von עבד in Jer 36-45 anzutreffen, aber diese Verwendungen sind dafür um so vielsagender. In unverkennbarer Analogie zu der Erwähnung der Diener (עבדים) des Königs (Zedekia) in 21,7 und 22,2.4 werden in 36,24.31 D die Diener des Königs Jojakim erwähnt, die kein Erschrecken ergreift, nachdem sie die in der Schriftrolle enthaltenen Gerichtsworte vernommen haben und das, was diese Worte selbst zu durchleiden haben (6), wo doch Jahwe flehentliche Umkehr erwartet hatte (36,3 D). So wird Jahwe an den Dienern des Königs Jojakim die Schuld ahnden (36,31 D). Aber die Diener des Königs Zedekia sind nicht besser (37,2 D) (7).

---

1 Gefordert gewesen wäre aber ein Vertrauen zu Jahwe, wie die Rekabiter es an den Tag gelegt haben - und der leidende Jeremia (cf. bes. 20,11 und 17,5-8).

2 s.o., S.152 mit A.5

3 Es handelt sich hierbei um eine typisch dtr. Formulierung (W.Thiel, Jeremia, S.536; cf. 7,33; 19,7): Erinnerungen an die (dtr.!) Klage Jeremias werden wach: 11,21 D.

4 Zur Bejahung des Leidens bei Deuterojesaja cf. C.Westermann, Dtjes, S.186f..

5 D übernimmt mit 37,1-43,7 den Komplex der Leidensgeschichten Jeremias (s.o., S.150, A.2, Komplex II..

6 Cf. dazu C.Westermann, Jeremia, S.84-86; G.Wanke, Untersuchungen, S.65f..

7 Diese Zusammenstellung ist offensichtlich beabsichtigt.

Ist es vor diesem Hintergrund verwunderlich, wenn es außer dem
mehrfach als Knecht Jahwes bezeichneten Nebukadnezar noch einen weiteren Ausländer gibt, der auf Jahwe vertraut, einen Äthiopier, und
dieser heißt ausgerechnet Ebed-Melech (עֶבֶד־מֶלֶךְ) (39,15-18)? D hatte
die Überlieferung von Ebed-Melech zwar schon übernommen aus den sogenannten "Baruch-Erzählungen" (38,7-13; 39,15-19): Ebed-Melech hatte
es in fast prophetischer Freiheit gewagt, vor Zedekia das Unrecht an-
zuprangern, das man Jeremia tat, indem man ihn in die Zisterne warf
(38,8), und Jeremia auf Geheiß des Königs befreit (38,10-13); Jeremia
hatte daraufhin Ebed-Melech ein persönliches Heilswort Jahwes ausgerichtet (38,19a); aber D spitzt dieses Heilswort zu, indem er es in
den größeren geschichtlichen Zusammenhang der Zerstörung Jerusalems
hineinstellt (39,16b) und das persönliche Heilswort genau in den beiden Wendungen erweitert, die Jer 26-29 auf der einen und Jer 30-35
auf der anderen Seite bestimmten:

39,17 Dich werde ich an jenem Tage erretten, Spruch Jahwes,
daß du den Männern, vor denen du dich fürchtest, nicht in
die Hände fallen sollst (cf. 34,20.21).

18b Du wirst dein Leben als Beute davontragen, weil du auf mich
vertraut hast - Spruch Jahwes (cf. 27,17).

In diesen beiden Erweiterungen entspricht das dtr. Heilswort aber auch
exakt dem Bild, das D in Jer 11-20, zumal in 11,18-23; 17,5-8 und 20,
13, von dem leidenden Jeremia zeichnet, das heißt für die zeitgeschichtliche Situation von D: In der Zeit des Exils wird der leidende und darin Jahwe dienende und vertrauende Jeremia zum Leitbild für
einzelne Jahwetreue wie Ebed-Melech. Die Zusage des Lebens, die der
leidende Jeremia von Jahwe erhält, gilt ebenso für *Einzelne*, die sich
- wie Ebed-Melech - dem leidenden Jeremia zuwenden. Aber nicht nur auf
den leidenden Jeremia zurück verweist die Zusage an Ebed-Melech, sondern sie verweist auch nach vorn auf die entsprechende Zusage an Baruch (45,5), die von D möglicherweise ganz bewußt an das Ende seines
Jeremiabuches gesetzt worden ist (1)˙.

Zedekia hingegen will sich dem Nebukadnezar nicht ergeben, was für
ihn das Leben bedeuten würde (38,17). Er will zwar das Leben Jeremias
retten (38,16), aber auf die Stimme Jahwes hören will er nicht (38,20).
Damit deutet D noch einmal an, worauf es ihm letztlich ankommt: Das
Vertrauen und den Gehorsam Jahwe gegenüber einzuschärfen. Die Zuwendung zu Jeremia allein muß mehrdeutig bleiben, da Jeremia nicht nur
der Gerichtsprophet ist, sondern auch den Anlaß gibt zu verfrühten
Heilshoffnungen, wie wir bei der Untersuchung des dtr. Jeremiabildes
immer wieder feststellten. Die Berufung auf Jeremia ist aber insofern
wichtig, als Jeremia ein Vorbild für genau das Gottvertrauen und den
Gehorsam ist, den D einschärfen will. Dieses Gottvertrauen verweigert
Zedekia. So verfehlt er das Leben (39,1-7) wie alle diejenigen, die
Jahwe nicht gehorchen.

Wie gering die Bereitschaft des Volkes, Nebukadnezar zu dienen und
so das Leben zu gewinnen, nach der Zerstörung Jerusalems ist,
zeigt die Ermordung des Statthalters Nebukadnezars in Mizpa (41,2),
dem D doch gerade den Rat an das Volk in den Mund gelegt hatte, Nebukadnezar zu dienen. Dieser Statthalter, der Judäer Gedalja, wird von

---

1 so W.Thiel, Jeremia, S.617-623

seinen eigenen Landsleuten ums Leben gebracht, und - so muß man die
Sicht der Dinge durch D wohl sinngemäß fortführen - mit dieser Haltung bringen sich die Judäer selbst um das Leben.

Der sich in dieser Ermordung äußernde Widerstand gegen Nebukadnezar wirkt sich dann auch aus in der Auswanderungswelle nach Ägypten,
vor der Jeremia gewarnt hatte (42,9-22), in die er aber unfreiwillig
hineingerissen wird (43,6f.). Es macht aus der Sicht von D wohl die
besondere Tragik Jeremias aus, daß er diesem Schicksal nicht entrinnen konnte wie sein Begleiter Baruch auch. Und das in 26,20-23 erzählte Geschick Urias hatte doch gezeigt, daß die Flucht nach Ägypten
selbst einen jahwetreuen Gerichtspropheten nicht vor dem Tode retten
würde.

Jeremia muß in Ägypten das Wort Jahwes weitersagen: Nebukadnezar,
der Knecht Jahwes (43,10), wird nach Ägypten kommen und das Land richten (43,8-13); die Erwartung des Heils durch die Ägypter, wie sie
noch hinter der Jahwebefragung 37,3ff. stand, hat sich als trügerisch
erwiesen. Daß das Gericht über die nach Ägypten Geflohenen zu Recht
kommt, zeigt die abschließende Erwähnung des Kultes der Himmelskönigin, der sie dienten (44,4) (1), statt auf die Propheten, die Diener
Jahwes, zu hören (44,5).

So spricht Jeremia bis zuletzt im Namen Jahwes. Es ist wohl nicht
unbeabsichtigt, wenn D Jeremias Schicksal in Ägypten zum Schluß in
der Schwebe läßt: Wird Jeremia umkommen? Wird Nebukadnezar ihm das
Leben geben (2)?

Wie D Jeremia verstanden wissen will, zeigt abschließend das Wort,
das Jeremia im Auftrag Jahwes an Baruch richtet, seinen Begleiter bis
nach Ägypten hin: Baruch beklagt sein Leid, das Jahwe ihm auferlegt:

45,3 Weh mir! Jahwe häuft noch Kummer auf meinen Schmerz!
Müde bin ich vor Seufzen, doch Ruhe finde ich nicht!

In dieser Klage wird Baruch nicht nur zu einem Leidensgenossen des
klagenden Jeremia von Jer 11-20, sondern Baruch wird mit dieser Klage
zu einem Sprachrohr für die, die in der Zeit des Exils genauso klagen (3). Ihnen gilt wie Baruch das Wort Jahwes, das D in ähnlicher
Weise an Jeremia richtete (15,19-21): Bejahe dein Leiden in bewußtem
Knechtsein. Das Gericht Jahwes hat noch kein Ende. Jahwe wird es über
alles Fleisch bringen (45,5), aber du wirst leben:

45,5 Dir gebe ich dein Leben zur Beute überall, wohin du gehst (4).

---

1 Der Kult der Himmelskönigin wird schon in 7,18 kritisiert.
2 44,28a schließt diese Möglichkeit zumindest nicht aus.
3 Zu יגון cf. Jer 31,17; יגע Jes 40,28.30f.; 57,10; Thr 5,5 (cf. Jes 50,4: יעף);
   אנח Jer 22,23; אנחה Jes 51,11. Es muß gesagt werden, daß diese Beobachtungen nur untergeordnete Beweiskraft haben.
   Eine abweichende Deutung von Jer 45 trägt A.Weiser, Jer 45 vor.
4 D verknüpft diese Zusage an Baruch mit der größeren geschichtlichen Perspektive
   des Unheils, das Jahwe über alles Fleisch bringt. Das Gericht und das Heil für
   alle Völker führt in die Apokalyptik (cf. aber auch Jona!), der ein Anwachsen
   des Individualismus zur Seite steht: Wo nicht mehr einem bestimmten Volk Gericht
   zugesprochen werden kann, sondern nur noch allgemein "allem Fleisch", kann es
   nur noch die Zusage an Einzelne geben. Bei der allgemeinen Heilsankündigung an
   alle Völker rücken die Formen der Ankündigung an alle und an den Einzelnen nahe
   zusammen, wie schon Deuterojesaja zeigt, cf. wieder Jona.

So wird das Geschick Baruchs zu einer Brücke zwischen dem leidenden Jeremia und der babylonischen Gola (1), der leidende Jeremia zu einem Trost für die Verbannten (2.3). Mit Baruch erhält wieder ein *Einzelner* ein Trostwort. Das ist wiederum ein Zeichen für die *zunehmende Bedeutung des Individuums in exilischer Zeit*, wie ja auch D in Jer 31,31-34 den neuen Bund in stark individualisierenden Zuspitzung beschreibt (4).

Diese Beobachtungen reizen zur Heranziehung des dtr. Komplexes, der bislang noch unberücksichtigt geblieben ist und in dessen Mitte die Tempelrede Jeremias gegen den falschen Gottesdienst steht.

c. Der Gottesdienst des Volkes und der Gottesdienst des Knechtes im dtr. Jeremiabuch unter besonderer Berücksichtigung von Jer 1-10

In der Mitte von Jer 1-10 (D) steht die Tempelrede Jeremias: 7,1-8,3. In ihr geht es nicht nur um den Widerspruch zwischen sozialem Verhalten und Tempelgottesdienst, sondern der falsche Gottesdienst des Volkes wird dem Dienen in der Vielschichtigkeit gegenübergestellt, wie D es in immer neuen Verwendungen des Begriffes עבד in Jer 21-45 darstellt und wie wir es in Abschnitt b. nachzuzeichnen versuchten. So werden in den einzelnen Abschnitten von Jer 7,1-8,3 schon die Themen angesprochen, die in den folgenden Teilen des dtr. Jeremiabuches im Mittelpunkt stehen: Die Warnung vor der Unterdrückung der Fremdlinge,

---

1 Wenn auch die Jeremia-Erzählungen nicht von Baruch selbst stammen dürften, sondern eher aus Kreisen um Gedalja (G.Wanke, Untersuchungen, S.146), so wird man grundsätzlich Baruch eine entscheidende Rolle als Tradenten der Leiderfahrungen Jeremias zubilligen müssen (cf.a. G.Wanke, a.a.O., S.147; S.H.Blank, Paradigm, S.124f.): Baruch wird immer in zwei Funktionen erwähnt: als Leidensgenosse Jeremias (43,3.6.; 45,1-5) und als Schreiber (Tradent): Jer 32,12f.16; 36,4.5-32. Die Jeremia-Erzählungen sehen den Vorgang des Leidens und des Tradierens nicht losgelöst voneinander. D betont diesen Zusammenhang noch einmal durch die bewußte Rahmung von K.37-44 durch K.36 und 45.

2 D stellt Jeremia also dar als leidenden Gottesknecht, in Jer 11-20 durch Neuinterpretation der jeremianischen Klagen und Aufträge, in K.21-45 durch ein geschicktes, immer wieder neues Einbringen der Wurzel עבד, ohne Jeremia selbst auch nur ein einziges Mal als עבד zu bezeichnen. Auch darin wird deutlich, daß D unter dem leidenden Gottesknecht nicht nur Jeremia versteht, sondern die gesamte Geschichte des Mittlertums, dessen letzter vorexilischer Vertreter Jeremia ist. (Ähnlich auch die Sicht des leidenden Gottesknechts in Jes 40-55 bei C.Westermann, Dtjes, z.B. S.20f..)

3 Es sei in diesem Zusammenhang hingewiesen auf einen kaum beachteten Aufsatz von O.Eißfeldt, Unheils- und Heilsweissagungen. E. zählt als Beispiele für Unheilsweissagungen auf: Jer 11,18-23; 28,16; 29,22f..31f., als Beispiele für Heilsweissagungen: 45,4f.; 38,16-18 (eine weitere an Nebusaradan wäre nach 40,1 weggebrochen), also lauter Beispiele, die für die Konzeption von D von Gewicht sind. E. weist alle diese dem historischen Jeremia zu und erklärt sie aus einer "von dem judäischen Gruppenempfinden abweichende(n) Stellung zu den kultisch-religiösen Werten des Judentums" (a.a.O., S.185), wie sie im Hintergrund der Tempelrede stehe (7,1-28 und 26,1-19). Tatsächlich läßt sich diese individualisierende Tendenz in den genannten Texten nachweisen, aber nicht für Jeremia, sondern für D: Die Umstände des Exils brachten diese Tendenz mit sich. Wie weit diese Tendenz bei Jeremia selbst angelegt ist, ist dann noch eine ganz andere Frage, die sich nur anhand der sicher auf Jeremia zurückgehenden Texte und der sie bestimmten Vorgänge beantworten läßt.

4 Zur dtr. Herkunft von 31,31-34 cf. W.Thiel, Jeremia, S.496-506, zum Individualismus cf.u.a. oben, S.156 mit A.4.

Waisen und Witwen (7,5-7) wiederholt sich fast wortwörtlich so in 22,
1-5, dort aber an den König gerichtet. Das Verbot der Fürbitte (7,16)
wiederholt sich in 11,14 und 14,11f.; 15,1-4. Das Gerichtswort wegen
des Kultes der Himmelskönigin, der in 7,17-20 in Jerusalem lokali-
siert wird, trifft in K.44 die nach Ägypten Geflohenen, während die
Tofet-Polemik (7,29-34) ihre Entsprechung findet in 19,3-13. Es sind
also durchaus unterschiedliche Formen verfehlten Gottesdienstes, die
der dtr. Jeremia anprangert; die Opferpolemik (7,21-28) gesellt sich
noch hinzu. Aber D setzt gegen diese Vielfalt falschen Gottesdienstes
nun nicht den "reinen" Tempelgottesdienst - diese Hoffnung konnte D
trotz 17,19-27 noch nicht erwecken (1) -, sondern den "Gottesdienst
im Alltag der Welt" (2). Dieser äußert sich in der Solidarität mit den
Unterdrückten (7,1-15; cf. 22,1-5) und Arbeitenden (22,13) und den
Sklaven (K.34) und schließt gerade deshalb auch die Beachtung des Fei-
ertages (17,19-27) ein. Der Gottesdienst im Alltag der Welt äußert
sich aber auch im rechten Verhalten Jahwe gegenüber, und dieses besteht ganz wesentlich im Hören auf Jahwes Knechte, seine Propheten
im Gegensatz zu der egoistischen Anbetung der Himmelskönigin mit dem
Ziel, das tägliche Brot zu sichern (44,17), und auch im Gegensatz zu
einem Opferverhalten, das durch Brandopfer, Schlachtopfer und Fleisch-
genuß nur der persönlichen Daseinssicherung gilt (3).

Da das Volk aber nicht bereit ist, auf die Knechte Jahwes zu hören,
sondern in seinem Götzendienst verharrt (8,2), kündigt Jeremia das Gericht an: 7,13.15.20.32-34; 8,1-3 (alles D). Daß D das bewußte Dienen
in seinen vielfältigen Schattierungen im Gegensatz zu Götzendienst und
mangelnder Bereitschaft zur Umkehr zu Jahwe das Hauptanliegen ist,
zeigt eine kurze von D formulierte Anklage:

> 2,20 Denn längst schon hattest du dein Joch zerbrochen, deine Stricke
> zerrissen; du sprachst: "Dienen will ich nicht (לא אעבד)! (4)

Wenn D an so früher Stelle das Wort עבד verwendet, das dazu noch mit
dem Bild vom Joch und den Stricken auf die Schlüsselkapitel für das
dtr. עבד-Verständnis, Jer 27 und 28 (5), hinweist, so ist damit das
Thema angegeben, das sich wie ein roter Faden durch das dtr. Jeremiabuch zieht. Die übrigen dtr. Partien in Jer 2-6 und 8-10 bestätigen,
daß das Volk am Götzendienst festhält, wie schon die Väter (2,5b) (6):

---

1 s. dazu o., S.148
2 Diese Bezeichnung von E.Käsemann (Gottesdienst im Alltag der Welt) für Röm 12,
  1+2 trifft auch für das dtr. Bild von Gottesdienst zu.
3 Es dürfte kein Zufall sein, daß sich die Zusammenstellung von Dürrekatastrophe,
  Fasten und Brandopfer so auch in Jer 14,1-12 findet. Das Opfer dient demnach
  nicht nur dazu, "die Gemeinschaft mit der Gottheit herzustellen" (W.Rudolph, Jeremia, S.57), sondern ebenso der Daseinssicherung, die durch die Gottheit ver-
  mittelt wird. Einem solchen - zum Egoismus hin tendierenden - Gottesdienstverständnis gegenüber wird Jeremia die Fürbitte verboten. - Dieser Egoismus ist zu
  unterscheiden von einem Individualismus, der zu bewußtem Dienen und bejahtem
  Leiden führt.
4 Im Gegensatz zu W.Thiel, Jeremia 1-25, S.81f., der nur V.20b D zuweist, halte
  ich auch V.20a für dtr., da V.20aα sich so auch in 5,5b findet (so auch U.Eich-
  ler, a.a.O., S.34).
5 s. dazu o., S.153
6 Cf. dazu W.Thiel, Jeremia 1-25, S.80f..

8,19b Warum haben sie mich gekränkt mit ihren Bildern, mit ihren ausländischen Nichtsen? (1)

und nicht zur Umkehr bereit ist (3,6-4,3) (2). Der Götzendienst ist auch in den Schuldaufweisen im Frage-Antwort-Stil 5,18f. und 9,11-15 die Begründung für das Gericht (3), während D in 6,16-21 ein wahrscheinlich vorgegebenes Wort für seine Opferpolemik umbildet (4).

Diesem Volk gegenüber tritt der dtr. Jeremia als Knecht Gottes wie Mose und Samuel (15,1) auf und damit als der letzte in der Reihe derer, die Jahwe immer wieder gesandt hatte, damit das Volk auf sie höre. Ohne daß sich jetzt schon entscheiden läßt, ob sich in Jer 1,4-10 ein auf Jeremia zurückgehender Eigenbericht über seine Berufung zum Propheten von einer dtr. Bearbeitung unterscheiden läßt (5) oder ob schließlich sogar 1,4-10 ganz D zugeschrieben werden muß (6), läßt sich doch an dieser Stelle schon so viel sagen: In der dtr. Endfassung von 1,4-10 trägt Jeremia die Züge des Gottesknechts. Ähnlich wie bei Deuterojesaja fließen in der Gestalt des Gottesknechts die Linien des Königs und des Gerichtspropheten zusammen: Das Motiv von der Erwählung im Mutterleib (V.5) gehört ebenso in den Zusammenhang der Einsetzung eines Königs hinein (7) wie die Verleihung eines Titels, auch wenn dieser heißt: "Völkerprophet" (V.5) (8). Diesem Wort der Einsetzung Jeremias nach der Art eines Königs entspricht auch der Einwand (V.6): "Ich bin noch so jung!" der nicht zufällig auch im Gebet Salomos in 1 Kön 3,7 auftaucht (9). Der Einsetzung zum König entspricht auch die feierliche, an die Ausrüstung des Königs mit seinen Insignien erinnernde Übergabe der Worte Jahwes an Jeremia (V.9), während V.10 an die Herrschaftsakte eines Königs erinnert. Wohlgemerkt: Die Motive aus dem Bereich der Königseinsetzung stellen *eine*, wahrscheinlich sogar die beherrschende Linie dar neben der "prophetischen" Linie, und beide zusammen erst lassen hinter 1,4-10 die Gestalt des leidenden

---

1 Daß 8,19b D zuzuweisen ist, hat zuletzt W.Thiel, a.a.O., S.135 gezeigt. Nicht so sicher ist aber, ob die dann verbleibende Klage 8,18-19a.20-23 Jeremia zuzuweisen ist, wie die Forschung übereinstimmend annimmt. Es kann sich auch um eine exilische Klage im Threni-Stil handeln. Dagegen spricht auch nicht die Verwendung von בחעמי (gg. U.Eichler, a.a.O., S.47f.); denn diese Bezeichnung für das Volk findet sich auch in Thr 2,11; 3,48; 4,6.10. - Sollte es sich in 8,18-23 um eine exilische Klage handeln, so wäre die Schichtung der Jeremia-Überlieferung genau umgekehrt zu sehen wie bei P.Welten, Leiden und Leidenserfahrung.
2 Cf. W.Thiel, a.a.O., S.83-97. D erwartet diese Umkehr auch von Jeremia (15,19a).
3 Zu 5,18f. cf. W.Thiel, a.a.o., S.97-99; zu 9,11-15 ebda., S.136-138.
4 Cf. W.Thiel, a.a.O., S.99-102.
5 W.Thiel, a.a.O., S.62-72 hält V.7bβ.9+10 für dtr. und den Rest für den authentischen jeremianischen Berufungsbericht.
6 s. dazu u., Teil V.5.
7 Cf. R.Albertz, Weltschöpfung und Menschenschöpfung, S.49f..59; M.Gilula, Egyptian Parallel. Bei Deuterojesaja findet sich das Mutterleib-Motiv ebenfalls, übertragen auf den Gottesknecht (49,1), angewandt auf den König hingegen noch 44,24 (Kyros-Orakel). - An den Akt der Einsetzung zum König erinnert in Jer 1,5 auch: נתתיך.
8 C.Westermann, Dtjes, S.169 erinnert daran, daß "niemals ... ein Prophet bei seiner Berufung so etwas wie einen Titel (bekommt)", wohl aber der König bei seiner Designation (zu Jes 49,3).
9 Es dürfte D nicht entgangen sein, daß Salomo in 1 Kön 3,5-14 auch häufig als עבד bezeichnet wird (V.7.8.9).

Gottesknechts erkennbar werden (1). D schafft mit 1,16 und 1,17-19 die
Verknüpfung der Berufungsgeschichte mit dem dtr. Jeremiabuch: 1,16
deutet mit dem Hinweis auf den Götzendienst die Front an, gegen die
Jeremia als der leidende Gottesknecht anzutreten hat, während 1,17-19
hinüberweisen nach 15,19-21 und 45,1-5: Bringt die Tempelrede Jer 7,1
-8,3 alle Aspekte des verfehlten Gottesdienstes zur Sprache, wie sie
in Jer 2-44 entfaltet werden, so wird in 1,4-19 Jeremia eingebracht,
der als Knecht Jahwes ein exemplum für den wahren Gottesdienst ist.
Dieser besteht wesentlich in der Bejahung des Leidens im Alltag der
Welt im Gehorsam Jahwe gegenüber und hat so Aussicht auf Leben (1,8.
19; 45,5 u.ö.).

Vor dem Hintergrund dieses Gottesdienstverständnisses ist es nicht
verwunderlich, wenn D das Wort שׁרת meidet. שׁרת bezeichnet das aus dem
Alltag ausgegrenzte Dienen Gottes (2), während עבד gerade die Fülle
der Möglichkeiten des Dienens enthält. D kann sich nicht einmal von
einem solchen falschen aus dem Alltag ausgegrenzten Dienen Gottes eindeutig absetzen, trifft er doch einen außerordentlich vielgestaltigen,
aber verfehlten Gottesdienst an. Aber D wird sich wohl auch umgekehrt
mit priesterlichen Tendenzen auseinanderzusetzen gehabt haben, die
den "reinen", aus dem Alltag ausgegrenzten Gottesdienst zu seinem
Recht verhelfen wollten. Der mehrfache Gebrauch der Wurzel שׁרת in dem
nachdtr. Kapitel 33 (3) belegt dies.

An einer - textkritisch allerdings unsicheren Stelle - verwendet
auch D die Wurzel שׁרת, und zwar parallel zu Jeremias Hinweis auf seine frühere Fürbitte: 15,11. Nach dem Verständnis von D stellt die Fürbitte einen gottesdienstlichen Vorgang dar, der von seinem Konzept
des "Gottesdienstes im Alltag der Welt" wohl zu unterscheiden ist,
weil er einen viel engeren Bereich umfaßt als den mit עבד umschriebenen Gottesdienst. So ist es auch von dieser Seite her nicht verwunderlich, wenn Jeremia die Fürbitte immer wieder verboten wird und er stattdessen als Knecht Jahwes leiden muß. Gerade so aber bleibt der dtr.
Jeremia in der Kontinuität des klagenden Gerichtspropheten, wie auch
das Jahwewort 15,19-21 ganz analog zu der Geschichte von der Berufung
des "Knechtes" zeigt:

15,19 ... kannst du mein Mund sein (cf. 1,9);

15,20 ... ich bin mit dir, dir zu helfen (cf.1,8),

während D dem Volk sagen läßt, daß sie dem Feind dienen (ועבדו) müssen (15,14) (4).

---

1 s. dazu auch o., S.136, A.1
2 Cf. C.Westermann, שׁרת, passim.
3 Jer 33,21.22
4 Die oben vorgetragene dtr. Sicht des Gottesdienstes ist ohne die Abhebung einer
  gesonderten "golaorientierten Redaktion" in den Kapiteln 21-24 und 37-44 (K.F.
  Pohlmann, Studien) ausgekommen und hat sich im großen und ganzen auf die Analy-
  sen von W.Thiel stützen können, die aber durch die breite formgeschichtliche
  Grundlegung dieser Arbeit zusätzliche Beweiskraft erhielten.
  Die babylonische Gola ist bei D immer auch mit im Blick, auch wenn D sein Jeremiabuch in Juda schreibt.
  Der Versuch, D in Beziehung zu setzen zu einer der Schichten des dtr. Geschichts-
  werkes (DtrG, DtrP oder DtrN), würde den Rahmen dieser Arbeit sprengen, cf. dazu
  W.Dietrich, Prophetie und Geschichte; T.Veijola, Ewige Dynastie.
  I.L.Seeligmann, Auffassung von der Prophetie, S.279-284 setzt D erst zwischen
  dem dtr. und dem chr. Geschichtswerk an.

V. DIE VORDEUTERONOMISTISCHEN WORTE IN JER 1-10 UND DIE KLAGE

1. Zur Forschungsgeschichte

Wer von der klar erkennbaren dtr. Gesamtkomposition in Jer 1-45 und ihrer ebenso klar erkennbaren Art der Rezeption überkommenen Stoffes besonders in Jer 11-20 (gerichtsprophetische Klagevorgänge) und in Jer 26-29; 36-45 ("Baruch-Erzählungen") herkommend die in Jer 1-10 überlieferten vordtr. Worte - einer seit *W.Baumgartner* (1) geübten Praxis folgend - als Paradebeispiel für die Art des jeremianischen Klagens und ihres Verwobenseins mit dem prophetischen Gerichtswort in Anklage (2) und Ankündigung (3) untersuchen will, der sieht sich einer Fülle ungelöster, von der Forschung noch kaum in Angriff genommener Probleme gegenüber und ist froh, daß die Klagen in Jer 1-10 nicht methodischer Ansatzpunkt für die Untersuchung der Konfessionen Jeremias waren, sondern jetzt vor dem Hintergrund der bereits gewonnenen Kriterien einer neuen Untersuchung unterzogen werden können.

Vier Überlieferungskomplexe sind zu untersuchen: 1. Der vordtr. Anteil von Jer 1; 2. die vordtr. Worte in Jer 2f.; 3. die vordtr. Worte in Jer 4-6 (bes. die Gedichte vom Kommen des Feindes aus dem Norden (sog. "Skythenlieder")); 4. die vordtr. Worte in Jer 8-10. Diese vier Komplexe können zunächst zusammengesehen werden, weil ihnen eine Reihe von Fragen formgeschichtlicher, überlieferungsgeschichtlicher und redaktionsgeschichtlicher Art gemeinsam ist; die jeweils besonderen Probleme bedürfen anschließend einer gesonderten Untersuchung.

1. Gemeinsam ist den genannten Überlieferungskomplexen zunächst das relativ geringe Maß an dtr. Überarbeitung, das die Forschungsgeschichte in diesen Kapiteln feststellen will. Aber die Abhebung einer umfangreichen dtr. Redaktion in Jer 1 durch *W.Thiel* (4), seine ebenso vorsichtige Konstatierung von kleinen dtr. Zusätzen, die kaum mehr als einen Halbvers ausmachen, bis hin zur Zuweisung ganzer Partien an D (5) und die These *W.Schottroffs* (6), auch Jer 2,1-3 sei D zuzuschreiben, lassen, verbunden mit den oben zur dtr. Redaktion besonders von Jer 11-20 gewonnenen Ergebnissen, erahnen, daß die Eingriffe der dtr. Redaktion wohl noch zahlreicher und umfangreicher waren, als die Forschung dies bislang feststellte.

2. Jer 4-6 und Jer 8-10 gehören zusammen wegen der in beiden Komplexen auftauchenden Klagen und Worten vom Kommen des Feindes aus dem Norden, wobei in Jer 4-6 das Gewicht mehr auf den Worten vom Kommen des Feindes aus dem Norden, in Jer 8-10 mehr auf der Klage liegt und die Worte in K.8-10 mitunter den Eindruck eines stark bruchstückhaften Charakters erwecken, so, als gehörten Worte aus K.8-10 nach K.4-6.

3. Jer 1 weist mit den beiden Visionen 11-14 voraus auf die Worte vom Kommen des Feindes aus dem Norden. Wie ist das Verhältnis beider zueinander zu bestimmen?

---

1 Klagegedichte, S.68-79; W.Zimmerli, Jeremia, S.100f.; U.Eichler, a.a.O, S.42-58.
2 U.Eichler, a.a.O., S.43-52
3 ebda., S.52-57
4 Jeremia 1-25, S.62-79
5 W.Thiel, ebda., S.49-138 zählt zu D: 1,1b-3.7bβ.9f..16-19; 2,5b.20b; 3,6-4,4 (partim); 5,18f.; 6,18f.; 7,1-8,3; 8,4aα.19b; 9,11-15.16aα.
6 Jeremia 2,1-3 (methodisch zu einseitig redaktionsgeschichtlich, cf. S.293).

4. In den zu untersuchenden Kapiteln finden sich Einwände und Klagen. In welchem Verhältnis stehen sie zueinander? (1)

5. Der Umfang der in Jer 1-10 überlieferten Worte ist höchst unterschiedlich. Ist in K.2f. eine Reihe von Anklagen, zum Teil verbunden
mit Gerichtsankündigungen, direkt hintereinandergestellt, ohne daß
sich die einzelnen Einheiten bislang eindeutig voneinander sondern
ließen (2), so liegt in den Gedichten vom Kommen des Feindes aus dem
Norden in K.4 ein Komplex vor, der zumindest teilweise schon von vornherein in einem größeren Zusammenhang zur Kenntnis genommen sein will.

Diese Fragen sollen im folgenden jeweils mit Blickrichtung auf die
Ergebnisse zu den Konfessionen Jeremias und zur dtr. Gesamtredaktion
von Jer 1-45 angegangen werden, indem an exemplarischen Texten und
Textzusammenhängen die Problematik und ein Lösungsweg aufgezeigt werden, die anregen sollen zu weiterem Forschen.

2. Das Kommen des Feindes aus dem Norden und die Klage in Jer 4

4,5 *Tut es kund in Juda, in Jerusalem laßt es hören (3):*
   1.a. Stoßt ins Horn im Lande,
       ruft mit lauter Stimme (4):
      "Versammelt euch und laßt uns kommen
      in die festen Städte!"
6   b. Hebt das Panier nach Zion hin!
       Flüchtet! Bleibt nicht stehen!
       Denn es kommt (5) Unheil von Norden
       und großer Zusammenbruch.
7   c. Schon steigt aus dem Dickicht herauf der Löwe,
       und (6) der Würger der Völker bricht auf,
       kommt hervor aus seiner Stätte,
       das (7) Land zu verwüsten.
    Deine Städte werden zerstört, das niemand darin wohnt (8).
8 *Darum gürtet das Trauergewand um, wehklagt und heult!*
  Denn nicht hat sich der glühende Zorn Jahwes von uns gewendet (9).

---

1 Cf. dazu U.Eichler, a.a.O., S.75-131.
2 B.Duhm: 2,2f.; 2,14-18; 2,19-28; 2,29-37; 3,1-5; 3,12b.13; 3,19-4,4;
  P.Volz: 2,1-19; 2,20-25; 2,26-32; 2,33.36f.; 2,34f.; 3,1-5.19-25; 4,1-4;
  H.Wildberger: 2,1-3; 2,4-13; 2,14-19; 2,20-22; 2,23-30; 2,31-37; 3,1-5; 3,6-10;
  3,11-13; 3,14-18; 3,19f.; 3,21-25; (3,22); 4,1f.; 4,3f.;
  J.Bright: 2,1-3; 2,14-19; 2,4-13; 2,20-37; 3,1-5; 3,19-25; 4,1-4; 3,6-18;
  C.Westermann: 2,1-13; 2,14-19; 2,20-21; 2,22-25; 2,26-28; 2,29-35; (ohne 31-32);
  2,18.36-37; 3,31-32; 3,1-5; 3,6-11; 3,12f.; 3,21-4,2; 4,3f..
3 V.5aα ist redaktionelle Einleitung, so schon B.Duhm, Jeremia, S.48. Die Nennung
  von Juda und Jerusalem ist typisch für D, cf. z.B. 19,13.
4 om ואמרו c BHS, app.
5 B.Duhm, a.a.O., S.48 nimmt als ursprünglichen Text an: רעה באה, da 4,5f. Prophe-
  tenrede sei und 4,8 von Jahwe in dritter Person rede. Dann würde MT eine Redaktion voraussetzen, die das Kommen des Feindes aus dem Norden schon zu einem Bestandteil der Gerichtsankündigung gemacht hätte.
6 Vielleicht ist ו fortzulassen (ditt.).
7 B.Duhm, a.a.O., S.49 liest ארץ mit G. Das Suffix dürfte dann aus der Prosa-An-
  fügung (s. A.8) eingedrungen sein
8 B.Duhm, a.a.O., S.49 hält diese Prosa-Erweiterung für eine Übernahme aus 2,15
  bzw. 9,11. Das Motiv der zerstörten Städte ist typisch für D: 20,16a.
9 Auch V.8 ist Prosa-Erweiterung (gg. B.Duhm, a.a.O., S.49) und findet seine Entsprechung in 23,19f.=30,23f., m.E. (gg. W.Thiel, Jeremia 1-25, S.251) alles dtr.

9 *An jenem Tage - Spruch Jahwes - wird es geschehen, daß der Mut des*
  Königs und der Mut der Fürsten vergehen; die Priester werden erstarren
  und die Propheten bestürzt sein.
10 *Und sie werden sagen (1): "Ach, Herr Jahwe, schwer getäuscht hast du*
  dieses Volk und Jerusalem! Du sprachst: 'Friede wird euch werden!' -
  und jetzt geht das Schwert uns ans Leben!" (2)
11 *Zu jener Zeit wird man zu diesem Volk und zu Jerusalem sagen (3):*
  2.a. Ein Wind heißester Dünen aus der Wüste
            kommt (4) auf die Tochter mein Volk (5) zu;
       nicht zum Worfeln und nicht zum Säubern:
12   Ein Vollwind kommt mir!
  Jetzt will auch ich mein Urteil über sie sprechen! (7)
13   b. Siehe, wie Wolken steigt er (8) herauf
         und wie Windsbraut seine Wagen!
       Schneller als Adler sind seine Rosse:
         Wehe uns, denn wir sind überwältigt!
14 *Wasche rein dein Herz vom Bösen, Jerusalem, damit du gerettet werdest!*
  Wie lange sollen noch in deinem Innern deine frevelhaften Pläne blei-
  ben? (9)
15   c. Denn horch! Man meldet von Dan her
         und kündet Unheil vom Gebirge Ephraim her:
16 *Laßt die Völker es wissen (10), verkündet es über Jerusalem (11):*
       Siehe (10), Panther (12) kommen aus fernem Lande
         und erheben über die Städte Judas ihre Stimme.
17 *Wie Feldhüter sind sie rings um sie (13) her, denn gegen mich ist sie*
  widerspenstig - Spruch Jahwes -,

Stücke, die genau das dtr. Anliegen Juda und Jerusalem gegenüber zur Sprache
bringen: Obwohl das Gericht schon eingetroffen ist (V.7), ist immer noch keine
Aussicht auf eine Wende zum Heil (cf.a. V.10). Jahwes Zorn hat sich noch nicht
gewendet; die Gerichtsbotschaft geht weiter (V.8).
Außerdem ergibt sich erst nach der Ausscheidung von V.8 eine schöne Dreistrophig-
keit in 4,*5-7, entsprechend den nächsten beiden Gedichten 4,*11-15 und 4,19-21.

1 1 ואמרו c BHS, app.
2 Zur Ausscheidung dieser Verse cf. B.Duhm, a.a.O., S.49f.. Für die Ausscheidung
   sprechen die Prosa-Form, der Verweis auf die Zukunft und die Nähe zu D-Termino-
   logie (z.B. 14,13-16).
3 Die Form und die Adressaten entsprechen dem Einschub V.9f..
4 ins באה mit B.Duhm, a.a.O., S.50
5 gen. epexegeticus
6 om שפים c BHS, app. (cf. G)
7 Diese Phrase ist dtr., cf. 1,16; 39,5; 52,9 (cf.a. B.Duhm, a.a.O., S.50).
8 Gemeint ist wohl noch der Würger der Völker und nicht ein Neutrum.
9 Vor allem wegen der Anrede Jerusalems hält B.Duhm, a.a.O., S.51 Jer 4,14 für redaktionell. Auch die Prosaform spricht dafür. Das Wort paßt gut zu D: Jerusalem
   ist trotz der Katastrophe noch nicht zu Jahwe zurückgekehrt. In dem Gedicht
   selbst hingegen wird die Möglichkeit einer Reinigung von vornherein ausgeschlossen (V.11b.12a).
10 הנה ist an den Anfang von V.17 zu ziehen (mit B.Duhm, a.a.O., S.51).
11 Wieder ist Jerusalem angeredet, wie schon in den dtr. Erweiterungen V.5.10.11.14.
12 1 נמרים c B.Duhm, a.a.O., S.52
13 Gemeint ist die Stadt Jerusalem, die für den Redaktor immer im Blick ist. Das
   vorredaktionelle Gedicht hingegen beschränkt sich auf die Städte Judas (V.16)
   und endet bei den Zelten (V.20) (Jeremias (?) in Anatot (?)).

18 *dein Wandel (1) und deine Taten haben dir dies angetan, deine Bosheit*
ist es, daß es bitter (2) steht, daß es dich ans Herz trifft! (3)
19 3.a. O mein Leib, mein Leib, ich muß mich winden (4)!
      O meine Herzwände!
      Es braust in mir meine Seele (5),
      ich kann nicht schweigen!
   b. Denn Schall des Hornes höre ich (5)
      und Kriegsgeschrei.
20   Zusammenbruch trifft auf Zusammenbruch,
      überwältigt ist das ganze Land!
   c. Plötzlich sind meine Zelte überwältigt,
      im Nu der Behang meiner Zelte!
21   Wie lange soll ich das Panier sehen,
      den Schall des Hornes hören?
22 *Denn töricht ist mein Volk, mich kennen sie nicht.*
Einfältige Kinder sind sie und unverständig.
Weise sind sie, Böses zu tun, aber Gutes zu tun verstehen sie nicht. (6)

In der Untersuchung dieses Komplexes ist die Forschungsgeschichte gespalten: Die Forscher, die die Gedichte vom Kommen des Feindes aus
dem Norden im Zusammenhang untersuchen, nehmen die Klage 4,19-21 als
ein Gedicht unter entsprechenden anderen Gedichten (7), während die
Forscher, die sich auf die Untersuchung der jeremianischen Klagen
konzentrieren, die Klage 4,19-21 isoliert von ihrem Kontext sehen (8).
Die Frage der Redaktionsgeschichte von Jer 4,5-22 ist nach *B.Duhm* (9)
nicht wieder aufgenommen worden.

Die Frage nach dem ursprünglichen Bestand der Gedichte vom Kommen
des Feindes aus dem Norden in Jer 4 läßt sich aber von der *Klage* 4,19
-21 her lösen: Die Klage stellt eine *Rückmeldung* auf das zuvor Ge-
hörte und Geschaute dar und kann daher auch zu einem methodischen
Kriterium für die Ermittlung des vorredaktionellen Bestandes von Jer 4
gemacht werden. Als Rückmeldung hat diese Klage Abschlußcharakter.
Das heißt zunächst: Das häufig zu den übrigen "Skythenliedern" hinzu-
genommene Gedicht 4,23-26 kann nicht zum ursprünglichen Bestand gehört haben, weil es erst auf die Klage folgt. Es ist vielmehr erst
der Apokalyptik zuzuschreiben (10).

---

1 l prb דרכיך c pc MSS Vrs
2 מר stellt wohl ein Wortspiel mit der Widerspenstigkeit von V.17 (מרתה) dar.
3 Wieder zeigt die Prosa-Form, daß die Verse 17 und 18 nichts mit dem vorredaktionellen Gedicht zu tun haben. Angesprochen ist Jerusalem zur Zeit des Exils, um
   deren Rückkehr zu Jahwe der Redaktor (D) ringt. Um dieses Bezuges willen nimmt
   D den mangelhaften Anschluß von עליה in V.17 in Kauf.
4 l אחולה (K), c BHS, app., mlt MSS, G, V
5 לבי ist von V.20 hierher zu ziehen.
6 V.19-21 ist kein Jahwewort. V.22 gehört daher auch auf die Stufe der späteren
   Erweiterungen, cf.a. B.Duhm, a.a.O., S.53.
7 Cf. dazu J.Ph.Hyatt, Peril from the North; B.S.Childs, Enemy from the North.
8 W.Baumgartner, Klagegedichte, S.72; H.J.Stoebe, Seelsorge, S.117.
9 Jeremia
10 So mit Recht B.S.Childs, a.a.O., S.195-197; gg. B.Duhm, a.a.O., S.53f.; U.Eich-
    ler, a.a.O., S.54 u.a.. - Der Anknüpfungspunkt für das Sehen des Apokalyptikers
    (ראיתי, V.23.24.25.26) ist אראה (V.21), dort aber parallel zu אשמעה stehend.

Umgekehrt macht eine Beobachtung es zur Gewißheit, daß die Prosastücke nicht zur ursprünglichen Fassung von Jer 4,5-22 gehört haben können - und dies muß im Gegensatz zur herrschenden Auffassung der Forschung nach B. Duhm gesehen werden -: Die Rückmeldung 4,19-21 nimmt nur auf die poetischen Partien Bezug, nicht aber auf die Prosastücke. Die Entsprechung von Klage und Darstellung des Kommens des Feindes findet sich schon in 4,13, dort aber als Klage der Gemeinschaft, während in 4,19-21 ein Einzelner (Jeremia ?) klagt, der von dem kommenden Unheil genauso mitbetroffen ist wie die Gemeinschaft. Ein Einzelner spricht das aus, was die Gemeinschaft fast wortwörtlich auch so klagt:

Wehe *uns*, wir sind überwältigt! (V.13)

Plötzlich sind *meine* Zelte überwältigt. (V.20)

Innerhalb der Klage 4,19-21 wiederholt sich diese Entsprechung: In V.20 geht dem genannten Satz der Ich-Klage unmittelbar die Klage voran:

... überwältigt ist das ganze Land!

Das Unheil, das die Gemeinschaft trifft, trifft ebenso den Einzelnen. Die Entsprechungen zwischen der Klage 4,19-21 und der vorangehenden Darstellung des Kommens der Feinde gehen bis in die Einzelheiten hinein: Die Klage: "Ich muß mich winden!" (V.19) ist eine Reaktion auf das Wirken des heißen Wüstenwindes bzw. -sturmes, für dessen Wirbeln in 23,19 das gleiche Verb חיל gebraucht wird. Die Klage: "Es braust in mir meine Seele!" nimmt wortwörtlich das Brausen des Meeres auf, das in 6,23 als Bild für das Kommen des Feindes vom Norden verwandt wird (המה). Der Schall des Hornes (V.19.21) entspricht V.5, während die Folgen des feindlichen Kommens mit demselben Begriff (שבר) beschrieben werden, in der Klage (V.20) fast noch stärker als in der Darstellung des Kommens selbst (V.6). Nachdem, wie bereits erwähnt, die Klage des Einzelnen und die Klage der Gemeinschaft sich in der Klage über das Überwältigtsein durch die Feinde (V.20 bzw. V.13, an beiden Stellen שדד) treffen, greift die abschließende Wie-lange-Frage (V.21) zurück auf das in V.6 erwähnte Panier und den Schall des Hornes (V.5), wobei sich Vision (אראה) und Audition (אשמעה) die Waage halten.

Die Klage 4,19-21 stellt also eine unmittelbare Auswirkung des gehörten und geschauten Geschehens des Kommens des Feindes aus dem Norden dar (4,19a) und respondiert diesem Geschehen, indem es dieses mit seinen Folgen noch einmal in konzentrierter Form zur Sprache bringt (V.19b.20), bevor die abschließende Wie-lange-Frage unter nochmaligem Rückgriff auf die Darstellung der Begleitumstände des Kommens der Feinde die Wendung der Not erfleht (1). Somit stellt 4,19-21 ein schönes Beispiel dar für die Funktion des Klagens im Alten Testament: *Die Klage reagiert auf ein Geschehen und ist aus auf eine Wende dieses Geschehens* (2).

---

1 Diese Klage ist also wohl zu unterscheiden von der Totenklage, die die Wende der Not nicht mehr erhofft. Daher kann man auch nicht so generalisierend wie U. Eichler, a.a.O., S.134 sagen, die resignierende Klage, zumeist in der Form der Totenklage, dringe bei Jeremia ins prophetische Gerichtswort ein.

2 Ähnlich die Abfolge vom Kommen des Feindes und der respondierenden Klage in 4,29-31.

Auch für die Untersuchung der Struktur und Geschichte der Klage im
Alten Testament stellt 4,19-21 ein schönes Beispiel dar: Die Ich-Klage nimmt einen ganz breiten Raum ein, während die Wie-lange-Frage am
Schluß überleiten könnte zu einer Anrede Jahwes, zum Flehen zu ihm
und zu seiner Anklage (1). Demgegenüber kommen die gewohnten Motive
der Feindklage in dieser Klage nicht vor. Dies ist aber nicht so aus-
zulegen, daß wir mit 4,19-21 ein formgeschichtlich frühes Stadium der
Klage vor uns hätten, in dem die Feindklage noch nicht ausgebildet gewesen wäre (2). Vielmehr hängt die geringe Ausbildung der Feindklage
damit zusammen, daß ja dieses Motiv in der vorangehenden Darstellung
des Kommens des Feindes vom Norden genügend ausgebildet war. Diese
Beobachtung wiederum beweist, daß die Klage 4,19-21 nie isoliert überliefert gewesen ist, sondern immer in unmittelbarem Zusammenhang mit
den beiden vorangehenden dreistrophigen Gedichten vom Kommen des Feindes aus dem Norden. Diese *formgeschichtliche Beobachtung* legt dann
auch den Weg frei für die Abhebung redaktioneller Erweiterungen, wie
sie oben in den Anmerkungen zur Übersetzung schon erörtert wurden (3).
Diese Erweiterungen fassen das in den vorredaktionellen Gedichten in
Vision und Audition geschaute Geschehen als Teil des Gerichtshandelns
Jahwes auf, was in den Gedichten noch ganz offengeblieben war.

Umgekehrt zeigt die abschließende Wie-lange-Frage in 4,21 aber auch,
daß die drei rekonstruierten Gedichte vom Kommen des Feindes aus dem
Norden auf *Weitertradierung* angelegt waren, tradiert werden mußten,
bis es sich entschieden haben würde, ob eine Wende eintreten oder sich
das Kommen des Feindes voll als Gericht auswirken würde (4).

Der rekonstruierte Zusammenhang mit den drei dreistrophigen Gedichten: 1. 4,5aβ-7aα; 2. 4,11aβ-12a.13.15.16aβ.b; 3. 4,19-21, deren letz-
tes die Klage ist, stellt in der Jeremia-Überlieferung etwas Einzig-
artiges dar. Er wird wegen des von der Sache her gegebenen Zwanges zur
Tradierung bald schriftliche Form erlangt haben. Die Besonderheit dieser Gedichte ist nach zwei Seiten hin abzugrenzen: Sie sind reine Dar-
stellungen kommenden Unheils ohne jede Anspielung auf eine Schuld des
Volkes und daher von der prophetischen Gerichtsankündigung gegen das
Volk wohl zu unterscheiden (5). Andererseits sind diese Gedichte wohl
von Gerichtsschilderungen zu unterscheiden: Geschildert wird ein *Zustand* (so in dem apokalyptischen Stück 4,23-26), in 4,*5-21 hingegen

---

1 Zu dieser Funktion der Klage ohne Bitte cf. C.Westermann, Struktur und Geschichte, S.292.
2 Cf. dazu C.Westermann, ebda., S.291-295.
3 s.o., S.162-162
4 Daß der Feind aus dem Norden im Zusammenhang mit dem Gericht eine große Rolle
  spielte, zeigen die anderen Worte vom Feind aus dem Norden: 4,29-31; (5,1-9);
  5,15-17; 6,1-5; 6,22-26; 8,14-17; 10,(17-)22. Hierbei handelt es sich um Einzel-
  worte, in denen das Kommen des Feindes aus dem Norden schon die prophetische
  Gerichtsankündigung entfaltet. Mitunter wird das Motiv vom Feind aus dem Norden
  auch in Verbindung mit anderen Redeformen verwandt, so z.B. in 1,11-14 (Eigenbericht über eine Vision), ein Zeichen dafür, wie lebendig diese Vorstellung
  war. Der hinter 4,*5-21 rekonstruierte Zusammenhang dürfte aber älter sein als
  die übrigen Stücke, eben weil die explizite Gerichtsankündigung noch fehlt.
5 Daher wird man auch nicht mit H.J.Stoebe, Seelsorge, S.117 sagen können, die
  Klage 4,19-21 sei ein Bestandteil der "prophetischen Verkündigung" Jeremias. Dazu wird die Klage erst durch die dtr. Erweiterung V.22.

wird ein *Vorgang* dargestellt (1). Der Vorgang aber, der in 4,*5-21 dargestellt ist, weist nun in ein Vorstadium der Gerichtsprophetie: Es handelt sich um Worte des *Sehers*, deren nächste "Parallelen" wir in den Visionen des Amos (Am 7-9) und in der Erzählung von der Salbung Hasaels (2 Kön 8,7-15) (2) finden, an beiden Stellen eng verbunden mit *Klagen*: Am 7,2.5 bzw. 2 Kön 8,11.

Wie in Jer 4, so wird auch in Am 7,1-3 zunächst das überfallartige *Kommen* eines Heuschreckenschwarms dargestellt, dessen Verursacher nur angedeutet wird, darauf folgend dann die *Reaktion* des Propheten mit der Bitte zu verzeihen (3). Ebenso kommt die zweite Vision des Amos 7,4-6 mit dem mythischen Bild vom Kommen des Sintbrandes (4) und wieder der anschließenden Bitte des Amos dem Reden von Jer 4 nahe. Die prophetische Gerichtsankündigung gegen das Volk kommt in ihren beiden Teilen: Eingreifen Jahwes und: Folgen des Eingreifens Jahwes erst voll in der dritten (Am 7,7f.) bzw. vierten (Am 8,1f.) Vision zur Entfaltung (5). Ist es vor dem Hintergrund dieser Beobachtungen verwunderlich, wenn die beiden Visionen Jeremias 1,11f. und 1,13f. die gleiche Abfolge: Eingreifen Jahwes und: Folgen seines Eingreifens (6) aufweisen und die "Folgen des Eingreifens" mit dem Bild von dem Unheil aus dem Norden entfalten (1,14)?

Ähnlich erwähnt Elisa zweimal, was Jahwe ihn hat schauen lassen (הַרְאַנִי, 2 Kön 8,10.13), nämlich das Unheil, das Hasael über Israel bringen wird (V.12). Dieses geschaute Unheil hat Elisa in Tränen ausbrechen lassen (7). Schließlich gehen wir wohl auch nicht fehl, wenn wir Jes 6 noch einmal vor diesem Hintergrund betrachten: Auch Jesaja sieht (V.1) einen König, der Unheil über Israel bringen wird (V.5), nur ist es diesmal kein ausländischer König, sondern Jahwe selbst, der gegen sein Volk zu Felde zieht. Auch Jesaja klagt in Reaktion auf das, was er gesehen hat (bes. V.5). Erst im Anschluß an diese Vision wird Jesaja als Bote gesandt (V.7-9).

Die Unheilsvisionen führen uns also ein Stadium vor Augen, das dem Auftreten der Propheten mit einem Gerichtswort an das Volk einmittelbar vorausliegt, aber noch nicht die Gerichtsprophetie selber ist (8). Diese Unheilsvisionen gehören in den Bereich des *Sehertums*. Die ihnen respondierenden Klagen sind daher auch noch nicht als gerichtsprophetische Klagen, sondern als *Seherklagen* zu bezeichnen. Diese wiederum haben ihre Nachgeschichte in den *Klagen der Apokalyptiker*, besonders deutlich im 4. Esrabuch.

1 Gg. U.Eichler, a.a.O., S.52-57; 134-136
2 Cf. dazu E.Ruprecht, Designation Hasaels. Auch ist die Nähe von 4,*5-21 zu den Bileamsprüchen in Num 22-24 unverkennbar, vgl. vor allem des Motiv des zum Angriff bereiten Löwen in Jer 4,7 und Num 23,24; 24,9. Die Formgeschichte des Seherspruchs ist sehr viel umfassender, als es die Arbeit von D.Vetter, Segensspruch zu erkennen gibt, und bedarf einer umfassenderen Untersuchung.
3 U.Eichler, a.a.O., S.126-128 rückt diese Bitte in die Nähe des Einwandes.
4 Zur näheren Begründung der These, daß die menschheitsgeschichtliche Tradition vom Sintbrand und die ihr entsprechenden Redeformen hinter den Visionen des Amos stehen, muß ich vorläufig auf meine Dissertation, S.160-164 verweisen.
5 Cf. C.Westermann, Jeremia, S.23.
6 ebda.
7 Cf. E.Ruprecht, a.a.O., S.77.
8 Somit ist 4,*5-21 keine Redeform, die aus der Auseinanderentwicklung des prophetischen Gerichtswortes in Anklage und Ankündigung möglich wurde (so U.Eichler, a.a.O., S.42f. u.ö.), sondern eine Form des Redens, die bei Jeremia der Ausrichtung des Gerichtswortes an das Volk in Anklage und Ankündigung voraufgeht.

Jer 4,19-21 zeigt, wie sehr die Klage situationsgebunden ist: Die
Klage bezieht sich auf Geschehendes (Kommen des Feindes) und blickt
aus auf eine Wende ("Wie lange?"). So entspricht es der Situationsge-
bundenheit der Klage, daß sie mit zunehmender Gewißheit des Gerichts
auch über Jerusalem umschlägt in die Totenklage (1).

Jeremia wird durch Jahwe in andere Situationen geführt werden, in
denen Jeremia auch in anderer Weise klagen wird, wie wir es in der
Untersuchung der Konfessionen feststellten (2). Aber immer reagiert
die Klage auf ein Geschehen, das von Jahwe ausgeht bzw. seinen und
Jeremias Feinden und das von Jahwe eine Wende des notvollen Geschehens erwartet. Doch das Gericht über Jerusalem wird bittere Konsequenz sein (19,10.11a). Umgekehrt greift 12,5 auf das Kommen des Feindes vom Norden zurück, so daß 4,*5-21 auch sachlich seinen richtigen
Ort als Voraussetzung des in 12,*1-4 Geklagten hat (3).

Daß Jahwe das Gericht aber nicht völlig grundlos über das Volk kommen läßt, zeigen die beiden Aufträge zum Nachprüfen in Jer 5 und 6.
Auch sie verbinden sich mit der Klage.

3. Die Aufträge zum Nachprüfen und die Klage in Jer 5 und 6

a. Zur Forschungsgeschichte

In dem an überlieferungs- und textgeschichtlichen Einzelproblemen gewiß nicht armen Jeremiabuch gibt es kaum einen Problemkreis, in dem
sich ·in der exegetischen Literatur die Geschichte der Einzeltexte so
verworren und verwickelt darstellt wie gerade bei den Aufträgen zum
Nachprüfen in 5,1ff. und 6,9ff.. Während die Forschung in 6,9ff. aner-
kennt, daß einem Auftrag zum Nachprüfen ein Einwand des Propheten
folgt, der aber überwunden wird durch den Zwang des Gerichts (4), so
ist umstritten, wo die mit 6,9 beginnende Einheit endet, ob schon mit
V.11a (5) oder erst mit V.15 (6). In 5,1ff. ist nur so viel sicher,
daß in V.1 der Auftrag zum Nachprüfen enthalten ist und daß V.4f. in
einem Zusammenhang mit diesem Auftrag stehen, während entweder hinter
V.1 ein Bruch gesehen wird (7) oder aber vor V.4 und nach V.5 (8).
Überdies hat 6,12-15 in 8,10-12 eine fast wörtliche Parallele, was
P.Volz zur Versetzung von 6,11b-15 hinter 8,8f. veranlaßt hat (9), so
daß zu überlegen wäre, ob nicht auch die Schwierigkeiten im Duktus
von 5,1ff. gelöst werden könnten durch Umsetzung von Versen aus K.8.
Klarheit könnte in diesen Fragen nur geschaffen werden durch *formgeschichtliche Kriterien* und den Nachweis, daß der jetzige Duktus von
5,1ff. durch die Redaktion beabsichtigt ist, zumal 5,2f..7-9 Prosaverse sind.

---

1 Ein ähnliches Gefälle findet sich auch in den Klagen in den Fremdvölkersprüchen,
  cf. J.Kegler, Leid, cf. ferner 6,22-26 und unten, S.175-177.
2 s.o., S.85 mit A.1
3 Die Klagen 8,18-23; 10,19-22; 13,17; 14,17f.; 23,9 bedürfen einer gesonderten
  Untersuchung. Zu 8,18-23 s.o., S.159, A.1. Cf. dazu noch J.M.Berridge, Prophet,
  S.169-183.
4 B.Duhm, Jeremia, S.67f.; P.Volz, Jeremia, S.73f.; W.Rudolph, Jeremia, S.44f..
5 P.Volz, ebda.
6 B.Duhm, ebda.; W.Rudolph, ebda.
7 W.Rudolph, a.a.O., S.38 stellt daher V.3a zwischen V.1 und V.2.
8 P.Volz, a.a.O., S.62f. nimmt V.4f. als gesondertes Wort.
9 a.a.O., S.75-79

b. *Der Auftrag zum Nachprüfen Jer 5,1; 8,6f.; 5,4-6 und die gerichts-*
prophetische Klage

5,1 Streift umher in den Straßen Jerusalems
    und schaut doch und merkt auf
    und sucht auf seinen Plätzen,
      ob ihr einen findet,
      ob es einen gibt, der Recht tut,
      der Wahrheit sucht.
8,6 Ich merkte auf und horchte:
      Sie reden unwahr!
    Es gibt keinen, der seine Bosheit bereut,
      daß er sagte: "Was habe ich getan!"
    Ein jeder läuft umher (1) in seinem Rennen
      wie ein Roß im Kampfe (2).
  7 Selbst der Storch am Himmel
      kennt seine Zeiten,
    und Turteltaube, Schwalbe und Kranich,
      sie halten ein die Zeit ihrer Umkehr.
    Aber mein Volk weiß nichts
      von dem Recht Jahwes.
5,4 Ich aber dachte: "Nur die Geringen sind's,
      die sind töricht;
    denn sie wissen nichts von dem Weg Jahwes,
      von dem Recht ihres Gottes.
  5 Ich will doch zu den Großen gehen,
      will mit ihnen reden;
    denn sie wissen etwas von dem Weg Jahwes,
      von dem Recht ihres Gottes."
    Aber auch sie hatten das Joch zerbrochen,
      ihre Stricke zerrissen.
  6 Darum schlägt sie der Löwe aus dem Walde,
      überwältigt sie der Steppenwolf.
    Der Panther lauert an ihren Städten,
      wer herauskommt, wird zerrissen.
    Denn vielfältig sind ihre Sünden,
      zahlreich ihre Abtrünnigkeiten.

Nimmt man diese Versetzung von 8,6f. zwischen 5,1 und 5,4 vor, so lösen sich eine
Reihe von Schwierigkeiten:

Der Einschub 5,1*.2f.:

1 ... dann will ich ihnen vergeben.
2 Und wenn sie: "So wahr Jahwe lebt!" sagen, schwören sie unrecht (3).
3 Sind denn auf Lüge (3), Jahwe, deine Augen gerichtet? Nicht vielmehr
auf Wahrheit?
Du hast sie geschlagen - es tut ihnen nicht wehe;
du hast sie zerrieben - sie wollen nicht Zucht annehmen.
Sie haben ihre Stirn härter gemacht als Stein, weigern sich, umzukehren,

---

1 שׁ c B.Duhm, Jeremia, S.87
2 om שׁוטף (cf. שׁ!) c B.Duhm, ebda.
3 לשׁקר (V.2) huc trsp c B.Duhm, ebda. לשׁקר wurde nach V.2 gezogen, weil der Sinn
   von לכן nicht mehr verstanden wurde.

wird verständlich, wenn man ihn von der ebenfalls als redaktionell anzusehenden Erweiterung 5,7-9 her liest:

> 7 *Weshalb soll ich dir vergeben? Deine Söhne haben mich verlassen und bei denen geschworen, die nicht Gott sind.*
> *Ich machte sie satt - sie wurden Ehebrecher, wurden Gäste im Haus der Dirne.*
> 8 *Wie feiste, geile Hengste wurden sie. Jeder wieherte nach der Frau seines Nächsten.*
> 9 *Sollte ich deswegen nicht heimsuchen - Spruch Jahwes -, mich nicht rächen an einem solchen Volke?*

1. 5,1 (ואסלח לה) ist an der jetzigen Stelle unverständlich, wird aber verständlich von 5,7 her (אי לואת אסלח לך). Der verfrühte Vorgriff auf Späteres ist aber typisch für Redaktionsarbeit.

2. Die Anklage 5,2 (לשקר ישבעו) entspricht der Anklage in 5,7 (וישבעו בלא אלהים).

3. In 5,2f..7-9 werden Formen fem.sing. gebraucht, in 5,1.4-6 (und 8,6f.) hingegen Pluralformen.

4. 5,3 nimmt 2,30a auf und entspricht in der Verwendung des Kontrastmotivs 5,7b.

5. Das unverständliche לכן findet seine Erklärung aus der Abhängigkeit von לא־כן (8,6). Das heißt: Der Redaktor hat 8,6 im Zusammenhang von 5,1ff. vorgefunden, danach 5,3 mit dem unverständlichen לכן (defektive Schreibweise) gebildet, bevor 8,6 (und 7) versprengt wurden (1).

6. In 8,4f. handelt es sich um ein geschlossenes Wort, das in anderer Weise von dem Volk redet als 8,6f..

7. 5,3 und 8,5 enden beide mit der für D charakteristischen Wendung מאנו לשוב (cf. 11,10; 13,10 D).

8. Der Aufbau von 5,1*.2f. entspricht dem von 5,7-9:

Vergebung	5,1* -	5,7a
Anklage: Schwören bei den Fremdgöttern	5,2 (2)-	5,7a
Rückblick auf Gottes Handeln im Kontrast	5,3a -	5,8
Zusammenfassende Anklage.		

9. Formal und inhaltlich handelt es sich um eine Überlagerung eines ursprünglich jeremianischen Geschehenszusammenhanges durch die Fürbitte für das Volk mit negativer Jahweantwort, wie wir es besonders in Jer 14,1-15,4 für D feststellten (3). Den Ansatzpunkt für die Fürbitte hat die Gerichtsankündigung V.6 gegeben: Der in V.6 angekündigte Schlag des Löwen wird in V.2f..7-9 als Tatsache vorausgesetzt.

Der Gesamtzusammenhang 5,1; 8,6f.; 5,4-6 ist bestimmt von dem Leitbegriff משפט (5,1; 8,7; 5,4.5). Der Prophet erhält den Auftrag, einen zu suchen, der Recht tut. Schaute Jeremia in K.4 das kommende Unheil, so wird jetzt von ihm ein anderes Nachschauen erwartet: Das Nachschauen nach dem Verhalten des Volkes. Der Prophet reagiert auf diesen Auftrag mit seinen eigenen Worten mit dem Unterton der Klage: Er findet niemanden. Statt Umkehr angesichts der Feindbedrohung scheint sich im Verhalten der Bewohner Jerusalems das auszuwirken, was Jeremia im Heranrücken der Feinde sieht: Sie laufen umher in ihrem Rennen wie die Rosse im Kampf (8,6). Der Unterton der Klage wird lauter vernehmbar: "Mein Volk" (8,7) - es weiß nichts vom Recht Jahwes (4). Doch Jeremia

---

1 Cf. dazu B.Duhm, a.a.O., S.57. לא־כן entspricht auch: אמונה (5,1); H.Wildberger, אמן, Sp.182: "Als bedeutungsverwandte Wurzel steht kūn der Wurzel 'mn erstaunlich nahe," ein weiterer Beleg für die Zusammengehörigkeit von 8,6 mit 5,1.

2 Die Formel: "So wahr Jahwe lebt!" findet sich so auch in 12,14-17 D.

3 s.o., S.145f.

4 Die Klage: "Mein Volk!" verbindet sich oft mit der Anklage, s.u., Teil V.4.a..

versucht zu differenzieren: Wenn er auch bei den Geringen niemand findet, der etwas weiß von dem Recht Gottes, so will er doch zu den Großen gehen. Aber auch dort findet er niemanden. So muß der Schlag kommen (5,6a). Er ist wohlbegründet durch die vielfachen Sünden und zahlreichen Abtrünnigkeiten des Volkes von Jahwe (5,6b).

Stellte in Jer 4 die Klage eine Antwort auf das Kommen der Feinde dar, so hier eine Antwort auf das Verhalten des Volkes, das von Jahwe nichts weiß und gleichzeitig auf den Auftrag Jahwes, doch einen zu finden, der diesem sündhaften und gottlosen Verhalten nicht entspricht. Sofern die Worte des Propheten auf den Auftrag Jahwes bezogen sind, haben sie auch die Funktion eines Selbsteinwandes (1), so besonders in 5,4f., wo der ursprünglich gegebene Auftrag (5,1) abgewandelt wird. Aber am Schluß steht dann doch das unausweichliche Gericht.

c. *Der Auftrag zum Nachprüfen Jer 6,9-11a und die gerichtsprophetische Klage*

> 6,9 Halte (2) genau Nachlese wie am Weinberg
> am Rest Israels,
> laß deine Hand hin- und hergehen wie ein Winzer
> an den Reben!
> 10 Wem soll ich noch zureden,
> wen beschwören, daß sie darauf hören?
> Siehe, unbeschnitten ist ihr Ohr;
> sie können nicht aufmerken.
> Siehe, das Wort Jahwes ist ihnen geworden zum Spott,
> sie mögen es nicht leiden.
> 11 Ich aber bin erfüllt mit Zornglut Jahwes,
> ich mühe mich vergeblich, sie zurückzuhalten.
> Außgießen muß ich sie auf der Gasse,
> auf den Kreis der Jünglinge zugleich.

Die Nähe mancher Aussagen von 6,9-11a zu den Konfessionen ist unverkennbar und in der Forschung auch immer wieder gesehen worden:

> 10 ... das Wort Jahwes ist ihnen geworden zum Spott ...

ist zu vergleichen mit 20,8:

> Das Wort Jahwes ist mir geworden zur Schmach
> und zum Spott den ganzen Tag,

oder mit 17,15:

> Siehe, sie sagen zu mir:
> "Wo ist denn das Wort Jahwes? Es treffe doch ein!"

> 11 Ich aber bin erfüllt mit Zornglut Jahwes ...

entspricht 15,17:

> ... mit Zorn hast du mich erfüllt,

und 18,20:

> ... um deine Zornglut von ihnen abzuwenden.

---

1 Nach U.Eichler, a.a.O., S.105 ist die Klage auf Geschehen bezogen, der Einwand aber auf Gesprochenes.
2 1 ואני (cf. Mi 3,8) c BHS, app.

Ebenso findet

11 ... ich mühe mich vergeblich, sie zurückzuhalten,

seine Entsprechung in 20,9:

Ich mühe mich ab, es zu tragen, und kann nicht,

und schließlich ist

11 ... ausgießen muß ich sie auf der Gasse
auf den Kreis der Jünglinge zugleich,

zu vergleichen mit 15,17:

Nicht sitze ich im Kreise der Fröhlichen,

so daß man einen Augenblick lang überlegen könnte, ob nicht 6,9-11a
schon den abgeschlossenen Komplex der Konfessionen mit den sie umgebenden Klagevorgängen voraussetzt und daher als redaktionell anzusehen ist. Doch liegen die Verhältnisse genau umgekehrt: 6,9-11a nennt
die Voraussetzungen, auf die in Jer 11-20 immer wieder zurückgegriffen wird: So schafft der Hinweis 6,11, er, Jeremia, müsse den Zorn
Jahwes auf den Kreis der Jünglinge ausgießen, erst die Voraussetzung
für die Klage Jeremias, er sitze nicht im Kreise der Fröhlichen,
weil Jahwe ihn mit Zorn erfüllt habe (15,17). Und auch die übrigen
aufgeführten Entsprechungen lassen sich gut als Reaktionen auf das
in 6,9-11a Gesagte auffassen. Diese These läßt sich noch untermauern
durch eine weitere Beobachtung: Der Vorgang des Nachlese-Haltens entspricht genau der Bildwelt der einzigen bislang noch nicht berücksichtigen Konfession: 12,*1-4: Der Widerspruch, den Jeremia Jahwe
vorhält, er habe die Gottlosen gepflanzt, und sie hätten sogar Früch-
te getragen, erstreckt sich auch auf 6,9-11a: Erst soll Jeremia mit
Akribie den Rest Israels daraufhin absuchen, ob sie auf Jahwe hören
wollen, und das Ergebnis ist vernichtend, und dann macht Jeremia die
Erfahrung: Jahwe läßt die Gottlosen gedeihen, vernichtet sie keineswegs. Das Wohlergehen der Gottlosen paßt nicht zu dem Verderben, das
Jahwe über das Volk bringen will.

Ist nach diesen Überlegungen gleichzeitig der jeremianische Charakter von 6,9-11a festgestellt und sichergestellt, daß 6,9-11a seinen natürlichen Ort *vor* den Konfessionen und den sie umgebenden Klagevorgängen hat, so ist auf den besonderen Zusammenhang zu achten, in
dem die *Klagesätze* in 6,9-11a stehen: In dem einleitenden Auftrag zum
Nachlese-Halten kommt zum Ausdruck, daß Jahwe sein Gericht nicht in
blindem Zorn über sein Volk ausgießt, sondern versucht, dieses Gericht
zurückzuhalten. Das Unheil, das Jeremia in K.4 kommen sah, soll sich
nicht unbegründet und ohne jede Voranmeldung über das Volk ergießen.
Jahwe hält das (unaufhaltsam kommende) Unheil so lange wie möglich
zurück. Deswegen gibt er Jeremia den Auftrag zum Nachlese-Halten. Gegen diesen Auftrag erhebt sich ein *Einwand* des Propheten mit doppelter Begründung (V.10): Die Nachlese hat keinen Sinn. Das Volk will
nicht hören, es ist sinnlos, auf es einzureden. In der zweiten Begründung geht diese Anklage gegen das Volk über in die *Feindklage*: Das
Volk erweist sich als der Feind des Wortes Jahwes. Aus diesem feindseligen Verhalten ergibt sich ganz ähnlich wie in 17,14-18 (1) die
Notwendigkeit, dem Zorn Jahwes seinen Lauf zu lassen (V.11), während
Jeremia nun im Gegensatz zu seinem Einwand versucht, sich gegen den
Zorn Jahwes anzustemmen. Jeremia leidet also in doppelter Weise: Er

---

1 s.o., S.115-118

leidet darunter, daß das Volk nicht hören will, und er leidet ebenso
darunter, daß das Zornesgericht Jahwes mit fast innerer Folgerichtig-
keit über dieses Volk kommen muß. Dieses doppelte Leiden drückt sich
in der Klage aus. Jeremia steht in diesem doppelten Leiden nicht allein. Auch Jahwe leidet darunter.

6,9-11a ist auch ein Musterbeispiel für die Unterscheidung der
Funktion und der Form von *Klage und Einwand*. Der Einwand (V.10) bezieht sich auf den Auftrag (V.9), also auf Gesprochenes. In ihm verbinden sich eine Gegenfrage mit zwei durch הנה eingeleiteten Hinweisen. Der erste Hinweis hat die Form eines Nominalsatzes, der zweite
geht über in die Feindklage in der Form eines Verbalsatzes. Der Einwand stellt dem Gesprochenen also den Hinweis auf einen Zustand bzw.
den Hinweis auf ein Geschehen gegenüber. - Die Klage hingegen erhebt
sich angesichts des Geschehens (1): Der Prophet führt den Auftrag aus
und erfährt die Anfeindung des Wortes Jahwes. Die Konsequenz ist, dem
Gericht freien Lauf zu lassen oder sich gegen dieses Gericht aufzu-
bäumen. In den Konfessionen wird sich dies beides in unterschiedlichen Klageformen ausdrücken. Daß diese unterschiedliche Ausprägung
sich in 6,9-11 noch nicht findet, wird mit der Situation zusammenhängen, die dieses Wort voraussetzt: Das Gericht ist nahe. In den Konfessionen hingegen scheint der Verzug des Gerichts im Hintergrund zu
stehen (2).

Vergleicht man die beiden Aufträge zum Nachprüfen 5,1(8,6f.)4-6
und 6,9-11a miteinander, so kommt in 6,9-11a die Klage viel stärker
zum Durchbruch als in 5,1ff.. Dieser Unterschied hängt damit zusammen,
daß in 5,1ff. noch keine Angriffe auf das Wort Jahwes erfolgen. Was
dem Volk vorzuwerfen ist, ist seine Ahnungslosigkeit dem Recht Jahwes
gegenüber. In dieser Ahnungslosigkeit ist das Volk eher zu bemitlei-
den, wie die Klage 8,7 zeigt: "Mein Volk!" Aber unter Anfeindungen
seitens des Volkes hat Jeremia noch nicht zu leiden. Stattdessen die
Ahnungslosigkeit bei den Geringen und das bewußte Herausbrechen aus
dem "Joch" (3) bei den Großen, das die Gerichtsankündigung nach sich
zieht (5,6). Diese Gerichtsankündigung unterscheidet sich von 6,11
darin, daß in ihr keine Klage des Propheten laut wird.

So stellen die beiden Aufträge zum Nachprüfen Worte dar, die mit
den in ihnen enthaltenen Reaktionen des Propheten, besonders in 6,9-
11a, schon *Konfessionen in nuce* verkörpern, die sich in einer neuen
gerichtsprophetischen Situation entfalten werden, während umgekehrt
8,7 die Klage Bestandteil der prophetischen Anklage und 6,11 die Klage
Bestandteil der prophetischen Gerichtsankündigung wird. Damit sind
zwei Tendenzen angedeutet, denen im folgenden noch ein Stückweit nachgegangen werden soll.

---

1 s. U.Eichler, a.a.O., S.105
2 s. bes. o., S.115-123, aber auch o., S.94f. zu 15,18. Diese Unterschiede werden
  sich aus den jeweiligen politischen Verhältnissen erklären lassen: Zeiten des
  Andringens der Feinde wechselten ab mit Zeiten vorübergehender Ruhe, cf. M.Noth,
  Geschichte Israels, S.253-261. Wenn Jahwe Jeremia zweimal den Auftrag zum Nachprüfen gibt, so schiebt er damit das Gericht allerdings für eine gewisse Zeit auf,
  bis das Ergebnis der Nachprüfung vorliegt.
3 Ob mit diesem Wort die Zeit unter Jojakim nach 602 vorausgesetzt ist, in der es
  Jojakim vorübergehend gelang, das Joch Nebukadnezars abzuschütteln und in dieser
  Zeitspanne Luxusbauten zu errichten (22,13-19), die aber doch keine Sicherheit
  schaffen konnten gegenüber dem Erneuten Andringen des Feindes aus dem Norden
  (4,29-31)?

4. Die Klage als Bestandteil der beiden Teile des prophetischen Gerichtswortes

Die schon in 5,1ff. und 6,9-11a zu beobachtende Sonderung von Mitleidsklage mit dem ahnungslosen Volk (8,7), Klage über Anfeindungen
gegen das Wort Jahwes (6,10) und Klage angesichts des unaufhaltsamen
Gerichts Jahwes (6,11a) hat sich auch in der Sammlung der Worte in
Jer 2-6 und 8-10 niedergeschlagen: Die Worte in K.2f. sind bestimmt
von der *Mitleidsklage im Rahmen der Anklage*, während die Worte in K.8-
10 stärker bestimmt sind von der Klage über die Feinde des Wortes Jahwes und die Klage über das eintretende oder schon eingetretene Gericht. Diese *unterschiedliche Gewichtung der Klage* geht zwar einher
mit einer gewissen *Lösung des Zusammenhanges von Anklage und Gerichtsankündigung*, jedoch geht dieser Zusammenhang niemals ganz verloren (1).

a. Die Mitleidsklage als Entfaltung der prophetischen Anklage

Wie Hosea (2), aber auch Jesaja (3) und Micha (4), so solidarisiert
sich Jeremia mit seinem Volk in den "עמי-Klagen", in denen charakteristischerweise nicht immer deutlich wird, wer denn nun "sein" Volk
beklagt, Jahwe oder Jeremia:

Mein Volk hat mich verlassen (2,13).

Mein Volk hat mich vergessen (18,15; cf. 2,32).

Mein Volk kennt mich nicht (4,22).

Mein Volk hat seinen Ruhm vertauscht gegen das, was nicht
hilft (2,11).

Dieses starke Mitleiden mit seinem Volk ist wohl zu sehen auf dem Hintergrund der Anklage gegen die Führenden, den "Hirten, die *mein Volk*
weiden" (23,2), aber auch gegen die falschen Propheten:

Sie prophezeiten im Namen des Baal
und führten *mein Volk* Israel irre (23,13; cf.23,32).

Es scheint also ein ähnlicher Hintergrund vorausgesetzt zu sein wie
im Auftrag zum Nachprüfen 5,1 (8,6f.); 5,4-6:

Aber *mein Volk* weiß nichts
von dem Recht Jahwes,

ohne daß damit alle diese עמי-Klagen schon Jeremia selbst zugeschrieben sein sollen. Es ist durchaus möglich, daß die exilische Redaktion
diese Bezeichnung übernahm und selbst entsprechende Klagen schuf,
wie es für 4,22 wahrscheinlich ist (5) und für die übrigen Worte jeweils gesondert untersucht werden müßte. Jedenfalls reicht die Bezeichnung עמי allein nicht aus als Kriterium für die Herleitung dieser
Worte von Jeremia (6).

---

1 Dies betont auch U.Eichler, a.a.O., S.57, trennt dann aber Anklage und Ankündigung doch zu sehr voneinander (S.43-52 bzw. S.52-57).
2 Cf. dazu H.W.Wolff, Reg. S.320, s.v. "Klage".
3 Jes 1,3; 3,15; 5,13 u.ö.; cf.a. Amos: z.B. 8,2.
4 Cf. dazu H.W.Wolff, Micha von Moreschet, S.411f..
5 s.o., S.164 mit A.6
6 gg. H.W.Hertzberg, Prophet und Gott, S.144; U.Eichler, a.a.O., S.47. Umgekehrt
  ist die Bezeichnung העם הזה nicht auf D beschränkt (so U.Eichler, ebda.), sondern wird auch von Jeremia gebraucht (16,5; 15,20).

Die klagende Anklage kann sich ausweiten zu Klagen über die Gottlosen, die durch ihr Verhalten das Volk als ganzes bedrohen:

In *meinem Volk* finden sich Gottlose.
Man lauert, wie Vogelsteller sich ducken.
Sie stellen Fallen,
    um Menschen zu fangen ... (5,26 ...).

Löst sich in 5,26ff. die Anklage schon von der Gerichtsankündigung,
so ist sie in 9,6f. noch mit dieser verbunden:

...

Ja, wie soll ich tun angesichts der Bosheit *meines Volkes* (1)?

Ein tödlicher Pfeil ist ihre Zunge,
    Trug das Wort ihres Mundes.
Frieden redet man mit dem Nächsten,
    doch im Innern hegt man Arglist.

Während die Forschung 9,6f. durchweg für jeremianisch hält, herrscht
ganz große Unsicherheit darüber, ob 5,26-28 Jeremia zugewiesen werden
kann (2) oder aber in eine viel spätere Zeit hineingehört (3). Wahrscheinlich gehört es in eine Phase der Auflösung des prophetischen
Gerichtswortes hinein, die man für Jeremia nicht ohne weiteres voraussetzen kann (4.5).

Gemeinsam ist diesen עמי-Klagen, daß sie das Volk als "corporate
personality" (6) in den Blick nehmen, das heißt: als Ganzheit einer
Person in ihrer Lebensstrecke. Deswegen ist es so gefährlich, wenn
in diesem Volk Gottlose leben und damit die Ganzheit des Volkes stören. Umgekehrt ist zu überlegen, ob in diesen Mitleidsklagen nicht
doch auch immer die Hoffnung auf eine Wende mitklingt, im Gegensatz
zu den im folgenden zu behandelnden Totenklagen.

b. Die Totenklage als Entfaltung der prophetischen Gerichtsankündigung

Ist die Bezeichnung עמי für das Volk innerhalb der Anklage charakteristisch, so die Bezeichnung בת־עמי innerhalb der Gerichtsankündigung:

Ein Wind heißester Dünen in der Wüste
    kommt auf die *Tochter mein Volk* (7) (4,11).

Gürte das Trauergewand um, *Tochter mein Volk* ... (6,26).

---

1 1 רעת־עמי c G
2 So W.Rudolph, Jeremia, S.39.41; O.Keel, Feinde, S.116.
3 So B.Duhm, Jeremia, S.63f.; P.Volz, Jeremia, S.113, A.1 sieht 9,7 als spätes
  Wort an.
4 Auch die Kontexte von 9,6f. und 5,26f. machen einen sehr späten, zusammengesetz-
  ten Eindruck: 9,8=5,9.29; 5,28=Jes 1,23; 5,29=5,9/9,8.
5 עמי wird auch in der Gerichtsankündigung gebraucht, cf. z.B. Jes 5,13, hier aber
  charakteristischerweise weniger mit dem Unterton der Totenklage als der Mitleidsklage.
6 Cf. dazu H.W.Robinson, Corporate personality.
7 Die Verbindung בת־עמי ist "genitivus epexegeticus" (HAL s.v. בת) und dient der
  "Personifikation" (HAL, S.159) des Volkes, also nicht: "Tochter meines Volkes",
  sondern: "Tochter mein Volk".

Sie heilen den Schaden der *Tochter mein Volk* obenhin, indem sie
sagen: "Friede! Friede!" - und es ist kein Friede (6,14=8,11) (1).

Horch! Wie schreit um Hilfe die *Tochter mein Volk* (8,19)!

Gebrochen liegt die *Tochter mein Volk* ... (8,21).

Warum will nicht heilen die Wunde der *Tochter mein Volk* (8,22)?

Zerschlagen, zerschmettert liegt die Jungfrau, die *Tochter
mein Volk* (14,17).

An einer einzigen Stelle - völlig abweichend von seinem sonstigen Gebrauch (2) - verwendet auch Jesaja diese Bezeichnung:

Darum sage ich: Blickt weg von mir,
    ich muß bitter weinen,
gebt euch keine Mühe, mich zu trösten,
    über die Verheerung der *Tochter mein Volk* (Jes 22,4).

Diese Stellen machen deutlich: Die Anrede בת־עמי gehört in den Rahmen
der *Totenklage* oder zumindest in den Rahmen der Klage über etwas Un-
abwendbares, wie auch der Gebrauch dieser Bezeichnung in den Threni
(2,11; 3,48; 4,10) zeigt:

... mir brach das Herz
    ob dem Untergang der *Tochter mein Volk* (2,11).

Die Totenklage hat in den genannten Beispielen die Tendenz, sich vom
prophetischen Gerichtswort zu verselbständigen, wie besonders deutlich
die Klage Jer 8,18-23 zeigt. Ob diese Verselbständigung schon bei
Jeremia einsetzt oder aber erst in einem späteren formgeschichtlichen
Stadium, läßt sich kaum sagen. Jedenfalls werden gerade diese בת־עמי-
Klagen wesentlich dazu beigetragen haben, daß auch die Threni Jeremia
zugeschrieben wurden.

Daß die Bezeichnung בת־עמי in der Gerichtsankündigung und nicht in
der Anklage auftaucht, hängt zusammen mit der Zugehörigkeit dieser Bezeichnung zur Totenklage, in der die *soziale Stellung* oder auch die
Verwandtschaftsbeziehung (בת!) des oder der Verstorbenen zur Sprache
kommen (3), beides in 14,17: בתולת בת־עמי (4). So wird בת־עמי aufzufassen sein als Bezeichnung für eine Tote, die in der Frühe ihrer Jahre dahingerafft wurde.

Die Untersuchung dieser בת־עמי-Klagen führt uns also in durchaus
andere Zusammenhänge, als wir sie bei der Untersuchung der Konfessionen feststellten. Von daher ist es mißlich, diese Klagen zu einem
methodischen Kriterium für die Untersuchung der Konfessionen zu erheben (5). Sofern diese Klagen Jeremia zuzuschreiben sind, haben sie

---

1 Es ist nicht sicher, ob in 6,14 בת ausgefallen ist (so BHS, app.) oder ob in
  8,11 בת von 8,18-23 her eingedrungen ist.
2 H.Wildberger, Jesaja 2, S.817
3 Cf. dazu C.Hardmeier, Trauermetaphorik, S.213f..
4 Ähnlich wird in Am 5,2 in einer Totenklage als Bestandteil der Gerichtsankündigung das Volk als בתולת ישראל bezeichnet. Cf. dazu H.W.Wolff, Joel.Amos, S.277:
  "Israel fühlt sich in jugendlicher Kraft und Frische ...; aber sein Ende ist
  besiegelt, bevor es zur Erfüllung seines Lebensgeschicks kommt."
5 gg. W.Baumgartner, a.a.O., S.68-79; U.Eichler, a.a.O., S.52-57.

mit den Konfessionen Jeremias Folgendes gemeinsam: Jeremia erweist sich in beiden Klageformen als derjenige, der von dem Gericht mitbetroffen ist, das er anzukündigen hat (1).

Haben die Untersuchung der Klage als prophetischen Anklage und der Totenklage als Entfaltung der prophetischen Gerichtsankündigung gezeigt, wie ungesichert das Gebiet gerade da ist, wo sich die Forschung bislang ziemlich sicher glaubte, so kehren wir bei der abschließenden Betrachtung des Berufungsberichtes Jer 1 auf ein wesentlich gesicherteres Gebiet zurück.

5. Der Berufungsbericht und der klagende Jeremia

1,4 *Und das Wort Jahwes erging an mich folgendermaßen:*
5 *"Bevor ich dich bildete im Mutterleib,*
habe ich dich erkannt,
und bevor du kamst aus dem Mutterschoß,
habe ich dich geweiht,
zum Völkerpropheten habe ich dich eingesetzt."
6 *Ich aber sprach: "Ach, Herr Jahwe,*
siehe, ich verstehe nicht zu reden; ich bin noch zu jung!"
7 *Und Jahwe sprach zu mir:*
"Sage nicht: 'Ich bin noch zu jung!'
sondern überall, wohin ich dich schicke, dahin geh,
und alles, was ich dir befehle, das sage!
8 *Fürchte dich nicht vor ihnen, denn ich bin mit dir,*
dich zu retten - Spruch Jahwes -."
9 *Und Jahwe streckte seine Hand aus und berührte meinen Mund,*
und Jahwe sprach zu mir:
Siehe, ich lege meine Worte in deinen Mund;
10 *siehe, ich weihe dich heute über die Völker und die Königreiche,*
auszureißen und niederzureißen, zu verderben und zu zerstören,
zu bauen und zu pflanzen."

11 Und es erging das Wort Jahwes an mich folgendermaßen:
"Was siehst du, Jeremia?"
Und ich sprach:
"Einen Mandelzweig sehe ich."
12 Und Jahwe sprach zu mir:
"Ich wache über meinem Worte, es zu vollstrecken."
13 Und das Wort Jahwes erging an mich zum zweitenmal folgendermaßen:
"Was siehst du?"
Und ich sprach:
"Einen dampfenden Kessel sehe ich,
dessen Oberfläche von Norden her geneigt ist."
14 Und Jahwe sprach zu mir:
"Von Norden her wird das Unheil entfesselt
über alle Bewohner des Landes."

---

1 Die Sonderung der Totenklage über das Eintreffen des Gerichts aus der prophetischen Gerichtsankündigung wird fließend gewesen sein und den jeweiligen politischen Veränderungen entsprochen haben.
Die Totenklage nimmt als Bestandteil der Gerichtsankündigung das Gericht vorweg, so daß die Unterscheidung von Klagen vor und Klagen nach dem Eintreffen des Gerichts schwierig wird. In 8,18-23 scheint mir aber das Gericht als schon eingetroffen vorausgesetzt zu sein.

15 *Denn siehe, ich rufe allen Geschlechtern der Königreiche vom Norden*
- Spruch Jahwes -, und sie kommen und stellen ein jeder seinen Thron
vor die Tore Jerusalems und gegen alle seine Mauern und gegen alle Städte
Judas.
16 *Und ich werde ihnen mein Urteil sprechen wegen all' ihrer Bosheit, daß*
sie mich verließen, daß sie andern Göttern opferten und ihrer eigenen
Hände Machwerk anbeteten.
17 *Und du, gürte dir die Hüften, tritt auf und sprich zu ihnen alles, was*
ich dir gebiete. Erschrick nicht vor ihnen, damit ich dich nicht vor
ihrer Gegenwart erschrecken mache!
18 *Und ich, siehe, ich mache dich heute zur festen Stadt und zur eisernen Säule*
und zur ehernen Mauer gegenüber dem ganzen Lande, den Königen Judas,
seinen Beamten, seinen Priestern und dem Volk des Landes.
19 *Und sie werden gegen dich kämpfen, dich aber nicht überwältigen, denn*
ich bin mit dir - Spruch Jahwes - dich zu retten.

W.Thiel hat den Vorschlag gemacht, in Jer 1 eine dtr. Redaktion (V.
7bβ.9f..16-19) zu unterscheiden von einem auf Jeremia zurückgehenden
Auditionsbericht über seine Berufung (V.4-7bα.8) und einem Bericht
über zwei Visionen (V.11-15) (1). Der so rekonstruierte Berufungsbericht entspricht in der Form den Retterberufungen mit ihren Elementen: "Beauftragung des Retters"; "Einwand des Retters"; "Zusicherung
des Mitseins Jahwes"; allerdings fällt nach der Ausscheidung von V.9f.
die Nennung des "bestätigenden Zeichens" aus. Dieses ist nach Auffassung *Thiels* auch nicht erforderlich, denn "die Beauftragung durch
Jahwe ist von vornherein klar" (2).

Der Mangel an *Thiels* Analyse ist vor allem darin zu sehen, daß er
die forschungsgeschichtlich unwidersprochene These, die Retterberufungen seien "vorprophetische Berufungsberichte" und daher Vorbild
auch des auf Jeremia zurückzuführenden Berufungsberichts (3), wie ein
Dogma hinnimmt, statt zunächst zu fragen, ob sich überhaupt ein vordtr. Berufungsbericht von dtr. Erweiterungen *literarisch* scheiden
läßt und die Annahme eines auf Jeremia zurückgehenden Berufungsberichts in 1,4-10 dann noch erforderlich ist. Wollte man *Thiels* Beweis-
führung folgen, dann hätte D durch V.7bβ, ein fast wortwörtliches Zitat aus Dtn 18,18bα:

... und alles, was ich dir befehle, das sage!

einen stark an der Form der Retterberufung orientierten jeremianischen Berufungsbericht erweitert durch den zweiten Teil der Prophetenbeauftragung: Sage! In Wirklichkeit liegen die Dinge ganz anders: Zunächst ist streng zu unterscheiden zwischen einer Retterberufung und
einer Prophetenberufung: Der Retter hat primär zu *handeln*, der Prophet hingegen zu *reden*. Entsprechend unterscheiden sich auch die *Formen* der Retterberufung und der Prophetenberufung voneinander: Hinter
der Prophetenberufung steht die *Boten*beauftragung, oft auch verbunden
mit einer gesonderten Darstellung der *Erscheinung Jahwes als des Auftraggebers* (4). Zwar berühren sich Retterberufung und Prophetenberufung in einigen Zügen, aber die Unterschiede sind doch unverkennbar:

---

1 a.a.O., S.62-79
2 ebda., S.72, A.29
3 ebda.
4 Zur Botenbeauftragung s.bes.o., S.29f.; verbunden mit einer Darstellung der Erscheinung Jahwes ist sie in Ex 3,1-8 (J); Jes 6 und Am 7-9 (gesonderte Darstellung der Erscheinung Jahwes: Jer 1,11-14).

Retter (1)	Prophet (Bote) (2)
I. Klage des Volkes und Zuwendung Jahwes	(I. Anlaß)
II. Beauftragung des Retters: Geh! Führe! (Rette!)	II. Beauftragung des Boten: Geh! Sage!
III. Einwand des Retters	III. Einwand des Boten
IV. Antwort Jahwes: Zusicherung des Mitseins Jahwes	IV. Antwort Jahwes: Gegenargument oder Eingehen auf den Einwand
V. Ausstattung des Retters mit einem Beglaubigungszeichen	

Die Beauftragung des Retters unterscheidet sich von der des Boten vor allem durch seine Ausstattung mit einem bestätigenden Zeichen. Das bedeutet nun aber nicht, daß in Jer 1,4-10 nach Entfernung des bestätigenden Zeichens (V.9f.) als dtr. Erweiterung eine Botenbeauftragung übrigbleibt (3); vielmehr bildet die *Retterbeauftragung die Grundstruktur* von Jer 1,4-10. Wie das Rettertum aufgegangen ist u.a. im Königtum (4), so wird die Retterbeauftragung abgelöst worden sein durch die *Designation und Einsetzung des Königs*. In diesen Traditionsbereich gehören das Mutterleib-Motiv (V.5), die Ausstattung Jeremias mit einem Titel (V.5) und der Hinweis Jeremias, er sei noch so jung (V.6), während V.9f. weniger noch an die Ausstattung des Retters mit einem Beglaubigungszeichen als an die Ausrüstung des Königs mit seinen Insignien erinnert (5). Dieser Grundstruktur sind die prophetischen Motive *untergeordnet*: So wird Jeremia der Titel "Prophet" (V.5) verliehen, und entsprechend verweist er im Einwand (V.6) darauf, daß er ja nicht zu *reden* versteht. Dieses Motiv greift die Antwort Jahwes auf: Jeremia wird nicht nur gesandt und dazu des Beistandes Jahwes versichert, sondern wortwörtlich wie im dtr. Prophetengesetz (Dtn 18, 18) Mose, so erhält Jeremia auch den Auftrag, Worte Jahwes zu sagen (V.7). Die Insignien schließlich, mit denen Jeremia ausgerüstet wird, sind die Worte Jahwes (V.9), während V.10 wieder ganz in den Bereich der Königseinsetzung hineingehört: Es sind die Wünsche für einen König, ganz ähnlich wie in Ps 2,8f. (6). Wir stellen in Jer 1,4-10 also einen ähnlich lebendigen Umgang mit den Redeformen aus der Geschichte des alttestamentlichen Mittlertums fest wie schon oben bei der dtr. Redaktion von Ex 3,1-6,1 (7) und andererseits in den Liedern vom

---

1 s.o., S.48
2 s.o., S.29
3 Auf dieser Linie läge die Argumentation von W.Thiel, a.a.O., S.72, A.29.
4 Cf. dazu M.Noth, Amt und Berufung, S.327f..
5 s. dazu o., S.159f.
6 R.Bach (Bauen und Pflanzen, S.22) führt das Motiv vom Bauen und Pflanzen auf die Glückwünsche "über dem Kinde" (bei der Beschneidung?) zurück. Doch paßt dieser Glückwunsch nicht in die Situation des Kleinkindes. Vielmehr ist an ein Übergangsritual in der Pubertätsphase zu denken, vielleicht zurückgehend auf eine Zeit, da die Beschneidung noch in dieser Zeit geübt wurde, cf.a. Dtn 28,30: Verlobung; Bauen; Pflanzen. Ein Übergangsritual stellt auch die Königseinsetzung dar.
7 s.o., S.43-53

leidenden Gottesknecht bei Deuterojesaja (1). Demnach handelt es sich in Jer 1,4-10 um eine Vermischung der Motive aus der Geschichte des Mittlertums bei einer klar erkennbaren Grundstruktur. Die Motive sind *traditionsgeschichtlich* zusammengewachsen und lassen sich daher *literarisch* auch nicht voneinander sondern. Dieses Ineinanderfließen der unterschiedlichen Motive aus der Geschichte des Mittlertums ist nun charakteristisch für die Gestalt des leidenden Gottesknechts, wie sie für das dtr. Jeremiabild auch sonst festzustellen war (2). Da *W.Thiel* in seiner eigenen Analyse die Hand von D zumindest in V.7bβ.9f. nachgewiesen hat (3), bleibt somit nur noch ein Schluß: *Die Berufungsgeschichte Jer 1,4-10 stammt von D.* D greift nicht auf das literarisch fixierte Traditum einer jeremianischen Berufungsgeschichte zurück, sondern nimmt die Formen der Retterbeauftragung, der Königseinsetzung und der Prophetenbeauftragung aus der ihm zur Verfügung stehenden anderweitigen Überlieferung auf und verarbeitet sie zu dem Bild von Jeremia als dem leidenden Gottesknecht.

Wohl aber hat D ein anderer jeremianischer Eigenbericht vorgelegen: Der Bericht von den beiden Visionen Jer 1,11-14. D greift auf die Visionen zurück in 1,9f. (4) und erweitert sie in 1,15 (5). Daher hat die Frage nach dem Verhältnis von Berufungsbericht und klagendem Jeremia von Jer 1,11-14 auszugehen.

Die erste dieser beiden Visionen, 1,11f., deutet an, daß das (von Jeremia im Auftrag Jahwes angekündigte) Gericht noch nicht eingetroffen ist und sich eine Spanne zwischen der Ankündigung und dem Kommen des Gerichts dehnt. Damit ist genau die Spanne angedeutet, aus der heraus sich Konfessionen wie 17,14-18 und 18,*19-23 erheben werden, aber auch die anderen Konfessionen, sofern sie eine *Dauer* der gerichtsprophetischen Not voraussetzen. Eine explizite Klage erhebt sich zwar nicht angesichts dieser Vision, aber der entsprechende Spannungsbogen ist schon vorhanden. Jahwe überbrückt diese Spanne mit seiner Zusage: "Ich wache über meinem Worte, es zu vollstrecken!" (5)

Die zweite Vision, 1,13f., deutet nun an, wie sich die Vollstreckung des Wortes Jahwes vollziehen wird: Vom Norden her wird Unheil kommen. Wieder reagiert auf diese Vision nicht unmittelbar eine Klage wie etwa bei Amos (6), aber das kommende Unheil vom Norden wird ja in dem Gedicht 4,*5-21 ausführlich dargestellt werden, und eine Klage wird auf das geschaute Unheil reagieren.

Die beiden Visionen umschließen also das in Jer 4 und 11-20 Geklagte und weisen somit von vornherein hin auf den klagenden Gerichtspropheten.

Die dtr. Redaktion hingegen setzt den abgeschlossenen Komplex von Jer 2-20 schon als literarische Größe voraus und nimmt auf die in ihm enthaltenen Klagen mehrfach Bezug. Dabei ist immer schon vorausgesetzt, daß das von Jeremia geschaute Unheil und das von ihm dann angekündigte Gericht bereits eingetroffen ist. Das Motiv von der Bildung

---

1 s.o., S.159 mit A.7 und 8
2 s.o., Teil IV., passim
3 a.a.O., S.65-71
4 Cf. W.Thiel, a.a.O., S.72f..
5 V.15 ist mit J.Ph.Hyatt, Deuteronomic Edition, S.79, D zuzuschreiben.
6 s.o., S.167 zu Am 7,2.5

Jeremias im Mutterleib durch Jahwe (V.5) entspricht der Verwendung des Mutterleib-Motivs in der Klage 20,14-18 und deutet von vornherein an, in welcher Spannung der Knecht stehen wird: Er ist nicht nur der von Jahwe Erwählte und zum Knecht Eingesetzte (1,5), sondern auch der Verfluchte (20,14-18). Vor diesem Hintergrund ist zu überlegen, ob die mit אתה eingeleitete Entgegnung Jeremias wirklich nur als Einwand (1) aufzufassen ist, oder ob die Interjektion אתה nicht doch den Unterton der Klage mitklingen läßt (V.6), ohne daß man diesen ganzen Vers von vornherein als Klage bezeichnen muß (2): Sofern V.6 auf das von Jahwe *Gesprochene* reagiert, handelt es sich um einen Einwand. Sofern hinter V.5 aber ein notvolles *Geschehen* erkennbar wird, auf das sich V.6 bezieht, erhält V.6 den Beiklang der Klage. - Jeremias klagender Einwand wird von Jahwe zurückgewiesen; Jeremia wird neu in den Botenauftrag hineingestellt. Jahwe versichert ihn seines Beistandes wie einen Retter (V.8), als wenn er auf eine Klage Jeremias antwortete. In ähnlicher Weise wird Jahwe auf die Konfession Jeremias 15,10.17.18 in 15,19-21 antworten. - Nachdem D in 1,9f. die Linien nach 5,14 und nach 18,6b-12 hin ausgezogen hat (3), erweitert er in 1,15 den jeremianischen Eigenbericht über die Visionen mit einem Wort, das sich fast wortwörtlich so am Ende des ersten Teils des dtr. Jeremiabuches (25,9) findet: Das von Jeremia geschaute Unheil vom Norden her wird identifiziert als das Gericht, das die Königreiche vom Norden her gebracht haben. Diesem Gedanken an das bereits eingetroffene Gericht entspricht es, wenn D mit einer auch in 4,12; 39,5 und 52,9 belegten Phrase unterstreicht, Jahwe wolle sein Urteil über sein Volk Israel sprechen (V.16), weil sie ihn verlassen (cf. 2,13; 17,13), andern Göttern geopfert (cf. z.B. K.7) und die Machwerke ihrer Hände angebetet (cf. 2, 28) hätten (V.16). - V.17 greift mit seinem zweiten Teil die Doppelbitte einer Konfession Jeremias (17,18) fast wortwörtlich auf und zeigt, daß D die Konfessionen in ihrem Wortlaut voraussetzt. In diese Richtung weist auch, daß D in V.18.19 den Wortlaut von 15,20 fast wortwörtlich aufgreift. Was Jeremia hier zugesprochen wird, gilt aber nicht nur ihm persönlich, sondern ebenso denen, die während des Exils genauso leiden wie der Gottesknecht. So erinnert schon diese frühe Stelle an die abschließende Zusage an Baruch in 45,1-5 auf seine Klage hin (4).

6. Zusammenfassung der Teile IV. und V.

Der Grundsatz: Klage ist Antwort auf Geschehen (Geschehenes und Geschehendes) und aus auf eine Wende dieses Geschehens, hat sich auch bei der Untersuchung der Funktion der Klage auf den verschiedenen Stu·· fen der Redaktion von Jer 1-20, aber auch von Jer 1-10, bewährt. Im einzelnen sind folgende Ergebnisse festzuhalten:

1. Das Maß an dtr. Überarbeitung jeremianischer Worte in Jer 1-20 ist wesentlich höher, als gemeinhin angenommen wird. Die Unterscheidung von vorredaktionellen Klagevorgängen und Redaktion ist allein

---

1 So die meisten Ausleger, cf. die Zusammenfassung bei W.H.Schmidt, Exodus, S. 125f.; U.Eichler, a.a.O., S.173. Cf. dazu ferner u., Teil VI.1..

2 So H.Graf Reventlow, Jeremia, S.46.

3 Cf. dazu W.Thiel, a.a.O., S.68-71.

4 In Syr Bar wird das Bild von der festen Säule (1,18) auf die Werke Jeremias und Baruchs, das Bild von der starken Mauer auf ihre Gebete bezogen, die die Stadt retten können (2,1f.). Jer 1,18 wird ähnlich in Par Jer 1,2 aufgenommen; ferner Jer-Apokr 160,16ff., cf. dazu und zum Ganzen: C.Wolff, Jeremia, z.B. S.86: "Hier klingt wieder die Vorstellung an, daß Jeremias Gebete die Stadt wie eine Mauer

aufgrund redaktionsgeschichtlicher Kriterien nicht möglich, sondern
formgeschichtliche Kriterien müssen den redaktionsgeschichtlichen vorgeordnet werden. Auf anderem Wege werden die vorliterarischen Lebens-
vorgänge nicht greifbar.

2. Nachdem Teil III. schon den Bezug der gerichtsprophetischen Klagen Jeremias auf zwei unterschiedliche Geschehenszusammenhänge (Botenvorgang und Warten auf das Gericht) erarbeitet hatte, war in Teil IV.
auf der Stufe der dtr. Redaktion von Jer 11-20 ein weiterer Ort für
die Konfessionen Jeremias festzustellen: Jeremia erhält die Funktion
des leidenden Gottesknechts (ähnlich *E.Gerstenberger*, *A.H.J.Gunneweg*
und *P.Welten*).

3. Wenn Jeremia von D auch niemals als "Knecht" bezeichnet wird,
so wird er doch in seinen Funktionen wie der leidende Gottesknecht
dargestellt. Das zeigt nicht nur ein Vergleich der von D neu formulierten Klagen Jeremias bzw. Erweiterungen derselben (11,18-23; 12,4a.
b*.6; 15,11-16.19a.20aβ.b.21; 17,12f.; 18,18.20aβ.21.22a; 20,10-13)
mit den Gottesknechtliedern bei Deuterojesaja, sondern auch ein Vergleich der Funktionen Jeremias mit dem dtr. Gebrauch von עבד in Jer 1
-45: D entwickelt ein umfassendes Konzept von "Gottesdienst im Alltag der Welt" mit den unterschiedlichsten Konkretionen im Blick auf
die Mitmenschen und im Blick auf Jahwe. Die Hauptaussage dieses Kon-
zeptes besteht in der Einschärfung bewußten Jahwedienstes im Hören
auf die Propheten, die Knechte Jahwes unter den Bedingungen des Exils
um 550 v.Chr.. Dieser Dienst im Gehorsam Jahwe gegenüber und im Vertrauen auf ihn schließt die Bejahung des Leidens ein: Es besteht noch
keine Hoffnung auf Heil. Für dieses Dienen in der Bejahung des Leidens ist Jeremia als der Letzte in der Kette der Knechte Jahwes seit
Mose ein Beispiel. D entwirft dieses Konzept als Buch, das heißt: als
Geschriebenes, das von vornherein eine Mehrzahl von Adressaten an unterschiedlichen Aufenthaltsorten im Blick hat: Die in Juda/Jerusalem
Zurückgebliebenen (D gehört dazu), die Exulanten in Babylon und möglicherweise auch die kleine Kolonie in Ägypten.

4. Kompositionsprinzip ist für D ein literarisches Mittel: Die Anordnung des Stoffes in konzentrischen Kreisen (gegen *G.Jacoby*, *W.Thiel*
und *U.Eichler*). Auf dem Hintergrund dieses Kompositionsprinzips wird
es erst möglich, das in 3. beschriebene übergreifende dtr. Konzept zu
erfassen. Quer zu diesem Kompositionsprinzip läuft ein anderes: die
Anordnung des Stoffes so, daß sich eine konsequente Reihenfolge von
der Verkündigungssituation Jeremias bis hin zur Situation von D ergibt. Diese beiden Kompositionsprinzipien lassen sich nicht nur für
Jer 11-20, sondern auch für Jer 21-45 feststellen und bestimmen auch
die etwa zwanzig Jahre jüngere dtr. Redaktion von Ex 3,1-6,1.

5. D nimmt für die Ausgestaltung seines Jeremiabildes die Konfessionen Jeremias auf, aber auch andere, in der Überlieferung vorliegende
Klagestücke (15,15; 11,20=20,12) auf, formt eigene Klagen und Erweiterungen von Klagen und fügt so die ihm überkommenen Klagen in das

---

schützen." Diese Belege zeigen einen tiefgreifenden Wandel im Verständnis des
klagenden Gerichtspropheten an: Aus dem klagenden Gerichtspropheten, der gerade
in seinen aggressiven Klagen alles von Jahwe erwartet hatte, ist der betende Jeremia geworden, dem Baruch an die Seite gestellt wird. Die Gebete beider werden
zu menschlichen Werken. Gleichzeitig wird das Gebet der elementaren menschlichen
Sphäre dadurch entrückt, daß Jeremia und Baruch zu "Heiligen" gemacht werden,
deren Gebet besondere Wirkung hat.

eigene Konzept ein (mit *U.Eichler*). Daß die Konfessionen in der uns von D überlieferten Form aus der außerjeremianischen Überlieferung aufgenommen seien, kann man demnach nicht sagen (gegen *E.Gerstenberger*, *A.H.J.Gunneweg* und *P.Welten*).

6. In Jer 1-10 sind der Berufungsbericht K.1 und das Kapitel über den verfehlten Gottesdienst (Jer 7,1-8,3) die wichtigsten dtr. Partien. In Jer 1 geht nur der Eigenbericht Jeremias von den beiden Visionen auf Jeremia selbst zurück (1,11-14). Sie umfassen die Klagesituation von Jer 4 (Kommen des Feindes aus dem Norden) und der Konfessionen Jeremias (Jer 11-20). Der Rest von Jer 1 (unter Einschluß des ganzen Berufungsberichtes 1,4-10) ist dtr. und führt Jeremia von vornherein als Knecht Jahwes ein, also als Beispiel für den wahren Gottesdienst nach den Vorstellungen von D. Diesem wahren Jahwedienst werden in Jer 7,1-8,3 die vielen Formen verfehlten Gottesdienstes gegenübergestellt, auf die D in Jer 11-44 immer wieder zurückkommt. Die beiden Hauptaussagen von D für sein gesamtes Konzept finden sich in den Kapiteln 2-6:

Dienen will ich nicht (2,20)!

und:

Nicht hat sich der glühende Zorn Jahwes von uns gewendet (4,8).

Der mangelnden Bereitschaft des Volkes, Jahwe zu dienen, entspricht es, daß die Gerichtsbotschaft Jeremias auch nach der Zerstörung Jerusalems weitergeht.

7. In Jer 2-6; 8-10 ließen sich mehrere Geschehenszusammenhänge feststellen, auf die die Klage antwortet:

a. Die Klage 4,19-21 bildet den Abschluß eines wahrscheinlich in die früheste Zeit Jeremias zurückreichenden Komplexes von drei dreistrophigen Gedichten, die das Kommen des Feindes aus dem Norden darstellen ((4,5aβ-7bα; 11aβ-12a.13.15.16aβ.b; 19-21). Die Klage reagiert auf dieses Geschehen. Die Darstellung des Kommens der Feinde ist nicht zu verwechseln mit der (apokalyptischen) Gerichtsschilderung, wie sie in 4,23-26 vorliegt (mit *B.S.Childs*, gegen *U.Eichler*). Die Klage 4,19 -21 blickt aus auf die Wende der Not und ist daher nicht zu verwechseln mit der Totenklage (gegen *U.Eichler*). Die Darstellung des Kommens einer Gefahr mit anschließender Reaktion des Propheten in der Form einer Klage findet sich auch in den ersten beiden Visionen des Amos (7,1-6) und bei Elisa (2 Kön 8,7-15) und stellt vorprophetisches Reden dar, das sich noch im Bereich des Sehertums bewegt, aber die notwendige Voraussetzungen für das spätere Auftreten als Gerichtsprophet darstellt.

b. In Jer 5,1.(8,6f.).5,4f. und 6,9-11a finden sich Aufträge zum Nachprüfen mit einem Einwand als Reaktion des Propheten, der in die Klage übergeht, und einer Gerichtsankündigung als Abschluß. Dabei ist der Einwand Reaktion auf Gesprochenes und bezieht sich auf die Ausführung eines Auftrages, während die Klage Reaktion auf Geschehen (Geschehenes und Geschehendes) ist (ähnlich *U.Eichler*). Diese beiden Aufträge stellen die andere notwendige Voraussetzung für das Auftreten Jeremias als Gerichtsprophet dar: Es muß Anklage gegen das ganze Volk erhoben werden, und diese stellt die Begründung dar für das Gericht Jahwes, das dann kommen wird als das von Jeremia schon geschaute Unheil.

Die Klagen in 6,10.11a stellen schon eine Konfession Jeremias in nuce dar, während 5,1ff. und 6,9f. noch auf eine weitere Ausformung der Klage hinweisen, die יעמ-Klage als Entfaltung der Anklage und die יעמ־נב-Klage als Entfaltung der Gerichtsankündigung.

Die Versetzung von 8,6f. zwischen 5,1 und 5,4f. bei gleichzeitiger Ausscheidung von 5,1*(נל נלסאו).2f..7-9 als dtr. Übermalung deutet das Maß redaktioneller Überarbeitung in Jer 2-6; 8-10 an, mit dem die Forschung wird rechnen müssen.

c. In der Überlieferung von Jer 1-10 läßt sich eine Auseinanderentwicklung von Anklage und Gerichtsankündigung an das Volk feststellen, die bestimmt ist von einer unterschiedlichen Aufnahme von Klage-Elementen in die Anklage bzw. in die Gerichtsankündigung: Die Anklage nimmt die Mitleidsklage mit dem Volk (עמי) auf, und die Mitleidsklage zieht wiederum die Klage über das Reden und Handeln der Gottlosen an (Feindklage). In der Gerichtsankündigung findet sich immer stärker der Übergang zur Totenklage, in der das Volk mit בת־עמי bezeichnet wird. Wie weit diese Auseinanderentwicklung von Anklage und Gerichtsankündigung schon für Jeremia vorauszusetzen ist und somit auch das Einbrechen der gerichtsprophetischen Klage in die prophetische Überlieferung ermöglicht hätte, läßt sich nicht mit Sicherheit sagen. Zumindest darf diese Auseianderentwicklung nicht zum methodischen Kriterium für die Untersuchung der Konfessionen Jeremias gemacht werden (gegen *U.Eichler*).

8. Die Geschehenszusammenhänge, aus denen sich die Klagen Jeremias erheben werden, kommen in dem Bericht von den beiden Visionen (1,11-14) schon zur Sprache. Er geht auf Jeremia zurück, während der Rest von Jer 1,4-19 D zuzuschreiben ist. Der dtr. Berufungsbericht enthält in 1,6 einen Einwand mit klagendem Unterton, der aber wohl zu unterscheiden ist von den Konfessionen Jeremias (gegen *H.Graf Reventlow*, mit *U.Eichler*). Im übrigen setzt die dtr. Redaktion die Konfessionen Jeremias schon als gegebene Größe voraus und spielt auch in Jer 1 mehrfach auf sie an.

Exkurs 4: Die Urrolle und die Klagen Jeremias

In Jer 36 wird erzählt, Jeremia habe im Auftrag Jahwes Baruch alle "Worte" diktiert, "die Jahwe zu ihm (אליו) geredet hatte" (V.2.4), und Baruch habe sie auf eine Schriftrolle aufgezeichnet. Jeremia ist das Betreten des Tempelbereichs untersagt (V.5). Deswegen muß er zu der Form der schriftlichen Weitergabe der Worte Jahwes greifen. An einem Fasttage liest Baruch dem Volk diese Schriftrolle vor (V.6.8-10). Die Beamten des Königs erfahren davon, bitten Baruch zu sich und lassen sich den Inhalt der Schriftrolle noch einmal vorlesen (V.11-15). Sie sind entsetzt und machen dem König (Jojakim) Meldung, nicht ohne Baruch den Rat gegeben zu haben, sich zusammen mit Jeremia zu verbergen (V.19). Die Rolle wird nach einer gewissen Zeit (alles spielt sich offenbar immer noch am selben Tag ab) dem König gebracht und vorgelesen. Aber der König schneidet Spalte für Spalte von der Buchrolle ab und wirft sie ins Feuer (V.20-24). Jeremia erhält von Jahwe den Auftrag, eine neue Schriftrolle mit den gleichen Worten wie vorher zu diktieren (V.28). Andere ähnliche Worte sind noch hinzugefügt worden.

Was hat auf der Schriftrolle in ihrer ersten Ausfertigung gestanden? Zwei Hinweise gibt Jer 36 selbst: V.2 spricht von den Worten, die

Jahwe zu Jeremia geredet habe "gegen Jerusalem, gegen Juda und gegen
alle Völker" von den Tagen Josias an. V.29 nennt als Inhalt, der König von Babel werde kommen und dieses Land verwüsten und Menschen und
Tiere darin vertilgen. Diese Angaben haben die meisten Forscher zu der
Behauptung veranlaßt, die Urrolle sei im wesentlichen eine Sammlung
von Gerichtsworten gewesen (1). Im Gegensatz zu dieser These betrachtet *O.Eißfeldt* die Urrolle als eine tagebuchartige Denkschrift, der
vor allem die Eigenberichte zuzurechnen seien (2). *J.Bright* hat diese
These aufgegriffen und die Funktion der aus Eigenberichten bestehenden Denkschrift mit der Jesaja-Denkschrift verglichen (3). Diese These findet - ohne daß *Eißfeldt* und *Bright* dieses Argument anführen -
ihre Bestätigung in folgender Beobachtung: Zweimal erwähnt Jer 36,
Jahwe habe die zu diktierenden Worte *zu* Jeremia gesprochen (אלי, V.2;
אליו, V.4). Dieser Redevorgang ist charakteristisch für die Eigenberichte.

Bislang hat aber m.W. noch kein Forscher die These gewagt, die Klagen Jeremias seien auch Bestandteil der Urrolle gewesen. Dabei hatte
sich bei der Untersuchung der jeremianischen Klagevorgänge in Jer 1-
20 Zug um Zug ein Zusammenhang von Texten ergeben, der - so war aufgrund formgeschichtlicher Beobachtungen zu vermuten - bald literarische Form angenommen haben wird. Diese Texte seien jetzt noch einmal
im Zusammenhang genannt.

I.   Zwei Visionen (Eigenbericht, poetisch) (1,11-14)

II.   Zwei Visionen vom Kommen des Feindes aus dem Norden
       mit anschließender Klage (Drei Gedichte) (4,5aβ-7bα; 4,11aβ
       -12a.13.15.16aβ.b; 4,19-21)

III.   Zwei Aufträge zum Nachprüfen und die Klage (poetisch)
       (5,1*.(8,6f.).4f.; 6,9-11a)

IV.   Der Auftrag zu einer symbolischen Handlung ("Linnener
       Schurz"), seine Ausführung, die Klage als Rückmeldung und
       die Antwort Jahwes (13,1-9.*10; 1,1-3.*4b.5)(Prosa/Poesie)

V.   Der Auftrag zu einer stetigen symbolischen Handlung ("Gehe
       nicht in ein Haus lauten Geschreis"), die Klage als Rück-
       meldung und die Antwort Jahwes (16,*5.7; 15,10.17.18.20aα)
       (Poesie)

VI.   Zwei Klagen angesichts des Wartens auf das ausbleibende Ge-
       richt (17,14-18; 18,19.20aα.b.22b.23)(Poesie)

VII.   Zwei Aufträge zu symbolischen Handlungen ("In der Werkstatt
       des Töpfers" und: "Die Zerschmetterung des Tonkruges"), ihre
       Ausführung und die Klage als Rückmeldung (18,1-6a; 19,1.2a*.
       10-11a; 20,7-9)(Prosa/Poesie)

VIII. Abschließende Klage: Jeremia verflucht den Tag seiner Geburt
       (20,14-15.16b-18). (Poesie)

---

1 Cf. z.B. W.Rudolph, Jeremia, S.XVIIIf.; A.Weiser, Jeremia, S.XXXVIIIf.; H.Wild-
  berger, Jeremiabuch, Sp.586; zurückhaltend J.Bright, Jeremiah, S.LXI; G.Fohrer,
  Einleitung, S.431.
2 zitiert nach G.Fohrer, ebda.
3 Reminiscence, S.28-30; J.Bright fragt abschließend, ohne den Nachweis führen zu
  können, "if the recreated scroll does not still, in spite of all supplementation
  and expansion, form the framework of chs. 1-25 of the book" (S.30). - Ganz im Gegensatz dazu sieht H.Lörcher, Prosareden, jetzt wieder in den Prosa-(C-)Stücken
  die Urrolle, in völligem Gegensatz zu der oben vorgetragenen Argumentation.

Es sei die These gewagt: Dieser Zusammenhang jeremianischer Worte (1)
bildete die Urrolle.

Mehr Worte können es kaum gewesen sein, wenn man bedenkt, daß die
Rolle dreimal an einem Tag vorgelesen wurde und auch noch Wartezei-
ten (V.20) dazwischenlagen. In dem Miteinander von Visionsbericht,
Bericht von Aufträgen, Gerichtsworten und Klagen entspricht dieser
Komplex formal und inhaltlich der Jesaja-Denkschrift (2). Der Bereich
des in 36,2.29 angesprochenen Gerichts wird in den Texten aus Jer 1-
20 nicht überschritten: Das Unheil vom Norden her (1,14; K.4) und die
Zerstörung Jerusalems (19,10-11a) stehen ganz im Blickfeld. Aber dieses Gericht gerät in Verzug. Das zeigen besonders die Klagen 17,14-18
und 18,*19-23 ganz deutlich. Eben weil das Gericht ausbleibt, müssen
die entsprechenden Worte schriftlich festgehalten werden. Dies ist
aber gerade charakteristisch für die Zeit Jojakims, die noch einmal
ein gewisses Aufatmen bedeutete und das von Jeremia angekündigte Gericht vergessen ließ. Auch die Beobachtung, daß nach Jer 36,2.4 auf
der Urrolle primär Worte standen, die Jahwe *zu* Jeremia sprach, findet
ihre Entsprechung in den vielen Aufträgen und sonstigen Worten, die
Jahwe primär an Jeremia richtete.

Eine weitere wichtige Beobachtung kommt hinzu: Baruch wird bis hin
zur dtr. Redaktion und darüber hinaus (3) als *Tradent der Leidenser-
fahrungen Jeremias* dargestellt. Angesichts dieser Tatsache wäre es
geradezu verwunderlich, wenn die Urrolle keine Klagen enthalten hätte (4). Diese Behauptung wird zur Gewißheit durch eine Beobachtung:
Die Klage Baruchs Jer 45,3, die nicht zufällig in der Situation von
Jer 36 angesiedelt wird (cf.45,1), nimmt mit dem Wort יגון genau eines
der letzten Worte der den oben als Urrolle rekonstruierten Zusammenhang abschließenden Klage 20,14-18 (20,18) auf (5). Was liegt da näher, als die Klage Baruchs und das anschließende Wort Jeremias (45,1-
5) in der Situation anzusiedeln, da Baruch und Jeremia sich auf Geheiß der "Fürsten" versteckten (36,19) und Baruch das Leid Jeremias
auch auf diese Weise teilte? So ist die Urrolle genau aus dieser Erfahrung des Leides angesichts der Bedrohung durch Jojakim entstanden.

Baruch wird diese wichtige Schriftrolle nicht aus der Hand gegeben
haben, ohne von ihr eine Abschrift angefertigt zu haben. Außerdem berichtet V.20 von der vorübergehenden Lagerung der Schriftrolle im Hause des Schreibers Elischama. So wird es ein Leichtes gewesen sein,
dieses wichtige Dokument nochmals zu vervielfältigen, ganz zu schweigen von der erweiterten Urrolle (V.32), deren Niederschrift mir aber
am ehesten die Arbeit der dtr. Redaktion zu kennzeichnen scheint. D
hatte nach allem mehr als eine Möglichkeit, an die Schriftrolle zu
gelangen, die er seinem dtr. Jeremiabuch zugrundelegte.

Die Schriftrolle im Zusammenhang zu paraphrasieren, fehlt hier der
Raum, würde aber den beschriebenen Umfang und ihre Funktion als Legitimation gegenüber Jojakim nur weiter bestätigen.

---

1 Der rekonstruierte Text der Urrolle wird am Ende dieser Arbeit in Übersetzung
  beigegeben (S.221-225).
2 Zur Jesaja-Denkschrift s.o., S.67-69. Auch auf die schriftliche Fixierung der
  Visionen des Amos wäre zu verweisen (Am 7-9).
3 s.o., S.157, A.1 bzw. S.184f., A.4
4 Um so verwunderlicher ist es, wenn die Forschung (W.Rudolph, a.a.O., S.XVIII;
  G.Fohrer, a.a.O., S.433 u.a.) sagt, die Konfessionen gehörten nicht zur Urrolle.
5 Cf. C.Rietzschel, Urrolle, der aber aus dieser Beobachtung ganz andere, in der
  Forschung mit Recht nicht akzeptierte Schlüsse zieht (S.128).

VI. DIE KLAGE ALS SCHREI AUS EINER NOT UND DER EINWAND ALS HINWEIS AUF EINEN WIDERSPRUCH

1. Das Verhältnis von Klage und Einwand

Es ist das Verdienst der Untersuchung von *U.Eichler*, den Unterschied von Klage und Einwand klar herausgestellt zu haben. Danach ist die Klage primär auf ein *Geschehen* bezogen, der Einwand aber primär auf *Gesprochenes*. Entsprechend erwartet die Klage ein *Eingreifen Jahwes*, während der Einwand auf seine *Stellungnahme* aus ist (1). Diese Unterscheidung stellt einen Forschritt dar gegenüber der bisherigen Forschung, die Klage und Einwand häufig unterschiedslos als Bezeichnung für dieselben Texte gebrauchte (2). Die Notwendigkeit einer grundsätzlichen Unterscheidung zwischen Klage und Einwand hat sich auch an den untersuchten Texten bestätigt, gerade an denen, in denen Einwand und Klage im selben Textzusammenhang auftauchen: Der *Einwand* bezieht sich direkt auf einen Auftrag bzw. ein Designationswort an den Mittler (Gen 24,5; Ex 3,11; 4,10; Ri 6,15; 1 Sam 9,21; Jer 1,6; 5,4; 6,10; 32,17-25) (3), während die *Klage* auf ein Geschehen reagiert, für das Jahwe verantwortlich gemacht wird (Ex 5,22f.; Num 11,*11-15; Jer 4,19-21; 6,10b.11a; 12,*1-4; 15,10.17f.; 20,7-9) oder in dem stärker die Feinde Jahwes und des Propheten verklagt werden (1 Kön 19,10=14; Hos 9,7b-9; Jes 8,16-18; Mi 3,8; Ez 33,30-33; Jer 11,18-23; 15,15; 17, 14-18; 18,18-23; 20,10) (4). Doch ist der Unterschied zwischen Klage und Einwand durch den Hinweis auf den jeweiligen Bezug (Geschehen bzw. Gesprochenes) noch nicht hinreichend beschrieben. So kann die Klage durchaus auch auf Gesprochenes bezogen sein, wenn sie z.B. auf ein Reden der Feinde hinweist (5), während umgekehrt der Einwand durchaus auch auf Geschehen bezogen ist, wenn er auf ein Geschehen in der Gegenwart oder der Zukunft hinweist, das im Widerspruch zu dem Gesprochenen steht. Genau in diesem Punkt läßt sich der Einwand aber auch von der Klage unterscheiden: Der Einwand bringt *gegenwärtiges oder zukünftiges* Geschehen zur Sprache, während die Klage sich bezieht auf *Geschehenes bzw. Geschehendes*, also ein Geschehen, das noch aus der

---

1 a.a.O., S.105
2 ebda., S.104. In der Erstfassung meiner Dissertation hatte ich auch noch auf eine präzise Unterscheidung zwischen Klage und Einwand verzichtet.
3 Zu Gen 24,5 s.o., S.40; zu Ex 4,10 s.o., S.49; zu Ex 3,11; Ri 6,15 und 1 Sam 9, 21, s.o., S.48; zu Jer 1,6 s.o., S.179; zu Jer 5,4 s.o., S.171 mit A.1; zu Jer 6,10 s.o., S.173; zu Jer 32, 17-25 s.o., S.132, A.1; 153.
Dem kundigen Leser wird auffallen, in welchem Maße die Einwände den jeweiligen dtr. Redaktionen zuzuschreiben sind. Die Einwände sind auch ein literarisches Mittel, eigene Vorstellungen in die vorgegebene Überlieferung einzubringen.
4 Zu Ex 5,22f. s.o., bes. S.45-52; zu Num 11,*11-15 s.o., S.54-58; zu Jer 4,19-21 s.o., S.164-168; zu Jer 6,10b.11a s.o., S.171-173; zu Jer 12,*1-4 s.o., S.81-84; zu Jer 15,10.17f. s.o., S.91-95; zu Jer 20,7-9 s.o., S.103-109.
Zu 1 Kön 19,10=14 s.o., S.63-65; zu Hos 9,7b-9 s.o., S.66f.; zu Jes 8,16-18 s.o., S.67-70, bes. S.70; zu Mi 3,8 s.o., S.71; zu Ez 33,30-33 s.o., S.72f.; zu Jer 11, 18-23 s.o., S.86f.; zu Jer 15,15 s.o., S.100; zu Jer 17,14-18 s.o., S.115-118; zu Jer 18,18-23 s.o., S.33-36.119-121; zu Jer 20,10 s.o., S.111.
Auf der Grenze zwischen Einwand und Klage steht Jes 6,11, s.o., S.67-69.
5 so z.B. Jer 17,15

Vergangenheit in die Gegenwart hineinragt. Außerdem ist die *Weise des Redens* hier und dort verschieden: Die Klage *schreit* (1) zu Jahwe, während der Einwand ihm gegenüber *argumentiert* (2). Zwar kann innerhalb der Klage dann auch argumentiert werden (3), wie umgekehrt der Einwand Worte der Klage in sich aufnehmen kann (4), aber die Grundweise des Redens bleibt in ihrem jeweiligen Charakter doch erhalten. Besonders gut kann man sich den Unterschied von Klage und Einwand am Botenvorgang verdeutlichen: Die Klage (z.B. Ex 5,22f.) wird laut, *nachdem* der Bote den schweren Gang zum König im Auftrag Jahwes angetreten ist und den Auftrag ausgeführt hat und *nachdem* er in der Ausrichtung seiner Botschaft schwere Erfahrungen hat machen müssen. Der Einwand hingegen (z.B. Ex 4,10 (5)) wird laut, *bevor* der Bote überhaupt den Auftrag ausgeführt hat und *bevor* er in seiner Unfähigkeit zu reden schwere Erfahrungen hat machen müssen.

Entsprechend unterscheiden sich auch die *Antworten Jahwes* auf die Klagen bzw. auf die Einwände: Die Antworten auf die Klagen (Ex 6,1; Num 11,18; Jer 12,5; 15,19b.20aα; 20,9aβ (6)) entlassen zwar Mose bzw. Jeremia nicht aus ihrem Auftrag, aber sie setzen voraus, daß der Auftrag schon einmal ausgeführt worden ist und daß der Mittler bereits schwere Erfahrungen gemacht hat und gehen daher auf die Klage ein, indem sie die Mittler, je den Erfordernissen der jeweiligen Situation entsprechend, darin bestärken, sich noch einmal auf den Weg zu machen und den schweren Auftrag durchzuhalten. Demgegenüber nehmen die Antworten auf die Einwände (Gen 24,6-8; Ex 4,11f.; Ex 3,12; Ri 6, 16; 1 Sam 10,1; Jer 1,7f.; Jer 32,26-44) zu diesen Stellung. Allerdings fehlen unter den genannten Beispielen sichere Belege für Einwände von Gerichtspropheten mit anschließender Antwort Jahwes (7). Entweder sind die Einwände dtr. (Gen 24,5-8; Ex 4,10-12; Jer 1,6-8; Jer 32,16-44) und daher nur von bedingter Beweiskraft, oder sie sind zwar vordtr., aber Rettereinwände ((Ex 3,11f.); Ri 6,15f.; 1 Sam 9,21; 10,1)(8). Wie bei den Antworten auf die Klagen ist aber auch bei den

---

1 Auch Gesprochenes kann eine Klage zur Folge haben: Das Hören einer schlechten Nachricht kann zu einer Klage führen, auf deren Linie die Klage liegt, cf. dazu D.R.Hillers, A Convention in Hebrew Literature: The Reaction to Bad News, der aber in der "Reaction to Bad News" viel zu einseitig ein Stilmittel und damit ein literarisches Mittel sieht.
  Daß auch auf der vorliterarischen Ebene das Hören von etwas Schrecklichem zu einer Klage führen kann, zeigt Jer 4,19-21 (V.21: אשמעה).
2 so auch U.Eichler, a.a.O., S.105
3 Cf. z.B. Jer 12,1-3; 17,15.
4 Cf. z.B. Jer 32,24; Ez 21,5
5 Dieser Vergleich sei erlaubt, auch wenn Ex 4,10 einer anderen literarischen Schicht angehört (dtr.) als 5,22f. (J).
6 In Jer 20,9aβ wird das Jahwewort in der Klage vorausgesetzt.
7 Sichere Beispiele für Einwände Jeremias auf Aufträge sind nur 5,4 und 6,10. Auf beide Einwände folgt allerdings kein explizites Jahwewort.
8 Daher wird man mit einem Vergleich der Antworten auf Klage und Einwand vorsichtig sein müssen auch im Blick auf die Äußerungen von U.Eichler, a.a.O., S.131: "Die Antwort Gottes auf Einwand und Klage bewegt sich ... auf einer gemeinsamen Ebene. Gott entkräftet den Einwand nie, sondern geht auf den Einwendenden bzw. Klagenden als Vater und Herr ein. Gottes Antwort übersteigt die Ebene des Argumentierens. In der Antwort des souveränen Gottes treffen sich Einwand und Klage."

Antworten auf die Einwände die Tendenz festzustellen, daß Jahwe niemals seinen Auftrag an den Mittler zurücknimmt.

Diese Jahweworte sind wohl zu unterscheiden vom "priesterlichen Heilsorakel", das dem Einzelnen eine Wende seiner Not zusagt (1). Eine Wende der gerichtsprophetischen Not kann nur das schließliche Eintreffen des Gerichts bedeuten, wie es in Jer 17,14-18; 18,*19-23 erbeten wird, ohne daß auf diese Bitten schon eine Antwort Jahwes käme wie später auf der Stufe von D (Jer 11,21-23), der das Gericht als schon eingetroffen voraussetzt. Für Jeremia kann die Antwort Jahwes nur lauten, den Auftrag als Gerichtsprophet durchzuhalten (12,5; 15,19b. 20aα) - und schließlich zusammen mit seinem Volk das Gericht zu erleiden. Dies ist auch die Konsequenz aus den beiden sicher auf Jeremia zurückgehenden Einwänden 5,4 und 6,10: Vor dem von Jeremia geschauten (4,19-21) Unheil, das von Jeremia dann als Gericht Jahwes wegen der Schuld des Volkes angekündigt wird, gibt es kein Zurück.

In drei Punkten sind *U.Eichlers* Überlegungen zu Klage und Einwand fortzuführen:

1. *U.Eichler* untersucht die Einwände nur in ihrer Bezogenheit auf den Gesprächsgang, an dem sie teilhaben, und breitet eine Fülle von Textmaterial aus dem Pentateuch, den Vorderen Propheten und dem Buch Ruth aus, fragt aber nicht danach, *was jeweils eingewendet wird* und ob dieses Eingewendete eine sprachliche Form annimmt, die es überhaupt erst erlauben würde, die Fülle der herangezogenen Texte unter dem gemeinsamen Oberbegriff "Einwand" zusammenzufassen.

2. *U.Eichler* dehnt die Unterscheidung von Argumentieren und Schreien auch auf die Klagen aus und unterscheidet dort "spontane Klagen" (Jer 15,10,17f.; 20,7-9) von "argumentierenden Klagen" (Jer 17,14-18; 18,*19-23). In der Mitte zwischen beiden Klagen steht die "fragende Klage" 12,1-3 (2). Die spontanen Klagen entzünden sich angesichts des Schweigens Jahwes an der Anfeindungssituation, in der Jeremia sich vorfindet, während die argumentierenden Klagen Bezug nehmen auf ein Verhalten der Feinde, aber keine unmittelbare Notsituation voraussetzen (3). In jedem Fall aber bildet die Feindklage ein wesentliches Element. Nur schiebt sich in den spontanen Klagen die Anklage Jahwes stärker in den Vordergrund.

Die Formunterschiede liegen bei den genannten Texten zwar auf der Hand (4), doch wird in den Klagen Jeremias niemals expressis verbis vom Schweigen Jahwes gesprochen. Niemals finden wir in den "spontanen Klagen" eine Bitte um Zuwendung - diese findet sich vielmehr in der "argumentierenden Klage", wo sie - will man den Thesen von *U.Eichler* folgen - eigentlich nicht auftauchen dürfte, und wie sollte Jeremia auch das Schweigen Jahwes beklagen, wo doch Jahwe immer wieder neu zu ihm spricht und ihn immer wieder neu sendet, allerdings mit Aufträgen, die Jeremia zu schwer sind?

3. *U.Eichler* unterscheidet die Anredeform der Klage von der Anredeform des Einwandes. Für die Klage ist charakteristisch die Anrede:

---

1 Cf. dazu bes. J.Begrich, Heilsorakel; C.Westermann, Theologie, S.56-58.
2 U.Eichler, a.a.O., S.75-103
3 ebda., S.82
4 s.o., Teil III.

"Mein Gott!" (1), für den Einwand hingegen die Anrede: אהה אדני יהוה,
die erforderlich sei, damit der Einwendende sich auf die gleiche Stufe erhebe wie der Gesprächspartner, wie es der Einwand erfordere (2).
Das würde dann z.B. bedeuten, daß Jahwe in Ex 3,1-6,1 im Einwand 4,10
eine andere Position hätte als in der abschließenden Klage 5,22f., wobei Klage und Einwand gemeinsam wäre, daß sie Jahwe gewissermaßen auf
einer partnerschaftlichen Ebene ansprechen, die aber unterschiedlich
hoch angesiedelt wäre. So würde der Einwand sich an Gott, den Herrn,
richten, was den "Klimmzug" der Gottesanrede: אהה אדני יהוה erfordern
würde; die Klage hingegen würde sich an den persönlichen Gott richten (3), den "Vater, dem man keine Ehrfurchtsbezeugung zu bringen
braucht, auch wenn man gegen ihn klagt" (4). Diese Unterscheidung bedarf ebenso einer kritischen Untersuchung wie die unter 1. und 2. genannten Problemkreise.

2. Beobachtungen zur Form des Einwandes

Wenn auch die Untersuchung der Form des Einwandes schon außerhalb des
Themas "Der klagende Gerichtsprophet" liegt, so seien an dieser Stelle doch einige bislang noch nicht berücksichtigte Beobachtungen zur
Form des Einwandes eingeschoben, damit auch auf diese Weise die Besonderheit der Klage gegenüber dem Einwand noch deutlicher hervortritt
als in der bisherigen Forschung. Vorausgesetzt wird der Nachweis *U.*
*Eichler*s, daß der Einwand im Alten Testament nicht nur im Reden des
Menschen mit Gott, sondern auch im zwischenmenschlichen Reden belegt
ist und dementsprechend die Überlegung abwegig ist, der Einwand könne
seinen Sitz im Leben im Berufungsschema haben (5). Im Vordergrund werden die Einwände gegenüber Jahwe stehen; die zwischenmenschlichen Einwände werden nach Bedarf herangezogen werden.

Wer auch nur einen Teil der von *U.Eichler* angeführten Belege über-
blickt, der ist überrascht von der *syntaktischen Gleichförmigkeit*, in
der sich die Einwände sowohl im "theologischen" als auch im zwischenmenschlichen Bereich darbieten: Das Eingewendete wird durchweg in der
Form des *Nominalsatzes* oder des *Verbalsatzes mit einer Verbform der*
Afformativ-Konjugation zur Sprache gebracht, häufig durch הנה eingeleitet.

Nominalsätze sind zum Beispiel:

Siehe, mein Geschlecht ist ja das geringste in Manasse
    und ich bin der jüngste in meines Vaters Hause (Ri 6,15).

Ich bin ja kein beredter Mann (Ex 4,10).

Ich bin ja noch zu jung (Jer 1,6).

Die gleiche Funktion wie der Nominalsatz kann auch der Verbalsatz mit
einer Verbform der Afformativ-Konjugation haben:

Ich verstehe nicht zu reden (Jer 1,6) (6).

---

1 U.Eichler, a.a.O., S.127
2 ebda.
3 ebda.
4 ebda.
5 So W.Richter, Berufungsberichte, S.146, der allerdings diese Überlegung unter
  Hinweis auf 1 Sam 18,18 sogleich wieder zurücknimmt.
  Zur Frage des Einwandes cf.a. M.Görg, Einwand.
6 Cf.a. Ex 6,12 (Verbalsatz mit Afformativ-Konjugation + Nominalsatz); Ex 6,30.

An die Stelle des nominalen Aussagesatzes kann auch ein nominaler Fragesatz treten:

Wer bin ich, daß ... (Ex 3,11; 1 Sam 18,18; 2 Sam 7,18)?

Diese feste syntaktische Formung bleibt auch erhalten, wenn *Inhalte der Klage* als Argument aufgenommen werden, Jer 6,10:

Siehe, unbeschnitten ist ihr Ohr ... (Nominalsatz)
Siehe, das Wort Jahwes ist ihnen zum Spott geworden ... (Verbalsatz
mit Affirmativ-Konjugation).

Auch der Hinweis auf das eigene untadelige Verhalten kann in der Form eines Verbalsatzes mit Afformativ-Konjugation vorgebracht werden:

Was habe ich getan, daß ... (1 Sam 29,8) (1)?

In jedem dieser Sätze wird *ein Sachverhalt gegen ein Wort*, meist einen Auftrag (Jahwes), vorgebracht.

Diese *Bezogenheit des Einwandes auf Gesprochenes* verdeutlichen sehr schön die folgenden beiden Beispiele, eines aus dem Bereich des zwischenmenschlichen Redens, das andere aus dem Bereich des Redens des Menschen zu Gott:

Bin ich nicht (nur) ein Benjaminit, aus dem kleinsten der Stämme
Israels?
Und mein Geschlecht ist das geringste unter allen Geschlechtern
des Stammes Benjamin! (Nominalsätze)
Warum *redest* du denn solches zu mir (1 Sam 9,21)?

Siehe, die Dämme reichen schon bis an die Stadt;
(Verbalsatz, Afformativ-Konju-
gation)
und da *sagst* du zu mir: "Kaufe dir einen Acker um Geld und ziehe
Zeugen hinzu (Jer 32,24f.)!" (2)

Auch innerhalb der Klage kann ein Sachverhalt in ähnlicher sprachlicher Ausformung (Nominalsatz, eingeleitet durch הנה) vorgebracht werden:

Siehe, sie sagen zu mir: ... (Jer 17,15),

aber die Zielrichtung dieses Arguments ist eine andere als im Einwand: Zielt im Einwand das Argument auf eine Stellungnahme des Angesprochenen, so in der Klage auf eine Wende der Notsituation, in der der Prophet sich vorfindet.

3. Die Klage als Antwort auf Geschehen (Geschehenes und Geschehendes)

Im Unterschied zum Einwand setzt die Klage nicht etwas (von Jahwe) Gesprochenem einen Sachverhalt gegenüber mit dem Ziel einer Stellungnahme, die das Gesprochene im Blick auf zukünftiges Geschehen abwandelt, sondern macht Jahwe für ein Geschehen (Geschehenes bzw. Geschehendes) verantwortlich und erwartet von Jahwe eine Wende dieses Geschehens. Diesem unterschiedlichen Bezug von Klage und Einwand entspricht auch der Unterschied in der Form:

---

1 Fast alle genannten Aspekte sind in 1 Kön 18,9-14 zusammengefaßt.
2 Ganz ähnlich: Num 11,21f.; cf.a. Ez 4,14: הנה + Nominalsatz ... + ... Verbalsatz
mit Afformativkonjugation.

Herr, warum handelst du übel an diesem Volke?
Warum dies: Du hast mich gesandt,
und seitdem ich zum Pharao gegangen bin, um in deinem Namen zu
reden,
hat er an diesem Volke übel gehandelt;
aber gerettet hast du dein Volk nicht (Ex 5,22f.)!

Auffällig sind die Anklagen in der Form der Frage am Anfang und in der
Form der Aussage am Schluß dieser Klage. In der Mitte wird Jahwe auf
einen widersprüchlichen Sachverhalt aufmerksam gemacht, der fast auch
so in einem Einwand stehen könnte (1), aber Jahwe wird nicht auf einen
Widerspruch zwischen einem Sachverhalt und seinem in diesen Sachverhalt hineintreffenden Reden mit dem Ziel einer Stellungnahme im Blick
auf *zukünftiges Geschehen* angesprochen, sondern auf einen Widerspruch
zwischen *Geschehendem* ("Warum handelst du übel an diesem Volke?") und
einem diesem vorangehenden *Handeln* Jahwes ("Du hast mich gesandt ...
gerettet hast du dein Volk nicht.") (2).

Ist damit die *Besonderheit der Klage gegenüber dem Einwand* klarge-
stellt, so sind im folgenden einige grundsätzliche Bemerkungen zur
Formgeschichte der Klage erforderlich, wie sie sich aus den obigen
Untersuchungsgängen ergeben haben.

a. Die Überlieferungsform der Klage

Klagetexte können nicht beliebig aus den Zusammenhängen gelöst werden,
in denen sie im Alten Testament überliefert sind, um dann unmittelbar
mit den Klagen aus anderen Überlieferungszusammenhängen verglichen zu
werden. Vielmehr ist die *Überlieferungsform* zu beachten, in der die
Klage auf uns gekommen ist. Wenn die Klage auf Geschehenes bezogen ist,
so ist streng darauf zu achten, wie dieses
Geschehen dargestellt ist. So ist methodisch streng zu unterscheiden
zwischen einer Darstellung von Geschehen mit antwortender Klage in der
Form der *Erzählung* aus der Sichtweise eines Dritten wie in Ex 3,1-6,1
und der Darstellung des gleichen Geschehens "von innen her" in der
Form des *Eigenberichts* über einen Auftrag auf der einen und antwortender Klage auf der anderen Seite wie in Jer 13/12; 16/15 und 18f./20.
Eine noch andere Darstellung des Bezuges der Klage auf Geschehen stellt
die *gesondert tradierte Klage* dar, wie die Beispiele Jer 17,14-18 und
18,*19-23 zeigen, aber auch die im Psalter gesammelten Klagen. Der
Sache nach entsprechen diese Klagen Anfeindungssituationen, wie sie in
den "Baruch-Erzählungen" vorliegen (3), aber es entspricht der Besonderheit von Erzählung und Klage als Darstellung von Leiden, daß die
Klage nicht innerhalb der "Baruch-Erzählungen" auftaucht (4), sondern
gesondert überliefert ist. Daß aber Erzählung und Klage analoge Darstellungsformen von Leid sind, hat D erkannt, indem er in Jer 11-20
die Klage und in Jer 26-45 die Erzählung als in der Tradition vorgegebene Form für die Darstellung von Leiden aufnahm und in sein eigenes
Jeremia-Bild einpaßte.

---

1 Cf. Jer 32,24f..
2 Ganz ähnlich ist die grammatische Struktur der Klage Jer 20,18.
3 Im Blick auf das hier Gemeinte kann G.Wankes (Untersuchungen) Unterscheidung
  der Komplexe I. und II. bei den "Baruch-Erzählungen" (s.o., S.150, A.2) vernachlässigt werden.
4 Mit einer charakteristischen Ausnahme, der Klage Baruchs (Jer 45), die allerdings nach Auffassung G.Wankes (ebda.) außerhalb der eigentlichen "Baruch-Erzählungen" zu sehen ist. (S. dazu ferner o., S.156f..)

Innerhalb der *Erzählung* wiederum ist es nicht einerlei, an welcher Stelle die Klage zu stehen kommt. So ist es ein Unterschied, ob die Klage am Anfang des Spannungsbogens einer Erzählung steht wie 2 Kön 20,3=Jes 38,3 oder auf dem Höhepunkt des Spannungsbogens wie Ri 16,28, oder ob die Klage ganz am Schluß steht, nachdem die Spannung der Erzählung schon zur Lösung gekommen ist, so daß die Klage auf das ganze erzählte Geschehen reagiert, wie Ex 5,22f.. Im letzteren Falle läßt sich die Klage von der Erzählung lösen und unmittelbar vergleichen mit der Klage in einem ganz anderen Überlieferungszusammenhang: Jer 20,7-9, und die Ähnlichkeit von Jer 20,7-9 und Ex 5,22f. bestätigt dieses Vorgehen. - Im Gegensatz zu Ex 5,22f. bilden 2 Kön 20,3=Jes 38,3 und Ri 16,28 feste Bestandteile des Erzählungsbogens. Die Überlieferungsform der Erzählung hat die Klagen auf das Wesentliche konzentriert, in 2 Kön 20,3=Jes 38,3 auf das Unschuldsbekenntnis, in Ri 16,28 auf das Rachegebet; vorangestellt ist beiden die einleitende Bitte:

Ach, Jahwe, gedenke doch daran,
daß ich in Treue und ungeteiltem Herzen vor dir gewandelt bin
und getan habe, was dir wohlgefällt (2 Kön 20,3=Jes 38,3).

Herr Jahwe, gedenke doch meiner
und stärke mich nur diesmal noch (1),
so werde ich mich für eines meiner beiden Augen an den Philistern rächen (Ri 16,28).

Diese beiden auf das Wesentliche konzentrierten Klagen bilden einen unlösbaren Zusammenhang mit den Erzählungen, in denen sie überliefert werden (2). Für sich könnten diese beiden Verse mündlich nicht tradiert werden. Erst der Übergang zum literarischen Umgang mit Klagestücken ermöglichte auch den freien Umgang mit gesonderten Unschuldsbekenntnissen bzw. Rachegebeten, wie die Einfügung des isolierten Unschuldsbekenntnisses Jer 15,11 und des isolierten Rachegebetes Jer 15,15 zeigt (3). Umgekehrt kann eine voll entfaltete Klage nur gesondert neben der Erzählung her tradiert werden, wie die Klage Hiskias Jes 38, 10-20 (4) zeigt, die den Erzählungszusammenhang von 38,1-8 zerstört, wie an den beiden versprengten Versen 38,21 und 22 zu sehen ist.

Diese Beobachtungen mögen als Hinweise für die weitere Beschäftigung mit den Klagen in der erzählenden Überlieferung des Alten Testaments genügen (5).

---

1 om אלהים c BHS, app.
2 Für Ri 16,28 gilt diese Bemerkung unabhängig von der wohlbegründeten These, daß die ursprüngliche Erzählung von dem Helden Simson erst sekundär "jahwisiert" worden ist (cf. H.Gunkel, Simson, S.46; R.Bartelmus, Heroentum, S.107; zurückhaltend A.Wendel, Laiengebet, S.68). In der "jahwisierten" Erzählung ist das Gebet Simsons fest mit der Erzählung verbunden.
3 s.o., S.99f.
4 Diese gesonderte Klage ist nur in Jes 38, nicht aber in 1 Kön 20 überliefert! (Auf die Unterschiede von Jes 38,3 und 38,10-20 in ihrem Verhältnis zur Erzählung hat mich E.Ruprecht aufmerksam gemacht.)
5 Cf. dazu noch die Bemerkungen zum Verhältnis von Erzählung und Klage o., S.65 zu 1 Kön 19,8-18.
Die beiden wichtigsten Beiträge zur Klage in der erzählenden Überlieferung des Alten Testaments sind immer noch A.Wendel, Laiengebet und C.Westermann, Struktur und Geschichte. C.Westermann, Gebet, S.452-454 vertritt die Auffassung, die Klage im Psalter sei eine Verdichtung verschiedenartiger Elemente wie Anruf, Klage, Bitte, Bekenntnis der Zuversicht, Gelübde, die in bestimmten Situationen "allein

b. *Die Form der gerichtsprophetischen Klagen*

α. *Die Dreigliedrigkeit der gerichtsprophetischen Klage*

So unterschiedlich die untersuchten Geschehenszusammenhänge waren: Die gerichtsprophetische Klage ist in jedem Falle dreigliedrig (Du-Klage, Ich-Klage, Feind-Klage) (1). Jedoch ist das Verhältnis der drei Glieder der Klage zueinander unterschiedlich. So fehlt in Jer 4,19-21 der eindeutige Bezug auf die Feinde. Dieses Fehlen aber ließ sich erklären durch den festen, innerhalb der drei Gedichte Jer 4,*5-21 von vornherein gegebenen Bezug der Klage auf die Darstellung des Kommens der Feinde vom Norden (2).

β. *Formen gerichtsprophetischer Klage*

In der Gerichtsprophetie des Alten Testaments sind zwei Formen der Klage zu unterscheiden: Die auftragsbezogene Klage und die Klage, die erwächst aus dem Warten auf das Gericht. Die erste Form ist belegt in Ex 5,22f.; (Num 11,*11-15); Jer 12,1-3.4b*; 15,10.17f.; 20,7-9, die zweite in 1 Kön 19,10=18; Hos 9,7b-9; Jes 6,11; (8,16-18); Mi 3,8; Jer 17,14-19; 18,*19-23; Ez 33,30-33.

---

diese Situation bzw. die Hinwendung zu Gott in ihr zum Ausdruck bringen" (S.454). Umgekehrt muß man aber auch mit einer Reduzierung der Klage bzw. des Klagepsalms auf ein oder wenige Elemente rechnen, bedingt durch die begrenzten Möglichkeiten der Erzählung, Klage zu tradieren oder aber auch bedingt durch die Interessen der /des hinter der Erzählung stehenden Erzählgemeinschaft oder Erzählers.

1 Cf. dazu Westermann (s.o., S.12 mit A.1). Wenn E.Gerstenberger, Psalms, S.187 in der Dreigliedrigkeit der Klage eine trinitarische Struktur sieht, die begründet sei in einer einseitigen Auslegung der Psalmen von einer Art Wort-Gottes-Theologie her, wie sie nach dem Zweiten Weltkrieg in der deutschen Psalmenforschung im Gefolge der Theologie Karl Barths um sich gegriffen habe und schließlich nur noch die formale Struktur der Texte, nicht aber den Sitz im Leben mehr betrachtet habe, so übersieht er die sehr differenzierte Verhältnisbestimmung von Geschichte, Klage und Wort Gottes sowohl bei G.von Rad (s.o., S.19, A.1) als auch C.Westermann (cf. dessen Zusammenfassung seiner Sichtweise in: Theologie, S.5-27 u.ö.).
Die Dreigliedrigkeit der Klage entspringt nicht einer vorgefaßten Trinitätstheologie, sondern der alttestamentlichen Anthropologie (cf. z.B. C.Westermann, Theologie, S.81), die den Menschen immer in drei Dimensionen sieht: in seinem Verhältnis zu Jahwe, zu seinen Mitmenschen und als Ich. Die Klage zeugt von einer Störung dieser Beziehungen und ist aus auf das Heilsein dieser Beziehungen.
Daß die Klage diese drei Dimensionen hat, zeigen nicht nur D.Sölle, Leiden (s.o., S.22, A.6), sondern auch neuere Seelsorge-Methoden, die sich durchweg in drei vergleichbaren Dimensionen bewegen: Der Mensch - die Gruppe - das Thema (letzteres ist beliebig zu wählen, sowohl, was den Inhalt, als auch, was das Medium angeht) (cf. dazu z.B. A.Heigl-Evers, Stufentechnik; W.V.Lindner, Kreative Gruppenarbeit).
Die Dreigliedrigkeit der Klage hängt so denn auch nicht primär damit zusammen, daß die Klage Antwort auf das Wort Jahwes ist, sondern daß sie antwortet auf Geschehen, das von Jahwe herkommt und/oder den Feinden. So klagt denn der Prophet auch nicht über das, was Jahwe ihm sagt, sondern über das, was er ihm tut.

2 Von dieser Beobachtung her ist weiterzufragen, ob die geringe Betonung der Feindklage in den frühen Klagen die tatsächlichen Verhältnisse in der Frühgeschichte der Klage wiedergibt (so C.Westermann, Struktur und Geschichte, S.291-295) oder aber bedingt ist durch die Überlieferungsform der Erzählung, wobei immer die Stelle der Klage innerhalb des Erzählbogens und das hinter der Erzählung stehende Erzählinteresse mitzuberücksichtigen sind, s. dazu o., S.193.

Die Form dieser Klagen ist höchst unterschiedlich, was bei der zweiten Gruppe zusammenhängt mit der jeweiligen *Überlieferungsform* für die Klage (Prophetenerzählung: 1 Kön 19,10=14; Eigenbericht: Jes 6,11; (8, 16-18); Prophetenspruch: Hos 9,7b-9; (Mi, 3,8); Ez 33,30-33; gesondert überlieferte Klagen: Jer 17,14-18; 18,*19-23). Die Formunterschiede zwischen der ersten und der zweiten Gruppe von Klagen sind aber begründet in den *unterschiedlichen Vorgängen*, auf die die Klagen bezogen sind. Dies sei verdeutlicht durch einen Vergleich von Jer 17,14-18; 18,*19-23 mit Jer 12,*1-4; 15,10.17f.; 20,7-9.

Die beiden Klagen 17,14-18 und 18,*19-23 haben in den wesentlichen Punkten den gleichen Aufbau:

Einleitende Bitte	17,14	18,19
Hinweis auf das eigene tadellose Verhalten	17,16	18,20
Feindklage	17,15	18,22b
Bekenntnis der Zuversicht	17,17	18,23aα
Bitte um Bestrafung der Feinde	17,18	18,23aβ.b.

Der Aufbau dieser beiden Klagen entspricht dem Aufbau des Klagepsalms des Einzelnen am meisten, nur ist die Ausrichtung auf die Feindklage und die Bitte um die Bestrafung der Feinde stärker betont als in der "Normalform" und entspricht der Tendenz der Klage des Einzelnen, die Feindklage immer stärker hervorzuheben (1). Ebenso läßt sich in der Formgeschichte der Klage des Einzelnen das Unschuldsbekenntnis erst in einem späten Stadium feststellen (2). Hinter diesen Gemeinsamkeiten der Form der beiden gerichtsprophetischen Klagen 17,14-18 und 18,*19-23 und der "Normalform" des Klagepsalms des Einzelnen steht ein vergleichbares Geschehen: Nimmt die allgemeine Klage des Einzelnen die beschriebene Ausformung an aufgrund der *Dauer einer Not*, so setzen die beiden gerichtsprophetischen Klagen auch die Dauer einer Not voraus, allerdings einer spezifisch gerichtsprophetischen Not: die sich dehnende Spanne zwischen der Ankündigung und dem Eintreffen des Gerichts.

Im Gegensatz zu diesen beiden Klagen tritt in den Klagen 12,*1-4; 15,10.17f.; 20,7-9 die Anklage Jahwes in den Vordergrund. Nur einmal wird der Bereich der Klage im engeren Sinne des Wortes überschritten: in dem Urteilsvorschlag 12,3, der aber in V.4b* doch wieder durch die Klage über das Reden der Gottlosen eingefangen wird. Die einzelnen Elemente der Klage sind durchaus unterschiedlich verteilt:

12,1a	Bekenntnis zu Jahwe als dem gerechten Richter
1b.2	Anklage Jahwes (=Klage über das Wohlergehen der Gottlosen)
3	Urteilsvorschlag
4b*	Klage über das Reden der Gottlosen
15,10	Klage an die Mutter, daß sie ihn geboren
	Entfaltung: Hinweis auf das eigene tadellose Verhalten
	Hinweis auf das Verhalten der anderen
17	Ich-Klage (Begründung: Anklage Jahwes)
18	Anklage Jahwes

---

1 s.o., S.63 mit A.1
2 So auch H.Gunkel-J.Begrich, Einleitung, S.194.

20,7	Anklage Jahwes
	Entfaltung: Ich-Klage mit Anklang an die Feindklage
8	Anklage Jahwes
	Entfaltung: Klage über das Wort Jahwes mit Anklang an die Feindklage
9	Ich-Klage

Die Ich-Klage und die Feind-Klage sind also deutlich der Anklage untergeordnet (1). Darin entsprechen diese Klagen der formgeschichtlichen Frühform der Klage, wie *C.Westermann* sie ermittelt hat (2). Das Gemeinsame zwischen beiden ist die *Bezogenheit auf ein Geschehen, hinter dem Jahwe steht*:

Ach, Herr Jahwe, warum hast du dieses Volk über den Jordan geführt, um uns in die Hand der Amoriter zu geben ... (Jos 7,7)?

Nun aber hat uns Jahwe verstoßen und uns in die Hand der Midianiter gegeben ... (Ri 6,13).

Ach! Jahwe hat diese drei Könige hergerufen ... (2 Kön 3,10).

Du hast durch die Hand deines Knechtes diesen großen Sieg gegeben, und nun soll ich vor Durst sterben und in die Hand der Unbeschnittenen fallen (Ri 15,18)? (3)

Nicht auf das Handeln der Feinde reagieren diese Klagen primär, sondern auf das Handeln Jahwes, das sich allerdings auswirken kann in einem Reden oder Handeln der Feinde (4).

Besteht in den genannten Beispielen aus der erzählenden Überlieferung des Alten Testaments das in der Klage vorausgesetzte Geschehen in einem Handeln Jahwes gegen das Volk oder den Mittler im Zusammenhang des Krieges, so in den Beispielen aus dem Jeremiabuch und Ex 5,22f.

---

1 So ist auch in Ex 5,22f. die Feindklage deutlich der Anklage Jahwes untergeordnet:
   Warum handelst du übel an diesem Volke? (Anklage)
   (Pharao) handelt übel an diesem Volke. (Feindklage)
2 Struktur und Geschichte der Klage, S.291-295
3 Während die Form der Erzählung uns Klagen überliefert, die "je nur auf eine einmalige Situation gehen" (C.Westermann, a.a.O., S.294), hat sich in den Konfessionen Jeremias eine Mehrzahl von Erfahrungen verdichtet, was zusammenhängen kann mit Jeremias Ort am Ende der Gerichtsprophetie und der Fülle der Leiderfahrungen, die Jeremia infolge der Auftragsausführungen zu ertragen hatte. Die Last des Beauftragtseins wird bei Jeremia zu etwas Stetigem, das seinen Lebensrhythmus voll und ganz bestimmt, so daß sogar der Auftrag Jahwes an ihn rhythmische Form annimmt: 16,*5.7.
4 In diesem Sinne sind die Bemerkungen U.Eichlers, a.a.O., S.202-207 zur Sache zu korrigieren, die zu stark auf die Rolle der Feindklage abhebt: "Die Verwandtschaft der Klagen Jeremias mit den Klagen der Frühzeit ist ein Hinweis auf ihre Nähe zur Anfeindungs- und Notsituation." (S.207)
   Mit den obigen Bemerkungen zum Verhältnis von Konfessionen Jeremias und Klagen der Frühzeit ist noch nichts gesagt über das redaktionsgeschichtliche Alter der Klagen aus der erzählenden Überlieferung. Um Mißverständnissen vorzubeugen, sei klargestellt: Redaktionsgeschichtlich späte Texte können durchaus ein formgeschichtliches Frühstadium wiedergeben. U.Eichler allerdings vernachlässigt die redaktionsgeschichtliche Fragestellung bei den Texten außerhalb des Jeremiabuches völlig.

in der Sendung des Gerichtspropheten mit einem Wort oder einer symbolischen Handlung zu einem König (Pharao=Salomo) oder zum ganzen Volk. Der Unterschied zwischen den oben angeführten Beispielen und den drei Beispielen aus dem Jeremiabuch besteht darin, daß jene im Zusammenhang von Erzählungen überliefert sind, diese aber als gesonderte, auf einen Eigenbericht über einen Auftrag bezogene Klagen, in zwei Fällen (12,5; 15,19b.20aα mit einem nachfolgenden Jahwewort. In diesem Falle aber lassen sich die Klagen hier und dort trotz der unterschiedlichen Überlieferungsformen unmittelbar miteinander vergleichen.

Dem unterschiedlichen Aufbau der auftragsbezogenen Klagen und der gerichtsprophetischen Klagen, die auf das ausbleibende Gericht warten, entspricht die unterschiedliche Form und Funktion der einzelnen Elemente:

1. Die *Feindklage* stellt in Jer 17,15 und 18,22b ein echtes Verklagen dar: Die Feinde sind grammatisches Subjekt, ebenso auch in den anderen gerichtsprophetischen Klagen, die dieser Gruppe zuzurechnen sind. Wie in der allgemeinen Klage finden sich Aussagen über das Handeln der Feinde neben Aussagen über das Reden der Feinde:

Handeln der Feinde:

... sie trachten danach, mir das Leben zu nehmen ...
(1 Kön 19,10=14; cf. z.B. Ps 35,4; 38,13; 40,15; 54,5; 70,3; 86,14)

.Ephraim liegt auf der Lauer beim Hause des Propheten.
Ein Fangnetz ist auf allen seinen Wegen,
Feindschaft im Hause seines Gottes.
(Hos 9,8; zu צפה cf. Ps 37,32; zu פח Ps 91,3; 119,110; 124,7; 141,9; 142,4 u.ö.; zu שׂטם cf. Ps 55,4)

Sie haben mir eine Grube gegraben ...
(Jer 18,22; cf. z.B. Ps 57,7; 119, 85)

Sie haben meinen Füßen heimlich Schlingen gelegt ...
(Jer 18,22; cf. z.B. Ps 140,6; 142, 4)

Reden der Feinde:

Sie sprechen zu mir: ...   (Jer 17,15; cf. z.B. Ps 3,3; 42,11; 64,6; 71,11)

Sie unterreden sich ...   (Ez 33,30; cf. bes. Ps 71,10; 83,6; 119,23).

Bei diesen Stellen handelt es sich eindeutig um ein *Verklagen* der Feinde.

In den auftragsbezogenen Klagen hingegen *entfaltet* die Feindklage die Anklage, und erst ganz am Rande werden die Feinde auch als grammatisches Subjekt erwähnt:

Sie sagen: "Er sieht unsere Wege nicht!" (Jer 12,4)

Alle verfluchen mich ... (Jer 15,10).

Jedermann spottet mein ... (Jer 20,7),

während sich sonst nur Hinweise auf das Verhalten der Feinde finden:

Ich bin zum Gelächter geworden ... (Jer 20,7).

Das Wort Jahwes ist mir zur Schmach geworden ... (Jer 20,8).

In dieser geringen Selbständigkeit der Feindklage berühren sich die auftragsbezogenen Klagen mit den Klagen aus der erzählenden Überlieferung (1).

2. Umgekehrt tritt die *Anklage* Jahwes in Jer 17,14-18 und 18,*19-23 ganz in den Hintergrund. Nur in den negativen Bitten (17,17; 18,23) klingt sie an (2), während sie in den Klagen 12,*1-4; 15,10.17f.; 20, 7-9 das beherrschende Element ist, ebenso in Ex 5,22f. (3).

3. Die *Ich-Klage* ist jeweils der Anklage (Jer 20,7; 15,17f.) oder der Feindklage (Ez 33,30.32) untergeordnet. Entscheidend ist demnach nicht das Individuum des Propheten, sondern das Geschehen, auf das sich die Klage bezieht (Handeln Jahwes, Handeln der Feinde) (4).

4. Die unterschiedliche Tendenz in der Ausformung der Elemente zeigt sich auch im *Bekenntnis der Zuversicht*. In der einen Gruppe gerichtsprophetischer Klagen finden sich Zuversichtsaussagen wie im Klagepsalm des Einzelnen:

... ich aber ... (Jer 17,16)

... du aber ... (Jer 18,23)

Siehe, ich und die Kinder ... (Jes 8,18) (5).

In den auftragsbezogenen Klagen hingegen ist in Jer 15,18 ein Bekenntnis der Zuversicht in Anklage verwandelt:

Wehe, du bist mir zum Trugbach geworden,
zu einem Wasser, auf das kein Verlaß ist (6),

sogar mit einer gewissen Tendenz zur Totenklage (הוֹי!) hin.

---

1 C.Westermann, Struktur und Geschichte, S.295
2 Zum Nachklingen der Anklage in der negativen Bitte cf. C.Westermann, a.a.O., S. 295. Die Anklage klingt auch nach in Jes 8,17:
"... der sein Antlitz vor dem Haus Jakob verbirgt ...".
3 s.o., S.114; cf.a. Num 11,*11-15.
4 Mit diesen Einschränkungen kann man denn wohl auch G.von Rads berühmten Satz nachsprechen: "Bei Jeremia treten Mensch und prophetischer Auftrag auseinander." (Theologie 2, S.217) Man muß diesen Satz im Kontext einiger überraschender Bemerkungen lesen, nämlich daß sich in den Klagen "problematisierende Reflexion" (S.216) niederschlage. In seinem Aufsatz von 1936 hatte G.von Rad noch gesagt: "Hier ist mehr als subjektive Reflexion und individueller Temperamentsunterschied. Hier ist vielmehr die letzte Ausweglosigkeit gerade des echten Prophetendienstes gesehen; ..." (Konfessionen, S.274). An dieser unterschiedlichen Interpretation der Konfessionen durch denselben Verfasser zeigt sich, wie unterschiedliche zeitgeschichtliche Situation und unterschiedlicher Leserkreis sich auswirken auf die Interpretation von Texten.
5 Zu den "Ich aber ..."- und den "Du aber ..."-Sätzen cf. C.Westermann, Loben Gottes, S.52-56; zu den "Siehe ich ..."-Sätzen cf. Ps 54,6 und C.Westermann, a.a.O., S.52.
6 In Jer 12,2 ist ein Rückblick auf Jahwes früheres Heilshandeln, in 20,9 ein Lobgelübde in Anklage verwandelt, ein Zeichen dafür, welche prägende Kraft Jeremias Anklage hatte, darin der Anklage innerhalb des prophetischen Gerichtswortes vergleichbar.

198

5. Das *Unschuldsbekenntnis* gehört im Klagepsalm des Einzelnen nicht zu den Grundelementen der Normalform; wahrscheinlich stellt es eine Weiterentwicklung der "Ich aber ..."-Sätze des Bekenntnisses der Zuversicht dar: Mit dem Unschuldsbekenntnis setzt sich der Beter von seinen Feinden ab (1):

   ... an deren Händen Schandtat klebt
   und deren Rechte voll Bestechung ist ...
   aber ich - in meiner Unschuld gehe ich ... (Ps 26,10f.).

Dieses Unschuldsbekenntnis setzt schon ein gewisses Maß an Reflexion voraus und ist daher für ein Schreien aus der Tiefe in Antwort auf ein Handeln Jahwes kaum denkbar. Wohl aber kann sich das Unschuldsbekenntnis erheben aus einer schon länger andauernden Bedrängnis durch die Feinde.

Im Gegensatz zu den Klagepsalmen des Einzelnen ist das Unschuldsbekenntnis für die auf das ausbleibende Gericht bezogenen gerichtsprophetischen Klagen geradezu charakteristisch:

   Geeifert habe ich für Jahwe, den Gott der Heerscharen (1 Kön 19,10=14)!

   ... ich·aber habe mich nie in böser Absicht an dich gedrängt (Jer 17,16).

   ... gedenke, wie ich vor dir stand,
   um ihnen zum Besten zu reden,
   um deinen Zorn von ihnen abzuwenden ... (Jer 18,20).

Nicht so betont findet sich das Unschuldsbekenntnis auch in den auftragsbezogenen Klagen:

   ... nicht habe ich geliehen,
   und nicht hat man mir geliehen (15,10).

   Du aber, o Jahwe, kennst mich,
   du prüfst, wie mein Herz zu dir steht (12,3).

γ. *Die Bezeichnung der Formen gerichtsprophetischer Klage*

Die unterschiedlichen Formen gerichtsprophetischer Klage sind letztlich begründet in den unterschiedlichen Geschehensbezügen, in denen sie stehen. Daher schlage ich vor, die eine Gruppe als "auftragsbezogene Klagen", die andere Gruppe als "auf das ausbleibende Gericht bezogene Klagen" zu bezeichnen. Das sind keine schönen Bezeichnungen; sie machen aber klar, worum es in diesen Klagen geht. In beiden Fällen befindet sich der Prophet in einer durch Jahwe und/oder die Feinde verursachten Notsituation, die den Propheten in unterschiedliche Richtung schreien läßt, einmal in Richtung auf Jahwe als den Auftraggeber, einmal in Richtung auf Jahwe als den Vollstrecker des Gerichts. Als Auftraggeber wird Jahwe *angeklagt*; um das Kommen des Gerichts wird er *gebeten*, während die Feinde *verklagt* werden (2).

In diesen unterschiedlichen Klagerichtungen wird die Gemütsverfassung des Gerichtspropheten unterschiedlich sein, wie ja auch das Warten von einer anderen Gemütsverfassung bestimmt sein wird als das Anklagen, aber der Hinweis auf den unterschiedlichen Grad der Spontaneität bzw. der Reflexion wird als Unterscheidungsmerkmal

---

1 So auch H.Gunkel-J.Begrich, Einleitung, S.251.
2 In der Bitte gegen die Feinde richtet sich die Aggression, die in den auftragsbezogenen Klagen in die Anklage gegen Jahwe investiert war, gegen die Feinde.

für verschiedene Typen gerichtsprophetischer Klage wird allein nicht ausreichen, um die Unterschiedenheit der beiden Gruppen gerichtsprophetischer Klage zu charakterisieren: U.Eichlers Bezeichnungen: "spontane Klage" und: "argumentierende Klage" müssen präzisiert werden durch den Geschehenszusammenhang, auf den die Klagen jeweils bezogen sind. Dann ist es auch nicht erforderlich, Jer 12,1-3 (1) gesondert als "fragende Klage" zu bezeichnen, zumal es Jeremia in 12,1-3.4b* ja auch nicht um eine Information geht, sondern um eine Wende des Geschehens, das auf ihm lastet.

c. Formgeschichtliches und literarkritisches Arbeiten an den Klagen

Die Frage der Zulässigkeit literarkritischen Arbeitens an den Psalmen ist alt (2), durch den Siegeszug der formgeschichtlichen Methode aber weitgehend verdrängt worden (3). In neuerer Zeit hingegen wird "in der Psalmenexegese ... wieder behutsam, doch entschlossen der Schritt zur Literarkritik gewagt" (4).

Die Untersuchung der gerichtsprophetischen Klagen hat gezeigt, daß beide Methoden in einem sinnvollen Miteinander angewandt werden können, während das einseitige Handhaben der formgeschichtlichen Methode das Werden des Textes der Klagen Jeremias bis hin zur Endredaktion nicht genügend in den Blick bekam und umgekehrt die einseitige Handhabung literarkritischer Kriterien zur Zerschlagung formgeschichtlicher Einheiten wie Ex 5,22f. (5) oder die einseitige Handhabung eines überlieferungsgeschichtlichen Kriteriums zur Zerschlagung einer großen formgeschichtlichen Ganzheit wie Ex 3,1-6,1 führte (6). Literarkritisches Arbeiten führt vor allem dann weiter, wenn es sich nicht beschränkt auf Quellenkritik, sondern sich verbindet mit redaktionsgeschichtlichem Arbeiten (7).

Schwierig wird die gleichzeitige Anwendung literarkritischer und formgeschichtlicher Methode da, wo dieselbe Beobachtung zu entgegengesetzten Entscheidungen führt. Das ist insbesondere der Fall bei der Beobachtung von *Doppelungen*. Diese Beobachtung führte z.B. in Ex 5, 22f. und Jer 18,18-23 zu unterschiedlichen Entscheidungen: Gehört in Ex 5,22f. die doppelte Warum-Frage und der zweimalige Hinweis auf das böse Handeln am Volk, einmal durch Jahwe, einmal durch Pharao zu den Strukturmerkmalen dieser Klage, deren Trennung die Klage zum Zusammenbruch führen würde, so läßt sich in Jer 18,18-23 das Problem der doppelten Feindklage und der doppelten Bitte literarkritisch lösen, und nach Ausscheidung der Doppelungen bleibt eine Klagestruktur, die in sich ruht, viel klarer ist als die überlieferte Form mit den beiden Doppelungen und ihre formgeschichtliche Parallele hat in 17,14-18. Das heißt also: Doppelungen können als Kriterium für die Abhebung unterschiedlicher Schichten nur dann dienen, wenn klargestellt ist, daß die Doppelung von der Form des Textes her nicht gefordert wird, sondern umgekehrt die Form des Textes stört (8). Formgeschichtliches

---

1 So die Abgrenzung bei U.Eichler, a.a.O., S.83.
2 Cf. z.B. R.Kittel, Psalmen, S.XXXXVIIf..
3 P.H.A.Neumann, Zur neueren Psalmenforschung (Einleitung), S.2 beginnt daher auch mit Recht mit der gattungsgeschichtlichen Forschung an den Psalmen.
4 S.Mittmann, Ps 29, S.173
5 s.o., S.46, A.1 (O.Eißfeldt)
6 Besonders M.Noths fragwürdige Hypothese der Ortsgebundenheit von Überlieferungen führte zur Zerschlagung von Ex 3,1-6,1 (Pentateuch, S.31f. mit A.103) geführt.
7 So bes. W.Thiel, Jeremia; ders., Jeremia 1-25.
8 Cf. dazu auch W.Baumgartner, Erzählungsstil, S.150-155.

und literarkritisches Argument dürfen also nicht in Widerspruch zueinander geraten, sondern müssen übereinstimmen.

Sind aufgrund dieser Übereinstimmungen Doppelungen voneinander geschieden worden, so heißt das noch nicht, daß unterschiedliche *Quellen* vorliegen. Sehr häufig ist auch damit zu rechnen, daß eine literarische Grundschicht (wie z.b. der Jahwist) redaktionell überarbeitet wurde (wie z.b. durch die dtr. Redaktion). Von Quellen kann nur geredet werden, wenn die beiden voneinander unterschiedenen literarischen Größen unabhängig voneinander existenzfähig sind (wie z.b. die Priesterschrift neben dem Jahwisten). Hängt die eine literarische Größe von der anderen ab, ohne für sich existenzfähig zu sein, so handelt es sich um eine *Redaktionsschicht*.

Als weiteres Kriterium hat sich die *Unterscheidung von Poesie und Prosa* bewährt. Dieses Kriterium kann aber nur dienende Funktion haben im Zusammenhang mit anderen Kriterien. So gibt es z.b. poetische Texte wie Jer 11,20=20,12, die eindeutig erst durch die Redaktion in die Jeremiaüberlieferung eingebracht worden sind, während umgekehrt mit den Eigenberichten Prosatexte belegt sind, die auf Jeremia zurückgehen. Aufs ganze gesehen zeigt sich aber in der dtr. Redaktion eine Tendenz hin zu Prosagebeten, wobei D ganz deutlich den Übergang von den mündlichen Überlieferungsformen in Poesie hin zu den literarischen Formen in Prosa erkennen läßt.

Charakteristisch für die Phase von D ist auch der *freie Umgang mit isolierten Klagestücken* wie dem Unschuldsbekenntnis (Jer 15,11) oder dem Rachegebet (Jer 15,15) oder dem Bekenntnis zu Jahwe als dem gerechten Richter (Jer 11,20=20,12). und deren Einfügung und Verknüpfung mit anderen Klagetexten. Die *Aneinanderreihung von Klagetexten* unterschiedlicher Herkunft ist allerdings nicht willkürlich oder völlig beliebig. Vielmehr entspricht sie einer gedanklichen Konzeption, in der sich Reflexion niederschlägt, die zwar von den Formgesetzen der Klage und den ihnen entsprechenden Vorgängen nicht völlig unabhängig ist, aber den Abstand zu dem spontanen Schreien des Propheten aus der Tiefe seiner Not deutlich erkennen läßt (1). So kommt es auch nicht von ungefähr, daß D in der Neuformung redaktioneller Klagen auf der Linie der mehr "argumentierenden" Klagen wie 17,14-18 und 18,*19-23 liegt.

4. Die Anrede Gottes im Einwand und in der Klage

Die untersuchten Texte haben mehrfach die Verwendung von Klage und Einwand in fast unmittelbarer textlicher Nachbarschaft gezeigt. Allein schon diese Beobachtung macht *U.Eichler*s These unwahrscheinlich, der Einwand rede Gott als Herrn an, während sich die Klage an den persönlichen Vatergott richte (2).

a. Die Gottesanrede אהה אדני יהוה

U.Eichler bezeichnet im Gegensatz zur gesamten bisherigen Forschung

---

1 Diese Erscheinung der literarischen Aneinanderreihung isolierter Klagetexte bei Beachtung gewisser formgeschichtlicher Grundstrukturen ist zu unterscheiden von C.Westermanns formgeschichtlicher These, die Klage im Psalter sei eine Verdichtung verschiedenartiger Elemente, die vorher je in ihrer Situation ihr Eigenleben geführt hätten (Gebet, S.452-452, s.o., S.193f., A.5). Die Möglichkeit beider Erscheinungen ist auch für die Klagen im Psalter vorauszusetzen.
2 a.a.O., S.127

die Gottesanrede אהה אדני יהוה als Einleitung eines Einwandes (1). Nur in Jos 7,7 leite die Anrede eine Klage ein, die aber stark reflektierte Züge aufweise (2). Richtig ist die Beobachtung, daß אהה אדני יהוה einen Einwand einleiten *kann*. Das ist in der Forschung bislang so nicht gesehen worden. Doch stellen fünf von den zehn Vorkommen der Anrede im Alten Testament Einleitungen zu Klagen dar: Jos 7,7; Ri 6,22; Jer 4,10; Ez 9,8; 11,13, die jeweils reagieren auf ein bestimmtes *Handeln* Jahwes:

Ach, Herr Jahwe, warum hast du dieses Volk über den Jordan geführt ... (Jos 7,7)?

Ach, Herr Jahwe, denn ich habe den Boten Jahwes von Angesicht zu Angesicht gesehen ... (Ri 6,22).

Ach, Herr Jahwe, bitter getäuscht hast du dieses Volk und Jerusalem (3). Du sprachst: "Friede wird euch werden!" - und jetzt geht das Schwert uns ans Leben (Jer 4, 10)!

Ach, Herr Jahwe, willst du den ganzen Rest Israels verderben, daß du deinen Zorn über Jerusalem ausgießest (Ez 9,8)?

Ach, Herr Jahwe, willst du denn den Rest Israels völlig vernichten (Ez 11,13)?

Die anderen fünf Beispiele hingegen (Jer 1,6; 14,13; 32,17; Ez 4,14; 21,5) haben die für den Einwand charakteristische Struktur:

Ach, Herr Jahwe, siehe ... mit folgendem Nominalsatz (Jer 14,13; Ez 4,14; 21,5 (4)) oder
Verbalsatz mit Afformativ-Konjugation (Jer 1,6; 32,24).

Auch die Kontexte zeigen, daß die ersten fünf Beispiele auf Geschehenes bzw. Geschehendes bezogen ist (Klage), die restlichen fünf Beispiele aber auf Gesprochenes (Einwand) (5).

---

1 a.a.O., S.127. F.Baumgärtel, Gottesnamen, S.27 spricht von einer "rituelle(n) Formel bei kultischen Bittgebeten", ähnlich H.Graf Reventlow, Jeremia, S.47: "... typische Einleitung für die Fürbitte ...", während G.Quell, Gottesname, S. 1058 fragt, ob "אדני als Gottesbezeichnung" - und damit auch die Formel אהה אדני יהוה "aus einer privaten Gebetsanrede hervorgegangen ist" (cf. zu einer ähnlichen Vermutung für diese Gottesanrede J.Lust, Mon Seigneur Jahwe, dazu kritisch: W. Zimmerli, Ezechiel 2, S.1265). E.Jenni, אהה, Sp.74: Einleitung für "meist stark emotionelle Klage- und Bittgebete ..., bei denen der Beter sich gegen Gottes wirklichen oder vermeintlichen Willen aufbäumt". Daneben finden sich Vorschläge, diese Formel aus der Totenklage um den verstorbenen Adonis (dazu kritisch: W.W. Graf Baudissin, Adonis und Esmun, S.91) oder aus der israelitischen Totenklage (O.Eißfeldt, Die Quellen des Richterbuches, zit. nach A.Wendel, Laiengebet, S. 133, A.4) herzuleiten.

2 a.a.O., S.127

3 לעם הזה ולירושלים ist nicht durch לנו zu ersetzen. Vielmehr handelt es sich um eine redaktionelle (dtr.) Klage des Volkes, die nach dem Eintreffen des Gerichts gesprochen ist (1 ואמרו c BHS, app.).

4 1 הנה c Eb 22

5 Alle vier Beispiele aus dem Jeremiabuch (Jer 1,6; 4,10; 14,13; 32,17) gehören der dtr. Redaktion des Jeremiabuches an, setzen also schon die Not einer Existenz nach dem Hereinbrechen der Katastrophe von 587/586 v.Chr. voraus.

Die Gottesanrede אהה אדני יהוה unterscheidet also gerade nicht den
Einwand von der Klage, sondern verbindet beide miteinander. Wie ist
diese Gemeinsamkeit aber zu erklären? Zunächst ist zu beachten, daß
die Interjektion אהה im zwischenmenschlichen Einwand fehlt, im zwischenmenschlichen Reden aber in der *Klage* belegt ist: Ri 11,35; 2 Kön
3,10; 6.5.15 (1). Aber auch die Anrede אדני ist keineswegs beschränkt
auf den Einwand (2), sondern geradezu charakteristisch für die zwi-
schenmenschliche Bittrede, wie *E.Gerstenberger* (3) mit reichlichem Be-
legmaterial gezeigt hat. Überdies findet die Anrede אדני auch Verwendung in der *Klage*: Ex 5,22, in der Verbindung mit יהוה in Ri 16,28 und
Am 7,2.5, in Verbindung mit בי in Jos 7,8. So scheint es mir sehr
wahrscheinlich, daß die Gottesanrede אהה אדני יהוה zunächst ihren Ort
in der Einleitung der Klage hatte und von dort aus in die fünf Einwände Jer 1,6; 14,13; 32,17; Ez 4,14; 21,5 eingedrungen ist. Für diese
Vermutung spricht auch, daß Jer 32,16 expressis verbis vom Beten (ואתפלל)
spricht, während Jer 1,6 auf eine Aussage antwortet, die andeutet, daß
der dtr. Jeremia als Retter in einer Notsituation oder gar als König
auftreten soll (4): Das אהה drückt das Erschrecken vor dieser Aufgabe
angesichts der Not aus. Jer 14,13 findet sich im größeren Zusammenhang einer Volksklageliturgie und setzt (wie alle D-Stücke) die Betroffenheit über das schon eingetroffene Gericht voraus, so daß eine
ähnliche Nähe zur Klage gegeben ist wie in 4,10 D. In Ez 4,14 wird der
Einwand in stärkster innerer Betroffenheit laut. Entsprechend wird in
dem Einwand Ez 21,5 ein Motiv der Klage vorgebracht, so daß auch diese beiden Beispiele noch die Nähe zur Klage erkennen lassen.

b. Die Gottesanrede בי אדני

In Ex 3,1-6,1 sowie in Ri 6 wird die Gottesanrede אדני sowohl im Einwand (Ex 4,10.13; Ri 6,15) als auch in der Klage (Ex 5,22f.; Ri 6,13)
verwendet, wobei die Anredeform בי אדני vorherrscht. Also läßt
sich auch in diesen Textzusammenhängen kein Unterschied in der Gottesanrede bei Einwand und Klage feststellen.

Nach wie vor ist unklar, ob es sich bei בי um eine gesonderte Vokabel handelt (5)
oder um ein suffigiertes ב (dann wäre die Formel als Ellipse aufzufassen (6)), oder
ob בי vom Stamme אבה herzuleiten ist (7).

---

1 Diese Klagen sind jeweils klar auf ein Geschehen bezogen, daher die betroffene
  Anklage der Tochter durch Jephtha, die schon fast übergeht in die Totenklage
  (Ri 11,35). Zu 2 Kön 3,10 s.o., S.196. Auf 2 Kön 6,15 folgt sogar eine (zwischen-
  menschliche) Ermutigung, die auf der Linie der Heilszusage zu sehen ist.
2 Cf. dazu U.Eichler, a.a.O., S.127.
3 Der bittende Mensch, S.30, A.26
4 s.o., S.179
5 So GB, S.93: "part. des Bittens, bes. um Erlaubnis".
6 So L.Köhler, Gesprächseröffnung, S.27, der die Formel so auflöst: "auf mich,
  Herr, komme alles, was etwa an Unglück dir drohen möchte"; so auch K.Marti, בי
  אדני, S.246.
7 So A.M.Honeyman, 'by, der S.82 für אבה die ursprüngliche Bedeutung: "in Not
  sein" annimmt und in der Folgezeit einen Bedeutungswandel in zwei verschiedenen
  Richtungen: einmal in die Richtung "ablehnen", zum andern in die Richtung "bitten, wünschen", bevor sich das Bedeutungsspektrum noch weiter verzweigte.
  E.Gerstenberger, a.a.O., S.27, A.24 sieht in dieser Wendung eine "Höflichkeits-
  formel", cf.a. I.Lande, Formelhafte Wendungen, S.28ff.. Dann wäre die Formel
  zu übersetzen: "Mit Verlaub, Herr, ...". Vielleicht hat die Formel aber doch
  einen Beiklang des Flehens aus der Tiefe.

c. Jahwe als Herr und persönlicher Gott in den gerichtsprophetischen Klagen

Lassen sich so keine Unterschiede feststellen zwischen den Gottesanreden im Einwand und in der Klage (1), so ist zu fragen nach dem Grad der Ferne oder Nähe des Einwendenden und Klagenden zu Jahwe. Eine Entscheidung dieser Frage ist erschwert durch zwei Gesichtspunkte: Die explizite Anrede: "Mein Gott" findet sich in den gerichtsprophetischen Klagen nicht (2). Umgekehrt ist noch ungeklärt, ob יהוה אדני mit "Herr Jahwe" oder mit "mein Herr Jahwe" zu übersetzen ist, oder ob אדני als suffigierte Form aufzufassen ist (3).

Wahrscheinlich wird es aber in dieser Frage überhaupt keine eindeutige Lösung geben können. Denn auf der einen Seite ist Jahwe der, der sein Volk unwiederbringlich vernichten muß, sich diesem Volk gegenüber ebenso als der allmächtige Herr zeigt (Jer 18,1-6a) wie gegenüber dem wehrlosen Propheten (Jer 20,7-9), dessen Geschick ein Symbol für das Geschick des Volkes ist. Auf der anderen Seite aber ist Jahwe derjenige, der um sein Volk klagt, der seinem Volk zugewandt ist mitten im Gericht, wie er schon dem Propheten zugewandt war gerade in den harten und für den Propheten unerträglichen Aufträgen. Es bleibt da eine letzte unauflösliche Spannung, die sich manifistiert in den Klagen Jahwes (12,7-12; 15,5-9; 18,13-17). Die Zuwendung Jahwes, die aus diesen Klagen spricht, "wird es dann den Geschlagenen ermöglichen, sich flehend wieder an den Gott zu wenden, der sie schlug" (4).

---

1 Jer 12,1a versucht, Jahwe in seiner Stellung dem Propheten gegenüber recht zu erfassen. - In 15,10.17f. fehlt die explizite Anrede Jahwes (so auch Num 11,*11-15). - In 20,7-9 wird die Anrede: "Jahwe" gebraucht, aber Jahwe ist der Übermächtige, der sich gegen den Propheten durchsetzt.
2 Hos 9,8 spricht vom Gott des Propheten (אלהיו). - U.Eichler, a.a.O., S.127 setzt die Anrede: "Mein Gott" in den gerichtsprophetischen Klagen stillschweigend voraus. O.Eißfeldt, Mein Gott, und H.Vorlaender, Mein Gott erwähnen die Konfessionen Jeremias nicht einmal anmerkungsweise.
3 So J.Lust, Mon Seigneur Jahwe, zurückhaltend dagg. W.Zimmerli, Ezechiel 2, S. 1265. H.W.Wolff, Joel.Amos, S.337 liest ein unsuffigiertes יהוה אדני und übersetzt: "Mein Herr Jahwe".
4 C.Westermann, Theologie, S.153. - In den Klagen Jahwes wird eine Spannung zur Sprache gebracht, die sich im Bereich des Polytheismus darstellt als Klage der für die ohnmächtigen Geschöpfe zuständigen Gottheit gegenüber dem zerstörenden Gott, cf. z.B. - in einem allerdings nicht unmittelbar vergleichbaren Traditionszusammenhang - die Klage Ischtars über "meine lieben Menschen" (Gilgamesch-Epos XI 118-123) oder die Klage der weisen Mami im Atramhasis-Epos III 34-54, bes. 44: "My offspring - cut off from me - have become like flies!" (cf. W.G.Lambert/ A.R.Millard, Atra-Hasis, S.95). Diese Klage über und für die Ohnmächtigen kann in Israel nur von Jahwe selbst erhoben werden, der gleichzeitig der Zerstörer ist. Oder diese Klage kann von Menschen erhoben werden. In diesem Zusammenhang sind z.B. Lots Hinweis auf die "kleine Stadt" Zoar in Gen 19,20, der Sache nach auch Abrahams Gespräch mit Jahwe Gen 18,16b-33 (cf. V.27: "... obwohl ich Staub und Asche bin ..."), ferner die "Fürbitten" des Amos 7,2.5 ("Wie kann Jakob bestehen? Es ist ja so klein!") zu sehen. Immer wird dem zerstörenden Gott (cf. dazu A.S.Kapelrud, God as Destroyer) die Ohnmacht und Hilflosigkeit eines Einzelnen oder der Geschöpfe entgegengehalten.
In diesem Gegenüber sind wohl auch die Klagen über "mein Volk" (s.o., S.174f.) und über die "Tochter mein Volk" (s.o., S.175-177) zu sehen. Das Volk wird als "corporate personality" einem einzelnen Menschen in seinem Lebensbogen gleichgestellt und in seiner Hilflosigkeit als Mensch dem Zerstörungsbeschluß Jahwes gegenübergestellt. Aus dieser Spanne zwischem dem Zerstörungsbeschluß Jahwes

VII. DIE NACHGESCHICHTE DER GERICHTSPROPHETISCHEN KLAGE IN DEN GOTTESKNECHTLIEDERN BEI DEUTEROJESAJA

1. Die Nachgeschichte der gerichtsprophetischen Klage in Texten außerhalb der Gottesknechtlieder

Die Nachgeschichte der gerichtsprophetischen Klage beschränkt sich nicht auf die Gottesknechtlieder bei Deuterojesaja, sondern in den fünf untersuchten Beispielen bei Ezechiel: 4,14; 21,5 (Einwände); 9,8; 11,13; 33,30-33 (Klagen) wirkt die gerichtsprophetische Klage ebenso nach wie in der dtr. Redaktion des Jeremiabuches. Bei Ezechiel scheint sogar noch der unterschiedliche Bezug der gerichtsprophetischen Klage einmal auf ein Handeln Jahwes im Zusammenhang mit Aufträgen und Visionen im Rahmen eines Eigenberichts (Ez 9,8; 11,13; cf.a. 4,14; 21,5), zum andern auf ein Handeln der Feinde im Zusammenhang des Ausbleibens des Angekündigten (Ez 33,30-33) greifbar zu sein. Doch ist der Abstand zu den Klagen Jeremias ebenso spürbar.

Bei Deuterojesaja hingegen ist neben den Gottesknechtliedern ein weiterer Text heranzuziehen, der mitunter in der Linie der gerichtsprophetischen Klagen gesehen wird, Jes 40,6-8:

> 6 Eine Stimme sagt: "Rufe!"
>   und ich sage (1): "Was soll ich rufen?
> Alles Fleisch ist Gras
>   und alle seine Anmut wie die Blume des Feldes.
> 7 Das Gras verdorrt,
>   die Blume verwelkt,
> wenn Jahwes Hauch
>   darüber weht."
> 8 Das Gras verdorrt,
>   die Blume verwelkt,
> doch das Wort unseres Gottes besteht für immer.

In V.6aβ.b.7 spricht der Prophet Sätze der Vergänglichkeitsklage (2), die auf einen Auftrag ("Rufe!") bezogen sind. Doch darf diese Abfolge von Auftrag und Klage nicht verwechselt werden mit den auftragsbezogenen Klagen in der Mose-Überlieferung (Ex 5,22f.; Num 11,*11-15) und bei Jeremia (Jer 12,*1-4; 15,10.17f.; 20,7-9). Die auftragsbezogenen Klagen des Gerichtspropheten werden laut *nach* der Ausführung des Auftrags, die Klage in Jes 40,6f. reagiert direkt auf den Auftrag und hat daher die Funktion eines *Einwandes*: Der Prophet setzt dem Auftrag die Vergänglichkeitsklage als Darstellung des Sachverhalts gegenüber, zu dem der Auftrag in Spannung gerät. So hat V.6b auch die Form eines Nominalsatzes wie so oft in den Einwänden. Entsprechend der Form des Einwandes und dem Redezusammenhang, in dem er zu stehen pflegt, folgt auf den Einwand in V.8 eine Stellungnahme, die in V.8a auf den Einwand

---

und seinem Zugewandtsein zum Menschen erheben sich die Klagen Jeremias - und auch die Klagen Jahwes. Jeremia klagt den Gott an, der auf ihn in seiner Ohnmacht Macht ausübt (cf. bes. 20,7-9) und ihm gerade darin zugewandt bleibt.
An diesem Punkt kann Deuterojesaja mit seinen stark auf das Individuum bezogenen Redeformen wie der Heilszusage ansetzen.

1 1 וָאֹמַר mit G, V und DSS Is.
2 C.Westermann, Struktur und Geschichte, S.278f.; ders., Dtjes., S.37

eingeht, in V.8b aber auf den Auftrag. Die Vergänglichkeitsklage hingegen respondiert als *Klage* dem Gerichts*handeln* Jahwes: "... wenn Jahwes Hauch darüber weht ...". Es ist also eine Klage *nach* dem Eintreffen des Gerichts, während die Klagen Jeremias *vor* dem Eintreffen des Gerichts gesprochen waren. Gemeinsam ist den auftragsbezogenen Klagen Jeremias und Moses und Jes 40,6f. das Vorbringen eines Anliegens, das nicht nur den Propheten, sondern auch das Volk betrifft. Die schroffen Anklagen, wie wir sie in Ex 5,22f.; Num 11,*11-15 und bei Jeremia finden, sind als Klagen des Mittlers bei Deuterojesaja allerdings zur Ruhe gekommen (1). Das zeigen insbesondere das zweite und das dritte Gottesknechtlied.

2. Jes 49,1-6 und Jes 50,4-9 und die gerichtsprophetische Klage

a. Jes 49,1-6

1 Hört, ihr Inseln, auf mich
   und merkt auf, ihr Nationen von fern!
Jahwe hat mich vom Mutterleib berufen,
   hat vom Schoß meiner Mutter meines Namens gedacht.
2 Er hat meinen Mund wie ein scharfes Schwert gemacht,
   Im Schatten seiner Hand hat er mich geborgen.
Er hat mich zum glatten Pfeil gemacht,
   in seinem Köcher hat er mich versteckt.
3 Er sagte zu mir: "Mein Knecht bist du!
   Israel, du, an dem ich mich verherrlichen will."
4 Ich aber dachte: "Vergeblich habe ich mich gemüht,
   für nichts und Hauch meine Kraft erschöpft;"
doch mein Recht ist bei Jahwe
   und mein Lohn bei meinem Gott.
5 Aber nun, so (2) spricht Jahwe,
   der mich vom Mutterleib zum Knecht für sich bildete,
Jakob zu ihm zurückzubringen,
   und daß Israel zu ihm (3) versammelt würde: ... (4)
6 "Zu gering ist es, daß du mir Knecht seist,
   aufzurichten die Stämme Jakobs und die Bewahrten Israels
                                                   zurückzubringen;
So mache ich dich zum Licht der Völker,
   daß mein Heil reiche bis zum Ende der Erde."

C.Westermann hat den Aufbau von 49,1b-6 folgendermaßen beschrieben:

I.   V.1b-3 Erwählung, Berufung und Ausrüstung des Knechtes

II.   V.4   Verzagen des Knechtes

III. V.5-6 Der neue Auftrag (5).

In dieser Struktur fließen Redeformen aus dem Bereich des Rettertums, des Königtums und der vorexilischen Gerichtsprophetie ineinander. Beherrschend ist dabei die Grundstruktur der Retterbeauftragung bzw. der

---

1 Cf. C.Westermann, Dtjes., S.186.
2 Ergänze כה mit C.Westermann, a.a.O., S.167, A.1.
3 1 לו mit C.Westermann, a.a.O., S.167, A.2.
4 Zur Rekonstruktion cf. C.Westermann, a.a.O., S.167, A.3.
5 a.a.O., S.187

Königseinsetzung, ganz ähnlich wie in Jer 1,4-10 D (1): Auf das Ein-
setzungswort an den Knecht (V.3) folgt der Einwand (V.4a), dem ein
weiteres Wort Jahwes antwortet (V.5f.). Doch ist diese Grundstruktur
in wesentlichen Punkten abgewandelt worden: Statt daß - wie in der
Struktur der Retterbeauftragung üblich - der Knecht des Beistandes
Jahwes versichert wird, faßt in V.4b der Knecht von sich aus Vertrau-
en zu Jahwe durch ein Bekenntnis der Zuversicht zu Jahwe als dem gerechten Richter, darin der dtr. Redaktion des Jeremiabuches (11,20=
20,12) entsprechend. Statt daß der Knecht von Jahwe ein bestätigendes
Zeichen erhält, wird sein Auftrag ausgedehnt: Der Knecht wird zum
Licht für die Völker (V.6).

Dieser Grundstruktur der Retterbeauftragung/Königseinsetzung sind
prophetische Elemente teils untergeordnet, teils umschließen sie auch
das ganze Wort und prägen es so um. Die "Waffen" des Knechtes sind
sein Mund (V.2a) und - er selbst (V.2b), darin ganz den Grundfunktio-
nen eines Boten entsprechend. Die Vergeblichkeitsklage (V.4a) greift
zurück auf die vorexilische Gerichtsprophetie und entspricht am stärksten der auftragsbezogenen Klage Jer 20,9, aber auch 20,14-18, darin
Num 11,11-15 vergleichbar. In ihr wird das vergebliche Wirken der Gerichtspropheten vorausgesetzt (2). Stand die Vergeblichkeitsklage bei
Jeremia aber ganz am Schluß, so wird sie bei Deuterojesaja am Anfang
erwähnt und überwunden durch ein neues Vertrauen zu Jahwe (V.4b), wie
es bei Jeremia am ehesten greifbar war in den beiden auf das ausbleibende Gericht wartenden Klagen 17,14-18 und 18,*19-23, dann aber besonders das Interesse der dtr. Redaktion bestimmte (z.B. 11,20=20,12).
Dieses neue Vertrauen zu Jahwe entspricht der Heilsbotschaft Deuterojesajas; diese macht das Leid des Mittlers zu ihrem Bestandteil, wie
nicht nur die einleitende Anrede an die Völker der Welt (V.1a) zeigt,
sondern auch die Botenformel in V.5a (3). In dieser Verbindung von
klagendem Eigenbericht des leidenden Gottesknechts und anschließendem
Botenwort berührt sich Jes 49,1-6 wiederum mit einem Text der dtr. Redaktion des Jeremiabuches: Jer 11,18-23. Auch sie macht das Leiden des
Knechtes zu einem Inhalt ihrer (freilich ganz anders akzentuierten)
Botschaft (4). In der Gestalt des Knechtes fließen die Linien des Retters, des Königs und des Gerichtspropheten zusammen: Der Knecht *wirkt*
(Retter, König) durch das *Wort* (Prophet) - und durch sein Leiden.

Die veränderten geschichtlichen Voraussetzungen bewirken bei Deuterojesaja also ein Ineinanderfließen der in der vorexilischen Gerichtsprophetie bis hin zu Jeremia deutlich unterschiedenen Formen: Einwand,
auftragsbezogene Klage, auf das ausbleibende Gericht bezogene Klage.
Die auftragsbezogene Anklage Jahwes kommt in 49,1-6 ganz zur Ruhe,

---

1 s.o., S. 179f.
2 Cf. C.Westermann, a.a.O., S.170. Dieses zusammenfassende Rückblicken auf eine
  Kette von Mittlern findet sich ähnlich auch bei D, so in der "Unermüdlichkeitsformel", daß Jahwe seine Knechte (!), die Propheten unermüdlich gesandt habe
  (Jer 7,25; 25,4; 26,5; 29,19; 35,15; 44,4), cf. ferner die Ineinssetzung von
  Mose, Samuel und Jeremia in Jer 15,1 sowie der unterschiedlichen Funktionen von
  "Mittlern des Wortes" in 18,18.
3 Cf. Jer 11,21-23 D.
4 Entsprechend diesen formgeschichtlichen Eigentümlichkeiten wechseln Bezeichnun-
  gen wie "prophetischer Vertrauenspsalm" (K.Elliger, Verhältnis, S.51) ab mit
  "Danklied des einzelnen" (J.Begrich, Studien, S.55), cf.a. C.Westermann, a.a.O.,
  S.170 zu V.4: "Lobpsalm des Einzelnen".

während Zuversichtsaussagen sich in den Vordergrund schieben. Um so
erstaunlicher aber ist es, daß sich die Grundstruktur gerichtsprophetischer Erfahrung, beauftragt mit einem Wort einen Weg zu anderen gehen zu müssen und dabei schweren Erfahrungen ausgesetzt zu sein, bis
in die Heilsprophetie Deuterojesajas hinein fortsetzt. Sie zeigt, wie
stark Deuterojesaja in der Linie der vorexilischen Gerichtsprophetie
zu sehen ist. Dies läßt sich noch deutlicher zeigen an dem dritten
Gottesknechtlied, Jes 50,4-9.

b. Jes 50,4-9

4 Der Herr Jahwe hat mir gegeben eine Zunge von Jüngern,
   daß ich wisse zu antworten (1) dem Müden (2).
  Am Morgen weckt er mein Ohr, zu hören wie ein Jünger.
5 Der Herr Jahwe hat mir das Ohr geöffnet.
  Ich aber war nicht widerspenstig,
   wich nicht zurück.
6 Meinen Rücken bot ich den Schlagenden,
   meine Backe den Raufenden,
  mein Gesicht barg ich nicht
   vor Schmähungen und Speichel.
7 Aber der Herr Jahwe hilft mir,
   darum stehe ich nicht beschämt da.
  Darum mache ich mein Gesicht wie Kiesel
   und weiß, daß ich nicht beschämt werde.
8 Nah ist, der mir Recht schafft;
   wer will mit mir streiten?
     Laßt uns zusammen vortreten!
  Wer ist mein Rechtsgegner?
   Er trete zu mir heran!
9 Siehe: Der Herr Jahwe hilft mir;
   wer ist da, der mich verdammen will?
  Siehe: Sie alle vergehen wie ein Kleid,
   das die Motten fressen.

Wesentlich stärker noch als in Jes 49,1-6 steht in 50,4-9 die Botschaft im Mittelpunkt, und zwar die Heilsbotschaft. Griff der Auftrag
49,1b-3 zurück auf die beiden Linien der vorexilischen Gerichtsprophetie und des Rettertums bzw. Königtums, so scheint 50,4 auf eine
andere Linie zurückzuführen: auf die Linie *priester*lichen Redens, wie
ja bekanntlich überhaupt der Heilsbotschaft Deuterojesajas das priesterliche Heilsorakel an einen Einzelnen voraussetzt (3). Das priesterliche Heilsorakel ist bezogen auf die Klage des Einzelnen, und
zwei Sätze der Klage des Einzelnen umklammern auch 50,4-9:

  ... daß ich wisse zu antworten dem *Müden* (V.4).

  ... sie alle vergehen wie ein Kleid,
    das die Motten fressen (V.9) (4).

---

1 1 לענת c BHS, app.. ענה דבר heißt "antworten" (cf.z.B. 1 Kön 18,21; Jes 36,21).
2 om יעיר בבקר c K.Elliger, Verhältnis, S.28.
3 J.Begrich, Heilsorakel; C.Westermann, Sprache und Struktur, S.117-120; R.Albertz,
  Persönliche Frömmigkeit und offizielle Religion, S.188f..
4 V.4 spielt mit dem Müden (sing.!) auf einen Satz der Klage des Einzelnen an wie
  Ps 6,7: "Müde bin ich vom Seufzen." - Hinter V.9 stehen Sätze der Vergänglichkeitsklage wie Hi 13,28 und Ps 39,12.

Ein dem Reden von V.4 analoges Reden von "dem" Müden findet sich auch in einer Anspielung auf die Volksklage in 40,28-30, und *C.Westermann* wird rechthaben, wenn er den, dem am Morgen das Ohr geöffnet werden muß (50,4), auf eine Linie rückt mit "dem" Müden, dem für die Heilsbotschaft das Ohr geöffnet werden muß (1).

Daß die Heilsbotschaft, die hinter 50,4-9 steht, dennoch die Linie der vorexilischen Gerichtsprophetie fortsetzt, zeigt sich in der Aufnahme von Aussagen der auf das ausbleibende Gericht bezogenen gerichtsprophetischen Klage sowie von dtr. Klagen in V.7-9:

7 Aber der Herr Jahwe hilft mir ... (cf. V.9).

Jer 17,14 Hilf mir, so wird mir geholfen.

... darum stehe ich nicht beschämt da.

Jer 17,18 ... ich aber möge nicht beschämt dastehen.

8 Nah ist, der mir Recht schafft ...

Jer 11,20=20,12 D: Dir habe ich meine Rechtssache anheimgestellt.

Wer will mit mir streiten?

Jer 15,10 ... einen Mann des Streites ...

Jer 18,19 ... die Stimme meiner Rechtsgegner ... .

Allerdings zeigt sich schon in der Aufnahme der Worte aus der Jeremia-Überlieferung der Wandel: Die Feindklage und die Bitte um die Bestrafung der Feinde sind umgeschmolzen in Vertrauensäußerungen: Der Gottesknecht kann angesichts der ihm aufgetragenen Heilsbotschaft nicht mehr um die Bestrafung seiner Gegner bitten. Auch der aus dem Reden der Psalmen aufgenommene Satz V.9b kann nicht in diesem Sinne verstanden werden. Statt eines Ausblicks auf die Bestrafung der Feinde lenkt V.9b zurück auf die Vergänglichkeitsklage, und diese bildete schon den Hintergrund für die Heilsbotschaft: Das Gericht ist ja schon eingetroffen. Deswegen kann die Klage nur zurücklenken auf dieses schon eingetroffene Gericht und dieses nicht - wie Jeremia - als zukünftig in den Blick nehmen.

Der Gottesknecht kann nicht mehr um das Gericht für seine Feinde bitten; vielmehr nimmt er das Gericht auf sich selbst: V.5b.6. Vor dem Hintergrund der bisherigen Überlegungen klärt sich auch der schwierige Bezug des "ich aber" in V.5b: Vom Textzusammenhang her ist es auf das Handeln *Jahwes* am Knecht (V.4) zu beziehen. D.h. der Hinweis:

Ich aber war nicht widerspenstig,
    wich nicht zurück,

könnte verstanden werden als bewußte Antithese zu den auftragsbezogenen gerichtsprophetischen Klagen wie Jer 15,10.17f.. Von den Aussagen in V.5b.6 her könnte das "ich aber" bezogen sein auf die Anfeindungen, die der Gottesknecht erfuhr (2), den Anfeindungen analog, die in den gerichtsprophetischen Klagen, bes. Jer 17,14-18 und 18,*19-23 laut wurden: Auch von dem Verhalten des Gerichtspropheten seinen und Jahwes *Feinden* gegenüber hebt der Gottesknecht sich ab, indem er das Tun und das Reden der Feinde bewußt auf sich nimmt (3): Er wirkt durch sein Leiden und läßt im Vertrauen auf den rechtschaffenden "Herrn Jahwe" die gerichtsprophetische Klage zur Ruhe kommen.

---

1 C.Westermann, a.a.O., S.185.
2 ebda., S.185f.
3 Ähnlich wieder D: Jer 15,15!

C. SCHLUSS

Am Ende unserer Untersuchung über den "klagenden Gerichtspropheten" müssen wir uns darüber im klaren sein, daß der Versuch, die Eigenart der gerichtsprophetischen Klagen zu erfassen, nur geschehen konnte aus einer Forschungssituation heraus, die bestimmt ist von einem weiten geschichtlichen Abstand zu dem Auftreten und Reden der Gerichtsprophe-ten. Diese Situation des auf die Gerichtsprophetie lediglich zurück-blicken könnenden Forschers läuft immer Gefahr, da zu verallgemeinern, wo im Blick auf die konkrete Situation des Gerichtspropheten ein noch schärferes Nachfragen nötig gewesen wäre.

Ein *verallgemeinerndes Zurückblicken* auf die Gerichtspropheten und deren Reden und Tun hat schon sehr früh eingesetzt, schon in der Zeit des Exils, da es keine Gerichtspropheten mehr gab. Das Bild, das in dieser Zeit insbesondere von der deuteronomistischen Redaktion des Jeremiabuches und in den Gottesknechtliedern bei Deuterojesaja von den früheren Gerichtspropheten entworfen wurde, hat sich ausgewirkt auf die neuere Forschung. Es war festzustellen, daß das dtr. Jeremia-bild die Sichtweise von so unterschiedlich geprägten Forschern wie *J.Wellhausen* (1) und *H.Graf Reventlow* (2) bestimmt. Demgegenüber be-deutete es schon einen Fortschritt, wenn *G.Hölscher* - in kritischer Abgrenzung gegen Wellhausen u.a. - und *E.Gerstenberger* sowie *A.H.J. Gunneweg* und *P.Welten* - in kritischer Abgrenzung gegen Reventlow u.a.-den klagenden Jeremia der dtr. Redaktion von dem Gerichtspropheten Jeremia unterschieden (3) und in eine gewisse Nähe zu dem deuterojes-sajanischen Gottesknecht rückten (4). Im Gegensatz zu diesen vier For-schern meinten wir aber dieses redaktionelle Bild von dem klagenden Jeremia hinterfragen zu können, ebenso wie die neuere sich auf den Prophetenspruch konzentrierende Forschung in der Lage war, das lange Zeit vorherrschende - und wesentlich von der dtr. Redaktion des Jere-miabuches mitgeprägte - Bild von dem Propheten als einem Bußprediger zu hinterfragen (5).

Der Blick auf die *vorredaktionellen Klagezusammenhänge* konnte durch redaktionsgeschichtliches Arbeiten allein nicht freigelegt werden. Vielmehr mußte der redaktionsgeschichtlichen die *formgeschichtliche Fragestellung vorgeordnet* werden, wobei formgeschichtliches Fragen sich wesentlich bezog auf *mündliche* Redevorgänge und die diesen Vor-gängen entsprechenden Redeformen. Ausgehend von der Grundthese, daß die Gerichtspropheten von Jahwe mit einer Gerichtsbotschaft an einen Einzelnen (König) oder an das ganze Volk beauftragte *Boten* waren, wur-de nach außer- bzw. vorprophetischen Geschehenszusammenhängen gefragt, die diesem Prophetenbild entsprechen und in denen die Klage einen na-türlichen Ort hat. Zwei unterschiedliche Geschehenszusammenhänge konn-ten gefunden werden:

---

1 s.o., S.14 mit A.3
2 s.o., S.15f.
3 s.o., S.13f.
4 So E.Gerstenberger und A.H.J.Gunneweg, aber auch P.Welten (s.o., S.127 u.ö.).
5 Cf. dazu C.Westermann, Grundformen, S.12f..

1. Der *Botenvorgang*. Er besteht aus drei Grundelementen: Beauftragung eines Boten; Ausführung des Auftrags; Rückmeldung. Für den Fall, daß die Ausführung des Auftrags mißlingt, nimmt die *Rückmeldung* die Form einer Klage an mit betonter Anklage des Auftraggebers, der das Botengeschehen in Gang gesetzt hat. Diese Klage wird noch verstärkt, wenn der Beauftragte unterwegs oder durch die Adressaten Anfeindungen erfährt.

2. Das *Warten auf Angekündigtes*. Etwas (z.B. das Eintreffen von etwas Ersehntem oder das Kommen eines Menschen) ist angekündigt, trifft aber nicht ein. Je länger die Spanne zwischen der Ankündigung und dem Eintreffen des Gerichts wächst, um so eher erhebt sich in dieser Spanne eine Klage, die sich an den Ankündigenden richtet. Diese Klage hat aber eine ganz andere Form als die Rückmeldung nach einer mißlungenen Auftragsausführung. Sie klagt nicht einen Auftraggeber an, sondern bittet vertrauensvoll um das Eintreffen des Angekündigten. Kommt es während des Wartens auf Angekündigtes zu Anfeindungen gegen den Wartenden, so wird die Klage verstärkt durch die Feindklage und die Bitte gegen die Feinde.

Diese beiden Vorgänge sind allgemein menschlich und nachvollziehbar, wo immer Menschen beauftragt werden und wo immer sie auf Angekündigtes warten. Sie sind daher auch von Menschen jedes Lebensalters nachvollziehbar: In beiden Fällen handelt es sich um klar umrissene *Notsituationen*, aus denen sich jeweils die Klage erhebt.

Die Klagen reagieren auf Geschehenes bzw. Geschehendes und sind darin zu unterscheiden von dem *Einwand*, der in den zwischenmenschlichen Redevorgängen ebenfalls belegt ist und seinen Ort hat in der direkten Reaktion z.B. auf einen Auftrag, also auf Gesprochenes und dabei zukünftiges Geschehen in den Blick nimmt, indem er *argumentierend* auf einen Widerspruch zwischen einem gegenwärtigen Tatbestand und dem Gesprochenen hinweist. Für die Klage hingegen ist nicht das Argumentieren wesentlich, sondern das *Schreien aus der Tiefe einer Not*.

Übertragen auf die Gerichtsprophetie ist die Klage als Rückmeldung auf die mißlungene Ausführung eines Auftrags belegt in der frühen Gerichtsprophetie an den König innerhalb der Moseüberlieferung (Ex 5, 22f.), in der sich in verschleierter Form eine *Kritik an Salomo* ausdrückt, und in der späten Gerichtsprophetie an das Volk bei Jeremia (Jer 12,*1-4; 15,10.17f.; 20,7-9). Auf die Klage folgt jeweils ein Wort Jahwes, das den Gerichtspropheten neu in seinen Auftrag hineinstellt und ihn zum Durchhalten auffordert bzw. zwingt. Grundsätzlich ist diese Weise gerichtsprophetischen Klagens während der ganzen Geschichte der Gerichtsprophetie möglich, also unabhängig davon, ob sich die Gerichtsprophetie nur an den König oder aber an das ganze Volk richtet. So unterscheiden sich die beiden Klagen Ex 5,22f. und Jer 20, 7-9 nur in den Adressaten der Botschaft. Als auftragsbezogene Klagen stimmen sie aber in allen wesentlichen Punkten völlig überein.

Daß die Klage als Rückmeldung auf den Auftrag nur so selten überliefert ist, wird mit folgender Überlegung zusammenhängen: In diesen Klagen bringt der Gerichtsprophet nie nur seine eigene Not, sondern auch die Not des Volkes vor Jahwe: Das Volk ist jeweils durch ein Handeln Jahwes mitbedroht, in Ex 5,22f. durch das Handeln des Königs (Pharao=Salomo), bei Jeremia durch das angekündigte Gerichtshandeln in Form des Kommens der Feinde aus dem Norden (Babylonier). So bricht die Klage nur an bestimmten Krisenpunkten der Geschichte Israels, also

der Geschichte des Volkes, aus der Überlieferung hervor, so daß wir
der Parallelität von Not des Volkes und Not des Gerichtspropheten
überhaupt die Überlieferung dieser Klagen zu verdanken hätten. In
Wirklichkeit hätten wir aber mit viel mehr gerichtsprophetischen Klagen zu rechnen. Die Eigenart der Überlieferung der gerichtsprophetischen Klagen macht aber auch deutlich: Diese Klagen schweben niemals
in einem luftleeren Raum konstruierter Formgeschichte, sondern sind
jeweils bezogen auf sehr konkrete Krisensituationen. Wesentliche Krisensituationen in der Geschichte Israels waren das Königtum Salomos
mit der Ausdehnung der Königsherrschaft nach dem Vorbild der ägyptischen Königsideologie und die Phase des zuendegehenden Königtums vor
dem Exil.

Diese Form der gerichtsprophetischen Klage hat ihre Zeit gehabt
während des Königtums und der dieses begleitenden Gerichtsprophetie.
Gerade die schroffen auftragsbezogenen Anklagen Moses und Jeremias
sind in der Zeit des Exils unter veränderten politischen Bedingungen
zur Ruhe gekommen, wie die deuteronomistische Redaktion des Jeremiabuches, die Gottesknechtlieder bei Deuterojesaja, aber auch Ezechiel
zeigen. Aber diese Anklagen Jahwes sind nicht einfach verdrängt worden, sondern "aufgearbeitet", "verarbeitet" worden in der Figur des
leidenden Gottesknechts. Die schroffen Anklagen gegen Jahwe besonders
bei Jeremia sind einer späteren Zeit unerträglich geworden. Dies zeigt
sich bis heute darin, daß Jeremias blasphemische Anklagen gegen Jahwe
möglichst abgeschwächt übersetzt werden. Unter bestimmten, den alttestamentlichen vergleichbaren politischen Voraussetzungen kommen die
auftragsbezogenen Klagen Jeremias aber wieder zum Sprechen, nämlich
in der Bekennenden Kirche während des Dritten Reichs. *G.von Rad*s Aufsatz: "Die Konfessionen Jeremias" ist ein deutliches Beispiel dafür,
wie damals die Texte der Konfessionen zu einer Hilfe wurden angesichts
des zu schwer werdenden Auftrags: "Hier ist die Beziehung Gottes zum
Menschen in eine Tiefenschicht menschlichen Erlebens verlegt, wo es
durchaus nicht mehr um freie Entschlüsse ('Entscheidung') oder um gei-
stiges Zustimmen oder Überführtwerden geht, hier ist die Frage der
prophetischen Beauftragung, ja auch des menschlichen Gehorsams und
der Bewährung einfach als eine *Machtfrage* empfunden." (1)

Solche Klage-Situationen wiederholen sich nicht beliebig; doch sind
sie nicht gebunden an die Verkündigung des Gerichts, sondern können
ebenso aufbrechen angesichts der zu schwer werdenden Verkündigung der
frohen Botschaft. Die Gottesknechtlieder bei Deuterojesaja sind ein
Beleg dafür. Diese Klagen sind ein Ausdruck für die *Unausweichlichkeit*
des Auftrages Jahwes der Schwere der Ausführungsmöglichkeiten in der
jeweiligen zeitgeschichtlichen Situation zum Trotz. Diese Klagen sind
aber auch ein Ausdruck der *Solidarität*, des Mitgefühls mit der Gemeinschaft in Antwort auf das Reden und Handeln Gottes.

In den auftragsbezogenen Klagen erweist sich der Verkündiger *als
Mensch*, als von Gott überwältigter Mensch freilich, und so kommt es
auch wohl nicht von ungefähr, wenn in neueren homiletischen Versuchen
die Rolle des Gebets gerade im Hinblick auf eine *Konkretisierung* der
Predigt betont wird (2). Diese Sichtweise läßt sich noch verstärken,
wenn an die Stelle des Gebets die Klage gesetzt wird: Hat das Gebet

---

1 a.a.O., S.271, Hervorhebung von mir. In der Theologie des Alten Testaments (2,
  S.216f.) werden die Konfessionen Jeremias viel distanzierter interpretiert und
  drohen den Charakter der Klage zu verlieren an eine problematisierende Reflexion.
2 G.Fuchs, Glaubenserfahrung, S.108.

zunächst den Beter zum Subjekt ("Ich bitte dich, daß ..." oder: "Wir
bitten dich, daß ..."), so die Klage primär Jahwe: "Du hast getan ...;
du tust ...". So könnte die Klage gerade auch zu einer Konkretisierung
des Redens zu und von Gott führen, nicht zuletzt auch deshalb, weil ja
neben Gott auch immer die beiden anderen Subjekte mit im Blick sind:
das Ich des Klagenden und die Mitmenschen des Klagenden (in der Regel
die Feinde). Jedoch kann aus der gerichtsprophetischen Klage keine
Methode gemacht werden; unmöglich wäre die Forderung: "Du mußt klagen!" Die Klage kann nicht zu einem Inhalt ethischer Forderung gemacht
werden wie das Beten ("Sag: 'Bitte!'"). Ebenso wenig hilfreich ist
aber der Rat: "Du darfst nicht klagen!" Die Klagen sind vielmehr -
ebenso wie das Lob eine spontane Antwort auf das erfahrene Handeln
Gottes. So können denn die gerichtsprophetischen Klagen auch zu einer
Hilfe werden, nach einer Antwort zu suchen auf die Unausweichlichkeit
des Auftrags und in der Klage nicht nur zur Gemeinschaft zu finden mit
der Gemeinde angesichts der Herausforderungen der Zeit, sondern auch
den auftraggebenden Gott zu entdecken.

Als *Ausdruck des Wartens auf Angekündigtes* erwächst die gerichtsprophetische Klage aus dem Warten auf das Gericht. In dieser Spanne
zwischen der Ankündigung und dem Eintreffen des Gerichts kommt es zu
Anfeindungen, die den Gerichtspropheten um so stärker das Gericht her-
beisehnen lassen. Für diese Weise der gerichtsprophetischen Klage gibt
es in der vorjeremianischen Prophetie ein paar Beispiele mehr als in
der ersten Gruppe von Klagen; das Besondere bei Jeremia aber ist es,
daß beide Gruppen von Klagen nebeneinander belegt sind. Es sind nicht
viele Beispiele (1 Kön 19,10=14; Hos 9,7b-9; Jes 6,11; (8,16-18);
(Mi 3,8); Jer 17,14-18; 18,*19-23; Ez 33,30-33), aber alle Beispiele
zeigen, daß sie erwachsen aus einer *für die Gerichtsprophetie an das
Volk charakteristischen Spanne*, die so für die Gerichtsprophetie an
den König nicht denkbar ist: In der Gerichtsprophetie an den König
ist die Spanne zwischen der Ankündigung und dem Eintreffen des Gerichts kurz: Auf ein konkretes Vergehen hin wird eine konkrete Bestrafung angesagt. In der an das ganze Volk gerichteten Gerichtsprophetie
ist die Spanne zwischen der Ankündigung und dem Eintreffen des Gerichts von Natur aus länger: Die Anklage gegen das Volk umfaßt eine
Fülle von Einzelpunkten aus einer längeren Zeit der Schuldanhäufung,
und die Ankündigung des Gerichts entfaltet sich in einem das ganze
Volk betreffenden politischen Geschehen, das naturgemäß in Verzug geraten kann. In bestimmten zeitgeschichtlichen Situationen wächst diese Spanne bis zum Eintreffen des Gerichts derart, daß aus dieser Spanne eine Klage laut wird. Das ist der Fall in dem ersten Beispiel für
eine an das ganze Volk gerichtete Gerichtsprophetie, nämlich in der
Elia-Elisa-Überlieferung, 1 Kön 19,10=14, läßt sich in vergleichbaren
zeitgeschichtlichen Situationen bei Hosea, Jesaja (und Micha) nachweisen und kommt in den beiden Beispielen bei Jeremia am stärksten
zum Ausbruch, was sich nicht nur aus dem unvergleichlich langen Auftreten Jeremias als Gerichtsprophet erklären wird, sondern auch aus
der Phase einer gewissen Ruhe vor außenpolitischen Bedrohungen zur
Zeit Jojakims, in der das von Jeremia angekündigte Gericht in Verges-
senheit geriet oder zum Anlaß von Verspottungen Jeremias wurde (17,15).

Diese letztlich angesichts der *Ineffizienz der Verkündigung* auf-
brechende Klage ist nicht auf die Gerichtsprophetie beschränkt, sondern setzt sich fort in der Heilsprophetie, wie Ez 33,30-33, aber
auch die Gottesknechtlieder zeigen. Bei beiden wird *das Leid des Verkündigers zu einem Bestandteil der Verkündigung*, so auch in der dtr.

Redaktion des Jeremiabuches, darin der Verkündigung des leidenden Verkündigers Jesus Christus nach Ostern entsprechend. Im Zuge dieser Integration des leidenden Verkündigers in die Verkündigung wird auch die
Klage von den Formen der Verkündigung überlagert (so Ez 33,30-33, in
den ersten drei Gottesknechtliedern, aber auch in der dtr. Redaktion
des Jeremiabuches, besonders deutlich in Jer 11,18-23). So wird aus
dem klagenden Gerichtspropheten der leidende Gottesknecht.

Auch die Klage angesichts der Ineffizienz der Verkündigung kann von
dem heutigen Verkündiger nachvollzogen werden. So hat *R.Riess* in seinem wichtigen Aufsatz: "Zur pastoralpsychologischen Problematik des
Predigers" präzis die Spanne zwischen der Ankündigung und dem Eintreffen des Angekündigten zum Ausgangspunkt für seine Untersuchung genommen: "Spätestens hier, in der *Spannung zwischen theologischer Aussage
und empirischer Auswirkung*, stellt sich der Prediger als Problem." (1)
Die Fülle neuerer Pfarrerliteratur (2) dürfte ein Zeichen sein für die
Versuche, diese Spannung aufzuarbeiten und sie einem Forum zugänglich
zu machen.

Die Erfahrung der Ineffizienz der Verkündigung kann aber auch zu
ausgesprochenen *Aggressionen* im Blick auf die Mitmenschen führen (3)
oder aber zu einer tiefen *Depression*, die den Blick auf die Mitmenschen ebenso verliert wie den Blick auf Gott (4). Gerade in dieser
Situation mögen die aus dem Warten auf das Gericht erwachsenden gerichtsprophetischen Klagen eine Hilfe sein für den heutigen Verkündiger, sich wiederzufinden in dem Bezugsfeld "Gott"-"Mitmenschen"-"Ich".
Die Individualität des Verkündigers wird durch dieses Bezugsfeld gewiß nicht aufgehoben. So steht neben dem vertrauensvollen Warten der
Tradenten der Prophetie Jesajas (8,16-18) und dem kraftstrotzenden
Bekenntnis eines Micha (3,8) die Aggressivität der Bitte gegen die
Feinde bei Jeremia (17,18; 18,23). Aber alle stehen doch in diesem
dreifachen Bezugsfeld Gott-Mitmensch-Ich, und die Klage ist darauf
aus, die Störungen in diesem Bezugsfeld zu überwinden.

Die Berücksichtigung dieses Bezugsfeldes wird nicht nur eine Hilfe
sein zu einem konkreteren Predigen von Gott, sondern auch zu einem
konkreteren Predigen im Blick auf die leidenden Zeitgenossen mit ihren jeweils sehr unterschiedlichen Persönlichkeitsstrukturen und den
entsprechend unterschiedlichen Weisen, auf ihr Leid zu reagieren.

---

1 Problematik, S.295
2 Der Anschaulichkeit wegen seien die Titel in vollem Wortlaut aufgeführt:
  Y.Spiegel, der Pfarrer im Amt, München 1970.
  K.W.Dahm, Beruf: Pfarrer, München 1971.1974[3]
  W.Winkler/E.F.Sievers, Pastoren von A-Y, Göttingen 1971
  H.Wulf, Pfarrer - wie lange noch? Neukirchen-Vluyn 1971
  R.Erler, Sieben Tage (Modell einer Krise), Stein/Nürnberg 1974
  E.Domay, Und es lohnt sich doch. Tagebuch eines Pfarrers, Gütersloh 1977
  S.Sunnus, Die ersten sieben Jahre, Münster 1977
  H.Wulf/A.Stein, Pfarrer Y und die Gesetze, Neukirchen-Vluyn 1977
  R.Rehmann, Der Mann auf der Kanzel, München.Wien 1979
3 R.Riess, Problematik, S.303.310f.. Zu diesem Problemkreis cf.a. A.Denecke, Persönlich predigen, bes. S.68.
4 Cf. G.Fuchs, Glaubenserfahrung, S.108. F. zitiert M.Buber, Werke I, S.188: "Wer
  mit Menschen reden will, ohne mit Gott zu reden, dessen Wort vollendet sich
  nicht; aber wer mit Gott reden will, ohne mit den Menschen zu reden, dessen Wort
  geht in die Irre."

Gerade in einer Zeit, da es als unfein gilt zu klagen, und in der wir einen Menschen bewundern, der sein Leiden trägt ohne zu klagen, muß es auffallen, daß dieser Verdrängung der Klage eine tiefe Sprachlosigkeit entspricht. Dabei könnte gerade die Klage eine Möglichkeit eröffnen, sein "Herz vor Gott auszuschütten" (1). Die so verstandene Klage hat nicht viel gemein mit der häufig anzutreffenden Auffassung der Klage in ihrer Verkümmerung zu einem bloßen "Sich-beklagen" oder Lamentieren (2), sondern wendet sich an Gott und fleht um die Heilung der gestörten Beziehungen zu Gott und den Mitmenschen. Gerade die Beobachtung, daß die aus dem Warten auf das Gericht erwachsende Klage am stärksten der Form der allgemeinen Klage wie in den Klagepsalmen des Einzelnen mit der hinter ihnen stehenden Fülle unterschiedlicher Erfahrungen entspricht, zeigt, wie nahe sich auch in diesem Punkte der Verkündiger und die Adressaten der Verkündigung stehen (3).

Waren die beiden Geschehenszusammenhänge für die Klage: "Rückmeldung auf den zu schweren Auftrag" und: "Warten auf Angekündigtes" für jeden Menschen nachvollziehbar und waren diese beiden Geschehenszusammenhänge in ihrer Übertragung auf die Gerichtsprophetie für jeden Verkündiger nachvollziehbar, so stellt die *Rezeption der gerichtsprophetischen Klageformen* durch die dtr. Redaktion des Jeremiabuches,

---

1 Cf. C.Westermann, Zorn und Gericht, Klage, S.23.
2 Gegen dieses verkümmerte Verständnis von Klage wendet sich C.Westermann, Die Klage, mit Recht.
3 Daß auch Konfirmanden ein tiefes Gespür haben für diese Art des Klagens zu Gott, zeigen folgende selbstformulierte Klagen, die aus der Betrachtung zweier Bilder entstanden sind: Eines zwischen zwei dicken Bäumen stehenden Bäumchens und einer zertretenen Margeritenblüte (cf. ku-praxis 10 (materialen), Gütersloh 1979, M 4 und M 5), denen die Konfirmanden "Gebete" in den Mund legen sollten:
   - O Herr, warum hast du mich zwischen zwei Bäume gestellt ?
   Ich hab' ein Gefühl, als ob ich gefangen wär'.
   Die beiden Bäume nehmen mir den Platz weg.
   - Oh Gott, ich bin ein Baum, der sich nicht helfen kann.
   Die anderen Bäume lassen mich nie in Ruhe. Sie quälen mich jeden Tag.
   Entweder, sie trinken mir das Wasser weg, wenn es regnet ... (Anakoluth)
   Ich weiß wirklich nicht mehr weiter.
   Wenn du mir nicht helfen kannst, kann's keiner.
   Ich glaube, ich gebe die Hoffnung auf und warte auf ein Wunder.
   - Herr, habe ich so große Sünde begangen, daß mir dieses Schicksal von dir zugeteilt wurde?
   Bitte, Herr, gib mein Wasser, gib mein Licht, gib mir mein Recht zu leben.
   Warum mußte ich in diese Lage kommen? Warum?
   Bitte, befreie mich aus dieser Not.
   - Bitte Herr, hilf mir, ich brauche deine Hilfe.
   Ich bin zu klein, um mir selber zu helfen.
   Wenn du mir nicht hilfst, ist es mit mir aus.
   Gib mir den Willen und die Kraft, daß ich mir selber helfen kann.
   Bitte hilf mir, Herr.
   - Gott, warum hast du mich verlassen? Ich habe doch nichts Böses getan.
   Man hat mein Leben zerstört, und du hast mich nicht beschützt.
   Warum nicht? Ich habe immer auf dich vertraut; aber als ich dich brauchte, warst du nicht da.
   - Hilf mir, Gott, warum muß ich auf so eine Art sterben, warum?
   Warum kann ich nicht weiter leben wie alle und einen richtigen Tod haben, dann brauch' ich mich nicht so zu quälen.

Ezechiel und die Gottesknechtlieder bei Deuterojesaja keineswegs eine
Verflachung der gerichtsprophetischen Klagen, sondern eine *tiefgehen-*
de Durchdringung derselben dar, die nicht einfach mit dem Attribut
"theologisch" zu plakattieren ist, sondern sich auch wieder in der
Dreier-Beziehung Gott-Mitmenschen-Ich bewegt - auf der Ebene der Auf-
fächerung der Wissenschaften gesprochen: in der Dreier-Beziehung Theo-
logie-Soziologie-Psychologie - und in der dtr. Redaktion des Jeremiabuches und in den Gottesknechtliedern mit dem weitgefächerten Begriff
עבד umschrieben wird.

Der Aussagewille der dtr. Redaktion des Jeremiabuches kam aber gerade deshalb so plastisch zum Ausdruck, weil vorher aufgrund der *form-*
geschichtlich analysierten Klagevorgänge innerhalb zwischenmenschlicher Beziehungen die Unterscheidung von Tradition und Redaktion bei
den Konfessionen Jeremias, aber auch bei den vorjeremianischen Klagen
erst ermöglicht. Die so ermittelte dtr. Redaktion des Jeremiabuches
bestätigte auch im Blick auf das dtr. Bild vom leidenden Gottesknecht
C.Westermanns Betrachtungsweise der Gottesknechtlieder bei Deuterojesaja auf dem Hintergrund der vorexilischen Gerichtsprophetie (1).

Es handelt sich bei dieser *Frage nach der Beziehung von Klage und*
Leiden nicht nur um ein methodologisches Problem der Beziehung von
Formgeschichte und Redaktionsgeschichte zueinander, sondern um ein
zutiefst theologisch-anthropologisches Problem: Läßt sich Leiden in
einer theologisch und zugleich anthropologisch verantworteten Weise
aufarbeiten und darstellen, ohne daß von der *Klage* die Rede ist? Es
dürfte kein Zufall sein, daß *D.Sölle* in ihrem Buch "Leiden" eine Untersuchung der Klage in die Mitte stellt und dabei insbesondere die
so oft übersehene *soziale Dimension der Klage*, das in ihr zur Sprache
kommende gestörte Verhältnis des Leidenden zu den andern Menschen her-
ausstellt (2). Ebenso ist die Darstellung der *Leidensgeschichte Jesu*
undenkbar ohne den Klagepsalm des Einzelnen Ps 22 (3). Nicht ohne
Grund ist mit diesem Psalm ein alttestamentlicher Klagekomplex aufgenommen, in dem sich eine Fülle menschlicher Einzelerfahrungen - sowohl des Einzelnen als auch der Gemeinschaft - widerspiegeln.

Dieses Leiden Jesu Christi (4) steht in der Linie des leidenden
Gottesknechts bei Deuterojesaja und ist gerade deshalb undenkbar ohne

---

1 s.o., Teil B.VII.
2 Teil III. Leiden und Sprache (S.79-109)
3 F.Stolz, Psalm 22, S.147: "Die Glaubenserfahrung und Theologie, wie sie in Ps 22
  erscheint, gibt also Markus die Möglichkeit, das Leiden und Sterben Jesu erst zu
  verstehen. Gleichzeitig aber wird jener Erfahrungszusammenhang von Leid und Heil,
  Klage und Lob exklusiv für Jesus reklamiert: Nur bei ihm kommen diese einander
  entgegengesetzten und doch zusammengehörigen Momente des Lebens umfassend zur
  Verwirklichung; für die Jünger bleibt Nachfolge, partielle Verwirklichung dessen,
  was Ps 22 vorzeichnet."
  Für die Bedeutung der Jeremia-Überlieferung in der zwischentestamentlichen Zeit
  cf. C.Wolff, Jeremia (u.a. S.83-89: "Jeremia als Beter"), der zeigt, daß die Jeremia-Überlieferung für lange Zeit in den Hintergrund trat, weil Jeremia als
  der Prophet des Unheils galt (S.188), bevor das Jeremiabuch im Zusammenhang
  mit der Katastrophe von 70 n.Chr. ganz neue Bedeutung erlangte.
4 Diese Bezeichnung ist bewußt gewählt aus der Sicht der Ereignisse nach Ostern,
  im Sinne des "mit der Passionstradition verbundenen und inzwischen christiani-
  sierte(n Christos-)Titels" (F.Hahn, Hoheitstitel, S.212). So verstanden, entspricht der Christos-Titel, auch in seiner Heilsbedeutung (a.a.O., S.213f.) am
  ehesten dem עבד-Titel bei Deuterojesaja.

die Aufarbeitung von Schuld (1). Die Handlungsanweisungen in den alltäglichen Konkretionen gibt aber nicht nur Paulus mit seinem auf dem
Hintergrund seiner Rechtfertigungslehre entwickelten "Gottesdienst im
Alltag der Welt", sondern auch die dtr. Redaktion des Jeremiabuches
mit ihrer Entfaltung des Begriffes עבד als des Inbegriffs wahren Gottesdienstes im Alltag der Welt: Er vollzieht sich im Reden in der Tradition der alttestamentlichen Gerichtspropheten, in der Gleichberech-
tigung der Sklaven, in dem Unterlassen der Ausbeutung der Arbeiter
und nicht zuletzt in der Erkenntnis, daß Ausländer zu einem Vorbild
für rechten Gottesdienst werden können. In diesem Gottesdienst steht
der Mittler, auch der Verkündiger nicht allein, sondern in diesem
reich gefächerten Gottesdienst vollzieht sich Gottesdienst der Gemeinde, nicht als etwas Ausgegrenztes, sondern als Gottesdienst im Alltag der
Welt. Dieses Gottesdienstverständnis schließt aber vor allem auch die
Bereitschaft zum Leiden unter den Aufgaben des Alltags und möglicherweise
eine *Existenz in der Isolierung* (Baruch!) ein. Damit aber dieser Gottesdienst sich nicht verliere in der Isolierung von Gott und den Mitmenschen,
bleibt die Klage eine Notwendigkeit zur Krisenbewältigung.

So wird die Aufarbeitung der gerichtsprophetischen Klagen unter Berücksichtigung ihres dreifachen Bezuges: Gott-Mitmenschen-Ich nicht
nur zu einer Handlungsanleitung für spezielle Fragen der Pastoraltheo-
logie, sondern generell der Homiletik, der Seelsorge, der Liturgik,
aber auch der Katechetik ("Konfirmanden entdecken in der Klage ihr
Verhältnis zu den Mitmenschen und zu Gott und eine Hilfe für ein Heil-
werden dieser Beziehungen") und nicht zuletzt der Missionswissen-
schaft ("Ausländer werden zu einem Lehrbeispiel für Gottesdienst").
Nicht umsonst ist das zweite Gottesknechtlied an alle Völker gerichtet, und es dürfte wohl auch kein Zufall sein, daß Deuterojesaja, der
Evangelist des Alten Testaments, in der von ihm zentral verwendeten
Form des priesterlichen Heilsorakels auf die Klage des Einzelnen zurückgreift. Auch die frohe Botschaft des Neuen Testaments hat zur Voraussetzung das stellvertretende Leiden des Mittlers Jesus Christus und
seine Klage (2).

---

1 Cf. dazu W.Härle/E.Herms, Rechtfertigung. Im Zusammenhang der "liturgischen Bezeugung des Rechtfertigungsglaubens" (S.127) unterscheiden die Verfasser drei
  "Bildungsbereiche" für die Ausbildung von Identität (S.126), die den drei oben
  unterschiedenen Stadien: "Vorgeschichte der gerichtsprophetischen Klage"; "gerichtsprophetische Klage"; "Nachgeschichte der gerichtsprophetischen Klage" hinsichtlich der Möglichkeiten des Nachvollzugs heute überraschend entsprechen:
  Der primäre Bildungsbereich bezieht sich auf den Bereich Kindheit/Familie (ähnlich besteht zwischen diesem Bereich und den elementaren menschlichen Vorgängen
  (Botenbeauftragung und Warten) eine hermeneutische Brücke). Der sekundäre Bildungsbereich umfaßt den Bereich der öffentlichen Identität (Verkündigungsfunk-
  tion (u.a.) als Bereich öffentlicher Kommunikation) - vergleichbar der Gerichtsprophetie selbst), während der tertiäre Bildungsbereich bestimmt ist vom "mündi-
  gen Umgang der reifen Christen untereinander und in ihrer Weltgestaltung" - dem
  "Gottesdienst im Alltag der Welt" mit seinen vielen Entfaltungsmöglichkeiten
  entsprechend, wie wir ihn in der dtr. Redaktion des Jeremiabuches vorfanden,
  aber auch bei Paulus.
2 Eine knappe Zusammenfassung der Bedeutung der Person und des Werkes Jesu Christi
  auf dem Hintergrund der in diesem Buch untersuchten Klagen und ihrer schöpferi-
  schen Rezeption durch die Tradition bietet Hebr 5,7-10: Der, der zu Lebzeiten
  zu Gott gebetet, gefleht und geschrien hatte, ist von Gott gerettet worden, hat
  an seinem Leiden Gehorsam gelernt und ist so zum Heil geworden für alle, die
  auch gehorsam sind. Gott hat ihn erhöht zum Hohenpriester.

Der jahwistische Anteil von Ex 3,1-6,1

3,1 Als Mose einmal die Schafe seines Schwiegervaters Jethro, des
Priesters von Midian, hütete, trieb er die Schafe über die
Wüste hinaus.
2 Da erschien ihm Jahwe in einer Feuerflamme mitten aus dem Dornbusch heraus. Und er (Mose) schaute hin, und siehe: Der Dornbusch stand in Flammen, aber der Dornbusch wurde nicht ver-
zehrt.
3 Da sagte (sich) Mose: "Ich will doch einmal vom Wege abbiegen,
damit ich mir diese große Erscheinung anschaue, warum der Dornbusch nicht brennt."
4 Und Jahwe sah, daß Mose vom Wege abbog, um hinzuschauen. Da
rief ihm Gott (das unbekannte Numen) aus dem Dornbusch heraus
zu und sagte: "Mose, Mose!" Und Mose antwortete: "Hier bin
ich!"
5 Da sagte er (Jahwe bzw. Gott): "Tritt nicht näher heran; ziehe
deine Sandalen von den Füßen; denn der Ort, auf dem du stehst,
ist heiliger Boden."
6 Und er sagte (weiter): "Ich bin der Gott deines Vaters."
Und Mose verhüllte sein Angesicht; denn er fürchtete sich, den
Gott anzuschauen.
7 Und Jahwe sagte: "Ich habe das Elend meines Volkes in Ägypten
genau angesehen, und ihren Hilfeschrei wegen der Aufseher habe
ich gehört. Ja, ich kenne seine Schmerzen.
8 Deshalb bin ich herabgestiegen, um es aus der Hand Ägyptens zu
retten und es aus diesem Land herauszuführen.
9 So geh und versammle die Ältesten Israels und sage zu ihnen:
'Der Gott eurer Väter ist mir erschienen mit folgenden Worten:
"Ich habe genau auf euch und das, was euch in Ägypten angetan
wurde, geachtet
17 und (mir) gesagt: 'Ich will euch aus dem Elend Ägyptens heraus-
führen.'"'
18b So geh du und die Ältesten Israels zum König von Ägypten und
sagt zu ihm: 'Jahwe, der Gott der Hebräer ist uns erschienen;
so laß uns einen Weg von drei Tagen in die Wüste gehen, damit
wir Jahwe, unserm Gott, opfern.'"

4,18 Da ging Mose und kehrte zu seinem Schwiegervater Jethro zurück
und sagte zu ihm: "Ich will doch ziehen, damit ich zu meinen
Brüdern nach Ägypten zurückkehre und sehe, ob sie noch am Leben
sind." Und Jethro sagte zu Mose: "Gehe hin in Frieden!"
20 Und Mose nahm seine Frau und seinen Sohn und setzte sie auf
einen Esel und kehrte wieder ins Land Ägypten zurück.
24 Unterwegs aber an einer Übernachtungsstätte überfiel ihn Jahwe
und suchte ihn zu töten.
25 Da nahm Zippora einen scharfen Stein und schnitt (damit) die
Vorhaut ihres Sohnes ab und berührte damit seine Scham und sagte: "Ein Blutbräutigam bist du mir."
26 Daraufhin ließ er von ihm ab.
29 Und Mose ging und versammelte alle Ältesten Israels,
31b und sie hörten, daß Jahwe sich der Israeliten angenommen und
ihr Elend angesehen habe. Da verneigten sie sich und fielen
nieder.

5,1 Danach kamen Mose und die Ältesten und sagten zu Pharao: "So spricht Jahwe, der Gott Israels: 'Laß mein Volk frei, damit sie mir ein Fest in der Wüste feiern.'
2 Pharao aber sprach: "Wer ist Jahwe, daß ich auf seine Stimme hören müßte, Israel freizulassen? Ich kenne Jahwe nicht, so werde ich auch Israel nicht freilassen."
3 Und sie sprachen: "Der Gott der Hebräer ist uns erschienen; laß uns doch einen Weg von drei Tagen in die Wüste gehen, damit wir Jahwe, unserm Gott, opfern, damit er uns nicht trifft mit Hunger oder Schwert."
5 Pharao sagte (zu sich): "Siehe, sie sind schon zahlreicher als das Volk des Landes, und da wollt ihr noch von ihren Frondienstlasten eine Ruhepause erwirken?"
6 Und Pharao gab an jenem Tage den Treibern des Volkes und seinen Aufsehern folgenden Befehl:
7 "Ihr sollt nicht mehr wie bisher dem Volke Häcksel zur Herstellung der Ziegel geben; sie selbst sollen gehen und sich Häcksel zusammenlesen.
8 Die festgesetzte Anzahl Ziegel, die sie bisher herstellen, sollt ihr ihnen dabei auferlegen, nichts davon nachlassen; denn sie sind faul; deswegen schreien sie: 'Wir wollen ziehen, um unserm Gott zu opfern."
9 Die Arbeit soll schwer auf den Leuten lasten, und sie sollen damit zu tun haben und nicht nach Lügenreden Ausschau halten."
10 So gingen denn die Treiber des Volkes und die Aufseher hinaus und sagten zum Volk: "So spricht Pharao: 'Ich gebe euch keinen Häcksel.'
11 Geht selbst hin, holt euch Häcksel, wo ihr welchen findet; denn von eurer Arbeit wird nichts nachgelassen."
12 Und das Volk zerstreute sich im ganzen Lande Ägypten, um Stroh für den Häcksel zusammenzulesen.
13 Die Treiber aber drängten ständig und sagten: 'Erfüllt euer Tagespensum wie bisher, als der Häcksel noch zur Verfügung stand."
14 Und die Aufseher der Israeliten, die die Treiber des Pharao über sie eingesetzt hatten, wurden geschlagen mit den Worten: "Warum habt ihr weder gestern noch heute euer Soll an Ziegelanfertigung wie bisher erfüllt?"
15 Darauf gingen die Aufseher der Israeliten hinein und schrieen zu Pharao: "Warum handelst du so an deinen Knechten?
16 Deinen Knechten wird kein Stroh gegeben, und doch sagt man uns: 'Macht (Ziegeln)!' Und siehe: Deine Knechte werden geschlagen. So sündigst du an deinem Volk."
17 Er aber sagte: "Faulpelze seid ihr, Faulpelze! Darum sagt ihr: 'Wir wollen gehen und Jahwe opfern.'
18 Nun also geht hin, arbeitet. Doch Häcksel wird euch nicht gegeben; dennoch müßt ihr die festgesetzte Zahl an Ziegeln abliefern."
19 Da sahen sich die Aufseher der Israeliten in einer üblen Lage, weil man ihnen gesagt hatte: "Ihr dürft von dem täglichen Pensum eurer Ziegel täglich nichts nachlassen."
20 Und sie trafen auf Mose (und die Ältesten), die dastanden, sie zu erwarten, als sie vom Pharao herauskamen.

21 Und sie sagten zu ihnen: "Jahwe möge über euch erscheinen und darüber richten, daß ihr uns bei Pharao und seinen Dienern in einen so üblen Geruch gebracht habt, ihnen ein Schwert in die Hand zu geben, uns damit zu töten.

22 Da wandte sich Mose wieder an Jahwe: "Herr, warum handelst du übel an diesem Volke? Warum dies: Du hast mich gesandt,

23 und seitdem ich zum Pharao gegangen bin, um in deinem Namen zu reden, hat er an diesem Volke übel gehandelt; aber gerettet hast du dein Volk nicht."

6,1 Da sagte Jahwe zu Mose: "Jetzt wirst du sehen, was ich dem Pharao tun werde; denn mit starker Hand wird er sie freilassen, und mit starker Hand wird er sie aus seinem Lande vertreiben."

Der jahwistische Anteil von Num 11,4-32

11,4b Und die Israeliten fingen wieder an zu weinen und sagten: "Wer gibt uns Fleisch zu essen?

5 Wir denken an die Fische, die wir in Ägypten umsonst essen konnten, an die Gurken und an die Melonen und an den Lauch und an die Zwiebeln und an den Knoblauch.

6 Jetzt aber ist unsere Kehle trocken; es gibt nichts. Nur auf das Manna fällt unser Auge."

10 Und Mose hörte das Volk weinen, einen jeden vor dem Eingang seines Zeltes.

11 Und Mose sagte zu Jahwe: "Warum handelst du übel an deinem Knechte, und warum finde ich nicht Gnade vor deinen Augen?

12 Habe ich etwa dieses ganze Volk empfangen, oder habe ich es geboren, daß du zu mir sagst: 'Trage es an deinem Busen, wie die Amme den Säugling trägt?'

13 Woher nehme ich Fleisch für dieses ganze Volk? Denn sie weinen vor mir und sagen: 'Gib uns Fleisch zu essen!'"

16 Und Jahwe sprach zu Mose: "Sage zum Volke: 'Heiligt euch für morgen; so werdet ihr Fleisch zu essen bekommen, weil ihr vor den Ohren Jahwes geweint und gesagt habt: `Wer gibt uns Fleisch zu essen? In Ägypten ging es uns ja so gut!´ So wird euch Jahwe Fleisch zu essen geben.'"

24 Und Mose kam und sagte zum Volke, was Jahwe ihm gesagt hatte.

31 Und es machte sich ein Wind von Jahwe her auf und trieb vom Meer her Wachteln heran und warf sie auf das Lager herunter.

32 Da machte sich das Volk auf jenen ganzen Tag und die ganze Nacht und den nächsten Tag und sammelte die Wachteln. Und sie breiteten sie für sich aus rings um das Lager.

1,11 Und es erging das Wort Jahwes an mich folgendermaßen:
"Was siehst du, Jeremia?"
Und ich sprach:
"Einen Mandelzweig sehe ich."
12 Und Jahwe sprach zu mir:
"Ich wache über meinem Worte, es zu vollstrecken."
13 Und das Wort Jahwes erging an mich zum zweitenmal folgender-
maßen:
"Was siehst du?"
Und ich sprach:
"Einen dampfenden Kessel sehe ich,
dessen Oberfläche von Norden her geneigt ist."
14 Und Jahwe sprach zu mir:
"Von Norden her wird das Unheil entfesselt
über alle Bewohner des Landes."

4,5 Stoßt ins Horn im Lande,
ruft mit lauter Stimme:
"Versammelt euch und laßt uns kommen
in die festen Städte!"
6 Hebt das Panier nach Zion hin!
Flüchtet! Bleibt nicht stehen!
Denn es kommt Unheil von Norden
und großer Zusammenbruch.
7 Schon steigt aus dem Dickicht herauf der Löwe,
und der Würger der Völker bricht auf,
kommt hervor aus seiner Stätte,
das Land zu verwüsten.

11 Ein Wind heißester Dünen aus der Wüste
kommt auf die Tochter mein Volk zu;
nicht zum Worfeln und nicht zum Säubern:
12 Ein Vollwind kommt mir!
13 Siehe, wie Wolken steigt er herauf
und wie Windsbraut seine Wagen!
Schneller als Adler sind seine Rosse:
Wehe uns, denn wir sind überwältigt!
15 Denn horch! Man meldet von Dan her
und kündet Unheil vom Gebirge Ephraim her:
16 Siehe, Panther kommen aus fernem Lande
und erheben über die Städte Judas ihre Stimme.

19 O mein Leib, mein Leib, ich muß mich winden!
O meine Herzwände!
Es braust in mir meine Seele,
ich kann nicht schweigen!
Denn Schall des Hornes höre ich
und Kriegsgeschrei.
20 Zusammenbruch trifft auf Zusammenbruch,
überwältigt ist das ganze Land!
Plötzlich sind meine Zelte überwältigt,
im Nu der Behang meiner Zelte!
21 Wie lange soll ich das Panier sehen,
den Schall des Hornes hören?

5,1 Streift umher in den Straßen Jerusalems
        und schaut doch und merkt auf
    und sucht auf seinen Plätzen,
        ob ihr einen findet,
    ob es einen gibt, der Recht tut,
        der Wahrheit sucht.
8,6 Ich merkte auf und horchte:
        Sie reden unwahr!
    Es gibt keinen, der seine Bosheit bereut,
        daß er sagte: "Was habe ich getan!"
    Ein jeder läuft umher in seinem Rennen
        wie ein Roß im Kampfe.
  7 Selbst der Storch am Himmel
        kennt seine Zeiten,
    und Turteltaube, Schwalbe und Kranich,
        sie halten ein die Zeit ihrer Umkehr.
    Aber mein Volk weiß nichts
        von dem Recht Jahwes.
5,4 Ich aber dachte: "Nur die Geringen sind's,
        die sind töricht;
    denn sie wissen nichts von dem Weg Jahwes,
        von dem Recht ihres Gottes.
  5 Ich will doch zu den Großen gehen,
        will mit ihnen reden;
    denn sie wissen etwas von dem Weg Jahwes,
        von dem Recht ihres Gottes."
    Aber auch sie hatten das Joch zerbrochen,
        ihre Stricke zerrissen.
  6 Darum schlägt sie der Löwe aus dem Walde,
        überwältigt sie der Steppenwolf.
    Der Panther lauert an ihren Städten,
        wer herauskommt, wird zerrissen.
    Denn vielfältig sind ihre Sünden,
        zahlreich ihre Abtrünnigkeiten.

6,9 Halte genau Nachlese wie am Weinberg
        am Rest Israels,
    laß deine Hand hin- und hergehen wie ein Winzer
        an den Reben!
 10 Wem soll ich noch zureden,
        wen beschwören, daß sie darauf hören?
    Siehe, unbeschnitten ist ihr Ohr;
        sie können nicht aufmerken.
    Siehe, das Wort Jahwes ist ihnen geworden zum Spott,
        sie mögen es nicht leiden.
 11 Ich aber bin erfüllt mit Zornglut Jahwes,
        ich mühe mich vergeblich, sie zurückzuhalten.
    Ausgießen muß ich sie auf der Gasse,
        auf den Kreis der Jünglinge zugleich.

13,1 So sprach Jahwe zu mir: "Geh und kauf dir einen linnenen Schurz
     und lege ihn dir um die Hüfte."
  2 Und ich kaufte den Schurz dem Auftrag Jahwes entsprechend und
    legte ihn um meine Hüften.
  3 Und das Wort Jahwes erging an mich zum zweitenmal folgender-
    maßen:
  4 "Nimm den Schurz, den du gekauft und um deine Hüften gelegt
    hast, und mach dich auf: Geh zum Euphrat und verbirg ihn dort
    in einer Felsspalte."
  5 Und ich ging hin und verbarg ihn am Euphrat, wie Jahwe mir be-
    fohlen hatte.
  6 Nach geraumer Zeit aber sprach Jahwe zu mir: "Mache dich auf:
    Geh zum Euphrat und hole von dort den Schurz, den ich dir dort
    zu verbergen befohlen habe."
  7 Und ich ging zum Euphrat und grub nach und nahm den Schurz von
    der Stelle, wo ich ihn verborgen hatte. Und siehe, der Schurz
    war verdorben, zu nichts nutze.
  8 Und das Wort Jahwes erging an mich folgendermaßen:
  9 "So spricht Jahwe: 'Ebenso will ich den Stolz Judas und den
    Stolz Jerusalems, den großen, verderben:
 10 Dieses böse Volk soll werden wie dieser Schurz, der zu nichts
    nutze ist."

12,1 Du bleibst im Recht, Jahwe, wenn ich gegen dich streite,
         doch muß ich Gegenvorschläge für das Urteil bei dir vorbringen:
     Warum geht es den Gottlosen so gut,
         können sorglos sein alle, die treulos handeln?
  2 Du hast sie gepflanzt - sie haben auch Wurzeln geschlagen.
       Sie wachsen - und bringen auch Frucht.
     Nah bist du ihrem Munde,
       aber fern von ihrem Herzen.
  3 Aber du, Jahwe, siehst mich
       und prüfst, wie mein Herz zu dir steht.
     Reiße sie heraus wie Schafe, die zur Schlachtbank geführt werden,
       und weihe sie für den Tag des Würgens.
  4 Denn sie denken: "Nicht sieht
       Gott unsere Wege."

  5 Wenn du mit Fußgängern um die Wette läufst und sie ermüden dich,
       wie willst du mit Rossen wettrennen?
     Und fühlst du dich nur in friedlichem Lande sicher,
       wie willst du es machen im Dickicht des Jordan?

16,5 (Und es erging das Wort Jahwes an mich folgendermaßen:)
     "Betritt kein Haus des lauten Geschreis
       und gehe nicht hin zur Totenklage;
     denn genommen habe ich meinen Frieden
       von diesem Volke.
  7 Und man wird keinem Trauernden das Brot brechen
       und ihn wegen eines Gestorbenen trösten,
     und man wird ihm nicht den Trostbecher zu trinken geben
       wegen seines Vaters oder seiner Mutter."

15,10 Weh mir, Mutter, daß du mich geboren,
        einen Mann des Streites für das ganze Land.
      Nicht habe ich geliehen, noch hat man mir geliehen,
        und doch verfluchen mich alle!

17 Nicht sitze ich im Kreise der Fröhlichen
   und frohlocke;
   von deiner Hand gebeugt sitze ich einsam,
   denn mit Zorn hast du mich erfüllt.
18 Warum dauert mein Schmerz ewig
   und ist meine Wunde bösartig?
   Wehe, du bist mir zum Trugbach geworden,
   zu einem Wasser, auf das kein Verlaß ist.
19 Diese kehren zu dir zurück;
   du aber kehre nicht zu ihnen zurück.
20 Und ich mache dich für dieses Volk
   zur ehernen, unbezwinglichen Mauer.

17,14 Heile mich, so werde ich heil;
      hilf mir, so wird mir geholfen.
         Denn du bist meine Hoffnung.
   15 Siehe, sie sagen zu mir:
      "Wo ist das Wort Jahwes? Es treffe doch ein!"
   16 Ich aber habe mich nie in böser Absicht an dich gedrängt
      oder den Unheilstag herbeigewünscht.
      Du weißt, was über meine Lippen kam,
      es liegt offen vor dir!
   17 Werde mir nicht zum Schrecken,
      du bist meine Hoffnung am Unglückstage!
   18 Meine Verfolger mögen beschämt dastehen,
      ich aber möge nicht beschämt dastehen;
      sie mögen erschrecken,
      ich aber möge nicht erschrecken.
      Laß den Unglückstag sie treffen
      und zerschmettere sie mit doppelter Zerschmetterung!

18,19 Gib du, Jahwe, acht auf mich
      und höre, was meine Widersacher sagen!
   20 Soll denn Gutes mit Bösem vergolten werden?
      Gedenke, wie ich vor dir gestanden habe,
      um zu ihrem Besteh zu reden,
      um deinen Zorn von ihnen abzuwenden.
   22 Denn sie haben, mich zu fangen, eine Grube gegraben
      und meinen Füßen heimlich Schlingen gelegt.
   23 Aber du, Jahwe, weißt,
      wie alle ihre Pläne auf meinen Tod aus sind.
      Vergib ihnen ihre Schuld nicht
      und tilge ihre Sünde nicht vor deinem Angesicht;
      ihr Anstoß sei stets vor dir,
      zur Zeit deines Zorns handle an ihnen!

18,1 Das Wort, das an Jeremia von Jahwe erging, folgendermaßen:
   2 "Auf, geh hinab ins Haus des Töpfers, und dort werde ich dich
     meine Worte hören lassen."
   3 Und ich ging hinab ins Haus des Töpfers, und siehe, er war ge-
     rade bei der Arbeit an der Töpferscheibe.
   4 Und wenn das Gefäß, das er gerade in Arbeit hatte, mißriet,
     wie das bei Ton in der Hand des Töpfers vorkommt, so machte
     er daraus wieder ein anderes Gefäß, wie es dem Töpfer gutdünk-
     te, es zu machen.
   5 Und es erging das Wort Jahwes an mich folgendermaßen:
   6 "Kann ich nicht wie dieser Töpfer mit euch verfahren, Haus Is-
     rael?"

19,1 Dann sagte Jahwe zu mir:
"Geh und kaufe einen tönernen Krug und nimm mit dir einige von
den Ältesten des Volkes und einige von den Priestern
 2 und gehe hinaus an den Eingang des Scherbentors
10 und zerschmettere dort den Krug vor den Männern, die mit dir
gegangen sind,
11 und sage zu ihnen: 'So spricht Jahwe Zebaoth: `So werde ich
dieses Volk und diese Stadt zerschmettern, wie man Töpferge-
schirr zerschmettert, so daß man es nicht mehr ganz machen
kann.´'"

20,7 Du hast mich verführt, Jahwe, und ich habe mich verführen lassen;
du hast mich gepackt und die Oberhand behalten.
Ich bin zum Gelächter geworden den ganzen Tag;
jedermann spottet mein.
 8 Ja, sooft ich rede, muß ich schreien: "Gewalttat!"
und: "Unterdrückung!" muß ich rufen;
denn das Wort Jahwes ist mir geworden zur Schmach
und zum Spott den ganzen Tag.
 9 Sage ich aber: "Ich will seiner nicht mehr gedenken,
nicht mehr reden in seinem Namen,"
dann wird es in meinem Herzen wie Feuer,
brennend in meinem Gebein.
Ich mühe mich ab, es zu tragen,
und kann nicht.

14 Verflucht sei der Tag,
an dem ich geboren;
der Tag, an dem mich meine Mutter gebar,
sei nicht gesegnet.
15 Verflucht sei der Mann, der frohe Kunde
meinem Vater brachte:
"Dir ist ein Junge geboren!"
und ihn damit hoch erfreute.
16 Er höre Hilfegeschrei am Morgen
und Kriegslärm um die Mittagszeit,
17 weil er mich nicht schon im Mutterleib tötete,
daß meine Mutter mir ein Grab geworden
und ihr Schoß auf ewig schwanger!
18 Warum nur kam ich aus Mutterleib,
um nur Mühsal und Kummer zu sehen
und in Schmach meine Tage zu beenden?

LITERATURVERZEICHNIS

Es werden die Abkürzungen verwandt, wie sie in E.Jenni/C.Westermann (Hrsg.), Theologisches Handwörterbuch zum Alten Testament, München/Zürich 1971, Bd.1, S.XXVI-XLI vorgeschlagen werden. Diese Auflistung ist zu ergänzen durch folgende Abkürzungen:

AOAT	=	Alter Orient und Altes Testament, Neukirchen-Vluyn
CTM	=	Calwer Theologische Monographien, Stuttgart
FzB	=	Forschungen zur Bibel, Würzburg
OBO	=	Orbis Biblicus et Orientalis, Freiburg/Schweiz und Göttingen
SBM	=	Stuttgarter Biblische Monographien, Stuttgart
STTAASF	=	Suomalaisen Tiedeakatemian Toiʃ ituksia Annales Academiae Scientiarum Fennicae, Helsinki
THAT	=	Theologisches Handwörterbuch zum Alten Testament, Hrsg. E.Jenni/C.Westermann, München/Zürich, Bd.1: 1971; Bd.2: 1976
UTB	=	Universitäts-Taschenbücher, Göttingen
VTS	=	Vetus Testamentum, Suppl., Leiden
WdF	=	Wege der Forschung, Darmstadt
WMANT	=	Wissenschaftliche Monographien zum Alten und Neuen Testament, Neukirchen-Vluyn

Zur Auflösung der Abkürzungen: ATA, AThANT, BEvTh, SAT, ThB und ZSTh sei auf RGG, 3.Aufl., Bd.VI, S.XXff. verwiesen.

Die (z.T. abweichend von THAT 1) in den Anmerkungen verwandten Abkürzungen der Titel sind unterstrichen.

F.Ahuis,   Der klagende Gerichtsprophet. Studien zu Klage und Fürbitte in der Überlieferung von den alttestamentlichen Gerichtspropheten, Diss. (Masch.) Heidelberg 1973/74

R.Albertz,   Persönliche Frömmigkeit und offizielle Religion, CTM A.9, Stuttgart 1978

R.Albertz,   Weltschöpfung und Menschenschöpfung. Untersucht bei Deuterojesaja, Hiob und in den Psalmen, CTM A.3, Stuttgart 1974

R.Albertz/C.Westermann, Art. רוח, in: THAT II, 726-753

A.Alt,   Der Gott der Väter, in: KS I, 1-78

A.Alt,   Hic murus aheneus esto, in: ZDMG NF 11 (1933) 33-48

A.Alt,   Die Ursprünge des israelitischen Rechts, in: KS I, 278-332

R.Bach,   Bauen und Pflanzen, in: FS von Rad 1961, 7-32

E.Balla,   Das Ich der Psalmen, FRLANT 16, Göttingen 1912

E.Balla,   Jeremia 13,1-11, in: In Deo omnia unum (FS F.Heiler)(=Eine Heilige Kirche. Zeitschrift für Kirchenkunde und Religionswissenschaft 23) München 1942, 83-110

R.Bartelmus,   Heroentum in Israel und in seiner Umwelt, AThANT 65, Zürich 1979

H.Barth/O.H.Steck, Exegese des Alten Testaments, Neukirchen-Vluyn 1978, 8.Aufl.

W.W.Graf Baudissin, Adonis und Esmun, o.O. 1911

F.Baumgärtel,   Zu den Gottesnamen in den Büchern Jeremia und Ezechiel, in: FS Rudolph 1961, 1-29

W.Baumgartner,   Ein Kapitel vom hebräischen Erzählungsstil, in: EYXAPIΣTHPION. Studien zur Religion und Literatur des Alten und Neuen Testaments (FS H.Gunkel), Göttingen 1923, 145-157

W.Baumgartner,   Die Klagegedichte des Jeremia, BZAW 32, Gießen 1917

J.Begrich,   Das priesterliche Heilsorakel, in: ZAW 52 (1934) 81-92 (zitiert nach: Begrich, GesStud, 217-231)

J.Begrich,   Studien zu Deuterojesaja (Hrsg. W.Zimmerli, ThB 20, München 1963)

J.Begrich,   Die Vertrauensäußerungen im israelitischen Klagelied des Einzelnen und in seinem babylonischen Gegenstück, in: ZAW 46 (1928) 221-260 (zitiert nach: Begrich, GesStud, 168-216)

226

W.Beltz,   Religionsgeschichtliche Marginalie zu Ex 4,24-26, in: ZAW 87 (1975)
                         209-211
U.Bergmann,   Rettung und Befreiung, Diss. (Masch.) Heidelberg 1969
J.M.Berridge,   Prophet, People, and the Word of Yahweh: An Examination of Form
                         and Content in the Proclamtion of the Prophet Jeremiah, Basel
                         Studies of Theology 4, Zürich 1970
W.Beyerlin,   Die Rettung der Bedrängten in den Feindpsalmen des Einzelnen auf
                         institutionelle Zusammenhänge untersucht, FRLANT 99, Göttingen
S.H.Blank,   The Confessions of Jeremiah and the Meaning of Prayer, in: HUCA 21
                         (1948) 331-354
S.H.Blank,   The Prophet as Paradigm, in: Essays in Old Testament Ethics (FS J.
                         Ph.Hyatt, Hrsg. J.L.Crenshaw + J.T.Willis), New York 1974, 111-130
H.J.Boecker,   Redeformen des Rechtslebens im Alten Testament, WMANT 14, Neukir-
                         chen-Vluyn 1964
F.M.Th.de Liagre Boehl, Opera Minora. Studies en bijddragen op assyriologisch en
                         oudtestamentisch terrein, Groningen 1953
A.de Bondt,   De linnen gordel uit Jer.13:1-11, in: GThT 50 (1950) 17-39
P.E.Bonnard,   Le Psautier selon Jérémie, Lectio Divina 26, Paris 1960
N.P.Bratsiotis,   ΕΙΣΑΓΩΓΗ ΕΙΣ ΤΟΥΣ ΜΟΝΟΛΟΓΟΥΣ ΤΟΥ ΙΕΡΕΜΙΟΥ, Diss. Athen
                         1953, in: Theologia 1959, 279-312.390-439.618-637; 1960, 35-53
C.Bremond,   Die Erzählnachricht, in: J.Ihwe (Hrsg.), Literaturwissenschaft und
                         Linguistik III, Frankfurt/M. 1972, 177-217
J.Bright,   Jeremiah's Complaints: Liturgy or Expressions of Personal Distress?
                         in: FS Davies 1970, 189-214
J.Bright,   Jeremiah, AB 21, New York 1965
J.Bright,   The Date of the Prose Sermons of Jeremiah, in: JBL 70 (1951) 15-29
J.Bright,   The Prophetic Reminiscence: Its Place and Function in the Book of
                         Jeremiah, in: Biblical Essays. Proceedings of the 9th Meeting of
                         "Die Ou-Testamentiese Werkgemeenskap in Suid-Afrika", Stellenbosch
                         1966, 11-30
M.Buber,   Der Glaube der Propheten, Zürich 1950
K.Budde,   Jesajas Erleben. Eine gemeinverständliche Auslegung der Denkschrift
                         des Propheten (Kap.6,1-9,6), Gotha 1928
W.Chambers,   The Confessions of Jeremiah: A Study in Prophetic Ambivalence,
                         Diss. Vanderbilt University Nashville, Tennessee, 1972
B.S.Childs,   The Enemy from the North and the Chaos Tradition, in: JBL 78 (1959)
                         187-198
C.H.Cornill,   Das Buch Jeremia erklärt, Leipzig 1905
B.Couroyer,   L'arc d'airain, in: RB 73 (1965) 508-514
F.Crüsemann,   Studien zur Formgeschichte von Hymnus und Danklied in Israel,
                         WMANT 32, Neukirchen-Vluyn 1969
F.Crüsemann,   Der Widerstand gegen das Königtum, WMANT 49, Neukirchen-Vluyn 1978
K.W.Dahm,   Beruf: Pfarrer, München 1971.1974, 3.Aufl.
A.Denecke,   Persönlich predigen, Gütersloh 1979
W.Dietrich,   Jesaja und die Politik, BEvTh 74, München 1976
W.Dietrich,   Prophetie und Geschichte, FRLANT 108, Göttingen 1972
E.Domay,   Und es lohnt sich doch. Tagebuch eines Pfarrers, Gütersloh 1977
B.Duhm,   Das Buch Jeremia, KHC XI, Tübingen/Leipzig 1901
B.Duhm,   Israels Propheten, Tübingen 1916
M.Durrell,   Die semantische Entwicklung der Synonymik für "warten", Deutsche
                         Dialektgeographie 77, Marburg 1972
U.Eichler,   Der klagende Jeremia, Diss. (Masch.) Heidelberg 1978
O.Eißfeldt,   Hexateuch-Synopse, Leipzig 1922=Darmstadt 1962, 2.Aufl.
O.Eißfeldt,   "Mein Gott" im Alten Testament, in: ZAW 61 (1945/48) 1-16
O.Eißfeldt   Unheils- und Heilsweissagungen Jeremias als Vergeltung für ihm
                         erwiesene Weh- und Wohltaten, in: WZ Halle-Wittenberg, Gesell-
                         schafts- und sprachwissenschaftliche Reihe 14 (1965) 181-186 (zi-
                         tiert hiernach) (= KS IV, 181-192)

K.Elliger,	Deuterojesaja in seinem <u>Verhältnis</u> zu Tritojesaja, BWANT 4.F., H.11, Stuttgart 1933
W.Erbt,	<u>Jeremia</u> und seine Zeit, Göttingen 1902
R.Erler,	Sieben Tage. (Modell einer Krise?), Stein/Nürnberg 1974
H.Ewald,	Die <u>Propheten</u> des Alten Bundes <u>II</u>: Jeremja und Hezeqiel mit ihren Zeitgenossen, Göttingen 1868, 2.Aufl.
R.Ficker,	Art. מלאך, in: THAT I, 900-908
G.Fohrer,	<u>Einleitung</u> in das Alte Testament (begr. von E.Sellin), Heidelberg 1965, 10.Aufl. (zitiert hiernach); 1980, 12.Aufl.
G.Fohrer,	Überlieferung und Geschichte des <u>Exodus</u>, BZAW 91, Berlin 1964
G.Fohrer,	Die <u>Gattung</u> der Berichte über symbolische Handlungen der Propheten, in: ZAW 64 (1952) 101-120
G.Fohrer,	Die <u>symbolischen Handlungen</u> der Propheten, AThANT 54, Zürich 1968, 2.Aufl.
R.Friebe,	Form und Geschichte des <u>Plagenzyklus</u> Exodus 7,8-13,16, Diss.(Masch.) Halle-Wittenberg 1967/68
G.Fuchs,	<u>Glaubenserfahrung</u> als Voraussetzung und Kriterium der Predigt, in: R.Zerfaß/F.Kamphaus (Hrsg.), Kompetenz des Predigers, Münster 1980, 93-109
W.Fuß,	Die deuteronomistische <u>Pentateuchredaktion</u> Ex 3-17, BZAW 126, Berlin 1972
K.Galling,	Art. <u>Beschneidung</u>, in: RGG, 3.Aufl., I, 1091
A.van Gennep,	Les <u>rites de passage</u>, Paris 1909
M.Gerlach,	Die prophetischen <u>Liturgien</u> des Alten Testaments, Diss. Bonn 1967
E.Gerstenberger,	<u>Der bittende Mensch</u>. Bittritual und Klagelied des einzelnen im Alten Testament, Habil.-Schr. (Masch.) Heidelberg 1970 (zitiert hiernach) (jetzt geringfügig verändert in WMANT 51, Neukirchen-Vluyn 1980)
E.Gerstenberger,	Jeremiah's Complaints. Observations on <u>Jer 15,10-21</u>, in: JBL 82 (1963) 393-408
F.Giesebrecht,	Das Buch <u>Jeremia</u>, HK III, 2, 1, Göttingen 1894
M.Gilula,	An <u>Egyptian Parallel</u> to Jer 1:4s, in: VT 17 (1967) 114
M.Görg,	Der <u>Einwand</u> im prophetischen Berufungsschema, in: TThZ 85 (1976) 161-166
A.Greiff,	Das <u>Gebet</u> im Alten Testament, ATA 5/3, Münster 1915
H.Gunkel/J.Begrich,	<u>Einleitung</u> in die Psalmen, Göttingen 1933=1966, 2.Aufl.
H.Gunkel,	<u>Einleitungen</u> zu: H.Schmidt, Die großen Propheten, SAT II/2, Göttingen 1923, 2.Aufl.
H.Gunkel,	Die israelitische <u>Literatur</u>, Kultur der Gegenwart I,7: Orientalische Literaturen, Leipzig 1925=Darmstadt 1963
H.Gunkel,	Simson, in: H.Gunkel (Hrsg.), Reden und Aufsätze, Göttingen 1913, 38-64
A.H.J.Gunneweg,	<u>Konfession oder Interpretation</u> im Jeremiabuch, in: ZThK 67 (1970) 395-416
N.Habel,	The Form and the Significance of the <u>Call Narratives</u>, in: ZAW 77 (1965) 297-323
W.Härle/E.Herms,	<u>Rechtfertigung</u>. Das Wirklichkeitsverständnis des christlichen Glaubens, UTB 1016, Göttingen 1980
F.Hahn,	<u>Christologische Hoheitstitel</u>. Ihre Geschichte im frühen Christentum, FRLANT 83, Göttingen 1964, 2.Aufl.
C.Hardmeier,	Texttheorie und biblische Exegese. Zur rhetorischen Funktion der <u>Trauermetaphorik</u> in der Prophetie, BEvTh 79, München 1978
A.Heigl-Evers,	Die <u>Stufentechnik</u> der Supervision - eine Methode zum Erlernen der psychoanalytischen Beobachtungs- und Schlußbildungsmethode im Rahmen der angewandten Psychoanalyse, in: Gruppentherapie und Gruppendynamik 9 (1975) 43-54

J.Hempel,	Vom irrenden Glauben, in: ZSTh 7 (1930) 631-660
S.Herrmann,	Die Bewältigung der Krise Israels. Bemerkungen zur Interpretation des Buches Jeremia, in: Beiträge zur alttestamentlichen Theologie (FS W.Zimmerli), Göttingen 1977, 164-178
S.Herrmann,	Forschung am Jeremiabuch, in: ThLZ 102 (1977) 481-490
S.Herrmann,	Geschichte Israels in alttestamentlicher Zeit, München 1973
S.Herrmann,	Die prophetischen Heilserwartungen im Alten Testament, BWANT V/5, Stuttgart 1965
H.W.Hertzberg,	Prophet und Gott, BFChrTh 28,3, Gütersloh 1923
A.J.Heschel,	The Prophets, New York & Evanston 1962
D.R.Hillers,	A Convention in Hebrew Literature: The Reaction to Bad News, in: ZAW 77 (1965) 86-89
G.Hölscher,	Die Profeten, Leipzig 1914
W.L.Holladay,	The Architecture of Jeremiah 1-20, Lewisburg & London 1976
A.M.Honeyman,	Some Developments of the Semitic Root ʾby, in: JAOS 64 (1944) 81f.
F.Horst,	Art. Deuteronomium, in: RGG, 3.Aufl., II, 101-103
F.Horst,	Die Visionsschilderungen der alttestamentlichen Propheten, in: EvTh 20 (1960) 193-205
F.D.Hubmann,	Untersuchungen zu den Konfessionen Jer 11,18-12,6 und Jer 15,10-21, FzB 30, Würzburg 1978
P.Humbert,	La formule hébraïque en hineni suivi d'un participe, in: P.Humbert (Hrsg.), Opuscules d'un Hébraïsant, Mémoires de l'Université de Neuchâtel 26, Neuchâtel 1958, 54-59
G.Husserl,	Person, Sache, Verhalten. Zwei phänomenologische Studien. Zweite Abhandlung: Warten und Erwarten, Philosophische Abhandlungen XXXII, Frankfurt/M. 1969 (hier 187-236)
J.Ph.Hyatt,	The Deuteronomic Edition of Jeremiah, in: Vanderbuilt Studies in the Humanities I, Nashville 1951, 71-95
J.Ph.Hyatt,	The Original Text of Jeremiah 11,15-16, in: JBL 60 (1941) 57-60
J.Ph.Hyatt,	The Peril from the North in Jeremiah, in: JBL 59 (1940) 499-513
G.Jacoby,	Glossen zu den neuesten kritischen Aufstellungen über die Composition des Buches Jeremja, Diss. Königsberg 1903
E.Jenni,	Art. אחר, in: THAT I, 73f.
Jg.Jeremias,	Kultprophetie und Gerichtsverkündigung in der späten Königszeit Israels, WMANT 35, Neukirchen-Vluyn 1970
N.Johansson,	Parakletoi. Vorstellungen von Fürsprechern für die Menschen vor Gott in der alttestamentlichen Religion, im Spätjudentum und im Urchristentum, Lund 1940
H.W.Jüngling,	Ich mache dich zu einer ehernen Mauer, in: Bibl 54 (1973) 1-24
E.Käsemann,	Gottesdienst im Alltag der Welt. Zu Römer 12, in: E.Käsemann (Hrsg.), Exegetische Versuche und Besinnungen 2, Göttingen 1964, 198-204
O.Kaiser,	Traditionsgeschichtliche Untersuchung von Genesis 15, in: ZAW 70 (1958) 107-126
O.Kaiser,	Das Buch des Propheten Jesaja. Kapitel 1-12, ATD 17, Göttingen 1981, 5.Aufl.
O.Kaiser,	Das Buch des Propheten Jesaja. Kapitel 13-39, ATD 18, Göttingen 1973
A.S.Kapelrud,	God as Destroyer in the Preaching of Amos and in the Ancient Near East, in: JBL 71 (1952) 33-38
O.Keel,	Feinde und Gottesleugner, SBM 7, Stuttgart 1969
O.Keel,	Wirkmächtige Siegeszeichen im Alten Testament, OBO 5, Freiburg/ Schweiz und Göttingen 1974
J.Kegler,	Das Leid des Nachbarvolkes, in: Werden und Wirken des Alten Testaments (FS C.Westermann), Göttingen 1980, 271-287
W.D.Keidel,	Rückkopplung in biologischen Systemen, in: R.Kurzrock (Hrsg.), Systemtheorie, Forschung und Information 112, Berlin 1972, 39-47

R.F.Kenney,   Jeremiah's Distinctive <u>Contribution</u> to Hebrew Psalmody, Diss.South-
                   ern Baptist Theological Seminary, Louisville, Kentucky 1952
K.Kitamori,   The Theology of the Pain of God, Richmond, Virginia 1965 (dt.:
                   Theologie des <u>Schmerzes</u> <u>Gottes</u>, Göttingen 1972)
R.Kittel,   Die <u>Psalmen</u>, KAT XIII, Leipzig 1914, 1. und 2. Aufl.
R.Knierim,   Die Hauptbegriffe für <u>Sünde</u> im Alten Testament, Gütersloh 1967,
                   2. Aufl.
L.Köhler,   Archäologisches Nr.15: Eine Formel der <u>Gesprächseröffnung</u>, in: ZAW
                   36 (1916) 26f.
J.Kühlewein,   Art. ‏ילד‎, in: THAT I, 732-736
H.M.Kümmel,   <u>Ersatzrituale</u> für den hethitischen König, Studien zu den Boǧazköy-
                   Texten Heft 3, Wiesbaden 1967
W.G.Lambert/A.R.Millard, <u>Atra-Ḥasīs</u>. The Babylonian Story of the Flood, London 1969
I.Lande,   <u>Formelhafte Wendungen</u> der Umgangssprache im Alten Testament, Lei-
                   den 1949
B.Landsberger,   Brief des Bischofs von Esagila an König <u>Asarhaddon</u>, Mededelingen
                   der Koninglijke Nederlandse Akademie van <u>Wetenschapen</u>, Afd. Letter-
                   kunde. Nieuwe Reeks - Deel 28 - No.6, Amsterdam 1965

E.A.Leslie,   The <u>Psalms</u>, New York & Nashville 1949
G.Liedke,   Gestalt und Bedeutung alttestamentlicher <u>Rechtssätze</u>, WMANT 39,
                   Neukirchen-Vluyn 1971
G.Liedke,   Art. ‏ריב‎, in: THAT II, 771-777
W.V.Lindner,   <u>Kreative Gruppenarbeit</u> nach dem Göttinger Stufenmodell, in: Werk-
                   statt Predigt 10 (1974) 2-14
B.O.Long,   The <u>Divine Funeral Lament</u>, in: JBL 85 (1966) 85f.
A.B.Lord,   The Singer of Tales, Atheneum 76, New York 1970 (Paperback-Ausga-
                   be)(dt.: Der <u>Sänger</u> erzählt, München 1965)
M.S.Luker, jr.,   The Figure of Moses in the <u>Plague Traditions</u>, Diss.Drew University,
                   Madison, New Jersey, 1968
J.Lust,   "<u>Mon Seigneur Jahweh</u>" dans le texte hébreu d'Ezéchiel, in: ETL 44
                   (1968) 482-488
G.C.Macholz,   Jeremia in der Konitinuität der Prophetie, in: Probleme biblischer
                   Theologie (FS G.von Rad), München 1971, 306-334
K.Marti,   Eine arabische Paralle zu ‏בי אדני‎, in: ZAW 36 (1916) 246
S.Mittmann,   Komposition und Redaktion von Ps XXIX, in: VT 28 (1978) 172-194
                   (=Ps 29)
S.Mowinckel,   Zur <u>Komposition</u> des Buches Jeremia, Videnskapsselskapets Skrifter.
                   II. Hist.-Filos. Klasse 1913, No.5, Kristiania 1914
S.Mowinckel,   <u>Motiver</u> og stilformer i profeten Jeremias diktning, in: Edda 26
                   (1926) 233-320
P.H.A.Neumann,   <u>Prophetenforschung</u> seit Ewald, in: P.H.A.Neumann (Hrsg.), Das Pro-
                   phetenverständnis in der deutschsprachigen Forschung seit Heinrich
                   Ewald, WdF 307, Darmstadt 1979, 1-51
P.H.A.Neumann,   <u>Zur neueren Psalmenforschung</u>. Einleitung, in: P.H.A.Neumann (Hrsg.)
                   Zur neueren Psalmenforschung, WdF 192, Darmstadt 1976, 1-18
P.K.D.Neumann,   Das <u>Wort</u>, das geschehen ist. Zum Problem der Wortempfangstermino-
                   logie in Jer 1-25, in: VT 23 (1973) 171-217
E.W.Nicholson,   <u>Preaching</u> to the Exiles: A Study in the Prose Tradition in the
                   Book of Jeremiah, Oxford 1970
M.Noth,   Geschichte Israels, Göttingen 1954, 2.Aufl.=1959, 4.Aufl.
M.Noth,   Das vierte Buch Mose. <u>Numeri</u>, ATD 7, Göttingen 1966
M.Noth,   Überlieferungsgeschichte des <u>Pentateuch</u>, Stuttgart 1948=Darmstadt
                   1960, 2.Aufl.
M.Noth,   Die israelitischen <u>Personennamen</u> im Rahmen der gemeinsemitischen
                   Namengebung, Stuttgart 1928=Hildesheim 1966

M.Ogushi,	Der Tadel im Alten Testament. Eine formgeschichtliche Untersuchung, Diss. (Masch.) Heidelberg 1976
R.Ohmann,	Generative Grammatiken und der Begriff: Literarischer Stil, in: J.Ihwe (Hrsg.), Literaturwissenschaft und Linguistik I, Frankfurt/ M. 1971, 213-233 (=Stilbegriff)
L.Perlitt,	Sinai und Horeb, in: Beiträge zur Alttestamentlichen Theologie (FS W.Zimmerli), Göttingen 1977
J.Plastaras,	Und rettet sie aus Ägypten, Biblisches Forum 5, Stuttgart 1970
K.-F.Pohlmann,	Studien zum Jeremiabuch. Ein Beitrag zur Frage nach der Entstehung des Jeremiabuches, FRLANT 118, Göttingen 1978
G.Quell,	Art. κυριος κτλ., C. der at.liche Gottesname, in: ThW 3, 1056-1080
G.Quell,	Wahre und falsche Propheten, BFChrTh 46,1, Gütersloh 1952
G.von Rad,	Deuteronomium-Studien, FRLANT NF 40, Göttingen 1947 (zitiert nach: R.Smend (Hrsg.), G.von Rad, GesStud zum AT II, München 1973, 109-153)
G.von Rad,	Das formgeschichtliche Problem des Hexateuch, BWANT 4.F., H.26, Stuttgart 1938 (zitiert nach: G.von Rad, Ges Stud 2. Aufl., 9-86)
G.von Rad,	Die Konfessionen Jeremias, in: EvTh 3 (1936) 265-276 (zitiert hiernach) (Wiederabdruck in: R.Smend (Hrsg.), GesStud zum AT II, München 1973, 224-235)
G.von Rad,	Die levitische Predigt in den Büchern der Chronik, in: FS Procksch, 113-124 (zitiert nach: G.von Rad, GesStud 2.Aufl., 248-261)
G.von Rad,	Theologie des Alten Testaments, Band 1, München 1957, 4.Aufl. (=Theologie I); Band 2, München 1962, 3.Aufl. (=Theologie II)
R.Rehmann,	Der Mann auf der Kanzel, München und Wien 1979
R.Rendtorff,	Botenformel und Botenspruch, in: ZAW 74 (1962) 165-177
R.Rendtorff,	Zum Gebrauch der Formel n^e'um jahwe im Jeremiabuch, in: ZAW 66 (1954) 27-37
R.Rendtorff,	Das überlieferungsgeschichtliche Problem des Pentateuch, BZAW 147, Berlin/New York 1977
H.Graf Reventlow,	Das Amt des Propheten bei Amos, FRLANT 80, Göttingen 1962
H.Graf Reventlow,	Wächter über Israel. Ezechiel und seine Tradition, BZAW 82, Berlin 1962
H.Graf Reventlow,	Liturgie und prophetisches Ich bei Jeremia, Gütersloh 1963
H.Graf Reventlow,	Prophetenamt und Mittleramt, in: ZThK 58 (1961) 269-284
H.Richter,	Studien zu Hiob, ThA 11, Berlin o.J.
W.Richter,	Die sogenannten vorprophetischen Berufungsberichte, FRLANT 101, Göttingen 1970
W.Richter,	Exegese als Literaturwissenschaft, Göttingen 1971
I.Riesener,	Der Stamm עבד im Alten Testament, BZAW 149, Berlin 1978
R.Riess,	Zur pastoralpsychologischen Problematik des Predigers, in: Praxis Ecclesiae (FS K.Frör), München 1970, 295-321
C.Rietzschel,	Das Problem der Urrolle. Ein Beitrag zur Redaktionsgeschichte des Jeremiabuches, Gütersloh 1966
H.W.Robinson,	Corporate Personality in Ancient Israel, facet books, Biblical Series 11, Philadelphia 1964
L.Rost,	Die Überlieferung von der Thronnachfolge Davids, BWANT 42, Stuttgart 1926
W.Rothstein,	Jeremia, HSAT I, Tübingen 1922, 4.Aufl.
W.Rudolph,	Jeremia, HAT I/12, Tübingen 1968, 3.Aufl.
W.Rudolph,	Zum Jeremiabuch, in: ZAW 60 (1944) 85-106
E.Ruprecht,	Entstehung und zeitgeschichtlicher Bezug der Erzählung von der Designation Hasaels durch Elisa (2. Kön VIII 7,15), in: VT 28 (1978) 73-82
E.Ruprecht,	Exodus 24,9-11 als Beispiel lebendiger Erzähltradition aus der Zeit des babylonischen Exils, in: Werden und Wirken des Alten Testaments (FS C.Westermann), Göttingen 1980, 138-173

E.Ruprecht,	Vorgegebene Tradition und theologische Gestaltung in Genesis XII 1-3, in: VT 29 (1979) 171-188 (=Gen 12,1-3)
E.Ruprecht,	Stellung und Bedeutung der Erzählung vom Mannawunder (Ex 16) im Aufbau der Priesterschrift, in: ZAW 86 (1974) 269-308
J.Scharbert,	Heilsmittler im Alten Testament und im Alten Orient, Quaestiones Disputatae 23/24, Freiburg/Basel/Wien 1964
H.H.Schmid,	Der sogenannte Jahwist, Zürich 1976
H.Schmidt,	Das Gebet des Angeklagten im Alten Testament, BZAW 49, Gießen 1928
H.Schmidt,	Die großen Propheten, SAT II/2, Göttingen 1923, 2.Aufl.
J.M.Schmidt,	Gedanken zum Verstockungsauftrag Jesajas (Is.6), in: VT 21 (1971) 68-90
K.L.Schmidt,	Der Rahmen der Geschichte Jesu, Berlin 1919=Darmstadt 1964
W.H.Schmidt,	Exodus, BK II, Neukirchen-Vluyn 1974ff.
W.Schottroff,	"Gedenken" im Alten Orient und im Alten Testament, WMANT 15, Neukirchen-Vluyn 1964
W.Schottroff,	Jeremia 2,1-3. Erwägungen zur Methode der Prophetenexegese, in: ZThK 67 (1970) 263-294
J.Schreiner,	Die Klage des Propheten Jeremias. Meditation zu Jer 15,10-21, in: Bibel und Leben 7 (1966) 220-224
J.Schreiner,	Unter der Last des Auftrags. Aus der Verkündigung des Propheten Jeremias: Jer 11,18-12,6 (III. Teil), in: Bibel und Leben 7 (1966) 180-192
I.L.Seeligmann,	Die Auffassung von der Prophetie in der deuteronomistischen und chronistischen Geschichtsschreibung (mit einem Exkurs über das Buch Jeremia), in: VTS 29, Leiden 1978, 254-284
E.Sellin,	Das Zwölfprophetenbuch, KAT XII, Göttingen 1929-1930, 2. und 3. Aufl.
D.Sengbaas,	Informations- und Rückkopplungsprozesse bei Entscheidungen in Regierung und Verwaltung, in: R.Kurzrock (Hrsg.), Systemtheorie, Forschung und Information 112, Berlin 1972, 39-47
K.Seybold,	Elia am Gottesberg. Vorstellungen prophetischen Wirkens nach 1. Könige 19, in: EvTh 33 (1973) 3-18
D.Sölle,	Leiden, Themen der Theologie, Ergänzungsband, Stuttgart und Berlin 1973
Y.Spiegel,	Der Pfarrer im Amt, München 1970
J.J.Stamm,	Die Bekenntnisse des Jeremia, in: Kirchenblatt für die reformierte Schweiz 111 (1955) 354-357.370-375
O.H.Steck,	Überlieferung und Zeitgeschichte in den Elia-Erzählungen, WMANT 26, Neukirchen-Vluyn 1968
O.H.Steck,	Bemerkungen zu Jesaja 6, in BZ NF 16 (1972) 188-206
H.-J.Stoebe,	Jeremia, Prophet und Seelsorger, in: ThZ 20 (1964) 385-406
H.-J.Stoebe,	Seelsorge und Mitleiden bei Jeremia, in: WuD NF 4 (1955) 116-134
F.Stolz,	Psalm 22: Alttestamentliches Reden vom Menschen und neutestamentlichen Reden von Jesus, in: ZThK 77 (1980) 129-148
F.Stolz,	Zeichen und Wunder, in: ZThK 69 (1972) 125-144
S.Sunnus,	Die ersten sieben Jahre, Münster 1977
W.Thiel,	Die deuteronomistische Redaktion des Buches Jeremia, Diss. (Masch.) Berlin-O. 1970
W.Thiel,	Die deuteronomistische Redaktion von Jeremia 1-25, WMANT 41, Neukirchen-Vluyn 1971 (enthält S.1-452 und 636-650 der Diss. (Masch.) und ist um S.279-289 und 301f. erweitert)
R.von Ungern-Sternberg,	Redeweisen der Bibel, Biblische Studien 54, Neukirchen-Vluyn 1968
T.Veijola,	Die ewige Dynastie, STTAASF Sarja-Ser.B, Tide-Tom.193, Helsinki 1975
D.Vetter,	Seherspruch und Segensschilderung. Ausdrucksabsichten und sprachliche Verwirklichungen in den Bileam-Sprüchen von Numeri 23 und 24, CTM A.4, Stuttgrt 1974

P.Volz,   Der Prophet _Jeremia_, KAT X, Leipzig 1928
H.Vorlaender,   _Mein Gott_. Die Vorstellungen vom persönlichen Gott im Alten Orient
                und im Alten Testament, AOAT 23, Neukirchen-Vluyn 1975
G.Wanke,   _Untersuchungen_ zur sogenannten Baruch-Schrift, BZAW 122, Berlin
                1972
M.Weinfeld,   Deuteronomy and Deuteronomic School, Oxford 1972
H.Weippert,   Die _Prosareden_ des Jeremiabuches, BZAW 132, Berlin 1973
A.Weiser,   Das Buch _Jeremia_, ATD 20, Göttingen 1969, 6.Aufl.
A.Weiser,   Das Gotteswort für Baruch _Jer.45_ und die sogenannte Baruchbiogra-
                phie, in: A.Weiser (Hrsg.), Glaube und Geschichte im Alten Testa-
                ment und andere ausgewählte Schriften, Göttingen 1961, 321-329
J.Wellhausen,   Israelitische und jüdische _Geschichte_, Berlin 1958, 9.Aufl.
J.Wellhausen,   Die _Composition_ des Hexateuchs und der historischen Bücher des
                Alten Testaments, Berlin 1963, 4.Aufl.
P.Welten,   _Leiden und Leidenserfahrung_ im Buche Jeremia, in: ZThK 74 (1977)
                123-150
A.Wendel,   Das freie _Laiengebet_ im vorexilischen Israel, Ex oriente lux 5,
                Leipzig 1931
C.Westermann,   _Arten der Erzählung_ in der Genesis, in: C.Westermann (Hrsg.), For-
                schung am Alten Testament, ThB 24, München 1964, 9-91 (Wiederab-
                druck (seitengleich) in: C.Westermann, Die Verheißungen an die
                Väter, FRLANT 116, Göttingen 1976, 9-91 (S.10f. sind nicht mit ab-
                gedruckt))
C.Westermann,   Das Buch Jesaja. Kap.40-66, Göttingen 1966 (Kap.40-55=_Dtjes_)
C.Westermann,   Der _Frieden_ (Shalom) im Alten Testament, in: Studien zur Friedens-
                forschung 1, Stuttgart 1969, 144-177 (zitiert hiernach) (Wieder-
                abdruck in: R.Albertz/E.Ruprecht (Hrsg.), C.Westermann, Forschung
                am Alten Testament II, ThB 55, München 1974, 196-229)
C.Westermann,   Anthropologische und theologische Aspekte des _Gebets_ in den Psal-
                men, in: Liturgisches Jahrbuch 23 (1973) 83-96 (Wiederabdruck in:
                P.H.A.Neumann (Hrsg.), Zur neueren Psalmenforschung, WdF 192,
                Darmstadt 1976, 452-468 (zitiert hiernach))
C.Westermann,   Genesis 1-11, BK I/1, Neukirchen-Vluyn 1974 (=_Genesis 1_)
C.Westermann,   Genesis 12-36, BK I/2, Neukirchen-Vluyn 1981 (=_Genesis 2_)
C.Westermann,   Zum _Geschichtsverständnis_ des Alten Testaments, in: Probleme bi-
                blischer Theologie (FS G.von Rad), München 1971, 611-619
C.Westermann,   _Grundformen_ prophetischer Rede, BEvTh 31, München 1964, 2.Aufl.
                =1978, 5.Aufl.
C.Westermann,   Der Aufbau des Buches _Hiob_, BHTh 23, Tübingen 1956 (zitiert hier-
                nach) (Wiederabdruck in: CTM A.6, Stuttgart 1978 (3.Aufl.))
C.Westermann,   Das _Hoffen_ im Alten Testament. Eine Begriffsuntersuchung, in:
                Theologia Viatorum 4 (1952) 19-70 (zitiert nach: C.Westermann
                (Hrsg.), Forschung am Alten Testament, ThB 24, München 1964, 219-
                265)
C.Westermann,   Jeremia, Stuttgart 1967
C.Westermann,   Das _Loben Gottes_ in den Psalmen, Göttingen 1963, 3.Aufl. (zitiert
                hiernach) (Wiederabdruck in: C.Westermann, Lob und Klage in den
                Psalmen, Göttingen 1977)
C.Westermann,   The Way of the _Promise_ through the Old Testament, in: B.W.Anderson
                (Hrsg.), The Old Testament and Christian Faith, New York/Evanston/
                London 1963, 200-224 (dt.: Der Weg der Verheißung durch das Alte
                Testament, in: R.Albertz/E.Ruprecht (Hrsg.), Forschung am Alten
                Testament II, ThB 55, München 1974, 230-249)
C.Westermann,   Art. _Propheten_, in: BHH III 1496-1512
C.Westermann,   Die _Rolle der Klage_ in der Theologie des Alten Testaments, in: R.
                Albertz/E.Ruprecht (Hrsg.), Forschung am Alten Testament II, ThB
                55, München 1974, 250-268

C.Westermann,	Der Segen in der Bibel und im Handeln der Kirche, München 1968
C.Westermann,	Sprache und Struktur der Prophetie Deuterojesajas, in: C.Westermann (Hrsg.), Forschung am Alten Testament, ThB 24, München 1964, 92-170
C.Westermann,	Struktur und Geschichte der Klage im Alten Testament, ebda., 266-305 (Wiederabdruck in: C.Westermann, Lob und Klage in dem Psalmen, Göttingen 1977)
C.Westermann,	Theologie des Alten Testaments in Grundzügen, Grundzüge zum Alten Testament, ATD, Ergänzungsreihe 6, Göttingen 1978
C.Westermann,	Die Verheißungen an die Väter, in: Die Verheißungen an die Väter. Studien zur Vätergeschichte, FRLANT 116, Göttingen 1976, S.9-150
C.Westermann,	Art. Zorn und Gericht, Klage, in: C.Westermann (Hrsg.), Arbeitsbuch Religion und Theologie. VIx12 Hauptbegriffe, Stuttgart 1976, 20-23
C.Westermann,	Art. יחל, in: THAT I, 727-730
C.Westermann,	Art. עבד, in: THAT II, 182-200
C.Westermann,	Art. שרת, in: THAT II, 1019-1022
H.Wildberger,	Jahwewort und prophetische Rede bei Jeremia, Diss.Zürich 1942
H.Wildberger,	Art. Jeremiabuch, in: RGG, 3.Aufl., III, 584-590
H.Wildberger,	Jesaja 1-12, BK X/1, Neukirchen-Vluyn 1972 (=Jesaja 1)
H.Wildberger,	Jesaja 13-27, BK X/2, Neukirchen-Vluyn 1978 (=Jesaja 2)
H.Wildberger,	Art. אמן, in: THAT I, 177-209
D.H.Wimmer,	Prophetic Experience in the Confessions of Jeremiah, Diss.University of Notre Dame 1973
W.Winkler/E.F.Sievers,	Pastoren von A-Y, Göttingen 1971
C.Wolff,	Jeremia im Frühjudentum und Urchristentum, TU 118, Berlin 1976
H.W.Wolff,	Dodekapropheton 1: Hosea, BK XIV/1, Neukirchen-Vluyn 1965, 2.Aufl.
H.W.Wolff,	Hoseas geistige Heimat, in: ThLZ 81 (1956) 83-94 (zitiert nach: Wolff, GesStud., 232-250)
H.W.Wolff,	Dodekapropheton 2: Joel.Amos, BK XIV/2, Neukirchen-Vluyn 1969
H.W.Wolff,	Gottes Leidenschaft im Rechtsstreit für Israel, in: H.W.Wolff (Hrsg.), Wegweisung. Gottes Wirken im Alten Testament. Vorträge zum Bibelverständnis, München 1965, 151-164
H.W.Wolff,	Wie verstand Micha von Moreschet sein prophetisches Amt? in: VTS 29, Leiden 1978, 403-417
H.W.Wolff,	Das Zitat im Prophetenspruch, in: Wolff, GesStud., 36-129
H.Wulf,	Pfarrer - wie lange noch? Neukirchen-Vluyn 1971
H.Wulf/A.Stein,	Pfarrer Y und die Gesetze, Neukirchen-Vluyn 1977
W.Zimmerli,	Ezechiel 1-24, BK XIII/1, Neukirchen-Vluyn 1969 (=Ezechiel 1)
W.Zimmerli,	Ezechiel 25-48, BK XIII/2, Neukirchen-Vluyn 1969 (=Ezechiel 2)
W.Zimmerli,	Jeremia, der leidtragende Verkündiger, in: Communio 4 (1975) 97-111

Nachtrag:

K.Gross,	Die literarische Verwandtschaft Jeremias mit Hosea, Diss.Berlin 1930